L'implicite

Les classiques
du fonds
Armand Colin
Sedes

Collection U • Linguistique

A. ABEILLÉ, *Les Nouvelles Syntaxes*, 1993.

S. AUROUX, S. DELESALLE, H. MESCHONNIC, *Histoire et grammaire du sens*, 1996.

A. BORILLO, F. SOUBLIN, J. GARDES-TAMINE, *Exercices de syntaxe transformationnelle du français*, 1985.

A. DELAVEAU, F. KERLEROUX, *Problèmes et exercices de syntaxe française*, 1985.

M.-N. GARY-PRIEUR, *De la grammaire à la linguistique*, 1989.

H. HUOT, *Enseignement du français et linguistique*, 1981.

H. HUOT (sous la dir. de), *La Grammaire française entre comparatisme et structuralisme*, 1991.

C. KERBRAT-ORECCHIONI, *Les Interactions verbales* (3 tomes: t. 1, 1998; t. 2, 1994; t. 3, 1998).

C. KERBRAT-ORECCHIONI, *L'Énonciation*, 1997.

C. KLEIBER, *Nominales*, 1994.

CH. MARCHELLO-NIZIA, *L'Évolution du français*, 1995.

A. MARTINET, *Syntaxe générale*, 1985.

A. MARTINET, *Fonction et dynamique des langues*, 1989.

J. MOESCHLER, *Théorie pragmatique et pragmatique conversationnelle*, 1996.

C. MULLER, *La Subordination en français*, 1996.

C. NIQUE, *Grammaire générative: hypothèses et argumntations*, 1978.

C. NIQUE, *Initiation méthodique à la grammaire générative*, 1993.

A. REY, *Le Lexique: images et modèles*, 1977.

C. TOURATIER, *Le Système verbal français*, 1996.

Collection U • Lettres

F. ARGOD-DUTARD, *Éléments de phonétique appliquée*, 1996.

G. AUDISIO, I. BONNOT-RAMBAUD, *Lire le français d'hier*, 1994.

P. COIRIER, D. GAONAC'H, J.-M. PASSERAULT, *Psycholinguistique textuelle. Approche cognitive de la compréhension et de la production des textes*, 1996.

G. JOLY, *Précis de phonétique historique du français*, 1995.

A. QUEFFÉLEC, R. BELLON, *Linguistique médiévale. L'épreuve d'ancien français aux concours*, 1995.

É. RAVOUX RALLO, *Méthodes de critique littéraire*, 1994.

CATHERINE KERBRAT-ORECCHIONI

L'implicite

Deuxième édition

ARMAND COLIN

ARMAND COLIN ÉDITEUR • 34 BIS, RUE DE L'UNIVERSITÉ • 75007 PARIS

Introduction

« La vie est trop courte pour s'habiller triste. »

Certes.

Mais de là à porter des Newman [1]... : c'est pourtant ce qu'en contexte [2], de toute évidence, cet énoncé signifie.

Et c'est de ce « de là » qu'il s'agira ici de rendre compte : de l'itinéraire que doit parcourir le récepteur d'un énoncé, de son contenu explicite, à son (ou ses) contenu(s) implicite(s) éventuel(s).

L'implicite, sa vie, son œuvre : comment il naît, et comment il agit ; sa genèse, et ses effets pragmatiques. Genèse en un sens paradoxal, puisque l'extraction d'un contenu implicite exige du décodeur un surplus de travail interprétatif (symétrique du surplus de travail productif qu'exige l'encodage d'un tel contenu) ; effets mystérieux mais certains, puisqu'eux seuls peuvent expliquer qu'on ne parle pas toujours, ce serait pourtant tellement plus simple pour tout le monde, directement.

Or, on ne parle pas toujours directement. Certains vont même jusqu'à dire qu'on ne parle *jamais* directement ; qu'« Il fait chaud ici » ne signifie jamais qu'il fait chaud ici mais, c'est selon, « Ouvre la fenêtre », « Ferme le radiateur », « Est-ce que je peux tomber la veste ? », « Il fait frais ailleurs », « Je n'ai rien de plus intéressant à dire », etc. : bref, ce serait l'indirection qui serait « la règle ».

Mais ce n'est pas sans réticences que nous voyons parfois apporter tant d'eau à notre moulin : d'abord, si par « règle » on entend l'une de ces « lois de discours » qui relèvent d'une sorte de code déontologique des usages langagiers, c'est bien la formulation explicite, nous y reviendrons, qui est autant que faire se peut « de règle » : de même que le mensonge est « marqué » par rapport à l'énoncé sincère, de même (toutes proportions gardées, mais parler implicitement, n'est-ce pas commettre une espèce de mensonge par omission?) la formulation explicite se « marque » et se démarque par rapport à la formulation explicite jugée plus « normale ». Ensuite, les contenus explicites sont logiquement premiers, en ce que l'existence des contenus implicites présuppose unilatéralement celle des contenus explicites sur lesquels ils se greffent, et qu'éventuellement même, nous le verrons, ils détournent à leur seul profit.

Cela dit, le problème est ici le même que celui que nous avons antérieurement rencontré s'agissant du couple dénotation/connotation [3] : la subordination logique d'un type de contenu à un autre ne va pas nécessairement de pair avec sa moindre importance dans les fonctionnements langagiers. Que les contenus implicites (ces choses dites à mots *couverts,* ces *arrière*-pensées *sous*-entendues *entre* les lignes) pèsent *lourd* dans les énoncés, et qu'ils jouent un rôle crucial dans le fonctionnement de la machine interactionnelle, c'est certain. Quelle que soit la bizarrerie de leur statut topographique, les contenus implicites méritent donc que l'analyse s'y attarde.

Nous avons pour mener la nôtre procédé de la façon suivante : sélectionnant au hasard des rencontres certains énoncés qui nous paraissaient intuitivement chargés d'implicite, nous les avons soumis à un décorticage minutieux, visant à identifier le plus précisément possible, outre la *nature* des contenus implicites véhiculés par l'énoncé (que nous paraphrasons en des termes nécessairement approximatifs) [4] :

– le *support* linguistique desdits contenus

– leur *statut* (de présupposé, sous-entendu, etc.)

– leur *genèse* enfin, c'est-à-dire les mécanismes sous-tendant leur extraction.

Ces énoncés sont en général assez brefs, et empruntés pour la plupart à la langue quotidienne; énoncés fort banals en apparence, et pourtant déjà si complexes que pour illustrer plus économiquement notre démarche descriptive nous devons nous rabattre sur la simplicité canonique de cet « exemple bien culotté » (Ducrot, 1977, a), p. 173 – et que Ducrot a d'ailleurs lui-même largement contribué à culotter [5]) :

Pierre a cessé de fumer

En simplifiant considérablement les choses pour les besoins de notre cause illustrative, disons qu'un tel énoncé véhicule les informations suivantes :

C_0 : /Pierre, actuellement, ne fume pas/

Support signifiant : la totalité du matériel lexical, syntaxique, prosodique ou typographique constitutif de la séquence.

Statut : c'est un contenu explicite (posé).

Genèse : le décodage de C_0 repose exclusivement sur la compétence linguistique du récepteur.

C_1 : /Pierre, auparavant, fumait/

Support signifiant : c'est d'abord l'item lexical « cesser de », qui comporte un présupposé /il en était autrement auparavant/, lequel va entrer en composition avec le contenu propositionnel C_0 pour engendrer C_1 [6].

Statut : inférence (reposant sur un) présupposé(e).

Genèse : seule la compétence linguistique du récepteur se trouve là encore impliquée dans l'extraction de cette inférence (implicite donc).

Sur C_0 et C_1 peut en outre venir se greffer – éventuellement, et entre autres :

C_2 : /C'est pas comme toi qui continues à fumer, tu vois bien qu'on peut y arriver, prends-en de la graine.../

(proposition complexe que pour simplifier nous traitons ici comme unique).

Ancrage signifiant : $C_0 + C_1$, c'est-à-dire l'ensemble des deux contenus hyper-ordonnés (ainsi que vraisemblablement, à l'oral, un signifiant de nature intonative).

Statut : c'est une inférence sous-entendue, qui ne s'actualise que dans certaines circonstances énonciatives particulières.

Genèse : outre sa compétence linguistique (nécessaire pour décoder C_0 et C_1), l'extraction de cette inférence fait appel à la compétence « encyclopédique » de l'allocutaire A (c'est-à-dire qu'elle exige certaines informations contextuelles concernant le locuteur L – ce qu'il pense du tabac, sa relation à A, etc. – et l'allocutaire A – il fumait, il fume toujours, il aimerait bien pouvoir s'arrêter...), ainsi qu'à sa compétence « rhétorico-pragmatique » (dans la mesure où cet énoncé, interprété littéralement, peut venir enfreindre la « loi d'informativité » – si par exemple A le sait bien, que Pierre a cessé de fumer; ou la « loi de pertinence » – si cette information sur Pierre n'a guère de chance d'intéresser A).

(N.B. : tout au long de ce texte, *les symboles L et A seront systé-*

matiquement utilisés pour désigner respectivement le locuteur, et l'allocutaire impliqués dans le circuit énonciatif.)

Les résultats de cette investigation seront présentés en deux parties :

1) *Le statut des contenus implicites :* Ce n'est en effet pas leur *nature* qui différencie les contenus implicites des contenus explicites (on peut exprimer les mêmes choses exactement sur les modes implicite et explicite [7]), mais leur *statut* – leur mode de présentation, la façon dont ils se trouvent « logés » dans l'énoncé : une fois identifiée la présence dans tel énoncé de tel contenu implicite, il s'agit de spécifier son mode d'existence. Nous tenterons donc dans un premier temps d'y voir un peu plus clair dans ce maquis terminologique constitué de présupposés, de sous-entendus, d'inférences, d'insinuations, d'allusions, d'implications (implicitations, implicatures), de valeurs illocutoires dérivées (conventionnelles ou non), d'interprétations figurales..., et nous proposerons au passage une « Théorie Standard Étendue » du trope, visant à incorporer certains aspects du fonctionnement des contenus implicites et des « indirect speech acts » au cadre beaucoup plus ancien de la théorie des tropes.

2) *La genèse des contenus implicites :* qu'est-ce qui suscite leur émergence, et comment le récepteur procède-t-il pour les extraire de l'énoncé ?

Notre réponse à cette question sera centrée sur l'idée suivante, devenue fort banale au demeurant : que le décryptage des contenus implicites n'est possible qu'en recourant, en plus des informations concernant le code linguistique impliqué dans la construction de l'énoncé (« compétence linguistique »), à des informations concernant :
  • le contexte extra-verbal (« compétence encyclopédique »),
  • le fonctionnement des « maximes conversationnelles » ou « lois de discours » (« compétence rhétorico-pragmatique »),
  • enfin, certains mécanismes caractéristiques de la « logique naturelle » (« compétence logique »).

Il arrive d'ailleurs que ces compétences non linguistiques interviennent déjà, même si c'est de façon plus discrète, lors du décodage des contenus explicites : les procédures qui permettent l'extraction des contenus implicites ne sont pas fondamentalement différentes de celles qui permettent l'identification du contenu explicite; mais le décodage des contenus implicites présente le double intérêt d'être plus laborieux, et hasardeux (donc de permettre au linguiste une saisie plus fine des mécanismes qui régissent le «calcul interprétatif»), et de rendre plus impératif encore l'appel à certaines considérations de nature non spécifiquement linguistique.

Concluons explicitement sur ce qu'implicitement les considérations précédentes suggèrent : nos deux postulats méthodologiques fondamentaux sont les suivants :
– adoption délibérée du point de vue de décodage (faire de la linguistique, c'est pour nous *tenter de comprendre comment les énoncés sont compris*);
– abandon résolu d'une perspective descriptive de type «immanentiste».

Cette étude prétend ce faisant contribuer au développement de la «pragmatique linguistique» – cette «poubelle», au dire de certains traditionalistes[8], et que l'on pourrait plus justement peut-être considérer comme l'auberge espagnole de la linguistique, prête à accueillir en son sein toutes sortes d'investigations plus ou moins hétéroclites.

Poubelle, ou auberge espagnole? Aussi mal famée soit-elle pour certains, c'est en tout cas pour nous du côté de la pragmatique que la réflexion linguistique peut à l'heure actuelle s'alimenter avec le plus de profit[9].

PREMIÈRE PARTIE

Le statut
des
contenus implicites

Chapitre 1

Supports linguistiques
des contenus implicites

En Union soviétique sévit à ce qu'il paraît un mal bien étrange : c'est la « schizophrénie torpide », dont l'originalité consiste en ce qu'elle existe de manière assurée, en l'absence de tout symptôme observable [1]. Concept commode, et rentable assurément – mais aberrant sém(é)iologiquement ; pour la sémiologie, pas de signifié sans signifiant ; pour nous, *toute unité de contenu susceptible d'être décodée possède nécessairement dans l'énoncé un support linguistique quelconque.* Et les contenus implicites (en dépit de certains qui déclarent ou laissent entendre que l'énonciation, que le contexte extra-verbal serait parfois susceptible de créer *ex nihilo,* miraculeusement, des significations verbales) n'échappent pas à la règle : tout au plus peuvent-ils être, et sont-ils en général du reste, le résultat d'un *calcul compositionnel* appliquant certaines données extra-énoncives à certaines informations intra-énoncives.

Il convient cela dit de distinguer deux types d'ancrage des contenus verbaux : nous parlerons d'« *ancrage direct* » d'une unité de contenu lorsque celle-ci possède à la surface de l'énoncé un support signifiant spécifique – simple ou complexe, lexical et/ou syntaxique et/ou prosodique ou typographique.

Ce mode d'ancrage caractérise tous les contenus explicites, mais aussi certains types de contenus implicites : présupposés, illocutoire dérivé « marqué », ainsi que certains sous-entendus à support intonatif, lexical ou syntaxique.

Mais la plupart des sous-entendus relèvent de l'« *ancrage indirect* » : le contenu implicite vient alors se greffer, selon un mécanisme de « décrochement » analogue à celui qui caractérise certains des contenus de connotation [2], sur la totalité ou une partie d'un ou plusieurs des niveaux de contenu hyper-ordonnés dans l'énoncé (ainsi dans l'exemple de « Pierre a cessé de fumer », le contenu C_2 récupère-t-il à son profit les contenus supérieurs C_1 et C_0). La compréhension de certains énoncés inclut donc celle d'autres énoncés que l'on construit à partir des premiers – ou plus exactement, d'autres niveaux de contenus que le littéral, contenus que l'on explicite métalinguistiquement en leur octroyant des supports signifiants, c'est-à-dire en les convertissant en énoncés verbaux [3].

En d'autres termes encore : les énoncés apparaissent comme des sortes de *feuilletés,* dont la structure sémantique se constitue d'un ensemble de contenus propositionnels [4] dérivant en cascade, transitivement, les uns des autres, la description ayant pour but de reconstituer la *chaîne interprétative* menant des contenus les plus manifestes aux couches sémantiques les plus enfouies et aléatoires [5].

Remarques

– Les faits intonatifs, et plus largement prosodiques (pauses, accents toniques), qui jouent à coup sûr, à l'oral, un rôle décisif dans l'actualisation des contenus implicites, sont pour nous à considérer de plein droit comme des signifiants *linguistiques, et non extralinguistiques :* ils relèvent de l'énoncé, et non du contexte énonciatif (au même titre qu'à l'écrit, les divers signes diacritiques et marques de ponctuation). Et nous nous opposons sur ce point à Berrendonner, qui relègue dans l'énonciation les « mimiques intonatives » [6], ce qui lui permet de conclure (1981, a), p. 158) que *rien* ne marque explicitement ni spécifiquement, à l'oral (le point d'interrogation étant sans doute à exclure semblablement, à l'écrit, de la matière signifiante) l'acte de langage « interrogation »; et d'attribuer « zéro pour la question » (1981, b)), la note est un peu sévère, à tous les grammairiens s'étant avant lui penchés sur le problème.

Cela dit, dès lors que l'on se refuse à prononcer un ostracisme aussi arbitraire, la question se pose de savoir où passe exactement la frontière entre données linguistiques et non linguistiques : les faits prosodiques sont en effet liés aux faits mimo-gestuels, auxquels ils sont souvent associés sous le label « para-verbal ». Notre réponse à cette question sera la suivante : nous considérerons comme linguistiques les signifiants prosodiques dans leur ensemble, dans la mesure où ils relèvent du canal auditif, et sont incorporés à la trame phonique, leur réalisation présupposant celle des signifiants phonématiques – tandis que les signifiants mimo-gestuels n'ont besoin d'aucun support phonique pour se réaliser. Mais il faut reconnaître que certains types de faits para-verbaux chevauchent cette frontière que nous tentons de tracer entre linguistique et non linguistique : le rire par exemple, ou les sanglots (qui sans être de nature « verbale » [7], comportent nécessairement une composante « vocale »), ou même le sourire, qui parfois « s'entend » tout autant qu'il se voit [8].

Autre problème, autrement plus gênant : malgré les nombreuses études sur la question [9], on ne sait encore que peu de choses sur les intonations, leur articulation en unités distinctives, et leurs valeurs sémantico-pragmatiques. Ainsi : existe-t-il une intonation spécifique de l'insinuation, de l'allusion, ou de l'ironie (Grice, 1978, p. 124 : « I am also doubtful whether [...] the ironical tone exists as a specific tone »)? de la « subordination implicite »? de tel ou tel « indirect speech act »? En l'absence de réponse claire à de telles questions, qui hypothèque gravement toute réflexion sur l'implicite, il demeure dans bien des cas impossible de préciser si tel ou tel contenu relève de l'explicite ou de l'implicite, et dans le second cas, de l'ancrage direct ou indirect. Une chose est en tout cas sûre : C'est que le statut d'une même unité de contenu s'attachant à un même énoncé peut varier selon que cet énoncé se réalise à l'écrit ou à l'oral – et c'est pour l'essentiel sous leur forme écrite que nous envisagerons nos exemples : même si les énoncés écrits sont moins riches en implicite que les énoncés oraux, ils permettent tout de même d'effectuer quantité d'observations pertinentes, et relativement moins hasardeuses.

– Les contenus ancrés directement possèdent donc un ou plusieurs supports signifiants spécifiques inscrits dans la séquence à laquelle ils s'attachent; les contenus ancrés indirectement se greffent sur un (ou plusieurs) contenu(s) hyper-ordonné(s) sans posséder de signifiant propre – sauf à considérer celui-ci comme virtuellement présent, mais effacé en surface; c'est-à-dire : *élidé*.

Le problème qui se trouve ici posé est le suivant : lorsqu'on identifie un contenu que rien ne vient en apparence supporter, dans quel cas est-il légitime de considérer comme élidé et catalysable, plutôt que tout simplement absent, le signifiant susceptible de l'expliciter? Nous serions bien incapable d'énoncer les principes généraux d'une réponse satisfaisante à une aussi épineuse question [10]. Disons que sans tomber dans le positivisme outrancier de ceux que F. Brunot appelle les « ellipsophobes » (car il arrive effectivement que dans certains cas d'incomplétude syntaxique manifeste – « Mitterrand Président! » –, ou d'absence d'un anaphorique aisément reconstituable – « Je sais ! » – le traitement par l'ellipse corresponde à une réalité psycholinguistique indéniable), l'attitude de certains « ellipsomanes » (antiques, classiques, ou générativistes) a largement contribué à rendre les linguistes méfiants envers les facilités d'un traitement permettant d'obtenir de façon souvent « ad hoc » des généralisations intempestives ; et qu'un tel traitement est en tout cas parfaitement injustifié dans le cas d'un exemple tel que notre précédent « Pierre a cessé de fumer », ainsi que dans la grande majorité de ceux que nous aurons par la suite à traiter.

– Toute unité de contenu, explicite ou implicite, possède un ancrage textuel direct ou indirect, donc en dernière instance certains *supports signifiants* sur lesquels repose prioritairement son émergence. Laquelle peut être en outre sollicitée par un certain nombre d'*indices* extérieurs à la séquence porteuse du sens envisagé [11]. Ces indices, par exemple du contenu éventuellement ironique d'une séquence telle que « Quel joli temps ! », peuvent être de nature :

• *cotextuelle* (environnement verbal, ex. : « Quel joli temps ! Heureusement que j'ai pensé à prendre mon parapluie... »)

• *para-textuelle* (prosodique ou mimo-gestuelle : intonation particulière, moue contrariée, léger balancement de la tête...)

• *contextuelle* (présence du référent météorologique qui permet d'identifier le décalage entre le contenu énoncé littéralement et le dénoté auquel il est censé s'appliquer, donc le trope ironique).

Le cotexte pertinent (exclusivement verbal donc) peut être plus ou moins large ou étroit, proche ou lointain. Mais quelles en sont les limites supérieures ? S'il est à la rigueur possible de répondre à cette question s'agissant de textes écrits, le problème se complique pour les séquences orales, dont on peut difficilement admettre qu'elles aient pour cotexte la totalité des énoncés antérieurement recueillis par le décodeur – sans parler des effets éventuels de « feed-back » dus au cotexte postérieur : au-delà d'une certaine distance – mais laquelle ? –, les informations cotextuelles, leur signifiant venant progressivement à s'oblitérer, sont converties en informations contextuelles, c'est-à-dire reversées dans la compétence encyclopédique. Le cotexte est un objet indéfiniment extensible, qui finit par se confondre avec le contexte : fait qui s'ajoute à celui que nous avons précédemment mentionné (existence de la zone interstitielle du para-verbal) pour venir brouiller la frontière entre verbal et extra-verbal, énoncif et énonciatif. Mais il est en tout état de cause injustifié d'exclure des données énoncives les faits intonatifs et prosodiques, et le cotexte au moins étroit.

– Sont donc responsables de l'émergence d'un contenu énoncif :
• la séquence textuelle qui le supporte, toujours; mais en outre éventuellement :
  • le cotexte
  • le para-texte
  • le contexte.

Les signifiants textuels et les indices cotextuels sont pris en charge par la compétence linguistique des sujets décodeurs (et encodeurs, mais c'est encore une fois un modèle d'interprétation que nous tentons d'édifier ici); les indices para-textuels non prosodiques, par leur compétence kinésique et proxémique; les indices contextuels, par leur compétence encyclopédique.

Une fois identifiés les signifiants et les indices responsables de l'émergence d'un contenu implicite, il reste à en préciser le statut.

Chapitre 2

Les différents types
de contenus implicites

Avant d'envisager notre propre outillage conceptuel, c'est-à-dire le système des catégories dans lesquelles nous répartissons les différents contenus implicites détectés dans les énoncés, il nous faut signaler que bien d'autres classifications des mêmes faits ont été à ce jour proposées, la plus souvent mentionnée étant sans doute celle de H. Paul Grice, qui se présente comme suit [1] :

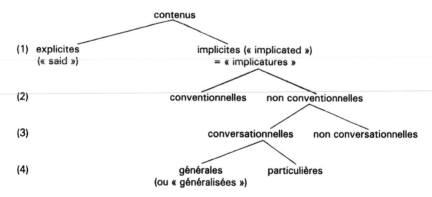

La classification est fine – mais justement, trop fine : les deux axes de plus bas étage ne nous semblent guère opératoires, nous sommes sur ce point d'accord avec les critiques formulées par Sadock (1978), qui de l'axe (3) écrit (pp. 282-283) : « Nonconventional implicatures come in two varieties : first the important class of conversational implicatures that involve the Cooperation Principle and its maxims, and then a poorly described class of nonconventional, nonconversational implicatures that are calculated in context on the basis of the conventional meaning, knowledge of the context of utterance, and background knowledge, but which depend crucially for their existence on nonconversational maxims that are " aesthetic, social, or moral in character ". Grice gives as an example *Be polite*. I have some trouble understanding exactly why it is that such maxims differ from those that fall under the C.P. » Il est de fait que seule une réduction drastique, et parfaitement injustifiée, du champ des « maximes conversationnelles » permet à Grice d'établir cette distinction entre implicatures « conversationnelles » et « non conversationnelles »; quant à l'opposition (4), elle ne nous semble pas plus viable : les implicatures « généralisées » ne sont censées dépendre que de la structure, sémantique et formelle, de l'énoncé, et de l'application des maximes conversationnelles, cependant que les implicatures « particulières » font intervenir en outre certaines particularités du contexte énonciatif. Mais les données contextuelles peuvent en fait intervenir à tous les niveaux distingués par Grice, et c'est bien en vain que nous avons tenté d'appliquer à nos exemples les distinctions qu'il propose, et de faire fonctionner les critères qu'il suggère (ainsi pour les implicatures conversationnelles : leur caractère calculable/effaçable/non détachable/ non conventionnel/non « carried by what is said, but by the saying of it »/indeterminate) [2], critères dont il avoue lui-même (1978, p. 115) : « I very much doubt whether the features mentioned can be made to provide any such knock-down test... ».

De ces quatre axes de Grice, ne restent donc en piste que les deux premiers, que nous reformulons de la façon suivante :

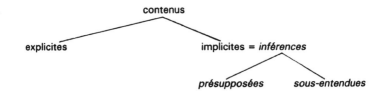

La terminologie le dit assez : c'est en fait plus de Ducrot que de Grice que nous allons nous inspirer pour définir ces deux axes distinctifs, et ces trois catégories de contenus implicites – ce que nous allons faire incontinent, avant d'aborder le problème de l'illocutoire dérivé, et dans la foulée, celui des « tropes pragmatiques ».

2.1. CONTENUS EXPLICITES *vs* IMPLICITES

Où commence le domaine de l'implicite ?

Dès 1957 (p. 380), Grice formule en ces termes l'opposition entre le dire explicite et le dire implicite : parler explicitement, c'est « to tell something »; parler implicitement, c'est « to get someone to think something ». Mais comment amener quelqu'un à penser quelque chose, si ce quelque chose n'est pas dit, et présent quelque part dans l'énoncé? Pour nous, les contenus implicites sont également, d'une certaine manière – qu'il s'agira justement de préciser –, dits.

Ducrot de son côté (1977, a), pp. 173 et *sqq.*) pose le problème de la façon suivante : dans « Pierre a cessé de fumer », le contenu C_0 /Pierre actuellement ne fume pas/ est énoncé explicitement (« posé ») dans la mesure où il représente « ce dont l'annonce est l'objet avoué de l'énonciation ». Au contraire les contenus C_1 /Pierre fumait auparavant/ et C_2 /Prends-en de la graine/ sont énoncés implicitement car « le locuteur peut toujours prétendre n'avoir pas voulu les dire ».

Précisons tout de suite (nous reviendrons bientôt sur cette différence cruciale entre présupposés et sous-entendus) que le mode du « non vouloir dire » n'est pas le même dans le cas de C_1 et de C_2, ni le sens de l'expression « vouloir dire », dont Ducrot exploite ici la polysémie [3] : « vouloir-dire$_1$ » p, c'est pour un énoncé signifier p; mais « vouloir dire$_2$ » p (et l'auxiliaire prend alors son sens fort), c'est pour un locuteur avoir l'intention délibérée de transmettre à autrui l'information p. Or les présupposés, s'ils ne constituent pas en principe l'objet essentiel du message, sont tout de même bel et bien véhiculés par l'énoncé, dans lequel ils se trouvent (à la différence des sous-entendus) intrinsèquement et incontestablement inscrits. En d'autres termes : les présupposés, on les « veut-dire$_1$ » sans les « vouloir dire$_2$ » [4].

Cette différence mise à part [5], les contenus implicites (présupposés et sous-entendus) ont en commun la propriété de *ne pas constituer en principe* (et nous reviendrons plus tard sur cet « en principe ») *le véritable objet du dire,* tandis que les contenus explicites correspondent, en principe toujours, à l'objet essentiel du message à transmettre, ou encore sont dotés, selon la formule cette fois de R. Posner (1982, p. 2), de « la plus grande pertinence communicative ».

Telle est la définition qui servira de point de départ à cette réflexion sur l'implicite. Définition qui fait largement confiance, il est vrai, à l'intuition des sujets parlants (linguistes ou non). Or l'intuition linguistique n'est pas la chose du monde la mieux partagée : à propos de la phrase « Il est anglais, il est donc courageux », Grice considère que ce disant, « tout en ayant déclaré qu'il est anglais, et qu'il est courageux, je ne veux pas dire par là que j'ai vraiment DIT (au sens fort) que de son anglitude découle son courage, bien que sans doute je l'ai implicité » [6]. Ainsi donc la relation causale serait pour Grice exprimée implicitement, en dépit de la présence du connecteur pourtant bien explicite « donc ». La divergence que nous constatons ici entre l'intuition de Grice et la nôtre, nous la résoudrons en termes péremptoires : Grice a tort, et prend de l'explicite pour de l'implicite.

Plus fréquents et délicats sont les cas où l'on voit traiter comme de l'explicite ce qui pour nous relève de l'implicite, le problème surgissant toujours à propos de présupposés, dont le statut est en effet bien particulier – et l'on comprend que ne soit pas admis sans réticences, sans résistance, le fait que des contenus aussi manifestement inscrits dans la séquence puissent en même temps l'être sur le mode de l'implicite. C'est bien de cette catégorie qu'ils relèvent pourtant, si du moins l'on admet la définition proposée plus haut (mais je n'en ai trouvé aucune, qu'elle découpe semblablement ou différemment l'ensemble des unités de contenu, qui me semble plus satisfaisante que celle de Ducrot), de l'opposition explicite/implicite. Opposition graduelle au demeurant : on brutalise toujours un peu la réalité linguistique en jetant sur un axe échelonné le couperet d'une dichotomie. Il est vrai que les présupposés sont plus proches que les sous-entendus du pôle « explicite » de cet axe graduel; et qu'ils partagent avec les posés la propriété d'être relativement indifférents aux caractéristiques contextuelles de l'énoncé. Mais il peut sembler plus important de marquer fortement leur différence de statut (laquelle entraîne, on le verra, des possibilités d'exploitations stratégiques bien spécifiques) d'avec les contenus posés.

Quelques observations encore, qui invitent à ranger les présupposés dans le camp des contenus implicites :
– Imaginons l'enchaînement suivant (inspiré de Ionesco) :

L$_1$. – Ma fiancée a été assassinée.
L$_2$. – Félicitations. Et condoléances.

Le mot « condoléances », qui commente performativement le contenu posé de l'énoncé de L_1, est parfaitement attendu; le mot « félicitations », si on le considère (car il y a d'autres interprétations possibles de cette phrase) comme un commentaire du présupposé /je me suis fiancé/ apparaît, pour cette raison même, comme parfaitement anormal et incongru [7].

– Soit les deux séquences suivantes :

(i) – Pierre a cessé de fumer
    – Tu ne m'as jamais dit qu'il fumait
(ii) – Tu as insinué que je ne foutais rien. Je crois même que tu l'as dit,

petits échantillons de discours qui n'ont pas grand-chose en commun si ce n'est justement ceci : de prouver que les présupposés comme les sous-entendus sont à considérer comme des *sous-dires* (des dires implicites). En (i) L_2 reproche à L_1 de ne l'avoir jamais informé d'une chose qu'il vient justement de lui signaler – mais sous la forme d'un présupposé; en (ii), l'emploi de « même » dénonce l'insinuation (cas particulier de sous-entendu) comme une sorte de dire amoindri : présupposés et sous-entendus sont des informations « en sous-main » – dotées d'une moindre pertinence communicative que les informations explicites, et de plus bas niveau dans cette structure feuilletée qui compose le contenu global des énoncés.

A ce titre, on peut plus innocemment « oublier » de les décrypter, et éventuellement de les contester, ainsi que le montre H. Nølke (1980, p. 55) à propos de l'exemple suivant :

Vous étiez déjà revenu auprès de votre femme le 7 septembre deux jours après votre départ ?

lequel comporte, outre le posé /Étiez-vous auprès de votre femme le 7 septembre?/, les présupposés hiérarchisés :

pp_1 : /Vous avez une femme/
pp_2 : /Vous étiez auprès d'elle le 5 septembre/
pp_3 : /Vous êtes parti le 5 septembre/, etc.

Or si c'est une faute grave que de répondre mensongèrement au posé, « il ne sera pas considéré comme une faute grave de la part du témoin, s'il " oublie " de faire remarquer – par exemple – qu'il partit déjà le 4 septembre, car soit il n'a pas saisi pp_3, soit il l'a considéré – de bonne foi – comme sans importance ».

Les présupposés n'ont pas le même statut linguistique (donc juridique, parfois), que les posés. Ils ne se prêtent pas aux mêmes types d'enchaînements (réfutatifs en particulier) : plus enfouis, il n'est pas toujours nécessaire de les « relever ». Moins perceptibles, moins « importants » (en apparence), plus discrets : ce sont bien des contenus implicites. Mais cette discrétion en même temps fait leur force, et les dote d'un pouvoir manipulatoire qui n'est pas sans rappeler celui, redoutable comme l'on sait, des signes « subliminaux ».

2.2. LA NOTION D'INFÉRENCE

Nous appellerons « inférence » toute proposition implicite que l'on peut extraire d'un énoncé, et déduire de son contenu littéral en combinant des informations de statut variable (internes ou externes) [8].

L'inférence ainsi conçue a donc une extension très large :

Elle déborde bien sûr le strict cadre de la logique formelle, où les mécanismes inférentiels (qu'ils génèrent des inférences « analytiques » ou « pragmatiques », « logiques » ou « empiriques ») obéissent à un codage beaucoup plus rigoureux que ceux qui président à l'extraction des inférences « naturelles ». C'est donc par métaphore, si l'on admet comme « propre » le seul sens « logique » de ce terme, que nous parlons d'inférence – une métaphore motivée toutefois, par le fait que de même qu'il existe, d'après R. Blanché, un « rapport indissoluble » entre le raisonnement et l'inférence logique [9], de même nos inférences sont elles aussi le résultat d'un « calcul » plus ou moins complexe.

Dénotant toute espèce de contenu implicite, l'inférence telle que nous la concevons :

• recouvre à la fois ce que Charolles (1978) appelle « présupposition » et « inférence », c'est-à-dire que nous utilisons comme terme générique un signifiant que Charolles spécialise pour désigner ce que nous appelons quant à nous « sous-entendus » : la divergence est purement terminologique;

• correspond aux « implicatures » de Grice, et aux « implications » de Récanati;

• coïncide exactement, quant au signifiant et au signifié, avec les « inférences » de Robert Martin [10].

Nous rencontrons encore les vues de Martin pour ce qui est de la distinction établie, au sein de l'ensemble des inférences, entre deux sous-classes, qu'il nomme pour sa part (1976, p. 37) « inférences nécessaires » (indépendantes de la situation de discours) *vs* « inférences possibles » (dont la réalisation contingente dépend du contexte énonciatif) – ce qui correspond exactement à notre distinction entre inférences présupposées et sous-entendues. Mais Martin ajoute (p. 37) : « Délaissant l'inférence situationnelle, on s'intéressera exclusivement, dans tout ce qui suit, à l'inférence de langue [...] », et déclare au sujet des « présupposés pragmatiques » (p. 47) : « Certains présupposés sont indépendants du contenu véhiculé par les phrases et liés exclusivement à l'acte même de l'énonciation : ce sont les moins intéressants pour les linguistes, et nous ne nous y attarderons guère » : se situant dans la tradition immanentiste, Martin ne s'intéresse ici qu'aux données strictement « linguistiques » [11], et considère comme secondaires les phénomènes d'ordre pragmatique. Nos options descriptives sont exactement opposées, qui nous poussent au contraire à focaliser notre réflexion sur les sous-entendus, lesquels nous semblent beaucoup plus « intéressants » que les présupposés dans la mesure où ils démontrent avec insolence la complexité des mécanismes interprétatifs, les limites de la perspective immanentiste, et la nécessité d'en sortir.

2.3. PRÉSUPPOSÉS *vs* SOUS-ENTENDUS [12]

2.3.1. Les présupposés

1 – Problèmes de définition

Nous considérerons comme présupposées toutes les informations qui, sans être ouvertement posées (i.e. sans constituer en principe le véritable objet du message à transmettre), *sont cependant automatiquement entraînées par la formulation de l'énoncé, dans lequel elles se trouvent intrinsèquement inscrites, quelle que soit la spécificité du cadre énonciatif.*

Remarques

– Ces informations présupposées peuvent être de différents niveaux (au sens jakobsonien de ce terme). Mais c'est essentiellement celui de l'énoncé qui nous intéresse. Nous dirons donc, par exemple, que dans « Pierre a cessé de fumer », le verbe « cesser » véhicule un présupposé (lexical), sur la base duquel s'édifie l'inférence présupposée (et par abréviation : le présupposé) /Auparavant Pierre fumait/.
– Les présupposés sont en principe « context-free » (à la différence des sous-entendus, « context-sensitive »). Dans certains cas pourtant, ce prin-

cipe semble mis en échec. Ainsi pour les présupposés liés à la détermination du « focus » d'un énoncé donné :

J'ai visité Moscou avec Pierre

peut en effet présupposer : ou bien /j'ai visité Moscou/ (posé : /c'était avec Pierre/), ou bien /j'ai fait quelque chose avec Pierre/ (posé : / visiter Moscou/), la phrase répondant virtuellement à deux questions différentes :

Avec qui as-tu visité Moscou ?
Qu'est-ce que tu as fait avec Pierre ?

A partir de cet exemple, Ducrot (1977, a)) est amené à réviser sa conception antérieure du présupposé (comme unité inscrite en langue et constitutive du sens littéral), et à déclarer que « l'énonciation peut créer des présuppositions ». Mais on peut tout aussi bien considérer que ces deux structures présuppositionnelles sont inscrites en langue, le co(n)texte (et surtout le contour intonatif et accentuel de la phrase) se chargeant simplement de lever en discours l'ambiguïté que cette phrase possède en langue [13], selon un mécanisme qui caractérise tout aussi bien les contenus posés : la plupart des signifiants lexicaux et syntaxiques étant en langue polysémiques, et « monosémémisables » en co(n)texte seulement, il n'y aurait plus guère à ce compte de contenus littéraux... Nous préférons adopter l'attitude suivante : les présupposés sont inscrits en langue, et le co(n)texte n'intervient que pour lever une éventuelle polysémie (la grande majorité des présupposés ne posant d'ailleurs, qu'on pense au cas de « cesser », aucun problème de ce type); les sous-entendus au contraire résultent de l'action conjuguée de facteurs internes et externes, le co(n)texte jouant cette fois un rôle positif dans le processus d'engendrement du contenu implicite.

– Les présupposés ont donné lieu à une très abondante littérature qu'il n'est pas question de résumer ici. Mentionnons tout de même quelques-uns des points qui ont été le plus largement débattus à leur sujet.

(1) Présupposition et implication

Le principe de cette distinction est le suivant (d'après Martin, 1976, pp. 38-39) [14] :

La proposition p *présuppose* la proposition q si q (qui est nécessairement vrai si p est vrai) reste nécessairement vrai même si p est nié, ex. :

Pierre a empêché Marie de partir,

qui présuppose

/Marie cherchait à partir/.

En revanche, si q est simplement *impliqué* par p, cette proposition (qui reste nécessairement vraie si p est vrai) peut être vraie ou fausse si p est faux, ex. :

Pierre a vendu sa 2 CV,

qui implique

/Pierre a vendu une voiture/.

Autre exemple, emprunté cette fois à H. Nølke (1980, p. 48) :

Ma sœur s'est servie de la voiture

présuppose

/j'ai une sœur/

(présupposé existentiel), et implique

/ma sœur s'est servie de quelque chose/.

Mais si l'on voit bien que le contenu impliqué peut être selon le cas touché ou non par la négation (« Ma sœur ne s'est pas servie de la voiture : elle n'est pas sortie », *vs* « Ma sœur ne s'est pas servie de la voiture, elle a pris sa bicyclette »), il est moins certain que le présupposé échappe toujours aux effets de la négation, puisqu'on peut concevoir un enchaînement tel que « Ma sœur ne s'est pas servie de la voiture, pour la bonne raison que je n'ai pas de sœur ».

Nous voici donc renvoyés au fameux problème de savoir quel est le statut d'un énoncé dont certains des présupposés sont manifestement faux [15].

La thèse la plus généralement admise, à la suite de Frege et Strawson, veut qu'un tel énoncé soit proprement inévaluable. D'où cette définition souvent proposée du présupposé : c'est une unité de contenu qui doit nécessairement être vraie pour que l'énoncé qui la contient puisse se voir attribuer une valeur de vérité.

Il est de fait qu'une phrase dont les présupposés sont jugés faux ne produit pas le même effet qu'une phrase dont les posés sont estimés tels : dans le second cas on réfute, tout simplement. Les réactions au premier sont diverses, et varient selon la nature du présupposé, et des interactants : on peut « laisser passer », ou rester le bec cloué [16], ou bien encore, protester véhémentement (la contestation d'un présupposé ayant, comme l'a bien montré Ducrot, une teneur polémique plus grande que celle des posés, puisqu'elle met en cause non seulement le contenu de l'énoncé, mais le comportement énonciatif même de son partenaire discursif : « errare » sur les posés « humanum est »; mais encoder des présupposés manifestement faux, c'est transgresser une sorte de principe déontologique régissant les bons usages langagiers), par exemple à l'aide d'un « mais... », ou d'un « d'abord... », qui révèle précisément que la vérité des présupposés constitue une sorte de *préalable* à la poursuite de l'échange :

> Il manque un pelochon ! – C'est un oreiller *d'abord !*
> Pourquoi les hommes ronflent et pas les femmes ? – *D'abord,* y a des femmes qui ronflent...

– effets spéciaux divers donc, qui tiennent au statut spécial de telles productions discursives, lesquelles apparaissent plus comme « impertinentes » que comme véritablement fausses.

Il arrive pourtant que l'on considère comme faux des énoncés dont les présupposés sont jugés faux, et que l'on glisse en quelque sorte de l'appréciation « votre assertion est inappropriée puisque ses présupposés sont faux » à l'évaluation « vous dites des choses fausses, erronées » : les deux types de réfutation, comme le montre Moeschler (1979) au cours de l'analyse d'un débat télévisé entre Giscard et Mitterrand, sont bien mal délimités.

Citons encore les exemples suivants, relevés dans différents contextes :

> (i) – Vous n'avez pas peur, en abandonnant votre rôle de chef d'orchestre pour faire de la musique de chambre, de tomber un peu de votre piédestal ?
> – Je ne conçois pas le rôle de chef d'orchestre comme un piédestal, alors je ne risque pas de tomber [donc d'avoir peur]. (Interview de Daniel Baremboïm, France-Musique.)
> (ii) – Pourquoi est-ce que les Français n'aiment pas les Américains ?
> – Mais c'est pas vrai !
> (iii) – Ce n'est pas vrai que je suis resté trois semaines à côté du cadavre de ma mère adoptive parce que Madame Rosa n'était pas ma mère adoptive
> (E. Ajar, *La vie devant soi,* Mercure de France, Paris 1975, pp. 268-269).

Il n'est donc pas toujours vrai, comme l'affirme Posner (1982), que seuls les posés peuvent faire l'objet d'un « commentaire direct » de type « C'est faux » : dans certains cas du moins, on peut « évaluer » même un énoncé dont les présupposés « ne tiennent pas ».

Est-ce à dire que l'on puisse à la suite de Nølke, qui distingue la « correction » (relative aux présupposés) de la « fausseté » (relative aux posés), admettre l'existence des quatre catégories suivantes d'énoncés :

vrais et corrects   vrais et incorrects

faux et corrects   faux et incorrects ?

Nous avons vu des exemples d'énoncés jugés « faux et incorrects ». L'existence d'énoncés « vrais et incorrects », Nølke la démontre en constatant que lors d'un test effectué dans une classe auprès d'élèves

de douze ans, à la question « J'aimerais savoir : qui a cessé de fumer? »,
un certain nombre d'élèves ont répondu par l'affirmative, qui ne fumaient
pas alors, mais même, n'avaient jamais fumé de leur vie. Ce qu'il
commente en ces termes (1980, p. 55) : « Je crois pouvoir interpréter
ce résultat comme suit : ces élèves ont compris la question du professeur
comme concernant seulement le posé de l'énoncé employé. Dans notre
terminologie, cela veut dire que, pour eux, c'était pertinent de différencier vrai et faux indépendamment de la valeur de correction. La
discussion qui suivit dans la classe a fait ressortir que le résultat rapporté
tenait à la non-perception de la présupposition par les élèves en question » : ce qui veut dire que c'est seulement dans la mesure où le
présupposé (faux) est non perçu, ou « oublié », effacé de la conscience
du sujet (les présupposés, nous l'avons dit précédemment, sont quantité
plus négligeable que les posés), que l'énoncé « j'ai cessé de fumer » peut
être considéré par lui comme vrai. On ne peut donc pas vraiment parler
dans de tels cas (mais je ne pense pas qu'on puisse en rencontrer de
plus probants) d'énoncé jugé à la fois « vrai » et « incorrect » : dès lors
qu'il est clairement perçu comme incorrect, un énoncé a tendance à
être du même coup évalué comme faux [17].

Pour en revenir à la distinction « présupposé » (au sens étroit)/
« implication », disons qu'on ne peut se fier pour la fonder au test de la
négation, puisqu'il arrive que celle-ci atteigne même les présupposés
(« Pierre n'a pas cessé de fumer, puisqu'il n'a jamais fumé ») : parler
alors de négation « métalinguistique » est juste sans doute, mais ne
résout pas grand-chose. Nous considérerons en tout cas cette distinction
comme secondaire [18], et ce que nous entendons par « présupposé »
englobe toutes les « implications » d'un énoncé dans la mesure du moins
où elles s'y trouvent inscrites de façon stable et constante (implications
« nécessaires »).

(2) *Présupposition et information*

Une autre propriété souvent mentionnée des présupposés (propriété
d'ailleurs liée à la précédente : c'est dans la mesure où les présupposés
ne sont pas en principe informatifs que leur fausseté n'a pas le même
statut que celle des posés) est la suivante : les présupposés s'opposent
aux posés comme « ce qui est présumé connu » à « ce qui est présumé
ignoré » (Strawson); c'est-à-dire que les contenus formulés en présupposés sont censés correspondre à des réalités déjà connues et admises
par le destinataire – soit qu'ils relèvent de son savoir encyclopédique
spécifique, soit qu'ils correspondent à des « évidences » supposées par-

tagées par l'ensemble de la communauté parlante : contenus donc « taken for granted », et qui ne sauraient être « matter of dispute » (Huntley, 1976, p. 71), à la différence des contenus et posés, et sous-entendus, qui eux correspondent à des informations « nouvelles », donc éminemment « disputables ».

A quoi servent donc, dans la dynamique discursive, les présupposés, s'ils transgressent aussi ostensiblement la loi d'informativité ? Réponse : à constituer pour le discours une sorte de soubassement sur lequel viennent s'échafauder les posés ; à assurer, grâce au « recouvrement présuppositionnel », sa cohérence et sa redondance internes, les posés se chargeant de sa « progression »; et à un niveau interactionnel plus large, à constituer une sorte de « ciment social », une zone de « consensus » entre les interactants.

Cette caractéristique des présupposés peut aussi se formuler comme une consigne d'encodage : « Tous les contenus nouveaux, ou sujets à contestation, donnez-leur la forme de posés – quitte à les reprendre sous forme de présupposés dans la suite de votre discours, puisque si ces contenus sont bien " passés ", vous êtes en droit de les considérer comme étant venus grossir le stock des vérités admises, au moins provisoirement, par votre partenaire discursif. » Et c'est souvent ce que l'on observe en effet : la reprise sous forme d'un présupposé (« ma voiture... ») d'une information d'abord posée (« j'ai acheté une voiture... »).

Souvent. Mais pas toujours, bien loin de là : il suffit d'observer le fonctionnement effectif du « discours ordinaire » pour constater qu'un grand nombre d'informations sont d'entrée présupposées par le locuteur, sans qu'il ait pris soin de vérifier qu'elles font déjà partie du « background » de son destinataire, et même dans des cas où il est évident qu'il n'en est rien. « J'ai laissé ma voiture au garage », « je l'ai laissée à mon frère »... : Même si rien ne prouve que l'autre sache déjà que j'ai un garage, ou un frère, de telles formules « passent » très bien, et personne ne trouvera rien à redire au fait qu'ait été ici présupposé sans précautions oratoires un contenu nouveau. Dans certaines circonstances en revanche, une phrase telle que « J'ai laissé ma voiture à mon mari » pourra susciter une réponse du genre « Tiens, tiens ! elle ne m'avait pas dit qu'elle était mariée ! *elle aurait tout de même pu (dû) me le dire !* » (*i.e. :* le « poser », avant de le présupposer). Or il est à peu près aussi probable, s'agissant d'une personne adulte de sexe féminin, qu'elle ait un mari qu'un frère : ce n'est donc pas ici à la quantité d'information qu'il faut imputer la différence de statut observable entre les deux présupposés /j'ai un frère/ et /j'ai un mari/, mais c'est à un facteur qualitatif tel que l'*importance* de l'information pour le destinataire du message.

En fait, le mode de formulation d'un contenu « nouveau » dépend de deux facteurs distincts. Si l'on compare en effet :

    (i)   J'ai laissé ma voiture à mon frère
    (ii) J'ai laissé mon avion à mon frère
    (iii) J'ai laissé ma voiture à mon mari

on constate que :

(ii) sera généralement jugé plus étrange que (i) – du fait du degré très inégal de probabilité des informations présupposées /j'ai une voiture/, et /j'ai un avion/; et que (iii) sera parfois jugé légèrement plus « anormal » que (i) – du fait cette fois que l'information présupposée /j'ai un mari/ est dans certaines circonstances plus « importante » que l'information également présupposée /j'ai un frère/.

Quels que soient les problèmes que pose toute tentative de formalisation de ces notions de « probabilité » et d'« importance », en contexte, d'une information donnée, il est sûr que la règle de bon usage des présupposés précédemment énoncée doit être remaniée, et assortie d'une clause telle que : *un contenu nouveau doit d'autant plus être formulé comme posé (et peut d'autant moins être formulé comme présupposé) qu'il est plus informatif (moins probable ou prévisible), mais aussi plus « important » pour le destinataire.*

Il est en tout cas inexact que les présupposés soient toujours non informatifs [19] : « Ne confondons pas [...] présupposé et information : tout dans la phrase peut être informatif [20]. » La formule est de Robert Martin, qui ajoute : « Mais certaines données ne peuvent être informatives si d'autres ne le sont pas » (1976, p. 49). L'idée, fort juste, de Martin, étant celle-ci : qu'à un même énoncé s'attachent différents niveaux hiérarchisés de présupposés, dont le caractère informatif ou non est en soi indéterminable, mais qui sont *subordonnés* les uns aux autres (*i.e.* en relation d'implication unilatérale) quant à leur informativité relative [21].

Ainsi écrit-il à propos de la phrase P :

    Mon fils s'est acheté une Jaguar,

qui présuppose

    P_1 /Mon fils s'est acheté une voiture de course/ (Si P est vrai, alors P_1 l'est aussi nécessairement),

qui présuppose

    P_2 /Mon fils s'est acheté une voiture/,

qui présuppose

P_3 /Mon fils s'est acheté quelque chose/,

qui présuppose

P_4 /Mon fils est en état de (en âge de...) s'acheter une Jaguar/,

qui présuppose

P_5 /J'ai un fils/ :

« Il se peut fort bien que, dans une situation déterminée de discours, tout l'ensemble des propositions P_1 à P_5 soit informatif; qu'à l'occasion de P, mon interlocuteur apprenne même que j'ai un fils [...]. Mais il se peut aussi que seule soit informative la différence entre P et P_1, à savoir que la voiture de course achetée est une Jaguar. Que l'information soit minimale comme dans ce dernier cas ou maximale comme dans le précédent ou encore qu'elle soit située entre ces deux extrêmes, il n'en demeure pas moins que si mon interlocuteur ignore que mon fils s'est acheté une voiture de course, il ne saura certainement pas qu'il s'est acheté une Jaguar; s'il ignore qu'il s'est acheté une voiture, il ne peut savoir qu'il s'est acheté une voiture de course. Ainsi se dessinent les niveaux possibles d'information (i_n, i_{n-1},... i_2, i_1), déterminables a priori, indépendamment de toute circonstance particulière » (p. 20).

(3) *Le statut énonciatif des présupposés*

S'il n'est donc pas exact que les informations présupposées se caractérisent par le fait qu'elles sont toujours supposées déjà connues du destinataire, il est en revanche vrai qu'elles sont présentées sur le mode du « cela va de soi ». Les termes de « pré-asserté », ou « préconstruit », que certains préfèrent à « présupposé » [22], connotent cette même idée qu'il s'agit là d'unités de contenu qui au lieu d'être, à l'instar des posés, construites par le discours qui les véhicule, semblent empruntées à un discours préexistant plus ou moins diffus : « On se contente de reproduire du " déjà-dit " », écrit à leur sujet M.-J. Borel (1975, p. 76), « comme s'il était effectivement dit " ailleurs " ». Si par exemple je déclare que « x a commis contre y une ignoble agression », cette affirmation donnera éventuellement lieu à un débat contradictoire (« pas d'accord : il a volé au secours de y en détresse »), mais au moins franc et loyal; tandis que si je parle de « l'ignoble agression de x contre y », c'est-à-dire si j'utilise une expression définie, laquelle présuppose sa propre adéquation, donc l'existence du dénoté correspondant, je fais comme si cette existence était indiscutable, et mon expression vraie-en-soi : les posés sont simplement *proposés* comme vrais au destinataire, les présupposés lui sont plus brutalement *imposés*.

En d'autres termes encore : les présupposés n'ont pas le même statut énonciatif que les posés. Sous le locuteur unique (L_0) qui profère « Pierre a cessé de fumer », se dissimulent en fait deux *énonciateurs* distincts (*i.e.* deux instances assumant la responsabilité des contenus énoncifs) : l'énonciateur responsable du posé, c'est bien L_0 ; mais l'énonciateur du présupposé, c'est une voix collective dans laquelle L_0 dissout la sienne propre ; c'est une instance anonyme, plurielle, voire universelle : la « doxa », la « rumeur », le « fantôme »...

Telle est l'idée que Ducrot dans ses derniers travaux, sans fondamentalement remettre en cause la notion même de présupposé que ses écrits antérieurs se sont acharnés à construire, développe et module. Idée juste, à condition toutefois d'ajouter – la clause est d'importance – que *l'énonciateur d'un présupposé, c'est à la fois une instance collective, et le sujet individuel L_0*.

Soit en effet cette déclaration de Jacques Duclos, extraite de ses mémoires : « J'imaginais que Daladier et Frot, qui avaient donné l'ordre de tirer sur les manifestants, devaient être désemparés [...]. ». Il est évident que le contenu de la relative appositive, bien que présupposé, est imputable à l'individu Duclos, et cela au sens le plus juridique de ce terme, puisqu'il dut s'en « porter garant » lors d'un procès en diffamation que lui valut cette malencontreuse relative (et il eut beau déclarer pour sa défense qu'il avait là « livré son état d'esprit à l'époque », c'est-à-dire en quelque sorte cité le Duclos d'alors sans parler au nom du Duclos actuel, la vraisemblance linguistique n'était pas de son côté). Autre exemple encore, extrait d'un débat entre « P » et « C » qu'analyse J. Moeschler (1981, p. 60) :

> P. – (...) vous ne voulez pas vous rendre compte que le résultat aussi déplorable qu'il soit n'est rien d'autre qu'un résultat normal *face à une politique aveugle* – et je veux absolument je veux...
> C. – *C'est vous qui dites que c'est une politique aveugle* [23].

Exemples qui administrent la preuve que contrairement à ceux qui estiment que les présupposés sont formulés « de telle manière que la responsabilité de les avoir exprimés ne puisse pas être imputable au locuteur » (Henry, 1977, p. 58), il faut considérer avec Wunderlich (1978, p. 43) qu'en énonçant S, « le locuteur s'engage [...] à reconnaître comme valables les présupposés de S et à les expliciter en cas de besoin ultérieurement dans des phrases affirmatives ». C'est donc trop hâtivement qu'on les assimile parfois au procédé de la citation : L peut fort bien se désolidariser totalement de ce qu'il cite, alors qu'il doit assumer ce qu'il présuppose. Les présupposés semblent empruntés, mais ils doivent être endossés par L ; qui feint *à un certain niveau* de se retrancher derrière une instance collective, tout en étant contraint, *à un autre niveau,* de se porter garant de leur vérité : c'est bien à Duclos et à « C » – et non point au « fantôme » – que l'on demande de rendre des comptes sur leurs présupposés. Les présupposés « jouent » l'évidence, et leur locuteur l'innocence. Mais en risquant toujours un rappel à l'ordre : « Ça ne prend pas : assumez s'il vous plaît vos présupposés ! »

(4) *Présupposés et enchaînement*

Les considérations qui précèdent montrent que lorsqu'on cherche à spécifier le statut des présupposés, on ne peut se contenter d'affirmations à l'emporte-pièce telles que : les présupposés ne sont pas atteints par la négation, et doivent être vrais pour que soit évaluable l'énoncé qui les contient ; ils sont dénués de toute valeur informative ; étant admis comme vrais-en-soi avant toute actualisation discursive, ils ont pour source énonciative un sujet collectif anonyme... Affirmations qui doivent être sérieusement nuancées, et manipulées avec prudence.

Il serait également imprudent de prétendre que les contenus présupposés ne peuvent jamais servir de base à l'enchaînement discursif : trop de contre-exemples interdisent une telle généralisation.

Il apparaît par exemple que L_1 a la possibilité d'enchaîner sur ses propres présupposés

    • soit pour les rectifier : s'il est vrai, comme le remarque Wunderlich (1978, p. 44), que l'on ne peut annuler un présupposé factif en disant par exemple :

    Je regrette d'avoir frappé Nina, mais je ne l'ai pas frappée,

l'agrammaticalité de :

    Je regrette d'avoir frappé Nina, mais l'ai-je donc frappée ?

nous semble déjà moins évidente, et tout à fait possible :

    Je regrette d'avoir frappé Nina – si tant est que je l'ai frappée,

ou bien encore :

    Pierre a cessé de fumer – d'ailleurs je ne suis même pas sûr qu'il l'ait jamais fait
    L'agression de x contre y – si agression il y a... :

il semble donc bien que le locuteur ait parfois le droit de « se raviser », et d'user de certains procédés (tels que « si tant est que... ») pour mettre en doute dans un deuxième temps la vérité d'un contenu qu'il vient de présupposer [24] ;

    • soit pour les commenter, les justifier, les étayer par une expansion métalinguistique généralement introduite par « car », « parce que », ou « puisque » :

présupposé existentiel : « Mon mari, puisque mari il y a... » ;

présupposé dénominatif (le commentaire métalinguistique venant alors justifier le choix du signifiant, et conforter son adéquation au référent) :

Pierre — puisqu'il s'appelle Pierre — a cessé — car il fumait auparavant — de fumer.

J'ai eu la chance, parce que je considère que c'est une chance, de diriger la 8ᵉ symphonie de Beethoven.

Il est encore plus fréquent qu'un L_2 intervienne sur les présupposés contenus dans un énoncé précédent de L_1,

• soit pour les expliciter, sur un mode généralement dubitatif ou interrogatif (demande de confirmation) :

L_1. — Ma fiancée a été assassinée.
L_2. — Votre fiancée? Vous êtes donc fiancé? ;

• soit pour les contester et réfuter, la contestation des présupposés (qui ont, plus encore que les posés, le devoir d'être vrais) prenant souvent des allures polémiques [25] :

Pierre a cessé de fumer. — Mais il n'a jamais fumé!
Je t'en prie arrête de boire! — Moi? J'ai rien bu...
Je ne suis pas d'accord avec votre thèse... — Mais ce n'est pas ma thèse!

L'enchaînement sur les présupposés n'est donc pas interdit, mais il obéit à des contraintes beaucoup plus strictes que celui qui porte sur les contenus posés : sont ainsi exclus ces modes essentiels d'enchaînement que constituent

• pour L_1, l'enchaînement de type argumentatif (non métalinguistique) sur ses propres présupposés :

*Pierre a cessé de fumer, puisque l'an dernier il fumait plus d'un paquet par jour, vs

Pierre a cessé de fumer, puisqu'il y a plus d'un mois que je ne lui ai pas vu de cigarette au bec

• pour L_2, l'enchaînement de type non métalinguistique et non réfutatif : ainsi on répondra plus difficilement « merci » à un complément présupposé (« Bonjour ma belle! — Merci! ») qu'à un compliment posé (« Comme vous êtes belle! — Merci! »), et l'enchaînement suivant :

— Ma fiancée a été assassinée.
— Félicitations. Et condoléances.

passera pour infiniment plus bizarre que celui qu'atteste le passage de Ionesco dont il s'inspire (voir note 7 du chapitre 2).

Du moins de tels enchaînements sont-ils exclus de ce que Ducrot nomme le « discours idéal » : ils sont marqués comme plus ou moins déviants et « anormaux ». Nous les retrouverons plus tard à propos de cette figure particulière que nous appelons « trope présuppositionnel », dont l'un des indices est justement que le contenu présupposé sert alors de base, dans des conditions autres que celles qui viennent d'être énumérées, à l'enchaînement discursif.

On peut donc admettre avec Ducrot, qui dans la « Postface » au *Mauvais outil* de Paul Henry, montre que les propriétés « classiques » des présupposés (être intouchés par les transformations négative et interrogative, être supposés connus du destinataire...) « constituent des aspects relativement superficiels [...] du phénomène étudié », et leur substitue un critère plus puissant fondé sur leur comportement particulier vis-à-vis de l'enchaînement, que c'est bien là un trait « essentiel » du présupposé (p. 183), et qui découle directement de la définition que nous en avons proposée.

Disons pour terminer ce rapide inventaire des propriétés des présupposés, et des débats les concernant, que ce sont pour nous à la fois *des conditions d'emploi, et des éléments de contenu*[26] (au même titre d'ailleurs que tous les sèmes posés) : il s'agit là d'une fausse alternative, qui ne correspond nullement à des propriétés incompatibles d'un même objet, mais à deux points de vue différents et parfaitement compatibles sur ce même objet. Par rapport à l'énoncé « Pierre a cessé de fumer », le fait que Pierre fumait auparavant peut en effet être considéré : soit, dans une perspective d'encodage, comme une condition externe du bon usage de l'assertion; soit, dans la perspective de décodage qui nous intéresse ici, comme une information interne à l'énoncé.

Ces deux perspectives sont apparemment également admises par Fillmore, lorsque à propos de « Please open the door », il déclare successivement (1971,b), p. 380)

• que « the presupposition about the closed state of the door is a property of the verb *open* » (quand il apparaît du moins dans une structure impérative),

• et que « We may identify the presupposition of a sentence as those conditions which must be satisfied before the sentence can be used in any of the functions just-mentioned ».

Mais le présupposé qu'envisage ici Fillmore est d'une nature un peu particulière : il s'agit de ce que certains (Keenan, Stalnaker, et Wunderlich, entre autres) nomment *« présupposé pragmatique »*, et que nous définirons comme suit : seront considérées comme des présupposés pragmatiques toutes les informations que véhicule un énoncé, et qui concernent les « conditions de félicité » (plus spécifiquement ses conditions « préliminaires ») qui doivent être réalisées pour que l'acte de langage que prétend accomplir l'énoncé puisse aboutir perlocutoirement[27].

Pour qu'une requête telle que « Ouvre la porte » puisse en effet fonctionner heureusement, encore faut-il par exemple que l'état de chose ordonné ne soit pas d'ores et déjà réalisé au moment de l'acte d'énonciation (*i.e.* en l'occurrence que la porte ne soit pas déjà ouverte); que le destinataire de l'ordre ait la possibilité de le décoder (il existe, c'est un être humain, qui n'est pas sourd et connaît la langue française, etc.), et la faculté d'obtempérer; et qu'il ne soit pas évident qu'il accomplirait l'acte sans l'énonciation de l'ordre, qui serait sans cela non informatif; que l'émetteur enfin de l'ordre soit en position institutionnelle d'en donner (car ne commande pas qui veut).

Dans une perspective d'encodage, ces différentes données apparaissent comme des « conditions de félicité » de l'acte illocutoire de requête. Mais du point de vue du décodage, ce sont autant d'informations (portant sur la situation et les actants de l'énonciation) que véhicule l'énoncé – s'il est du moins employé « normalement », c'est-à-dire que les présupposés pragmatiques sont soumis à la même règle de vérité, et sont tout aussi susceptibles de la venir transgresser, que les présupposés sémantiques.

Un exemple encore, pour bien marquer la différence entre ces deux types de présupposés : pour que « Cesse de fumer ! » fonctionne comme un énoncé valide, c'est-à-dire pragmatiquement approprié, et sémantiquement acceptable, deux conditions doivent être réunies :

• Il faut que le destinataire du message continue à fumer au moment de l'énonciation (qu'il n'ait pas déjà cessé de fumer) : ce présupposé, étant lié à la structure jussive de l'énoncé, et renvoyant à l'une des conditions préliminaires de l'acte de requête, est un présupposé pragmatique (enchaînement réfutatif dans le cas où cette condition n'est pas réalisée : « Mais j'ai déjà cessé ! »).

• Si le destinataire n'a jamais fumé, la défectuosité de l'énoncé se localise en revanche au niveau du contenu propositionnel de l'énoncé (utilisation indue du verbe « cesser ») et concerne toutes les mises en forme pragmatiques d'un tel contenu (« Tu as cessé de fumer. », « As-tu cessé de fumer? », « Puisses-tu cesser de fumer ! », etc.) : il s'agit là d'un présupposé sémantique (enchaînement réfutatif éventuel : « Mais je n'ai jamais fumé ! »).

Les présupposés pragmatiques sont aux valeurs illocutoires ce que les présupposés sémantiques sont aux contenus propositionnels. Ils reçoivent en partage toutes les propriétés des seconds – en particulier, celle de pouvoir être réfutés, ou commentés métalinguistiquement [28], et de prêter, nous le verrons, à un usage « tropique ».

2 – Les différents types de présupposés

Les présupposés, dont nous venons de distinguer deux sous-classes, peuvent être de nature extrêmement variable : sans prétendre en fournir une liste même incomplète, disons qu'on pourrait les typologiser selon deux axes :

(1) le type de support signifiant responsable de l'existence du présupposé [29] :

– Il peut être de nature lexicale. Comportent ainsi des présupposés :

• les verbes « aspectuels », ou « transformatifs » (« cesser de », « continuer à », « se mettre à »; « Pierre s'est réveillé » → /Pierre dormait auparavant/, etc.);

• les verbes « factifs » (« savoir », « regretter »...) et « contrefactifs » (« prétendre », « s'imaginer »...) qui présupposent la vérité/fausseté du contenu de la complétive qu'ils introduisent, et plus généralement l'ensemble des verbes « subjectifs », qui comportent un présupposé modalisateur, ou axiologique;

• certains morphèmes tels que « mais », « aussi », « même », « de nouveau », « déjà », « encore » (exemples : « Y en a-t-il parmi vous qui croient encore au Père Noël? », « Elle est encore belle », « Vous n'avez pas encore d'enfants? », « Dans le même temps, la crise du capitalisme s'approfondit, et comme il domine encore très largement le monde... »);

• plus généralement, un grand nombre de présupposés (il s'agit d'ailleurs plus précisément dans ce cas d'implications) trouvent leur origine dans la structure du lexique : relations de contraste (« Cette chaise est rouge » → /non verte.../), d'hyponymie/hypéronymie [30] (« C'est une chaise » → /c'est un siège/) et de restriction sélective (Zuber : « x blatère » → /x est – en principe, si le verbe est employé littéralement – un chameau/; « x est alezan » → /x est un cheval/, etc.).

– Présupposés à support syntaxique, qui s'attachent par exemple :

• aux expressions définies (voir O. Ducrot, 1972) et à la nominalisation (voir P. Sériot, 1985)

• aux expansions adjectivales ou relatives

• aux systèmes subordonnants (comparatives, hypothétiques, causales... [31])

• aux structures « clivées » (« C'est x qui est parti » → /quelqu'un est parti/)

• aux interrogations de constituant (« Qui est parti? » → /quelqu'un est parti/;

« Pourquoi est-ce que tu ne m'aimes plus ? » → $\dfrac{\text{/tu ne m'aimes plus/}}{\text{/tu m'aimais avant/}}$)

– Présupposés ayant pour support un contour prosodique particulier : ainsi ceux qui sont solidaires de la « mise en focus » de l'énoncé.

(2) La nature du contenu présupposé (le type d'information qu'il représente) peut également être envisagée pour constituer par exemple :

• la sous-classe des présupposés existentiels (les expressions définies présupposant ainsi l'existence, dans le monde réel ou fictionnel représenté ou construit par le discours, de l'objet qu'elles dénotent);

• celle des présupposés « dénominatifs » (l'emploi de tout terme présupposant son adéquation référentielle, *i.e.* que le dénoté possède bien les propriétés correspondant aux sèmes de l'expression correspondante);

• ou celle de ces types particuliers d'unités de contenu dont Ducrot a mis en évidence l'existence, et qui déterminent l'« orientation argumentative » d'un énoncé [32];

• ou bien encore pour fonder l'opposition précédemment envisagée entre présupposés « sémantiques » et « pragmatiques ».

Quelle que soit la nature du support présupposant, et du contenu présupposé, ces unités ont la propriété de permettre, à partir des contenus posés, la construction d'inférences particulières [33], dans la mesure où elles occupent sur l'axe graduel d'implicitation une zone proche du pôle de l'explicite, et où elles s'actualisent *nécessairement* [34] en même temps que l'énoncé lui-même.

2.3.2. Les sous-entendus

1 – Définition de la classe des sous-entendus

Elle englobe *toutes les informations qui sont susceptibles d'être véhiculées par un énoncé donné, mais dont l'actualisation reste tributaire de certaines particularités du contexte énonciatif* (ainsi une phrase telle que « Il est huit heures » pourra-t-elle sous-entendre, selon les circonstances de son énonciation, « Dépêche-toi! », aussi bien que « Prends ton temps » [35]); valeurs instables, fluctuantes, neutralisables, dont le décryptage implique un « calcul interprétatif » toujours plus ou moins sujet à caution, et qui ne s'actualisent vraiment que dans des circonstances déterminées, qu'il n'est d'ailleurs pas toujours aisé de déterminer. Valeurs qui sont toutefois pour nous véritablement inscrites dans l'énoncé (ce ne sont pas de purs « faits de parole »), même si leur émergence exige l'intervention, en plus de celle de sa compétence linguistique, des compétences encyclopédique et/ou « rhétorico-pragmatique » du sujet décodeur.

Par opposition aux présupposés, les sous-entendus (qui par ailleurs ne partagent pas ces propriétés de non informativité, ou d'indifférence à la négation [36] que l'on observe souvent chez les présupposés) se caractérisent par leur inconstance. On peut donc les déceler à l'aide de ce test de « cancellability » (annulation, neutralisation) auquel Grice fait appel pour identifier les implicatures conversationnelles,

• soit en cherchant des situations dans lesquelles l'information problématique ne s'actualise pas, par exemple : il est fréquent que sur la structure « Si p, alors q », qui explicitement énonce que p est la condition suffisante de q, vienne se greffer l'inférence : p en est aussi la condition nécessaire (« S'il fait beau, j'irai me promener » → /s'il ne fait pas beau, je resterai chez moi/). Mais il ne viendrait à l'idée de personne devant la formule qu'affichent certains bistrots « Si vous voulez téléphoner, consommez d'abord », de l'interpréter comme /Si vous ne voulez pas téléphoner, ne consommez pas/ : c'est que la connaissance (encyclopédique) de la situation (dans un bistrot il faut en tout état de cause consommer) vient ici bloquer l'émergence du sous-entendu;

• soit en observant ou construisant un enchaînement annulant le sous-entendu éventuel, et prouvant ainsi, si la phrase obtenue est grammaticale, son statut de sous-entendu :

> Il est huit heures mais ce n'est pas la peine de te presser comme ça
> Comme vous êtes jolie aujourd'hui — comme toujours du reste
> C'était un bien beau pays — ça l'est resté d'ailleurs, etc.

Comme on n'a pas toujours sous la main de situation adéquate, ou d'enchaînement attesté, on est bien obligé de recourir à la construction d'enchaînements artificiels, dont la grammaticalité peut être sujette à caution. Plus gênant est le fait qu'en ce qui concerne l'opposition présupposé/sous-entendu, on ne peut pas toujours conclure grand-chose de telles observations, puisque les présupposés peuvent eux aussi, même si c'est moins volontiers que les sous-entendus, être « rectifiés », c'est-à-dire oblitérés par l'enchaînement. La « cancellisation » n'est en principe pas exactement de même nature dans les deux cas : celle d'un présupposé annule un contenu précédemment actualisé, mais dont L se repent après coup; celle d'un sous-entendu neutralise une valeur virtuelle qui pourrait venir investir l'énoncé, mais dont L prend la précaution de préciser qu'il n'a pas voulu l'y loger. En d'autres termes : les présupposés ne peuvent être suspendus que par l'action de cotextes très particuliers (de type correctif ou plus généralement « méta »), en l'absence desquels ils s'actualisent automatiquement ; les sous-entendus ont au contraire *besoin* pour s'actualiser véritablement de confirmations cotextuelles ou contextuelles, sans lesquelles ils n'existent qu'à l'état de virtualités latentes : les présupposés et les sous-entendus ne sont donc pas, comme le voudrait Levinson, « defeasible » au même titre et au même degré.

Mais la différence est parfois, dans les faits, bien difficile à établir. Que conclure par exemple d'un enchaînement tel que

Pierre a essayé de tuer Henri, il y est même parvenu :

que le verbe « essayer » véhicule un présupposé lexical ici neutralisé comme peut l'être celui de « cesser » dans une phrase (nettement plus bizarre il est vrai) telle que « Pierre a cessé de fumer, il n'a même jamais fumé », ou un simple sous-entendu qu'engendre l'application de la loi d'exhaustivité ? C'est ce dernier traitement que préconise Levinson (1983, p. 134) : « essayer » signifierait en quelque sorte littéralement /entreprendre une action, avec ou sans aboutissement/, et seule la loi d'exhaustivité le chargerait parfois d'une « implicature conversationnelle » de type « scalaire » (d'un sous-entendu donc, dans notre terminologie) ; même chose pour « some », « often », ou « possibly », qui se contenteraient de sous-entendre /pas tous/, /pas toujours/, ou /pas nécessairement/ – alors qu'on pourrait être plutôt tenté de considérer de tels contenus comme des présupposés s'attachant intrinsèquement aux signifiants correspondants.

Bien d'autres difficultés surgissent à propos de cette distinction entre présupposés et sous-entendus, qui tiennent entre autres choses au caractère flou des structures sémiques des lexèmes. En effet : les présupposés sont en principe décodés à l'aide de la seule compétence linguistique, alors que les sous-entendus font en outre intervenir la compétence encyclopédique des sujets parlants. Mais l'on sait que ces deux compétences ne sont pas clairement délimités. Par exemple :

Le chapeau de mon oncle est en satin

présuppose à coup sûr /mon oncle a un chapeau/ mais aussi sans doute, car c'est là une information fort vraisemblable, /mon oncle a une tête/. Est-ce à dire qu'il faille marquer dans le lexique une telle information, et comment ? En signalant par exemple que le trait [humain] qui s'attache au lexème « oncle » implique [qui possède une tête] (problème de ce que les théoriciens du « groupe μ » nomment la « structuration de type Π », *vs* « de type Σ »)? Encore peut-on ici s'en tirer en déclarant que quel que soit le statut, linguistique ou encyclopédique, d'une telle information, elle est en tout état de cause à considérer comme un présupposé puisqu'elle s'accroche à l'énoncé de façon stable. Ce qui n'est pas le cas des connotations, de ce magma de valeurs instables qui viennent graviter autour des lexèmes, et que l'on peut justement assimiler aux sous-entendus. Mais la frontière n'est pas « clearcut » entre les connotations (ou « implications conceptuelles »), et les véritables sèmes qui définissent les contenus lexicaux (dont certains sont toujours des présupposés, et les autres reçoivent, au cours de l'actualisation discursive, le statut soit de posés, soit de présupposés). Dans cette histoire « drôle » extraite de l'Almanach Vermot 1980 :

> — Hier j'ai fait à ma femme une grosse surprise. Je lui ai offert une boîte de caramels pour son anniversaire.
> — Et pourquoi cela lui a-t-il fait une telle surprise ?
> — Parce qu'elle attendait un manteau de fourrure,

on peut sans hésiter considérer comme un sous-entendu le trait axiologique de « surprise » sur lequel repose entre autres l'effet comique (?) de ce dialogue : une surprise peut être dénotativement bonne ou mauvaise, même si le terme généralement connote « bonne surprise ».

Il est en revanche plus difficile de trancher dans un cas tel que celui-ci [37] : « Chez nous on n'est pas sexistes, on ne fait aucune faveur spéciale aux dames. » Faut-il marquer le contenu sémique de « sexiste » du trait [qui considère le sexe masculin comme supérieur au sexe féminin, et méritant donc des privilèges spéciaux] (sème qui se trouverait ici inversé), ou plus généralement du trait [qui établit entre les sexes certaines discriminations], la spécification [supériorité du sexe mâle] n'étant qu'une connotation très généralement associée au concept ? Mais à partir de quelle fréquence d'actualisation peut-on admettre dans le noyau sémique une valeur sémantique quelconque ?

C'est une fois de plus le problème du caractère graduel des phénomènes linguistiques que nous croisons ici au passage. Les présupposés sont en principe inscrits à 100 % dans l'énoncé. Mais que faire des valeurs qui y figurent avec une très forte présomption ? Faut-il les considérer comme des présupposés imparfaits, ou comme des sous-entendus particulièrement tenaces ? C'est selon : on ne peut que prendre son parti de l'arbitraire qui nécessairement préside à la dichotomisation des axes graduels [38] – le discours métalinguistique imitant d'ailleurs en cela la langue, qui elle aussi impose au continuum substantiel une « forme » constituée d'éléments discrets.

2 – Diverses sous-classes de sous-entendus

Au sein de cet ensemble plus vaste, plus flou et plus hétéroclite encore que celui des présupposés, il convient de distinguer diverses sous-classes de sous-entendus, sur la base d'axes différenciateurs tels que :

(1) le type d'ancrage du sous-entendu : direct ou indirect, et dans le premier cas, intonatif, lexical, ou syntaxique (l'indéfini « certain » [39], le morphème de négation, telle forme temporelle ou modale, les structures emphatiques du type « moi je », sont ainsi souvent sources d'inférences diverses);

(2) la genèse du sous-entendu, dont l'extraction met en branle, en plus de la compétence linguistique du récepteur, ses compétences encyclo-pédique, logique, ou rhétorico-pragmatique;

(3) la nature du contenu sous-entendu :

De même que nous avons pu opposer les présupposés sémantiques *vs* pragmatiques, de même peut-on semble-t-il envisager une sous-classe de *sous-entendus pragmatiques*, qui correspondrait aux renseignements qu'un énoncé fournit sur les conditions de félicité non nécessaires mais probables, ou simplement possibles, de l'acte de langage qu'il prétend accomplir : Dans certaines circonstances par exemple, une phrase telle que :

Tu sais, les chagrins d'amour on s'en remet

peut sous-entendre :

/Moi je m'en suis remis (→ j'en ai connu)/,

pour les raisons suivantes :

l'une des conditions préliminaires de l'acte d'assertion c'est que L parle « en connaissance de cause », c'est-à-dire qu'il tire son savoir d'une source quelconque. L'une de ces sources pouvant être son expérience personnelle, on comprend qu'une assertion générale puisse occasionnel-lement sous-entendre, surtout lorsque des informations contextuelles viennent confirmer une telle interprétation : je te parle là de quelque chose qui m'est arrivé personnellement.

Quelques remarques maintenant sur deux types particuliers de sous-entendus que la langue commmune désigne sous les termes d'« insinua-tion » et d'« allusion ».

– *L'insinuation*, nous la définirons comme étant en général *un sous-entendu malveillant :* pour que l'on ait affaire à une insinuation, il faut et il suffit que l'on admette qu'un certain contenu se trouve :

    1. énoncé
    2. sur le mode implicite

3. de telle sorte qu'il disqualifie l'allocutaire, ou une tierce personne (on insinue rarement à propos de soi-même...).

Corrélativement, chacun de ces sèmes pouvant faire l'objet d'une dénégation, il y a trois manières de contester l'usage du lexème :

L$_1$. – Vous n'avez pas le droit d'insinuer que...
L$_2$. – 1. Mais je n'ai jamais dit ça !
      2. Je ne l'insinue pas, je le dis clairement...
      3. Je l'ai effectivement suggéré, mais ce n'était pas dans un mauvais dessein...

Ces trois conditions d'application du concept d'insinuation posent bien sûr, chacune à leur manière, quelques problèmes :

1. au même titre que tous les sous-entendus, l'insinuation soulève la question suivante, à laquelle nous tenterons plus tard de fournir quelques éléments de réponse : à partir de quand peut-on raisonnablement admettre qu'un sous-entendu donné figure dans une séquence énoncive donnée?

2. On peut difficilement concevoir l'enchaînement suivant :

L$_1$. – Tu n'es qu'un gros con.
L$_2$. – Qu'est-ce que tu veux insinuer?

pour la bonne raison que les injures trop explicites ne sauraient être « insinuées ». Mais tous les contenus implicites peuvent-ils fonctionner, dès lors que la condition 3. se trouve remplie, comme des insinuations?

Soit le syntagme cher à J.-Cl. Milner « cet imbécile de Pierre... », dans lequel /Pierre est un imbécile/ se trouve présupposé : il semble que même dans un tel cas, la « malveillance » soit encore trop claire, trop explicite, pour que l'on puisse parler d'insinuation. Elle commence en revanche avec un énoncé tel que « tu as encore commis un poème? » (– « Qu'est-ce que tu veux insinuer? que mes œuvres poétiques sont mauvaises? »), énoncé dans lequel « commettre » comporte un présupposé axiologique négatif portant sur l'objet du verbe – cette information n'étant pas atteinte par la négation, et s'attachant à toutes les occurrences de ce verbe puisque le *Petit Robert* 1971 définit « commettre » comme « accomplir, faire (une action blâmable) ».

Ce qui tend à prouver que les contenus présupposés ne se situent pas tous au même point de l'axe d'implicitation : certains sont plus discrets, plus camouflés que d'autres; et que l'insinuation ne commence qu'à partir d'un certain degré d'implicitation : son domaine recouvrirait toute la zone des sous-entendus, ainsi qu'une partie de celle des présupposés.

Une constatation encore, allant dans le même sens : même si elle est clairement utilisée par antiphrase, une formule telle que « Ah c'est intelligent ce que tu as fait là! » ne sera pas perçue comme une insinuation, bien que le contenu /stupide/ soit à la fois malveillant, et dérivé, donc implicite. C'est qu'il s'agit là d'un trope, qui convertit, nous le verrons, en contenu dénoté un contenu implicite, ce qui lui permet d'effectuer une sorte de « remontée vers la surface » : l'insinuation a bien certaines affinités avec l'ironie [40], mais avec la « connotation ironique », et non point le « trope ironique » (voir plus loin pour cette distinction).

3. Quant au trait de « malveillance », il faut reconnaître qu'il n'est pas aussi fortement constitutif que les deux autres du sémème d'« insinuer » : chez Quintilien, l'« insinuatio » correspond à peu près à ce que nous nommons « sous-entendu » [40]; H. Parret, 1978 (p. 17), considère de même qu'« il n'est pas exact que ce qui est insinué est toujours répréhensible », et certaines occurrences attestées du terme corroborent en effet cette opinion [41]. Quant aux dictionnaires, on y trouve des formules telles que :

« Donner à entendre (qq ch.) sans dire expressément (*surtout* avec un mauvais dessein) », ou bien encore

« [...] *souvent* dans une intention malveillante » : le trait 3. aurait donc le statut de « trait fréquemment associé au sémème sans y être nécessairement attaché », c'est-à-dire qu'« insinuer » sous-entendrait, sans la poser ou la présupposer, la malveillance.

(Précisons rapidement à ce sujet ceci : dans le contenu d'un lexème, il convient d'indexer

• des traits constants, ou « sèmes », dont l'ensemble constitue le sémème, au sein duquel ils se trouvent au moins partiellement hiérarchisés;

• des traits instables, ou « connotèmes ».

Les traits de connotation sont assimilables aux sous-entendus.

Pour ce qui est des sèmes, ils correspondent aux posés, ou aux présupposés, soit que leur statut soit déterminé en langue (exemple du verbe « cesser »), soit qu'il ne se précise qu'au cours de l'actualisation discursive.

Ce sont en général les traits les plus spécifiques qui se trouvent alors convertis en posés : dans

Ce n'est pas un célibataire [mais un homme marié]
ce n'est pas un tacot [mais une voiture très présentable],

seuls les traits [non marié] et [de mauvaise qualité] sont en général atteints par la négation, les autres étant donc présupposés.

Mais les choses peuvent se passer autrement et l'on peut d'autre part observer parfois (surtout lorsque les axes sémiques sont en relation de

classification croisée) plusieurs possibilités de hiérarchisation, en discours, des unités sémiques, ainsi dans des séquences telles que :

Je ne l'ai pas insinué

(voir plus haut), ou

elle a été presque violée,

l'adverbe modalisateur pouvant ici porter soit sur le trait [subir les
derniers outrages sexuels], soit sur le trait [contre son gré]).

Nous réserverons toutefois le terme d'« insinuation » – parce que
cela correspond à notre usage spontané, et permet de le spécialiser
par rapport à « sous-entendu » – aux cas où la nature du contenu
sous-entendu invite à supposer chez son énonciateur un « mauvais
dessein ».

– Venons-en maintenant à l'« *allusion* » : le terme s'emploie semble-t-il
dans des circonstances diverses, mais relativement précises :

• soit on entend par là un sous-entendu à contenu grivois ou graveleux :
c'est l'allusion sexuelle – de tels contenus étant, on comprend aisément
pourquoi, particulièrement candidats à la formulation implicite.
Ex. : « Enfin, avec l'allusion aux " attitudes excentriques ", nous en
sommes à l'allusion personnelle [...] » (Pasolini, 1976, p. 126), le sous-
entendu dont il s'agit ici relevant donc à la fois de l'allusion, et de
l'insinuation.

• soit on parle d'allusion s'agissant d'énoncés faisant implicitement
référence à un ou plusieurs faits particuliers connus de certains des
protagonistes de l'échange verbal et d'eux seuls, ou d'eux surtout, ce
qui établit entre eux une certaine connivence (pacifique ou agressive
du reste) [42].
Exemple d'allusion bien précise à un fait bien précis qui concerne une
personne bien précise, le destinataire en l'occurrence (l'allusion étant
en outre, une fois de plus, une insinuation : on se demandera plus loin
pourquoi tant de sous-entendus sont malveillants) : « Vous avez dit que
les candidats sortants avaient un avantage et normalement améliore-
raient leur précédent score. Mais ce n'est pas toujours le cas, vous êtes
bien placé pour le savoir M. Defferre... C'est une allusion très précise! »
(débat télévisé entre Chinaud et Defferre, faisant suite à l'élection
présidentielle du 24 avril 1981);

• sans parler d'un type d'allusion sensiblement différent : c'est l'allusion de la rhétorique classique, c'est-à-dire le renvoi intertextuel [43];
allusion qui n'entretient qu'un rapport assez lointain avec le problème
de l'implicite – mais un rapport tout de même puisque le texte évoqué

et convoqué par allusion intertextuelle est tout à la fois, comme le sous-entendu, présent, et absent de celui qui l'accueille.

(4) On pourrait enfin fonder cette typologie des sous-entendus sur leur *degré d'évidence*, et leur *force d'actualisation*, les sous-entendus qui s'attachent à une séquence pouvant être en effet *plus ou moins* contestables ou incontestables, stables ou instables, timides ou assurés, comme il apparaît en comparant par exemple :

(i) Ceux qui prendraient la responsabilité de diviser la gauche au nom de l'intérêt électoral de leur parti se condamneraient aux yeux de tous. Nous, socialistes, nous n'avons jamais mis de condition à l'union.

(ii) Le parti n'est pour les socialistes que l'instrument des luttes. Il n'est pas une fin en soi.

Dans ces deux déclarations socialistes (mars et juin 1978), il est permis de voir une allusion à l'attitude du P.C.F. Mais l'allusion est nettement plus « claire », plus appuyée dans le premier énoncé – où elle repose sur un certain nombre de marqueurs linguistiques : la « forme en -rais », l'indice typographique que constitue la majuscule donnant au substantif « parti » une « valeur prégnante » bien précise, ces deux marqueurs conjugués permettant d'engendrer l'inférence /le parti communiste prend la responsabilité de diviser la gauche au nom de son propre intérêt électoral/ ; et dans la seconde phrase, la structure emphatique qui sous-entend /c'est pas comme d'autres/, donc à la lumière de ce qui précède : /les communistes ont mis certaines conditions à l'union/ – que dans le second, où seule l'expansion prépositionnelle « pour les socialistes » tend à véhiculer, en vertu des lois d'informativité et d'exhaustivité, un sous-entendu du type /il n'en est pas de même pour d'autres militants/, sous-entendu d'ailleurs suspensible (« pour les socialistes – comme pour tous les partis politiques »), et dont rien ne vient spécifier le contenu très général, si ce n'est, bien sûr, des informations que l'on va convoquer de l'extérieur, c'est-à-dire puiser dans sa compétence « encyclopédique », sa connaissance du contexte en l'occurrence politique ; savoir contextuel qui intervient dans le premier cas également, mais de manière plus redondante donc accessoire : plus sont ténus et discrets les indices linguistiques d'un sous-entendu, et plus il est nécessaire de faire compensatoirement appel, pour le décrypter, à des informations de nature extralinguistique.

Le degré d'évidence d'un sous-entendu est ainsi fonction de facteurs à la fois externes (degré de notoriété des faits extralinguistiques pertinents) et internes (nombre, qui peut à la limite être nul, des supports linguistiques du sous-entendu; mais aussi statut de ces marqueurs, qui peuvent être plus ou moins fortement codés, certains sollicitant avec insistance telle interprétation, cependant que d'autres, plus timides, se contentent de n'être que les indices flous, capricieux et aléatoires d'une valeur que la structure ne comporte qu'accidentellement – cet axe d'opposition, où l'on pourra ainsi localiser, par ordre d'« insistance » sémantique décroissante, nos exemples précédents de la manière suivante : indice typographique /forme en -rais/structure emphatique/ expansion restrictive, étant bien entendu graduel). Et c'est sur de telles bases qu'il semble au moins partiellement possible d'édifier une *échelle d'implicitation*, et corrélativement, de mesurer le degré de mauvaise foi susceptible d'être observé dans le maniement des contenus implicites, selon le principe suivant : plus un contenu est explicite, plus il y aurait de mauvaise foi à prétendre nier son existence dans l'énoncé; et plus il est implicite, plus il y a de mauvaise foi à vouloir l'imputer à coup sûr au responsable de la séquence.

Quelques exemples comparatifs encore :

• En vertu de l'action conjuguée des lois d'informativité et d'exhaustivité,

> Il fait beau *en ce moment*

peut éventuellement sous-entendre que ça ne va sans doute pas durer. Mais le sous-entendu, très discret dans la formule précédente, se durcit si je déclare :

> Il fait beau *pour le moment*.

• Exemple emprunté à Charolles (1980, a), p. 38) :

Supposons qu'en conseil de classe on s'interroge sur l'opportunité d'admettre en 4ᵉ l'élève Durand. Quelqu'un mentionne :

> (i) Dupont a été admis en 4ᵉ.

Ce qui peut suggérer, « dans certaines circonstances et prononcé avec une intonation marquée », et en vertu cette fois de la loi de pertinence

> (i') Alors pourquoi n'admettrions-nous pas aussi Durand?

Mais la suggestion se fait sensiblement plus insistante si elle se formule comme :

> (ii) Dupont a *bien* été admis en 4ᵉ.

Et Charolles de conclure : « La seule différence entre les deux énoncés réside dans le fait que celui qui énonce (ii) [44] ne pourra pas prétendre ne pas avoir voulu dire quelque chose comme (i') alors qu'un émetteur de (i) pourra toujours soutenir (avec mauvaise foi) qu'il a simplement voulu relever qu'au bout du compte le conseil avait admis Dupont en 4ᵉ.» Nous dirons plutôt que le sous-entendu étant nettement plus fort en (ii) qu'en (i), la mauvaise foi de l'émetteur sera proportionnellement plus grande s'il nie avoir «voulu dire» (i') dans l'un et l'autre cas [45].

. « Le comte Bobby va faire ses achats dans quelques magasins et il égare son parapluie. Il revient sur ses pas et pénètre dans le premier des magasins pour demander si on n'a pas trouvé son parapluie. " Non, monsieur le comte, pas de parapluie. " Il retourne au second magasin : " Non, monsieur le comte, pas de parapluie. " Puis au troisième magasin : " Oui, monsieur le comte. Voilà votre parapluie. " Le comte Bobby remercie et félicite : " Vous êtes, vous, un magasin honnête! " » [46].

Imaginons que les félicitations du comte Bobby aient pris la forme

(i) *Vous êtes* un magasin honnête,

plutôt que

(ii) *Vous êtes, vous,* un magasin honnête;

ou bien encore celle-ci :

(iii) *Vous êtes, vous au moins,* un magasin honnête :

La version (i) ne ferait pas rire : c'est que l'inférence /ce n'est pas comme les autres magasins, qui sont tous des malhonnêtes/, inférence absurde puisque le parapluie ne saurait être doué d'ubiquité, et sur laquelle repose toute la « drôlerie » de cette « histoire », serait, sans être véritablement exclue (car attribuer à x la propriété p, c'est parfois, nous le verrons, sous-entendre que les non-x se caractérisent par non-p), trop ténue et incertaine pour déclencher le rire, qui se nourrit de certitudes interprétatives. Le rire démarre avec la réplique (ii), dans laquelle le sous-entendu vient s'appuyer plus fermement sur la structure emphatique. Quant à la version (iii), elle obtiendrait *a fortiori* le même résultat, puisque l'inférence responsable de l'effet comique s'y inscrit encore plus incontestablement qu'en (ii).

Il faut admettre l'existence de degrés dans l'actualisation des valeurs sémantiques : certaines s'imposent avec évidence, constance, et obstination, cependant que d'autres se contentent d'orienter plus ou moins timidement l'énoncé vers telle ou telle interprétation plus ou moins vraisemblable.

Le principe de gradualité, nous l'avons ainsi rencontré à propos de la distinction à établir entre contenus explicites et implicites, et entre contenus présupposés et sous-entendus; puis au sein de l'ensemble des présupposés [47], s'agissant du problème de l'insinuation; et de façon plus pressante encore, à l'intérieur de l'ensemble des sous-entendus, que l'on ne peut espérer décrire de façon satisfaisante sans tenter d'en préciser la force, extrêmement variable, d'actualisation [48].

Il apparaît aussi qu'un certain nombre de phénomènes linguistiques ne peuvent être traités adéquatement qu'en admettant ce principe de gradualité, les *contradictions* par exemple, et les *tautologies*.
Comparons ainsi :

(i) Pierre, qui n'a jamais fumé de sa vie, a cessé de fumer
(ii) La fille la plus intelligente que j'ai jamais rencontrée était quand même bête
(Zuber, 1972, p. 62).

La contradiction inhérente à ces deux énoncés est perçue comme nettement plus forte en (i) qu'en (ii) : c'est qu'elle intervient entre un posé et un présupposé dans le premier cas, et dans le second, entre un posé et un simple sous-entendu [49].
Il est vrai que (ii) comporte en outre un de ces « connecteurs de rattrapage » (« quand même », « cependant », « néanmoins », etc.) qui ont pour fonction, nous dit Charolles (1978, p. 26), de « récupérer un énoncé qui sans eux pourrait être éventuellement perçu comme contradictoire ». Mais Charolles d'ajouter : « Ils ne permettent pas toutefois d'effectuer n'importe quelle récupération et leur portée n'est pas sans limites. Ainsi " cependant " rattrape la contradiction inférentielle dans (44) mais non la contradiction présuppositionnelle dans (45) :

(44) Jacques déteste voyager. Cependant il est très heureux de partir pour les U.S.A., car...
*(45) Jacques se figure que son père veut le dénoncer à la police. Cependant c'est vrai car... »

Dans notre terminologie : en (45), la contradiction intervient entre un présupposé contre-factif qui s'attache au verbe « se figurer », et le posé de la seconde phrase. En (44), elle joue entre le sous-entendu de la première phrase (engendré par un mécanisme de glissement du général au particulier : « Jacques déteste voyager » → /on pourrait s'attendre à ce qu'il soit malheureux d'avoir à entreprendre ce voyage particulier/), et le posé de la seconde.
Certaines contradictions sont donc « rattrapables », d'autres pas : c'est qu'elles sont *plus ou moins fortes,* selon qu'elles mettent en cause un posé ou un présupposé (lesquels sont de ce point de vue à assimiler), *vs* un sous-entendu.
– *Les contradictions fortes* engagent :
1. deux posés, ex. :

Je suis complètement et à moitié désespéré (Ionesco),

énoncé anormal assurément, à la différence de celui-ci :

> Je suis à moitié, et même complètement désespéré,

cette comparaison montrant que la contradiction, qui résulte du télescopage de deux contenus également assumés par L, doit être distinguée de la rectification, qui annule après coup un contenu précédemment asserté;

2. un posé et un présupposé, ex. :

> • Ma tante est veuve. Son mari collectionne les machines à coudre

(Charolles, 1978, p. 24) : contradiction entre le sème [qui n'a plus de mari] posé par « veuve », et le présupposé existentiel qui s'attache à l'expression définie « son mari » (en tant qu'elle est sujet d'un verbe au présent).

> • Je ne sais pas que la terre est ronde

/la terre n'est pas ronde/ : posé
/la terre est ronde/ : présupposé.

> • Pierre sait que la terre est ronde, mais ce n'est pas vrai,

/là terre est ronde/ : présupposé   /la terre n'est pas ronde/ : posé

(le verbe « savoir » en effet pose que l'*agent* du procès adhère à la vérité du contenu de la complétive si le verbe est à la forme affirmative, le posé s'inversant si le verbe est nié;

présuppose que le *locuteur* croit à cette vérité – présupposé « factif » –, que le verbe « savoir » soit ou non nié).

> • Je ne crois pas à l'Enfer, mais j'en ai peur :

« avoir peur de x » présuppose /croire à l'existence de x/

> • Votre main est un outil parfait. Le gant Baltex a osé le perfectionner (slogan publicitaire) :

« perfectionner x » présuppose « x n'est pas parfait ».

> • Maintenant, pour apprendre le français, il faudra le savoir (Coluche).
> • Il comprend vite, mais il faut lui expliquer longtemps

etc.

3. deux présupposés enfin :

> • Rodolphe a tué sa veuve :

le trait [qui n'a plus de mari] étant cette fois présupposé puisqu'il s'attache à une expression définie, la contradiction intervient entre /le mari de cette veuve – à savoir Rodolphe, à cause du possessif – est mort en T, temps d'actualisation du procès/, et /Rodolphe est vivant en T/ (présupposé en vertu d'une règle de « restriction sélective » caractérisant le verbe « tuer » – et bien d'autres – : l'agent du procès doit être vivant en T).

- Ma fille, je la connais comme si je l'avais faite.

→ /j'ai une fille/   /je ne l'ai pas faite/
→ /je l'ai faite/

   • Une dame va trouver son médecin :
   — Mon mari se prend pour un cheval, docteur. Il piaffe, il mange du foin, il hennit.
   — Cela doit être très pénible pour vous !
   — Pas toujours ! avoue la dame. Dimanche, par exemple, il a gagné deux courses
à Auteuil (histoire drôle rapportée par A. Petitjean, 1981, p. 19) :

contradiction entre les présupposés /ce n'est pas un cheval/ et /c'est
un cheval/ véhiculés respectivement par les expressions verbales « se
prendre pour », et « gagner deux courses à Auteuil ».

— On a affaire à une *contradiction faible* dès lors que l'un des deux
éléments qui s'y trouvent impliqués a statut de sous-entendu, c'est-à-
dire qu'entrent en collision un posé et un sous-entendu, un présupposé
et un sous-entendu, ou bien deux sous-entendus. Mais les sous-entendus
pouvant être plus ou moins forts, les contradictions correspondantes
sont conséquemment plus ou moins sensibles, et doivent être graduées
selon une échelle directement corrélée à celle des sous-entendus. Il
semble par exemple que la contradiction serait légèrement plus appuyée
en

         (i) Il y a là quelque chose qui choque en moi le logicien que je fus,

qu'en

         (ii) Il y a là quelque chose qui choque en moi le logicien que j'ai été (déclaration
relevée lors d'un colloque),

dans la mesure où le sous-entendu /je ne suis plus logicien/ (→ /je ne
saurais être choqué/), qui peut venir investir toute forme temporelle de
passé, s'actualise plus nettement au passé simple (qui connote la rupture
totale d'avec le présent) qu'au passé composé (qui suggère que l'action
passée peut avoir certaines retombées sur l'époque présente : si l'on *a
été* logicien, il en reste toujours quelque chose...).
   Quelques exemples de contradictions mettant en cause :
      1. un posé et un sous-entendu :
         • Pierre a cessé de fumer hier, mais il a recommencé aujourd'hui :

si l'on désigne par T le moment où s'inaugure le procès de « cesser »,
et par T_0 le moment de l'énonciation, il semble bien que cette séquence
pose /Pierre fume en T_0/ (contenu posé par « recommencer »), mais
aussi sous-entend plus ou moins (d'où l'effet de contradiction) /Pierre
ne fume pas en T_0/, dans la mesure où « x a cessé de faire y » :
présuppose que x faisait y antérieurement à T, pose qu'à partir de T,
x n'a plus fait y pendant un certain temps, mais sous-entend en outre

que ce non-faire a duré pendant une période indéterminée mais relativement (à la nature de y) longue [50].

• Relevé sur un flacon d'huile solaire :

> Résiste à l'eau.
> Renouveler l'application après chaque bain.

• Voir aussi les exemples du type

> Je ne suis pas raciste mais...
> Je ne suis pas alcoolique mais... (après 7 heures du soir il faut absolument que

je boive de l'alcool).

2. un présupposé et un sous-entendu : cf. l'ex. précédemment mentionné du logicien choqué.

3. deux sous-entendus : « Toscanini disait plaisamment que pour monter le *Trouvère* il suffisait d'avoir les quatre meilleurs chanteurs du monde » (*Libération* du 31 juillet 1981, p. 31) : contradiction (plaisante) entre les sous-entendus /c'est facile/ et /c'est difficile, voire impossible/ véhiculés par « il suffit de » et « avoir les quatre meilleurs chanteurs du monde. »

Donc, les contradictions produisent un effet plus ou moins violent selon le statut des unités sémantiques qui s'y trouvent impliquées. En cas d'hésitation concernant ce statut, ainsi lorsque l'on ne sait pas trop si l'on a affaire à un présupposé ou un sous-entendu, on peut alors faire appel au « sentiment de contradiction », sentiment il faut bien le dire assez flou lui-même, mais qui peut servir à venir confirmer ou infirmer des présomptions établies sur la base d'autres considérations. Par exemple, si l'on se demande avec Sorin Stati comment il convient de décrire le contenu sémique de l'adjectif « bon » dans un contexte tel que « c'est un bon couteau », et s'il faut y incorporer le trait [qui a toutes les propriétés requises pour permettre à l'objet ainsi caractérisé de remplir la fonction qui lui est dévolue] (trait qui se combinant avec le sème [pour couper] de « couteau » permettra de marquer du trait [qui coupe bien] le syntagme « bon couteau »), on pourra s'appuyer sur l'intuition de l'existence d'une contradiction forte dans une phrase telle que « c'est un bon couteau, sauf qu'il coupe mal », pour accorder à un tel trait le statut, non de connotation, mais de sème à part entière [51].

(Cela dit, le « sentiment de contradiction » varie sensiblement d'un sujet à l'autre, en fonction précisément de ce qu'il considère, en vertu de sa propre compétence lexicale, comme constituant le contenu sémique de la séquence – éléments posés ou présupposés donc –, et de ce qu'au contraire il relègue dans les simples « implications conceptuelles » éventuellement sous-entendues par cette même séquence. Ainsi :

(i) Discussion entre amis sur le menu du soir. Quelqu'un suggère : « Et si on faisait des crêpes ? »

L$_1$. – « Bonne idée, je m'en charge : les crêpes je sais les faire. »

(Un peu plus tard)

L$_2$. – « Alors tu les fais ces crêpes ? »

L$_1$. – « Ah mais je ne sais pas faire la pâte ! »

Pour L$_1$: pas de contradiction forte entre « savoir faire les crêpes » – qui pour lui n'implique vraiment que la compétence de les faires sauter dans la poêle – et « ne pas savoir faire la pâte ».

Pour L$_2$, qui ne se prive d'ailleurs pas d'exprimer bruyamment son sentiment sur la question, L$_1$ vient de commettre une bévue rédhibitoire.

Mais le lendemain, revanche de L$_1$:

(ii) L$_1$. – Et tes essuie-glaces, ils marchent bien ?

L$_2$. – Oui ça va... Mais alors, qu'est-ce qu'ils essuient mal !)

Symétriquement, les mêmes observations peuvent être faites au sujet des tautologies et redondances, qui sont elles aussi graduables. Dans le même ordre d'idées, J. Sadock (1978, p. 294) propose de faire appel, pour distinguer les « implicatures conventionnelles » des « implicatures conversationnelles » (*i.e.,* en gros, nos présupposés des sous-entendus), conjointement au test de « cancellability », à celui de « reinforceability » : les implicatures du premier type seraient ainsi difficilement « renforçables » (ex. : dans « It's odd that dogs eat cheese, and they do », l'explicitation du présupposé factif de la première phrase produit l'effet d'une redondance vraiment saugrenue), tandis que les implicatures du deuxième type le sont beaucoup plus naturellement (ex. : « Maggie ate some, but not all, of the cheddar »).

Il importe toutefois de distinguer ici tautologie et redondance :

Les tautologies, qui n'exploitent que les posés et les présupposés, sont toujours « marquées » comme déviantes car elles présentent fallacieusement comme un apport d'information une séquence informationnellement vide – soit qu'il s'agisse d'une pseudo-explication circulaire : « L'opium fait dormir parce qu'il a une vertu dormitive », soit que le prédicat ne dise rien de plus que le sujet : « Une femme est une femme », « Un sou est un sou », « Le passé c'est le passé », « Un mari c'est un mari [52] », « Une Volkswagen est une Volkswagen », « Un meurtrier c'est un meurtrier », « C'est fait c'est fait », « C'est dit c'est dit », « Je dis ce que je dis », « Quod scripsi, scripsi », « Quand c'est fini, c'est fini », « Passé les bornes, il n'y a plus de limites », « Seule l'eau d'Évian a les vertus de l'eau d'Évian », « Plus c'est bon, meilleur c'est », « Une fois n'est pas coutume », « Demain est un autre jour »...

La plupart des exemples précédents correspondent d'ailleurs à des tautologies plus ou moins lexicalisées, et réductibles de différentes façons (interprétation tropique de l'un des deux éléments, construction d'une inférence informative, etc.). Mais voici quelques tautologies irréductibles, dont l'effet transgressif (de la loi d'informativité) est évident :

> De quelle couleur était le cheval blanc d'Henri IV ?

(relation tautologique entre le présupposé très fort de la question [53], et le posé de la réponse attendue).

> On peut presque tout changer,
> Excepté ce qu'on n'peut pas (Bobby Lapointe, *Avanie et Framboise*).

> En tout cas, vous êtes moins en retard que... ceux qui le sont davantage (Jean Tardieu, *Théâtre de chambre*, Gallimard, 1966, p. 132, et p. 196 :)
> En effet, rien n'est possible, de ce qui est impossible !

En revanche, la reformulation explicite d'un contenu implicite précédent n'apparaît jamais comme superfétatoire, car sans apporter de véritable surplus d'information, elle permet à l'énoncé, en modifiant le statut du contenu en question, de gagner en clarté. De telles reformulations ne sont perçues comme des anomalies discursives que dans le cas limite d'une inférence que les lois de l'arithmétique rendent aussi évidente que celle-ci :

> LE PRÉPOSÉ. — Quel âge avez-vous ?
> LE CLIENT. — Mais je vous ai donné ma date de naissance tout à l'heure !
> LE PRÉPOSÉ. — La date de naissance et l'âge, ce n'est pas la même chose. Les deux indications ne figurent pas au même endroit sur la fiche du client (Tardieu, *ibid.*, p. 70),

ou à la rigueur dans cette précision (assortie d'ailleurs d'une précaution oratoire) fournie aux candidats à l'agrégation de grammaire :

> Ceux qui tireront les numéros pairs passeront l'improvisé de grec. J'insiste en sachant que je me répète : ceux qui tireront les numéros impairs passeront l'improvisé de latin.

Par contre, la paraphrase explicitante d'une inférence pourtant nécessaire n'apparaît pas comme superflue dans cette réplique de Marivaux :

> LÉLIO. — Ne m'irrite point [...] ; tu parleras, ou je te tue.
> TRIVELIN. — Vous me tuerez, si je ne parle ? Hélas, Monsieur...
>   (*La fausse suivante*, acte III, sc. II.)

Et il peut à plus forte raison être utile de mettre les points sur les i dans le cas des sous-entendus, dont le décodage est toujours plus ou moins aléatoire :

> Mᵐᵉ SMITH. — Mary a bien cuit les pommes de terre, cette fois-ci. La dernière fois elle ne les avait pas bien fait cuire [...]

J'ai mieux mangé que toi, ce soir. Comment ça se fait? D'habitude, c'est toi qui manges le plus.

(Ionesco, *La cantatrice chauve,* sc. I) [54].

Peut-on parler de redondance (se « répète »-t-on vraiment) dans de tels cas où un même contenu se trouve formulé deux fois, mais selon des modes différents? Oui et non – l'effet de redondance étant en tout cas d'autant plus fort que le contenu implicite est plus limpide et évident.

De même que ce qui va sans dire va mieux en le disant, de même ce qui va en le disant implicitement va mieux en le disant explicitement – pour un discours du moins dont l'objectif est de se conformer (ce qui n'est pas toujours, loin de là, le cas) à la 4e maxime de Grice : « Soyez clair. »

2.4. LE STATUT DE L'ILLOCUTOIRE DÉRIVÉ

... – car pour elle la parole est toujours caresse ou agression, jamais miroir de vérité – ...

(Michel Tournier, *Le Roi des Aulnes,*
Gallimard « Folio » 1978, p. 33.)

« Dans la conception d'Austin, le langage, loin de n'être qu'un moyen de représenter la réalité ou la pensée, est un dispositif ou une institution permettant d'accomplir des actes qui n'existent que dans et par cette institution – comme l'acte de " marquer un but " n'existe que dans et par l'institution du football. Ces actes qu'on accomplit dans la parole sont, comme ceux qu'on accomplit dans les jeux, gouvernés par des règles » (F. Récanati, 1979, c), p. 10) : il aura fallu un certain nombre d'années pour que la linguistique se décide à prendre au sérieux une telle conception; à en tirer les conséquences théoriques, et à les assimiler pour de bon au corps d'hypothèses qui la fondent. Mais c'est dorénavant pour elle, à notre sens, un acquis irréversible.

Que les énoncés verbaux fonctionnent comme des actes, au même titre que les comportements non verbaux; que *dire,* c'est aussi *faire :* on n'a pas fini d'explorer les territoires qu'ouvre à l'investigation linguistique l'hypothèse austinienne; hypothèse lumineuse, infiniment productive, éminemment juste (à nos yeux bien sûr), qui permet à la linguistique d'étendre considérablement son champ de pertinence, et de sortir de son splendide isolement immanentiste pour venir nouer des liens organiques avec la psychologie, la sociologie, l'« ethnographie de la communication [55] », la théorie des interactions (verbales et non verbales), et des actions (verbales et non verbales).

Car il est certain que la théorie des actes de langage ne trouvera consistance et solidité que lorsqu'elle parviendra à s'intégrer dans une théorie générale des actions [56] – ce qui n'est pas encore le cas. On peut le déplorer, et considérer que cela hypothèque les développements actuels de la pragmatique. Mais ce n'est certainement pas une raison pour récuser, avec Berrendonner (1981, a) et b)), l'existence même des « speech acts », sous le prétexte un peu simplet qu'« il n'y a d'acte que s'il y a pratique gestuelle », *i.e.* quelque chose qui « s'accomplit avec les mains, les pieds, les dents, les yeux, mais en aucun cas avec des signifiés verbaux » (1981, a), pp. 80-81). Ainsi donc, si je soulève mon chapeau pour saluer quelqu'un, j'accomplis un acte authentique [57]. Mais si je dis « salut ! » je ne réalise qu'un « ersatz » d'acte.

Sans trouver pour autant place dans la liste noire de ceux qui seuls, d'après Berrendonner (1981, a), p. 84), peuvent admettre en dépit du « bon sens » que l'énonciation de « je vous promets » constitue proprement un acte, l'acte de promesse – philosophes, juristes et spécialistes d'« interprétations perverses » – [58], j'avoue que la définition « claire » qu'il propose de la notion d'acte ne me permet pas de saisir clairement la différence entre les deux types de saluts évoqués plus haut : n'y a-t-il pas dans les deux cas un comportement corporel donné, auquel s'attache par convention un certain signifié, lequel permet au signifiant de fonctionner comme un acte spécifique ayant une valeur spécifique (en l'occurrence de /salut/)?

Pour Berrendonner, les prétendus « actes de langage » ne sont que des « substituts occasionnels » d'actes authentiques, c'est-à-dire que voulant agir, on ne ferait appel aux procédés verbaux que lorsque la réalisation non verbale de l'acte concerné serait par trop « incommode ». Nous ne reprendrons pas ici point par point son argumentation, parfois assez acrobatique (lorsqu'il s'agit par exemple pour lui de démontrer que dans les phrases interrogatives la valeur interrogative est dérivée, ou que dans « Je vous jure que Pierre est venu », la valeur illocutoire a le statut d'un sous-entendu – d'un « genre très spécial » [59] certes), et qui repose essentiellement sur les principes d'économie et de généralité descriptives : devant la récurrence impressionnante d'expressions telles que « coût théorique », « rendement », « onéreux », « payant », il nous prend parfois à rêver, absurdement, de descriptions prônant la dépense, voire le gâchis, comme principe méta-théorique...

Relevons ce petit détail tout de même, qui ne nous importe pas que pour des raisons d'ordre linguistique : à propos de « Ah, je ris de me voir si belle en ce miroir », Berrendonner déclare que Marguerite, « au lieu de rire, tout naturellement et tout simplement, préfère *dire qu'elle rit,* pour aboutir au même résultat » (1980, a), p. 90) : ce serait donc là une sorte d'expression performative – alors qu'il s'agit bien plutôt du *commentaire d'un rire vocalisé* [60], superbement prolongé et plusieurs fois répété, dont l'évidence mimétique est d'ailleurs variable selon les interprétations (il en existe heureusement d'autres que celle de la pauvre Castafiore) de cet « air des bijoux ». Le répertoire offre en tout cas suffisamment d'exemples de « rires opératiques » [61] incontestables (sortes de séquences de « lachgesang » insérées dans le verbal chanté) pour qu'il soit impossible d'admettre avec Berrendonner qu'« on ne peut évidemment rire et chanter tout à la fois ».

Si l'on déclare qu'on rit sans rire, on risque bien de faire rire à ses dépens : dire « je ris », « je crie » [62], « je marche », ou même « j'arrive » [63], ce n'est pas effectuer pour autant l'acte de rire, de crier, de marcher, ou d'arriver. De tels énoncés, à la différence de « je t'interdis... » ou « je te promets... », sont impuissants à effectuer l'acte qu'ils dénotent : impossible d'échapper à la distinction austinienne, dont est issue toute la pragmatique linguistique, entre expressions performatives et non performatives.

Réciproquement, on ne voit guère de moyen plus commode, pour effectuer les actes d'interdiction et surtout de promesse, que de dire « je te pardonne » ou « je te promets ». Quant à l'acte de questionner, Berrendonner reconnaît lui-même (1981, b), pp. 50-51) : « Si l'on peut encore, à la rigueur, imaginer des moyens gestuels, non verbaux, d'interdire ou d'ordonner (en fait, de contraindre ou d'empêcher) » – ce qui n'est pas du reste exactement la même chose –, « il est presque désespéré de chercher à interroger par gestes. C'est en tout cas une pratique incommode, et, si j'ose dire, contre nature ». Aveu encore, implicite cette fois, que cet exemple, censé prouver le caractère « annulable » de la valeur illocutoire des expressions performatives, mais où l'on peut voir de la part de Berrendonner une allusion auto-ironique à la fragilité de la thèse qu'il défend :

    X. – Qu'est-ce que vous avez, à gesticuler comme ça ?
    Y. – Je vous interdis de fumer. Du moins, j'essaie. Quand on ne peut pas parler,
ça n'est guère facile (1981, b), p. 44).

C'est sûr, que quand on ne peut pas parler, il n'est guère facile d'accomplir certains actes. Alors pourquoi refuser au « dire » le pouvoir de « faire » ? Pourquoi revenir à cette distribution éculée des rôles : au verbal la seule fonction représentative [64], au non-verbal la seule fonction agissante, alors qu'il est évident que certains gestes (au sens le plus traditionnel de ce terme) représentent, et que certains énoncés agissent? Au lieu d'opposer l'authentique à l'ersatz, il nous semble plus intéressant de tenter l'inventaire des actes qui ne peuvent être accomplis que verbalement (questionner, promettre, etc.); de ceux qui ne peuvent être accomplis que non verbalement (marcher, embrasser [65], faire la cuisine...); et de ceux enfin (saluer, remercier...) qui sont susceptibles des deux types de réalisations, verbale et non verbale.

Pour qu'il y ait acte, il faut et il suffit, nous sommes sur ce point tout à fait d'accord avec Berrendonner (1981, a), p. 81), qu'un comportement corporel quelconque permette de « changer l'état de chose existant », d'« apporter une modification à l'ordre du monde », c'est-à-dire d'obtenir un certain « résultat ».

Le « résultat » d'un acte de langage, c'est son *effet perlocutoire;* effet qui dépend largement du contexte institutionnel dans lequel s'actualise l'énoncé, mais aussi, de ses propriétés internes, *i.e.* de la *valeur illo-cutoire* qui s'y trouve inscrite [66] – un acte de langage étant « réussi » dès lors que la valeur illocutoire à laquelle il prétend aboutit effectivement perlocutoirement : « Je fais du théâtre qui fait pleurer, du théâtre émotionnel, et j'ai beaucoup de résultats », déclarait, lors d'un débat au T.N.P. (9 oct. 1982), Tadeusz Kantor. Ce qui en clair signifie : mes œuvres sont très « réussies » [67] (notons au passage que cette déclaration inscrit Kantor dans la grande tradition de la tragédie classique, s'il est vrai, comme l'affirme J.-J. Roubine (1973), que ce théâtre se définit, non comme le voudraient les commentaires de la critique puritaine du XIXe siècle, par ses intentions édifiantes, mais par son « statut lacrymo-gène », la grande préoccupation des auteurs tragiques étant : « comment produire, avec le maximum de chances et la plus grande économie de moyens, les larmes les plus agréables? » (p. 57); et que c'est en termes illocutoires et perlocutoires que doivent se définir d'abord certains « genres » tels que le comique, le mélo, le « porno », ou le « film d'hor-reur » [68]).

La théorie des actes de langage repose donc sur la notion de *trans-formation :* « L accomplit un acte illocutoire A dans une énonciation E, si L présente E comme destinée à produire certaines transformations juridiques, et les produisant » (Anscombre, 1980, p. 68) : quand dire, c'est illocutoirement prétendre faire, et perlocutoirement réussir à faire. C'est ainsi par exemple que l'utilisation d'une tournure interrogative ou impérative « transforme *ipso facto* la situation du destinataire en mettant celui-ci devant une alternative juridique inexistante auparavant » : répondre/ne pas répondre, obéir/désobéir (Ducrot, 1973, a), pp. 125-

126); et que la formulation d'une promesse transforme *ipso facto* la situation de l'émetteur, qui se trouve « lié » par sa promesse, et plus ou moins tenu de la tenir.

Transformation « juridique » donc, déclarent Ducrot et Anscombre. Il est effectivement des cas où l'expression s'applique au pied de la lettre, et des comportements verbaux passibles de sanctions juridiques : la diffamation par exemple, ou l'apologie d'actes criminels effectivement accomplis (c'est ainsi qu'un article de *Libération* intitulé « Bravo pour le coup d'Aldibert » s'est vu condamner en appel, le 7 décembre 1977, par la 11e chambre de la Cour de Paris, en ces termes : « Cet article ne se borne pas à louer l'habileté des malfaiteurs. Il va jusqu'à souhaiter leur impunité, en précisant que, du fait de la situation de fortune du commerçant ainsi dépouillé, ce vol mérite d'être approuvé, et même selon le titre, d'être applaudi [...]. Et s'il est vrai qu'en littérature ou au cinéma, des professionnels du vol, personnages purement imaginaires ou dont la biographie appartient à l'histoire, sont parfois représentés sous les traits d'un héros sympathique, sans que cette pratique puisse être considérée comme délictueuse, il ne saurait en être ainsi à l'égard des auteurs d'une entreprise criminelle réelle comme celle que tente de justifier le commentaire de presse incriminé »). Mais ce n'est le plus souvent que par métaphore que l'on peut dire des actes de langage qu'ils transforment la situation « juridique » des interactants : tout au plus sont-ils à considérer comme des faits institutionnels, puisqu'en amont, ils ne peuvent réussir qu'à la condition que soient réalisées certaines « conditions de félicité » dont certaines sont en effet de nature institutionnelle (*i.e.* concernent le statut et la « place » relatives des interactants dans l'édifice social), et qu'en aval, ils prétendent, dit Ducrot (1980, a), p. 32) « faire autorité » (*i.e.* légiférer, régler la poursuite de l'interaction).

Les exemples précédemment mentionnés relevaient en tout cas de situations où le « résultat » visé par le « speech act » était particulièrement net et visible, soit qu'il consiste en une modification physiologique perceptible de l'état du récepteur (rires, larmes, cris d'épouvante, excitation sexuelle, « tremblement près de la tempe », dans le cas des différents « genres » évoqués précédemment), soit qu'il prenne la forme, dans le cas de la question ou de l'ordre, d'un comportement-réponse verbal ou non verbal. Mais les transformations que visent, et généralement provoquent effectivement, les actes de langage, peuvent être d'une nature beaucoup plus discrète : il peut en effet s'agir :

« *a)* de changements dans l'état des obligations et des engagements pour la continuité de l'interaction, et de changements dans les rapports sociaux [...]

b) de changements dans les domaines de cognition, d'émotion et de motivation des interactants (changement dans l'état des connaissances) » (D. Welke, 1980, p. 177).

C'est donc tout énoncé, dans la mesure où son énonciation vient toujours d'une certaine manière modifier la situation interlocutive, et/ou les dispositions affectives des interactants, et/ou la compétence encyclopédique du récepteur, qui se trouve illocutoirement chargé.

Soit. Mais le problème se pose alors de savoir quels sont les éléments qui, dans l'énoncé, lui permettent de fonctionner pragmatiquement; c'est-à-dire ce qu'il convient de verser au compte des valeurs illocutoires (v.i.) – et corrélativement, ce qui reste dans le contenu propositionnel (c.p.).

Par exemple :

1. On doit à Ducrot d'avoir montré que des faits tels que la présupposition ou « l'orientation argumentative » d'un énoncé ne pouvaient être adéquatement décrits que dans le cadre de cette problématique des actes de langage : tout énoncé de type argumentatif crée en effet, entre l'« argumenteur » et l'« argumentaire », un système de contraintes, et des rapports de force particuliers. Or les faits argumentativement pertinents débordent largement le cas des « marqueurs d'orientation argumentative » – mais jusqu'où s'étend leur domaine? Dans la perspective par exemple de J.-B. Grize, l'argumentation se confond avec la construction de « schématisations » discursives, laquelle mobilise finalement la totalité du matériel signifiant constitutif de l'énoncé... Quant au problème de la présupposition, la considérer comme un acte de langage implique que l'on dissocie, dans la description du sens global de l'énoncé, le contenu du présupposé (à verser au compte du contenu propositionnel), et la valeur illocutoire liée au fait, pragmatiquement pertinent, que ce contenu se trouve logé dans l'énoncé sous la forme d'un présupposé.

2. Ducrot parle encore d'« acte de justification ». D'accord. Mais il paraît alors légitime d'admettre parmi les actes de langage l'« explication » (qui consiste à établir une relation causale « de facto »), puisque l'on observe de nombreux glissements de l'explication à la justification, et qu'« un fait, même s'il n'est pas vraiment mis en question, n'est jamais pleinement " reconnu " tant qu'il n'est pas rapporté à une cause » (Groupe λ-1, 1975, p. 278) – ainsi que de proche en proche, toutes les relations logiques établies au sein d'un texte.

3. Soit enfin une phrase telle que :

Tu es belle.

Son contenu sera dans un premier temps décomposé en quelque chose comme

c.p. : /toi être (présent) belle/
v.i. : assertion.

Mais on peut être tenté d'y voir en outre inscrits des actes tels que

• le tutoiement (Maingueneau, 1981, p. 19 : « Avant toute chose le vouvoiement et le tutoiement sont des actes »), dont l'usage est soumis à certaines « conditions de réussite », et qui connote, confirme ou institue un « lien » particulier (familiarité, intimité...) entre les interactants [69]; ce qui invite à ramener le contenu propositionnel de l'énoncé à :

/A être (présent) belle/ (A = allocutaire),

pour reverser dans les valeurs illocutoires celle qui s'attache au choix du signifiant « tu », *vs* « vous »;

• l'évaluation, ici positive, de A, qui donne à l'énoncé les allures d'un « compliment » – acte de langage s'il en est, dont la valeur illocutoire vient ici se greffer sur le sème axiologique porté par l'adjectif « belle » [70].

Ces quelques exemples pour montrer que l'on ne voit pas bien, pour l'instant, comment stopper la prolifération des valeurs illocutoires : de même que la dénotation d'une unité lexicale peut être décrite comme ce qui reste une fois qu'on l'a dépouillée de toutes ses connotations, de même le contenu propositionnel d'un énoncé ne peut-il guère être déterminé que par soustraction.

Mais que faut-il, au juste, soustraire? La pragmatique linguistique ne fournit à l'heure actuelle aucune réponse à cette question, ni aucun inventaire même provisoirement clos des actes de langage. Cet heureux temps n'est plus où l'on pouvait déclarer avec la belle assurance d'un Buyssens : « Toute phrase remplit l'une des quatre fonctions suivantes : informer l'auditeur, l'interroger, lui donner un ordre, le prendre à témoin d'un vœu. Il n'existe pas d'autre possibilité » (1968, p. 77). Chacun y va maintenant de sa liste plus ou moins longue, mais toujours prudemment assortie d'un « etc. » : « " ordonner ", " interroger ", " conseiller ", " exprimer un souhait ", " suggérer ", " avertir ", " remercier ", " critiquer ", " accuser ", " affirmer ", " féliciter ", " supplier ", " menacer ", " promettre ", " insulter ", " s'excuser ", " avancer une hypothèse ", " défier ", " jurer ", " autoriser ", " déclarer ", etc. » (Récanati, 1979, c), p. 10).

En fait, la tentation est forte de distinguer autant d'actes de langage que la langue offre au métalangage de verbes susceptibles de les étiqueter. Car Searle a beau déclarer « que l'on ne doit pas confondre l'analyse des verbes illocutoires avec celle des actes illocutoires [...] : les illocutions font partie de *la* langue, par opposition aux langues particulières. Les verbes illocutoires appartiennent toujours à une langue particulière : français, anglais, allemand, etc. Les différences entre verbes illocutoires constituent un bon guide sans doute, mais nullement un guide infaillible des différences entre actes illocutoires » (1982, pp. 33 et 40), et tenter de rester fidèle à ce principe (lorsqu'il considère par exemple, p. 69, que « insister » et « suggérer » d'une part, « aviser », « insinuer » et « confier » de l'autre, correspondent au même « but illocutoire »), il reste qu'en l'absence de critères qui permettraient de s'en émanciper, il est fatal que l'on se rabatte sur les classifications « ready made » qu'offre ce « bon guide » qu'est la langue, et que B.-N. Grunig a raison de mentionner, au nombre des « Pièges et illusions de la pragmatique linguistique » (1979, pp. 14-15), le fait que les théoriciens des actes de langage « travaillent largement *en fonction des verbes,* ou des substantifs dérivés de ces verbes, que leur offre la langue qu'ils pratiquent ». Ce qui n'est pas en soi mauvais, et vaut pour la plupart des concepts que manipule la linguistique : lorsque je définis par exemple un certain concept auquel je fais correspondre le signifiant « insinuation », c'est bien sur la base du sens, en langue (française), du mot « insinuation » [71] – dont je réduis toutefois, par un décret d'ailleurs plus ou moins arbitraire, le flou et la polysémie (si l'on veut semblablement définir un acte d'« excuse », il faut se méfier de la polysémie du verbe « s'excuser », qui s'applique aussi bien à (i) qu'à (ii) dans :

(i) Je m'excuse de ce retard...

– variante (i'), plus « correcte » mais plus rare : « Je vous prie de m'excuser de ce retard... »

(ii) ...mais ma voiture n'a pas voulu démarrer.

En (i) comme en (ii), L « s'excuse ». Il s'agit là pourtant de deux actes différents, que l'on peut proposer d'étiqueter, pour éviter toute confusion

    (i) demande de pardon, *vs*
    (ii) justification de la faute

– quant à (i'), il montre qu'« excuser » peut aussi dénoter, en sus de la demande de pardon que le verbe exprime lorsqu'il est réfléchi, l'octroi du pardon [72]).

Les métatermes ressemblent donc à s'y méprendre, et l'on ne voit pas comment il pourrait en être autrement, aux termes de la langue-objet. Mais ce n'est grave que si l'on s'y méprend, en confondant le concept véhiculé par la « langue ordinaire » avec son double construit par la théorie; ainsi lorsqu'« oubliant » la polysémie en langue de l'expression « je promets », on « construit un concept PROMETTRE signifiant " faire l'action que l'on peut faire, dans la conversation courante, en disant *Je promets* " » : ce serait, d'après Ducrot (1981, pp. 17 et 20-21), sur une telle confusion que se serait construite la notion de performatif, dont la fragilité serait donc imputable à une confiance immodérée « dans la vertu métalinguistique du linguistique ».

Ne disposant d'aucune liste un tant soit peu exhaustive des actes de langage – qu'ils soient envisagés du point de vue de leur contenu (valeurs illocutoires), ou des supports signifiants de ces valeurs (marqueurs illocutoires) –, on ne saurait *a fortiori* s'attendre à ce qu'il en existe une taxinomie satisfaisante, et faisant l'objet d'un consensus : on a pu dénombrer, pour les seuls U.S.A., une vingtaine de propositions en ce sens (mentionnons par exemple la classification proposée, à partir de la critique de celle d'Austin, par Searle (1975, a)), et celle de Fraser 1975, qui répartit en huit classes les 176 actes par lui inventoriés... [73]).

C'est donc, en ce qui concerne l'inventaire et le classement paradigmatiques des actes de langage, la pagaille la plus complète. Lorsque dans un énoncé donné on cherche à identifier les différents actes de langage qu'il est censé comporter, on est bien obligé de faire pour l'essentiel confiance à sa propre intuition – et Anscombre à la sienne, lorsque par exemple dans « Je suis bougrement d'accord avec toi que cet abruti de Pierre n'avait pas à fourrer son foutu nez dans cette saloperie », il voit « au moins cinq actes illocutoires – six si on y adjoint la présupposition – à différents niveaux : un acte d'exprimer son accord, deux jurons, deux insultes » (1980, p. 67). Exemple qui montre en tout cas que le découpage en actes de langage ne coïncide pas avec le découpage en phrases, et qu'« un énoncé peut servir à produire plusieurs actes illocutoires pour un même acte d'énonciation ». Le problème paradigmatique précédemment mentionné se double alors d'un problème de nature syntagmatique : « Comment identifier chaque acte, en disant où il s'arrête et où un autre commence? » (B. Grunig, 1979, p. 31). Quand a-t-on affaire, dans une séquence donnée, à un seul et même acte, à deux actes successifs, à deux actes amalgamés, ou encore à deux actes superposés à la faveur du processus d'indirection?

Cette question des « indirect speech acts », il est temps maintenant de l'aborder. Car c'est évidemment par ce biais que la problématique des actes de langage rencontre celle des contenus implicites. Mais nous voulions au préalable mentionner un certain nombre de difficultés que la pragmatique illocutoire rencontre à la source même de ses postulats théoriques. Il serait cependant, à notre avis, aussi injuste d'exploiter sarcastiquement ces difficultés pour crier à l'inanité de la théorie des actes de langage – et lui préférer sans doute l'angélisme autarciste d'un Chomsky déclarant en 1975 que le langage n'est qu'un « miroir de l'esprit », et que lorsque je parle, « je n'ai aucune intention d'amener l'auditeur à savoir ou à reconnaître quoi que ce soit; ce que je dis a son sens strict et je crois à ce que je dis [74] » – qu'il serait illusoire d'adopter la politique de l'autruche, en prétendant candidement que tout va pour le mieux dans le meilleur des mondes pragmatiques possibles.

2.4.1. Rappel

– Nous admettrons à la suite de la plupart des pragmaticiens qu'en structure profonde, *le contenu global de tout énoncé se laisse décomposer en deux constituants :*
      Contenu propositionnel (c.p.) + valeur illocutoire (v.i.) [75],
le c.p. étant une structure abstraite que l'on peut représenter en termes de sujet/prédicat, ou mieux, de fonction à divers arguments, et la composante illocutoire (ou « illocutionnaire ») étant définie comme ce qui permet à l'énoncé de fonctionner comme tel ou tel acte de langage déterminé (pour nous, la *valeur* illocutoire d'un énoncé doit toujours être dissociée de sa *force* illocutoire, un même acte – de même valeur donc –, une requête par exemple, pouvant être doté d'une force fort variable).

C'est-à-dire qu'à la différence de Berrendonner (1981, a), p. 51), l'idée que les contenus énoncifs sont de nature hétérogène ne nous gêne nullement, bien au contraire (cette hétérogénéité se manifestant dans la cohabitation, au sein d'un même énoncé, des c.p. et des v.i., mais aussi dans celle des contenus dénotés et connotés, littéraux et dérivés, explicites et implicites...); et que nous n'éprouvons, à l'égard de cette notion de valeur illocutoire que Berrendonner estime « suspecte » et même « retorse », aucune « méfiance » ni « réticence » [76] particulières, sans être pour autant d'accord avec la tendance inverse consistant chez Searle ou Grice à oublier trop vite l'existence des contenus propositionnels pour assimiler énoncé et acte de langage, et corrélativement, problématique de l'implicite et problème des « indirect speech acts ».

– Comme les éléments constitutifs du c.p., les valeurs illocutoires sont susceptibles d'un *ancrage direct ou indirect :* soit elles possèdent en propre un (ou plusieurs) marqueur(s) spécifique(s) figurant dans la séquence énoncive, soit elles viennent se greffer, selon certains processus dans lesquels n'intervient aucun signifiant linguistique particulier, sur un contenu illocutoire hyper-ordonné.

– Il arrive souvent en effet qu'un même énoncé se trouve *doublement, voire n-fois, chargé illocutoirement,* une ou plusieurs valeurs dérivées venant se surajouter à sa valeur pragmatique littérale.

Ce phénomène, mentionné incidemment par Austin, est apparu depuis comme étant d'une fréquence telle que son étude – la théorie des « indirect speech acts », ou de la « dérivation illocutoire » – occupe actuellement l'un des versants les plus importants de la pragmatique illocutoire. Phénomène qui a été mis en évidence à partir surtout de l'exemple des requêtes, dont la grande majorité se formule, d'après Searle, indirectement : « Dans le domaine des actes illocutoires indirects, c'est le champ des directifs qu'il est le plus intéressant d'examiner, parce que les réquisits conversationnels habituels rendent difficilement admissible de proférer des phrases purement impératives (par exemple : " Sortez de cette pièce ") ou des performatifs explicites (par exemple : " Je vous ordonne de sortir de cette pièce "); il nous faut donc découvrir des moyens indirects pour nos fins illocutoires (par exemple : " Est-ce que cela ne vous gênerait pas de sortir de cette pièce? ") » (trad. franç., 1982, de Searle, 1975, b), p. 77). Phénomène que l'on peut encore repérer dans le fait qu'en France du moins, dans une situation de convivialité alimentaire, un énoncé évaluatif tel que « C'est bon! », est interprété par la maîtresse de maison comme « J'en reprendrais bien! », et au restaurant une question telle que « C'est bon? », adressée à son commensal est interprétée par celui-ci comme « Fais-moi goûter ton plat! », et ce de façon quasi automatique, si bien que l'on se sent contraint, dans le cas où telle n'est pas sa véritable intention pragmatique en formulant l'énoncé, de devancer et conjurer par une précaution oratoire appropriée l'interprétation dérivée inopportune; ou encore dans les cas de figure suivants :

    1. valeur patente = constative / latente = jussive ou injonctive :

      on ne bouge plus = /que personne ne bouge/
      on ne fume pas ici = /ne fumez pas/
      tu ne tueras point = /ne tue pas/
      la lampe de la cuisine est cassée = /répare-la/
      il fait chaud ici = /ouvre la fenêtre/
      j'ai faim = /A table!/

(On peut aussi penser au cas du discours publicitaire, et même à celui du discours des historiens et des économistes, qui souvent dissimulent, sous leur paraître constatif, un être et un faire injonctifs [77].)

2. valeur patente = constative ou prédictive / latente = désidérative :

c'est ainsi par exemple que le discours de l'utopie politique emprunte volontiers les voies, pour se faire plus persuasif, de la modalité assertive :

« Tel aura été mon premier dévoiement. J'avais assimilé spontanément l'un des codes qui régissaient le Parti. Je n'avais pas encore lu Proust, et j'ignorais que dans mon intervention à la conférence j'avais adopté le procédé stylistique des chroniques de M. de Norpois : j'avais employé l'indicatif à la place de l'optatif, et je venais d'apprendre que c'était bien ainsi qu'il fallait faire. J'étais entré dans un système où, quand la réalité diffère de ce qu'elle devrait être, il est nécessaire que ce qui devrait être devienne la réalité de ce qui est » (Jean Récanati, *Un gentil stalinien*, Éditions Mazarine, 1980, p. 80),

ou que le discours onirique formule souvent, d'après Freud, en termes constatifs des contenus latents de nature optative :

« L'élaboration du rêve [...] soumet les matériaux cognitifs, qui lui arrivent sur le mode optatif, à un traitement tout à fait singulier. Elle transpose d'abord l'optatif en présent, remplaçant le " puisse-t-il être " par " cela est " » (1971, pp. 248-249);

3. valeur patente = constative / latente = interrogative, s'il est vrai, comme le déclarent T. Todorov (1967, b), pp. 277-278) et C. Heddesheimer (1974), que la plupart des affirmations sont en fait des questions détournées, qui appellent en retour une manifestation d'assentiment, ou de dissentiment;

4. valeur patente = désidérative / latente = jussive : certains désirs, c'est bien connu, sont des ordres;

5. valeur patente = interrogative / latente = jussive :

tu as une cigarette ? = si oui, donne-m'en une
vous avez l'heure ? = dites-moi, si vous êtes en mesure de le faire, quelle heure il est

(*i.e.* que ces phrases, en même temps qu'elles interrogent sur la possibilité d'exécuter un certain acte, formulent implicitement l'ordre de l'exécuter);

6. valeur patente = interrogative / latente = assertive : problème de l'interrogation oratoire, et plus subtilement, de tous les sous-entendus assertifs qui bien souvent se cachent sous une formule apparemment questionnante [78];

7. valeur patente = constative / latente = illocutoirement plurielle : par exemple, optativo-impérativo-interrogative, s'agissant de la formule

« je t'aime », qu'Alain Finkelkraut analyse en ces termes : « " Je t'aime " est d'abord, c'est son évidence grammaticale, une formule assertive : elle proclame une extase, affirme un paroxysme, nomme un bonheur. C'est aussi un optatif : je dis " je t'aime ", pour redevenir le " je " que, depuis mon amour, je ne suis plus, pour réintégrer le royaume d'intériorité et de substance dont j'ai été déposé [...]. Dans " je t'aime ", il y a aussi la véhémence de l'impératif : aime-moi! je t'ordonne de m'aimer! il faut que tu payes ta dette! mon amour, que tu le veuilles ou non, fait de moi ton débiteur : c'est un tort, une lésion que tu as produite et que tu ne pourras expier qu'en acceptant la réciprocité [...]. Enfin, il faut entendre " je t'aime " à l'interrogatif : m'aimes-tu? question panique puisque c'est mon entrée en paradis qui est subordonnée à sa réponse » (1976, pp. 523-524).

(Remarque : lorsque l'énoncé comporte plusieurs valeurs dérivées, celles-ci peuvent

- être mutuellement indépendantes, comme dans l'exemple précédent;
- dériver l'une de l'autre, ainsi dans :

> Ne pourrais-tu pas parler moins fort?
> → /tu pourrais parler moins fort/ [interrogation oratoire]
> → /parle moins fort/ [requête indirecte].)

Donc : il arrive fréquemment que l'on constate au sein d'un même énoncé la présence simultanée de deux (ou plus) valeurs illocutoires hiérarchisées, dont l'une peut être dite « littérale », « primitive », « directe », ou « explicite », et l'autre (ou les autres) « seconde », « dérivée », « indirecte », ou « implicite » – ces différents qualificatifs étant provisoirement admis comme synonymes.

Ainsi que le notent Brown et Levinson (1978, p. 273 : « Indirect speech acts are just a special case of indirect uses of language »), les valeurs illocutoires dérivées ne constituent qu'un cas particulier de contenus implicites [79] – mais qui vient singulièrement compliquer la description du sens global des énoncés puisque chaque niveau qui s'y attache doit être lui-même décomposé en deux éléments, propositionnel et illocutoire :

> Pierre a cessé de fumer :

C_o :/Pierre, actuellement, ne fume pas/ (contenu explicite) =

> c.p.$_o$: /Pierre ne pas fumer en T_o/
> v.i.$_o$: constat.

C_1 :/Pierre, auparavant, fumait/(inférence de 1er niveau, présupposée) =

c.p.$_1$: /Pierre fumer en un moment antérieur à T$_0$/
v.i.$_1$: constat.

C$_2$: /c'est pas comme toi qui fumes toujours, prends-en de la graine.../ (inférence de second niveau – qu'il conviendrait d'ailleurs de décomposer en différentes strates propositionnelles et illocutoires –, sous-entendue) =

c.p.$_2$: /A fumer toujours en T$_0$, etc./
v.i.$_2$: reproche, mise en garde, recommandation...

(Signalons au passage que l'émergence d'un c.p., et celle d'une v.i., dérivés, ne sont pas nécessairement deux phénomènes corrélatifs, et que trois cas de figure peuvent se rencontrer :

• modification du c.p. sans modification de la v.i. : c'est ce qui se passe de C$_0$ à C$_1$;

• modification de la v.i. sans modification du c.p., ex. : « Tu me passes la confiture? », lorsque cet énoncé en fait signifie : « Passe-moi la confiture » ;

• modification simultanée des deux, ex. : le passage de C$_1$ à C$_2$, ou du contenu littéral de « Il fait chaud ici » à l'inférence /Ouvre la fenêtre/.)

Comme elles ne sont qu'un cas particulier de contenus implicites, il n'est pas surprenant que l'on croise à nouveau, au sujet des valeurs illocutoires dérivées, les deux problèmes majeurs que nous avons rencontrés dès le début de cette réflexion sur l'implicite, à savoir :

– le problème du lieu où il convient de faire passer la frontière entre l'explicite et l'implicite, *i.e.* en l'occurrence, entre les valeurs illocutoires « primitives » et « dérivées » ;

– celui du statut, des différents statuts à accorder aux valeurs dérivées.

2.4.2. Valeurs illocutoires primitives *vs* dérivées

Dès lors que l'on admet l'existence des valeurs illocutoires, trois attitudes sont théoriquement concevables vis-à-vis de ce problème, dont deux seulement se trouvent effectivement attestées.

– *Toutes les v.i. ont statut de valeurs primitives :* il n'est personne, à notre connaissance, qui se soit amusé à défendre une telle position théorique, qui voudrait que soit inscrite en langue la totalité des valeurs pragmatiques, aussi capricieuses et aléatoires soient-elles, susceptibles de venir s'actualiser dans un énoncé quelconque.

– *Toutes les v.i. observables sont à considérer comme dérivées :* telle est la position de Berrendonner, qui sans parvenir pour autant, comme il le prétend (1981, b), p. 41), à « se défaire » totalement du concept d'acte de langage, limite sensiblement son extension en les décrivant tous comme des actes effectués indirectement.

– *L'ensemble des v.i. se décompose en deux sous-ensembles : valeurs primitives* vs *dérivées* – le problème étant, pour les tenants de cette position (c'est-à-dire la grande majorité des pragmaticiens), de savoir sur quelle base effectuer un tel partage.

Deux catégories de faits font figure, dans ce rôle de supports de v.i. primitives, de candidats privilégiés. Ce sont :

1. les expressions performatives (« performatifs explicites » d'Austin) du type « je te promets », « je t'ordonne », etc. ;

2. les « formes de phrase », encore appelées « tournures » (Berrendonner), « modalités » (Récanati), « performatifs primaires » (Austin), ou « mood markers » (Zuber).

Selon qu'ils acceptent ou récusent, comme marqueurs de v.i. primitive, l'une et/ou l'autre de ces deux sortes de faits, les différents théoriciens de l'illocutoire peuvent être répartis en quatre classes ainsi définies :

	support de v.i. primitive	
expression performative	forme de phrase	
–	–	(1)
+	+	(2)
+	–	(3)
–	+	(4)

Catégorie (1) : Berrendonner (1981, a) et b))

Catégorie (2) : • Searle (cf. la citation précédente sur les requêtes indirectes et directes).

• Davidson (1981).

Catégorie (3) : • Austin (pour qui seuls les performatifs « explicites » effectuent explicitement l'acte correspondant).

• Roulet (1980 et 1981).

• Grice (qui considère comme des formulations explicites les expressions performatives, mais comme une « implicature conventionnelle » la valeur d'ordre de « Fermez la porte »).

Catégorie (4) : • Anscombre (1981, p. 97 : « Notre thèse implique également que toute expression performative dans son usage performatif soit un marqueur de dérivation illocutoire »; et p. 121, n. 8 : « Il ne semble pas y avoir d'actes primitifs en dehors des actes illocutoires de type assertif, jussif, interrogatif, optatif, et exclamatif (mais le problème reste posé)). »

• Quant à la position de Récanati, elle est fort explicite en ce qui concerne les performatifs explicites : ils accomplissent des actes, mais indirectement. Quant à la valeur supportée par la « forme modale » (impérative, interrogative, etc.) de la phrase, elle serait à la fois « impliquée » et « littérale » (1981, a), pp. 46-47), *i.e.* assimilable à un présupposé [80]. Mais Récanati déclare par ailleurs qu'à chaque « modalité » correspond un « potentiel de force illocutionnaire », ou « force illocutionnaire type » : « Nous admettrons ainsi qu'il y a un type de force associé par les règles sémantiques du français aux phrases impératives, et qui subsume la force spécifique d'actes comme la requête, l'ordre, la supplication, etc. Nous appellerons " prescriptive " cette force générique, et " actes de prescription " les actes de parole dont elle subsume la force » (1981, a), p. 162). C'est donc « primitivement » que cette valeur « prescriptive » s'attache aux phrases impératives, et dans la catégorie (4) que se situe Récanati.

Nous ne reprendrons pas ici le détail des arguments et contre-arguments invoqués pour justifier ces diverses positions théoriques. Disons un peu abruptement que nous nous rangeons personnellement dans le camp (2), c'est-à-dire que *nous considérons comme explicites* (ce qui n'est peut-être pas exactement la même chose que « primitives », ou « directes » : il est malaisé de démêler, dans ce maquis de propositions descriptives, les divergences simplement terminologiques des véritables dissensions théoriques) *les valeurs illocutoires qui s'attachent, et aux expressions performatives, et aux formes de phrase.*

En dépit de leur subtilité, les démonstrations de Récanati et Berrendonner ne sont en effet pas parvenues à nous convaincre tout à fait que « je te promets » n'accomplit pas directement l'acte de promesse (mais un acte d'assertion, par l'intermédiaire duquel s'accomplit indirectement cet acte de promesse). *Qu'elle soit directe ou indirecte, une telle valeur illocutoire est en tout état de cause explicite,* s'il en est : s'actualisant à chaque occurrence de la séquence signifiante, impossibles à « oblitérer » (car le contre exemple avancé par Anscombre (1980, p. 90) n'est guère convaincant : dans « J'interdis de fumer, mais vous pouvez en griller une en vitesse », le verbe « interdire », étant au présent de généralité, et dépourvu d'un complément représentant l'allocutaire, ne saurait de toute façon fonctionner performativement), les valeurs illocutoires qui s'attachent aux expressions performatives s'y trouvent si fortement ancrées qu'elles ne peuvent même pas, à la différence de celles que supportent les formes de phrase, prêter à dérivation [81] : on peut donc les considérer comme représentant le degré maximum d'explicitation possible d'une valeur illocutoire.

Les verbes performatifs permettent ainsi la formulation explicite d'un nombre relativement important de v.i. spécifiques – mais non point de la totalité d'entre elles : la liste des expressions performatives n'épuise pas celle, tant s'en faut, des valeurs illocutoires.

Reste le cas des « formes de phrase », qui pour nous véhiculent également sur le mode explicite, en l'absence pourtant de tout « performatif explicite », certaines valeurs illocutoires – celles qui leur sont « traditionnellement associées », ainsi que le formule Levinson, qui résume en ces termes la « Literal Force Hypothesis », à laquelle finalement, en l'absence de toute théorie substitutive à ses yeux satisfaisante, il se rallie (1983, pp. 183-184) :

« (i) Explicit performatives have the force named by the performative verb in the matrix clause.

(ii) Otherwise, the three major sentence-types in English, namely the *imperative, interrogative,* and *declarative,* have the forces traditionally associated with them, namely *ordering* (or requesting), *questioning* and *stating* respectively (with, of course, the exception of explicit performatives which happen to be in declarative format). »

(Notons au passage que Levinson prend bien soin d'utiliser des métatermes différents pour désigner le signifiant, et le signifié constitutifs de ces unités illocutoires; et qu'il signale le fait qu'en tant que supports de v.i. explicites, les performatifs explicites sont en quelque sorte hiérarchiquement supérieurs par rapport aux formes de phrase, puisqu'ils en annulent la valeur – en l'occurrence assertive.)

Ces « sentence types » sont pour Levinson quasiment universels, et Benveniste déclare semblablement qu'ils correspondent aux « trois comportements fondamentaux de l'homme », d'où le caractère extrêmement général des valeurs qui s'y attachent : « On reconnaît partout qu'il y a des propositions assertives, des propositions interrogatives, des propositions impératives, distinguées par des traits spécifiques de syntaxe et de grammaire, tout en reposant identiquement sur la prédication. Or ces trois modalités ne font que refléter les trois comportements fondamentaux de l'homme parlant et agissant par le discours sur l'interlocuteur : il veut lui transmettre un élément de connaissance, ou obtenir de lui une information, ou lui intimer un ordre. Ce sont les trois fonctions interhumaines du discours qui s'expriment dans les trois modalités de l'unité phrase, chacune correspondant à une attitude du locuteur. »

En contexte, ces valeurs générales se spécifient bien sûr : une phrase telle que :

Vous irez à Tombouctou

peut ainsi prendre selon les cas les allures d'une sentence, d'une promesse, d'une prophétie, d'une recommandation, d'une louange ou d'un blâme... Comment traiter un tel phénomène? Une première solution serait de considérer que toutes ces valeurs coexistent en langue, et s'attachent également au signifiant, n-fois polysémique illocutoirement, « indicatif futur » – le co(n)texte se chargeant de sélectionner une valeur appropriée parmi ce vaste ensemble de valeurs virtuelles. Mais ce serait là, pour Fauconnier (1979) à qui cet exemple est emprunté, une « solution déplorable ». Il semble en effet préférable de considérer qu'à chaque forme de phrase s'attache en langue une valeur unique et générale qui « subsume » tout un ensemble de valeurs plus spécifiques (la valeur « prescriptive » des tournures impératives subsumant par exemple, d'après Récanati précédemment cité, l'ordre, la requête ou la supplication), et que

Vous irez à Tombouctou

exprime explicitement une assertion, et implicitement, une promesse, prophétie, louange, ou menace éventuelles.

Conclusions

• Les expressions performatives et les formes de phrase seront considérées ici comme des marqueurs de valeurs illocutoires explicites.

• Peut-être même conviendrait-il d'élargir l'inventaire de ces marqueurs, en admettant par exemple que « dommage que... » exprime explicitement une valeur de regret, dans une phrase telle que :

Il est bien le pull que tu m'as acheté. Dommage qu'ils ne fassent pas la taille au-dessous,

phrase dans laquelle cette valeur de regret se trouve inscrite de la façon la plus claire [82] – et qui comporte en outre, mais sur le mode implicite cette fois, une valeur de critique.

Il arrive de même que certaines insultes, ou menaces, soient sans aucun doute possible identifiables comme telles, alors pourtant que les formules « je t'insulte », ou « je te menace », qui peuvent à la rigueur être utilisées descriptivement, pour commenter des actes effectués par d'autres moyens, verbaux ou non verbaux, ne peuvent en aucun cas fonctionner performativement.

• Ce qui montre que même lorsque la langue dispose d'un terme pour désigner un acte donné, elle ne permet pas toujours la réalisation explicite de l'acte en question.

En conséquence : un grand nombre de valeurs illocutoires, ne disposant ni d'une forme de phrase spécifique, ni d'une expression performative appropriée, sont dans l'incapacité de se formuler explicitement, et dans l'obligation de recourir à la formulation implicite.

• Les expressions performatives se prêtent difficilement à la dérivation.

Les formes de phrase en revanche sont susceptibles d'être le point de départ de différents types de mécanismes dérivationnels – ce que nous allons maintenant envisager.

2.4.3. Le statut des valeurs dérivées : différents cas de dérivation illocutoire

Parmi les valeurs que Fauconnier attribue virtuellement à
« Vous irez à Tombouctou »,
on trouve, aux côtés de la promesse, la louange, ou la prophétie, l'ordre. Mais cette dernière valeur n'est pas à mettre sur le même plan que les autres, dans la mesure où elle dispose d'un signifiant modal spécifique (la tournure impérative) : il existe un moyen d'exprimer explicitement l'ordre, alors qu'il n'en existe aucun (les expressions performatives mises à part) pour la promesse, la louange, ou la prophétie.

Nous distinguerons donc :

1 – Les v.i. dérivées qui ne possèdent pas de forme de phrase sui generis, mais qui viennent spécifier, raffiner la v.i. générale caractéristique de la structure modale de l'énoncé.

Les assertions sont à coup sûr les plus riches en valeurs dérivées de ce type (énumérons en vrac : déclarer, promettre, menacer, louer, blâmer, injurier, complimenter, reprocher, réfuter, critiquer, justifier, prédire, suggérer, souhaiter, conseiller, accuser, excuser, admettre, plaider, révéler, avertir, rappeler, soutenir, déduire, conclure, faire une hypothèse, avouer, dénier, garantir, concéder, confirmer, etc.), mais de telles valeurs peuvent aussi venir investir les structures interrogatives, impératives, ou exclamatives [83].

Les valeurs illocutoires dérivées de ce type ont la propriété d'être compatibles avec la v.i. primitive de l'énoncé, qu'elles précisent et enrichissent, sans l'annuler. Nous dirons qu'il s'agit là, toujours, de *sous-entendus illocutoires,* plus ou moins clairs au demeurant.

Il semble que ce mode de dérivation soit le seul qu'autorise la structure impérative, alors que les structures assertive et interrogative connaissent également les processus dérivationnels de type 2.

2 – Les v.i. dérivées qui normalement correspondraient à une forme de phrase différente de celle de l'énoncé dans lequel elles s'actualisent.

Ex. :

> (i) Voudrais-tu ouvrir la fenêtre?
> v.i. primitive : question
> v.i. dérivée : requête
> (ii) Il fait chaud ici.
> v.i. primitive : assertion
> v.i. dérivée : requête.

Étant admis que (i) et (ii) ont en commun de pouvoir fonctionner comme des requêtes (d'ouvrir la fenêtre), alors qu'elles expriment primitivement un acte de langage d'une tout autre nature, puisque leur « forme » apparente n'est en rien impérative, c'est maintenant à ce qui différencie le fonctionnement de ces deux structures que nous allons nous intéresser.

Cette différence est en général décrite en termes d'illocutoire dérivé « conventionnel », *vs* « non conventionnel ». Or ce n'est pas là, pour nous, l'essentiel de ce qui caractérise leur fonctionnement comparé, c'est-à-dire que cet axe se trouve subordonné à un principe d'opposition supérieur, qui met en cause la *hiérarchie* des deux niveaux illocutoires, laquelle se reflète dans les enchaînements auxquels peut se prêter la séquence envisagée.

a) La dérivation allusive.

S'il est exact qu'une phrase telle que :

> (ii) Il fait chaud ici

peut dans certains cas suggérer que L souhaite que A ferme la fenêtre, donc fonctionner comme une requête camouflée, il semble plus ou moins exclu, pour L, de faire suivre l'énoncé de l'expansion « s'il te plaît » qui caractérise la formulation des requêtes, et pour A, d'y rétorquer sans transition par un « non, je ne peux pas ».

C'est que dans une formule telle que (ii), la valeur dérivée reste, par rapport à la valeur littérale, secondaire et marginale, *i.e.,* comme le voit justement Barthes, connotée : « Si, d'un certain ton, on me demande : " A quoi sert la linguistique? ", me signifiant par là qu'elle ne sert à rien, je dois feindre de répondre naïvement : " Elle sert à ceci, à cela ", et non, conformément à la vérité du dialogue : " D'où vient que vous m'agressez ? " Ce que je reçois, c'est la connotation; ce que je dois rendre, c'est la dénotation » (1971, p. 10).

On parle généralement, dans de tels cas, de « dérivation allusive » [84]. Pour les intégrer plus nettement à cette réflexion générale sur l'implicite, nous dirons que la valeur dérivée, lorsqu'elle s'actualise, y reçoit le statut de *sous-entendu illocutoire,* lequel vient s'ajouter à la valeur primitive, sans avoir toutefois la force de s'y substituer, et de servir à sa place de base pour l'enchaînement.

On peut en revanche fort bien assortir d'un « s'il te plaît » une formule telle que :

    (i) Voudrais-tu ouvrir la fenêtre?,

et tout le monde s'accordera à juger provocatrice, si elle ne s'accompagne pas d'un comportement approprié (exécution de l'ordre), une réponse de type « oui » à cette apparente question.

Ce qui prouve qu'une formule telle que (i), bien qu'elle soit primitivement de type interrogatif, est en fait traitée exactement comme un ordre : c'est sur la valeur dérivée qu'il convient « normalement » d'enchaîner; valeur dérivée qui vient carrément *se substituer* à la valeur primitive, et lui subtiliser son rôle dénotatif – exactement comme dans la métaphore ou l'antiphrase, le sens dérivé vient déloger le sens propre pour s'actualiser prioritairement : on peut donc parler en (i) de « *trope illocutoire* ».

C'est bien la hiérarchie relative des deux niveaux d'illocutoire qui oppose (i) et (ii) :

    (ii) Il fait chaud ici

valeur assertive : primitive et principale
valeur jussive : dérivée et secondaire (connotée).

    (i) Voudrais-tu ouvrir la fenêtre?

valeur interrogative : primitive mais secondaire
valeur jussive : dérivée mais principale (*i.e.* dénotée).

Comme tous les tropes, le « trope illocutoire » opère un renversement de la hiérarchie des niveaux de contenu, et se caractérise par un *évincement* du contenu primitif par le contenu dérivé; ce que prouve *a contrario* l'effet comique de ce sketch dans lequel « Le Fakir » Pierre Dac feint d'interpréter comme non tropique la question que lui pose son acolyte Francis Blanche, et qui pourtant ne saurait normalement être interprétée que comme une requête :

F.B. – Vous pouvez dire quel est le numéro de sécurité sociale de Monsieur ?
P.D. – Je peux le dire !
F.B. (surexcité). – Vous pouvez le dire ?
P.D. (péremptoire). – Je peux le dire !
F.B. (triomphant). – Il peut le dire !

b) Le trope illocutoire.
Si ce mécanisme s'observe en (i), dira-t-on, c'est tout simplement que la valeur jussive s'y trouve « marquée », « conventionnellement », par le modalisateur « vouloir » (et « pouvoir » dans l'exemple précédent). La distinction b) *vs* a) recouvrirait donc en fait l'opposition communément établie entre illocutoire « conventionnel » et « non conventionnel ».

Il n'en est rien pourtant. Soit en effet l'échange suivant (relevé sur le vif) :

L_1 (sortant de la cuisine, un plateau à la main, chargé de tasses fumantes). – Je viens de faire du café.

L_2 – Volontiers !

Rien ne vient linguistiquement « marquer » comme une offre l'énoncé constatif de L_1. Or c'est bien ainsi qu'il est interprété, son enchaînement en témoigne, par L_2 : à côté des tropes illocutoires conventionnels (ou « lexicalisés »), il convient donc d'admettre l'existence de « tropes illocutoires d'invention »; et qu'à la limite tous les énoncés qui « normalement » relèvent de la dérivation allusive peuvent exceptionnellement, sous la pression de certains facteurs d'ordre co(n)textuel, fonctionner tropiquement.

L'existence d'un tel phénomène nous oblige donc, au lieu d'envisager deux catégories seulement de dérivations illocutoires, différenciées par un seul axe oppositif :

d'en distinguer trois, sur la base de deux axes distinctifs binaires [85] :

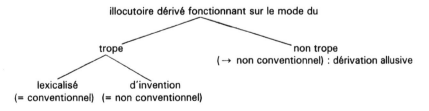

ou bien encore à la rigueur, si l'on préfère hiérarchiser autrement ces deux axes qui sont en relation de classification croisée :

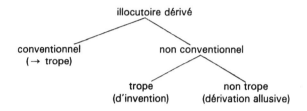

(1) Le trope illocutoire lexicalisé.

A partir du moment où c'est la valeur dérivée qui impose à l'énoncé sa fonction pragmatique dominante, on a donc affaire à un trope illocutoire. Mais quand peut-on dire de ce trope qu'il est lexicalisé, conventionnalisé, inscrit en langue?

1. On pourrait penser à la suite de Grice que l'illocutoire dérivé conventionnel s'oppose au non conventionnel en ce que seul le second exige, pour son extraction, l'intervention des maximes conversationnelles. C'est ainsi que détaillant les diverses opérations constitutives du raisonnement qui permet de mener, de « Il fait chaud ici », à /Ouvre la fenêtre/, Anscombre (1980, p. 87) montre que le passage de la valeur littérale à la valeur dérivée s'effectue grâce à l'application d'un certain nombre de « lois de discours ». Mais dans ce même article, ce même Anscombre fait une démonstration analogue au sujet de l'exemple, conventionnalisé pourtant, de « Pouvez-vous ouvrir la fenêtre? » [87], énoncé dans lequel « pouvoir » fonctionne comme un marqueur de dérivation illocutoire, requérant l'application d'une loi de discours telle que « questionner quelqu'un sur ses possibilités de faire une action *F*, c'est lui demander de faire *F* ». A chaque marqueur de dérivation correspond ainsi une loi de discours appropriée [87], ces diverses lois étant destinées à venir grossir les rangs, aux côtés de principes conversationnels plus généraux, des règles constitutives du code « rhétorico-pragmatique ».

Signalons à ce propos cette hypothèse avancée par Searle (1975, b) et Gordon-Lakoff (1975) : accomplir un acte indirect, cela consisterait généralement à affirmer, ou questionner sur, l'une des quatre « conditions de félicité » caractéristiques de l'acte qu'il s'agit d'effectuer. Pour accomplir une requête indirecte, on peut par exemple :

- asserter, ou questionner au sujet de, la condition de contenu propositionnel :

> Tu descendras la poubelle.
> Vas-tu te taire à la fin ? [88] ;

- affirmer, ou interroger sur, le pouvoir ou le vouloir de A d'exécuter l'acte (condition « préliminaire », ou « préparatoire ») :

> Peux-tu me passer le sel ?
> Pourriez-vous entrouvrir légèrement la fenêtre ?
> Tu peux te lever maintenant.
> Tu pourrais cracher ton chewing-gum quand tu me parles.
> Veux-tu me passer le sel ?
> Ne voudrais-tu pas fermer la porte ?
> Est-ce que ça te gênerait de ne pas fumer ? ;

- affirmer (mais non point interroger sur elle, vu que L ne peut pas mettre en cause sa propre sincérité illocutoire) la condition de sincérité :

> Je veux que tu fermes cette porte.
> J'aimerais que tu m'embrasses.
> Je voudrais que vous fassiez moins de bruit.
> Je vous serais très reconnaissant de ne pas garer votre voiture devant ma porte.
> J'espère que tu vas aller te laver les mains avant de venir à table.

L'idée est séduisante. Mais elle n'est certainement pas généralisable à tous les cas de requêtes indirectes : toutes les conditions de félicité ne sont pas également susceptibles d'être exploitées de la sorte, et réciproquement (que faire par exemple des requêtes indirectes qui relèvent du « devoir » : « Tu ne dois pas parler la bouche pleine », « Dois-tu vraiment te moucher dans ta serviette ? », de la suggestion : « Pourquoi est-ce que tu ne fermerais pas ta grande gueule ? », « Ce serait une bonne idée si tu mettais la table », « Quand est-ce que tu vas chez le coiffeur ? », du reproche : « Mais tu ne me dis pas ce qui t'a fait quitter Madrid », ou de la flatterie :

> PAOLA. — Caro Marcello, se fossi gentile, mi porteresti uno sdraio.
> CLAUDIA. — Caro Franco, se mi aprissi l'ombrellone, saresti un amore. Non ci riesco.
> FRANCO. — *Comandate pure ragazze* [89] ?)

Il semble donc bien que Brown et Levinson aient raison de considérer que les « indirect speech acts are not restricted to those based on Searle felicity conditions » (1978, p. 141).

2. Autre critère envisagé par Grice : l'illocutoire dérivé conventionnel serait, à la différence du non conventionnel, indépendant du contexte énonciatif.

Le contexte intervient pourtant dans le fonctionnement d'une phrase telle que « Peux-tu me passer le sel ? », qui peut et doit dans certaines circonstances être interprétée littéralement ; structure polysémique donc, et c'est au contexte qu'il revient de sélectionner, parmi les deux valeurs illocutoires interrogative et jussive (propre et dérivée), celle qui s'actualise en discours.

Mais son rôle se réduit à cela. De même que dans une métaphore lexicalisée le contexte se contente de « monosémémiser » une unité lexicale polysémique, alors qu'il prend en charge les données linguistiques pour *engendrer* des significations inédites dans le cas de la métaphore d'invention, de même ne sert-il, dans le trope illocutoire lexicalisé, qu'à *sélectionner* la « bonne » des deux valeurs concurrentes également inscrites en langue.

3. Car c'est là la seule, la vraie différence entre les deux types de trope : la valeur dérivée naît en discours dans le trope illocutoire d'invention, alors qu'elle est déjà, dans le cas du trope lexicalisé, cristallisée en langue,

• soit que cette pré-codification atteigne en bloc une séquence spécifiée syntaxiquement et lexicalement, par exemple :

> Ton père n'est pas vitrier → /Tire-toi de là, tu m'empêches de voir/ [90],

ou bien encore ces interrogations oratoires figées que mentionnent Anscombre (1980, p. 75) :

> Est-ce que je sais, moi ?
> Comment voulez-vous que je fasse ?
> Avez-vous déjà vu un pareil abruti ?
> Qu'est-ce que j'en ai à fiche ?,

ou Morgan (1978, pp. 277-278) :

> Are you crazy ?
> Have you lost your mind ?,

etc.

• soit qu'il s'agisse d'une structure abstraite remplissable par un matériel lexical variable – les éléments responsables de l'émergence de la valeur dérivée étant alors considérés comme des « marqueurs de dérivation illocutoire ». On dira ainsi que dans « Peux-tu me passer le sel ? », et toutes les phrases de même structure, l'inversion du pronom sujet et le point d'interrogation à l'écrit (à l'oral : l'intonation montante) constituent les marqueurs de la v.i. primitive, cependant que l'auxiliaire « pouvoir », et éventuellement l'expansion « s'il te plaît », sont à considérer comme les marqueurs de la valeur dérivée.

Le repérage de ces marqueurs constitue l'une des principales tâches que rencontrent les pragmaticiens « dérivationnistes », avec à leur tête

J.-Cl. Anscombre, qui déclare en avoir d'ores et déjà identifié plusieurs centaines (1980, p. 87). Mais c'est une tâche fort délicate et incertaine : il suffit de comparer, dans *Communications* 32, les traitements sensiblement différents que Roulet et Anscombre réservent à des faits pourtant similaires (le fonctionnement des modalisateurs tels que « devoir » et « pouvoir ») pour mesurer l'ampleur de ces incertitudes, qui tiennent entre autres choses aux faits suivants :

• Hétérogénéité de ces marqueurs de dérivation, qui peuvent être de nature syntaxique [91], lexicale, ou prosodique – les intonations jouant à coup sûr un rôle très important dans l'identification d'un trope illocutoire, sans qu'il soit pour autant permis d'affirmer que l'intonation est toujours « juste », *i.e.* qu'elle correspond toujours à la valeur dérivée, donc dénotée par le trope : c'est au contraire bien souvent la mélodie montante qui accompagne la production de structures interrogatives en apparence, mais qui prétendent fonctionner en fait comme des requêtes ou des assertions.

• Problème de la localisation précise de l'élément responsable de la dérivation, qui exige une série de commutations minutieuses telles que, dans le cas de :

    Voudrais-tu ouvrir la fenêtre?

(l'astérisque marquant les séquences qui ne peuvent pas fonctionner comme des requêtes indirectes équivalentes) :

    Tu voudrais ouvrir la fenêtre?
    Veux-tu ouvrir la fenêtre?
    *Tu voudrais ouvrir la fenêtre.
    *Tu veux ouvrir la fenêtre.
    *Serais-tu capable d'ouvrir la fenêtre? [92]
    *Devrais-tu ouvrir la fenêtre?
    Ne devrais-tu pas ouvrir la fenêtre?
    Pourrais-tu ouvrir la fenêtre?
    Tu pourrais ouvrir la fenêtre?
    Peux-tu ouvrir la fenêtre?
    Tu pourrais ouvrir la fenêtre.
    Tu peux ouvrir la fenêtre.,   etc.,

commutations qui tendent à prouver que se trouvent impliquées dans le mécanisme de dérivation : l'intonation interrogative, éventuellement renforcée par l'inversion du pronom sujet (*i.e.* le marqueur de la v.i. primitive ici récupéré par la valeur dérivée); la nature du verbe modalisateur : il peut s'agir, outre « vouloir », de « pouvoir », et dans une certaine mesure de « devoir » (les règles étant d'ailleurs dans chacun de ces cas différentes); mais « être capable de », dont le sens littéral est pourtant proche de « pouvoir », ne semble pas partager ce statut de marqueur de dérivation illocutoire...

Quant au mode conditionnel, il sert simplement à adoucir la formulation d'une requête que l'indicatif permet également, dans les mêmes conditions, d'exprimer.

• Il apparaît dans l'exemple précédent qu'un même signifiant peut cumuler plusieurs valeurs, et en particulier marquer à la fois les v.i. primitive et dérivée; et qu'inversement une même valeur illocutoire se trouve souvent supportée par plusieurs éléments fonctionnant en réseau.

• Autre problème descriptif : quel est exactement, dans « Voudrais-tu ouvrir la fenêtre? », le statut de ce « marqueur de dérivation » que constitue l'auxiliaire « vouloir » interrogativisé? C'est-à-dire : étant donné que dans un trope métaphorique ou ironique il importe, et il est relativement aisé, de dissocier le lieu énoncif où s'actualise le trope (« Quel *joli* temps! »), des indices cotextuels, contextuels, ou paratextuels, qui le dénoncent comme tel, le verbe « pouvoir » doit-il, dans le trope illocutoire en question, être considéré comme l'un des *supports* signifiants de la valeur dérivée, ou comme un simple *indice* cotextuel du mécanisme dérivationnel, ainsi que le suggère Anscombre (1980, p. 87 : « Ces marqueurs, au contraire des marques de primitifs, ne désignent pas un acte mais un mécanisme y menant : ce ne sont pas des marques d'actes »)? Corrélativement, si le contenu d'un tel énoncé, lorsqu'il reçoit sa valeur primitive, doit s'analyser ainsi :

c.p. : /toi vouloir ouvrir la fenêtre/
v.i. : question (marqueurs : inversion du sujet + ?),

faut-il incorporer dans le c.p., ou l'en exclure, le contenu de « vouloir » lorsque cet énoncé fonctionne comme une requête? Si l'on adopte le premier traitement, c'est sur le même c.p. que viennent se greffer les deux v.i. primitive et dérivée dans le cas de la dérivation conventionnelle, alors que les valeurs dérivées non conventionnelles s'attachent généralement à des c.p. nettement différents de celui auquel correspond la v.i. primitive (ex. : « Il fait chaud ici! » → /Ouvre la fenêtre/).

4. Quant au critère de l'enchaînement, il permet de déceler un trope, conventionnel ou non. Mais il ne peut servir à opposer les deux types de tropes que nous essayons de distinguer ici qu'en se reformulant de la façon suivante : dans le cas d'un trope lexicalisé, on doit « normalement » enchaîner sur la valeur dérivée; dans celui d'un trope d'invention, on devrait « normalement » enchaîner sur la valeur primitive, mais on enchaîne en fait, exceptionnellement, sur la valeur dérivée.

Les ordres dérivés conventionnels peuvent en effet (Roulet, 1980, a),

p. 85, et Anscombre, 1980, p. 92) être de ce point de vue assimilés aux ordres primitifs :

> Fermez la porte, pour que je puisse travailler.
> Pouvez-vous fermer la porte, pour que je puisse travailler?
> Descends la poubelle, puisque c'est ton tour.
> Peux-tu descendre la poubelle, puisque c'est ton tour?
> Veux-tu descendre la poubelle, puisque c'est ton tour?
> J'aimerais que tu descendes la poubelle, puisque c'est ton tour,

et opposés aux ordres dérivés non conventionnels :

> *Il y a un courant d'air, pour que je puisse travailler.
> *Qu'on descende la poubelle, puisque c'est ton tour.
> *La poubelle est pleine, puisque c'est ton tour.
> *C'est toujours moi qui descends la poubelle, puisque c'est ton tour.

De là à en conclure qu'un même locuteur « ne peut enchaîner sur ses propres dérivés que s'ils sont marqués », donc conventionnels, il n'y a qu'un pas, que franchit un peu trop rapidement Anscombre. Car s'il est vrai que les enchaînements qui viennent d'être frappés par l'astérisque sont effectivement bien difficiles à admettre [93], il arrive pourtant, contrairement à ce qu'affirme la formule trop générale d'Anscombre, qu'un *même* locuteur enchaîne sur ses propres « allusifs » : l'enchaînement « anormal » signale alors l'existence d'un « trope illocutoire d'invention », comme dans ces différents exemples de consignes indirectes (positives ou négatives), relevés dans tel cinéma, bistrot, ou restaurant :

> Le pourboire est le salaire de l'ouvreuse. Merci.
> Entrée des cuisines. Merci.
> Accès réservé au personnel. Merci.
> Privé s.v.p.

(2) Le trope illocutoire d'invention.

Il s'oppose au trope lexicalisé, et s'apparente à la dérivation allusive, en ce que la valeur dérivée n'est pas inscrite en langue, à la faveur d'un ou plusieurs marqueur(s) spécifique(s) dûment codé(s).

Il s'oppose à la dérivation allusive, et s'apparente au trope lexicalisé, en ce que c'est la valeur dérivée qui s'actualise prioritairement, ainsi qu'en témoigne l'enchaînement.

C'est seulement au cours de son actualisation discursive qu'une valeur dérivée non conventionnelle, normalement allusive de par son statut en langue, se met à fonctionner tropiquement.

Le fait est bien attesté :

1. Soit que L_1 signale lui-même comme un trope la séquence qu'il va ou vient de proférer, exemple :

Privé s.v.p.
Entrée des cuisines. Merci.
J'ai faim s.v.p. Merci (inscription à la craie dans un couloir de métro).
S'il te plaît, il est huit heures ! [94]
Excuse-moi, mais il est huit heures !,

ou bien encore ces interrogations oratoires, dont l'enchaînement argumentatif prouve qu'elles sont à prendre comme des assertions :

Peut-on aujourd'hui justifier la régression de la véritable culture au nom des transformations occidentales ? *En effet,* cette illusion de progrès sert en fait l'établissement d'un conservatisme alarmant (copie d'étudiant, contraction de texte).

Qu'est-ce que cent ans, qu'est-ce que mille ans, *puisqu'*un seul moment les efface? (Bossuet, *Sermon sur la mort,* éd. Garnier-Flammarion, 1970, p. 135) [95].

2. Soit que, plus communément, ce soit l'enchaînement produit par L_2 qui prouve qu'il a interprété comme un trope l'énoncé précédent de L_1 – par exemple, comme une proposition les énoncés apparemment constatifs suivants :

L_1. – Tiens, on rejoue « Autant en emporte le vent ».
L_2. – Il fait bien froid, si tu veux mon avis (Anscombre, 1980, p. 92).

L_1. – Il paraît que ce film est intéressant.
L_2. – J'y suis déjà allé (Ducrot, 1979, p. 22).

L_1. – J'ai envie de nager.
L_2. – J'ai mal aux dents (Charolles, 1980, b), p. 46),

ou comme une assertion les énoncés apparemment (« oratoirement ») interrogatifs suivants :

L_1 (au cours d'un exposé sur la grammaire générative) – L'élément effacé par transformation doit être récupérable.
L_2. – Vous pourriez donner un exemple?
L_1. – Ben *si,* par exemple...

(L_1 interprète donc comme une réfutation la question de L_2 : confrontant ce fait attesté à l'exemple de Barthes « A quoi sert la linguistique? », on constate que si l'enchaînement le plus normal à une telle question doit effectivement prendre pour base son contenu littéral – *i.e.* s'il s'agit là généralement d'une dérivation allusive –, la possibilité n'est pas totalement exclue d'en faire un trope illocutoire, et d'y répondre comme à une assertion polémique).

L_1 (lors d'un débat sur France-Musique). – D'accord, mais combien de gens ont une belle voix au départ?
L_2. – Ah *si si si si* !

L_1. – Est-ce qu'on peut se croire ici à deux heures de New York?
L_2. – *C'est bien vrai* !

L_1. – Où veux-tu que j'aille?
L_2. – Hé *oui, je sais bien* !

LEVERT. – « Est-ce qu'il existe un endroit plus cafardeux qu'un bar ?
LE GARÇON. – *Justement !* » (Robert Pinget *Lettre morte,* éd. de Minuit, 1959).

GÉRONTE. – « Que diable allait-il faire à cette galère ?
SCAPIN. – *Vous avez raison,* mais hâtez-vous.
GÉRONTE. – N'y avait-il point d'autre promenade ?
SCAPIN. – *Cela est vrai.* Mais faites promptement » (*Les fourberies de Scapin,* acte II, sc. 7).

Quelques exemples encore de fonctionnements similaires :

L_1 (à qui L_2 vient de tendre son paquet de cigarettes, presque vide). – Y en a plus beaucoup ! (→ /je n'ose pas.../).

L_2. – Mais si !

L_1 (impatiemment : il a déjà avalé son café, cependant que L_2 tourne paisiblement sa cuillère dans la tasse). – Il est chaud ce café ?
(→ /est-ce la raison pour laquelle tu ne bois pas ton café ?/
→ /pourquoi ne bois-tu pas ton café ?/
→ /bois donc ton café, on est pressés !/)

L_2. – On a le temps !

L_1. – Quelle heure est-il ?

L_2. – O.K. j'arrive !

Remarques

– L'enchaînement qui révèle le trope peut prendre la forme particulièrement explicite d'un commentaire métalinguistique :
1. émanant de L_1 lui-même :

L_1. – Henri se fait du mauvais sang pour toi.
L_2. – Moi aussi.
L_1. – C'est pas une réponse ça !

(L_1 avoue donc que sa réplique précédente était à prendre comme une question, comme une demande d'explications) (Claude Sautet, *César et Rosalie*),
2. ou produit par L_2 :

L_1. – C'est moi qui ai descendu la poubelle la dernière fois.
L_2. – C'est pas à toi de me donner des ordres.

– Il arrive au contraire que l'enchaînement soit ambigu, et ne permette pas de savoir si l'énoncé a été interprété tropiquement ou non :

L_1. – Tu savais que Pierre s'était encore fait coller ?
L_2. – (1) Sans blague ! [= réponse à l'assertion : interprétation tropique donc]
(2) Non ! [= réponse ambiguë – à moins que l'intonation ne soit pas la même dans les deux cas].

(La réponse ambivalente doit être distinguée de la réponse double, que fournit par exemple L_2 à la question-proposition de L_1 dans :

L₁. – Vous êtes motorisée ?
L₂. – Oui merci !)

– L'interprétation tropique peut être en contexte plus ou moins naturelle. Mais même lorsqu'elle s'impose avec un fort degré d'évidence, elle n'est jamais aussi contraignante que celle qui caractérise un trope lexicalisé. Ce qui permet

1. à L₁, de dénier la valeur tropique de la séquence qu'il vient de proférer :

L₁. – Si toutes les organisations syndicales se concertaient, est-ce que ça n'irait pas mieux ?
L₂. – C'est vous qui le dites !
L₁. – Mais je pose la question !
(Interview par Gilbert Denoyan – L₁ – d'André Bergeron, sur France-Inter le 19 mai 1981.)

2. à L₂, de (feindre de) ne pas percevoir le trope que constitue l'énoncé de L₁, et de le prendre au pied de la lettre :

L₁. – La poubelle est pleine.
L₂. – C'est vrai !

Plus le trope est évident, plus sa littéralisation sera versée au compte de la stupidité, ou de la mauvaise foi – jusqu'à produire, à la limite, un effet comique. Voici pour terminer deux exemples de situations attestées où le rire est venu sanctionner la non identification, feinte dans le premier cas, sincère dans le second, d'une interrogation rhétorique :

L₁ (guide faisant visiter un château fortifié). – Peut-on s'imaginer que cette charpente supporte plus de quatre tonnes de plomb ?
L₂ (visiteur spirituel). – Non !

L'EXAMINATEUR. – Mademoiselle, excusez-moi de cette interruption, mais est-il vraiment nécessaire, pour décrire les labio-vélaires en latin, d'évoquer *in extenso* le système grec ?
LA CANDIDATE. – Oui !

Conclusions

« Tant qu'on ne sait pas si un tel énoncé est, par exemple, un *conseil* ou une *menace*, tant qu'on ne sait pas comment il doit être pris, il est évident qu'on n'accède pas à son sens global, qu'une partie de sa signification nous échappe » (Récanati, 1979 a), p. 156) : tout modèle interprétatif conséquent doit donc se donner les moyens de décrire, au même titre que son contenu propositionnel, la ou les valeur(s) illocutoire(s) qui caractérise(nt) tout énoncé.

Nous avons reconnu à ces valeurs illocutoires les différents statuts suivants :

– *v.i. primitives* = valeurs « propres » que possède en langue une structure donnée; marquées (par une expression performative ou une « forme de phrase »), *i.e.* pourvues d'un ancrage direct;

– *v.i. dérivées conventionnelles* = valeurs « non propres », mais néanmoins inscrites en langue (*i.e.* : « dérivées-de-langue »), ancrage direct; lorsqu'elles s'actualisent, constituent un *trope illocutoire lexicalisé*, dont le décodage, comme celui de tous les tropes lexicalisés, obéit aux règles générales de monosémémisation des séquences polysé(mé)miques;

– *v.i. dérivées non conventionnelles* (« dérivés-de-discours ») = valeurs sous-entendues à ancrage indirect (non marquées),

• qui restent connotées dans la *dérivation allusive*,

• mais deviennent dénotées dans le cas du *trope illocutoire d'invention* (et peuvent alors être prises pour base de l'enchaînement), le statut comparé des valeurs dérivées pouvant être représenté par le tableau suivant :

	trope illocutoire lexicalisé	trope illocutoire d'invention	dérivation allusive
marquées	+	–	–
dénotées	+	+	–

Les valeurs illocutoires dérivées ont donc partie liée, et avec le problème de la connotation, et avec celui du trope. La chose a été mentionnée par différents théoriciens, mais qui généralement mettent exclusivement l'accent sur l'un ou l'autre de ces deux aspects. Ainsi dans l'article de Buyssens intitulé « De la connotation ou communication implicite », c'est bien du problème de l'illocutoire dérivé qu'il s'agit en réalité (du fait par exemple que « Il va pleuvoir », ou « Maman on sonne », puissent parfois connoter « Prends ton parapluie », ou « Va ouvrir la porte »). Or cette assimilation des v.i. dérivées à des connotations ne vaut que dans le cas de la dérivation allusive : elle cesse d'être pertinente avec celui du trope illocutoire. Searle compare à l'inverse (1979, p. 35) à l'ironie et à la métaphore les actes de langage indirects : « Par exemple, un locuteur peut, en énonçant une phrase, vouloir dire autre chose que ce que la phrase signifie, comme dans le cas de la métaphore, ou il peut vouloir dire le contraire de ce que la phrase signifie, comme dans le cas de l'ironie, ou encore il peut vouloir dire ce que la phrase signifie et quelque chose de plus, comme c'est le cas dans les implications conversationnelles et dans les actes de langage indirects. » Mais il marque ailleurs en ces termes les limites d'une telle analogie : « Il y a une différence radicale entre, d'un côté, les actes de langage indirects et, de l'autre, l'ironie et la métaphore. Dans l'acte de langage indirect, le locuteur veut dire ce qu'il dit. Mais il veut en outre dire quelque chose d'autre » (1982, p. 162) : pour Searle, les v.i. dérivées viennent simplement *s'ajouter* à la v.i. primitive, sans parvenir jamais à s'y *substituer*. Ce qui caractérise effectivement la dérivation allusive, mais semble inadapté au cas du « trope illocutoire », puisque c'est bien sur la valeur dérivée et elle seule qu'on doit enchaîner dans le cas d'un trope lexicalisé, et sur elle que l'on enchaîne en fait dans le trope d'invention. Certes la valeur primitive ne s'efface pas totalement pour autant : il faut bien en passer par elle pour atteindre la valeur dérivée, et même une fois atteinte cette valeur dérivée, la valeur primitive se maintient sous forme de trace connotative (adoucissement, par exemple, de l'acte de requête). Mais le mécanisme n'est en rien différent de celui qui caractérise aussi les autres tropes. Ce qui les caractérise tous, c'est le fait que le contenu dérivé, sans évincer complètement le contenu primitif (un trope n'est jamais équivalent à sa traduction en termes non tropiques), cesse d'être connoté pour devenir l'« objet essentiel du message à transmettre ».

Traiter en termes de trope le statut d'un énoncé tel que « Peux-tu me passer le sel? », c'est pour nous l'une des solutions les plus satisfaisantes qui permette de rendre compte de son fonctionnement quelque peu bizarre et paradoxal. Caractère que mettent bien en évidence, dans leur terminologie propre, des pragmaticiens tels que Morgan (1978), et Brown et Levinson (1978). Pour Morgan, le problème que pose « Can you pass the salt? » est le suivant : la valeur de requête y est tout à la fois perçue comme indirecte, et littérale; elle est « calculable » (à l'aide de certaines maximes conversationnelles), sans être pour autant véritablement calculée (puisqu'on l'extrait directement, immédiatement de l'énoncé) : il s'agit là d'un type bien particulier d'implicature, qui serait en quelque sorte « court-circuitée » par l'usage.

Quant à Brown et Levinson, après avoir opposé deux types de stratégies communicatives : la stratégie « on record » (ouverte et transparente), et la stratégie « off record » (du secret et de l'allusion), et cherchant à définir de ce point de vue le statut d'un énoncé tel que « Peux-tu me passer le sel? », ils en viennent à cette conclusion que « The motivation for such expressions is [...] the speaker's want to communicate his desire to be indirect even though in fact the utterance goes on record » (p. 138) : il s'agirait là de structures hybrides, « baroques » même, offrant une solution de compromis aux deux « tensions opposées » coexistant contradictoirement chez le sujet parlant : tension vers la clarté, et vers le camouflage... Brown et Levinson parlent à ce propos d'un « clash of wants » : nous traiterons bientôt le trope dans son ensemble, semblablement, à l'aide du concept de « sujet clivé ».

Une autre idée parcourt ces deux articles, et c'est sur elle que nous conclurons provisoirement, car elle nous est chère, cette réflexion sur les valeurs illocutoires : c'est que *les deux axes qui fondent l'établissement de nos trois catégories de v.i. dérivées sont également graduels.*

– *Trope ou non trope?*

Le trope se constitue à partir du moment où la valeur dérivée, remontant en quelque sorte vers la surface, prend le pas sur la valeur primitive, et s'impose en contexte comme la « vraie » valeur illocutoire de l'énoncé :

v.i. primitive	v.i. dérivée
v.i. dérivée	v.i. primitive
dérivation allusive	trope illocutoire

(L'axe vertical symbolisant l'épaisseur sémantico-pragmatique de l'énoncé, dont le contenu se compose, comme nous l'avons dit, de différentes couches superposées et hiérarchisées.)

Mais il faut en réalité se représenter ces deux positions comme mobiles sur cette échelle définissant la hiérarchie relative des valeurs illocutoires. Entre les deux cas limites où la valeur dérivée reste clairement marginale, ou devient au contraire clairement dominante, toutes les situations intermédiaires sont concevables, et effectivement attestées. L'existence d'un trope est *plus ou moins* claire, et son degré de solidification variable, en fonction de paramètres tels que :

• la nature des marqueurs du trope, qui lorsqu'ils existent, peuvent solliciter plus ou moins fortement le mécanisme dérivationnel, et

• la nature des données contextuelles. Un seul exemple : pour qu'une question puisse fonctionner comme une requête, il faut que l'acte prescrit soit susceptible d'être accompli par l'allocutaire dans la situation d'énonciation. Or « this is *a matter of degree* », remarquent Brown et Levinson (pp. 138-139), « dependent on whether expectations about the nature of the activity in which the utterance is embedded makes a request reading probable, as (5) and (6) illustrate :
(5) Can you play the piano? (in the presence/absence of a piano)
(6) Can you do advanced calculus? (when speaker is/isn't doing a homework assignment) ».
De même, si les assertions « I need a comb », « I'm looking for a comb »

prennent place dans un magasin approprié, elles n'auront pas besoin d'être assorties d'un « please » pour être interprétées comme des requêtes. Mais on peut imaginer des situations moins clairement désambiguïsantes : les marqueurs linguistiques doivent être d'autant plus contraignants que la situation énonciative l'est moins.

Dans le cas d'un trope illocutoire d'invention, c'est le contexte qui porte tout le poids de la constitution du trope : en l'absence d'enchaînement clair, celui-ci reste le plus souvent douteux, voire indécidable.

Dans le cas d'un trope lexicalisé, son existence s'imposera d'autant plus que sa conventionnalisation sera plus forte. Dans cette mesure, la question précédente se trouve étroitement liée à la suivante.

– Trope lexicalisé ou non ?

Soit l'exemple des questions rhétoriques (dont Brown et Levinson considèrent prudemment qu'elles relèvent selon le cas, et plus ou moins, de la stratégie « off », ou « on record ») : il s'agit bien là d'un trope illocutoire. Mais où commence-t-il – étant donné qu'entre la vraie question (« Est-ce que P ou non P ? »), et la vraie fausse question (fonctionnant en tous points comme une assertion), se rencontrent toutes sortes de questions « orientées », sollicitant avec plus ou moins d'insistance tel ou tel type de réponse ?

Question corrélative (et non rhétorique) : quand on a de bonnes raisons de penser que l'on a affaire à une question rhétorique, faut-il considérer le procédé comme lexicalisé ou non ? A. Borillo (1981) envisage bien un certain nombre d'« indices » favorisant la lecture tropique (certains types de constructions verbales, les adverbes modalisateurs ou intensifs, etc.), sans parler du conditionnel analysé par A.-M. Dillier, et des expressions exclamatives qui dénoncent en anglais comme des assertions critiques les questions en « why » :

Why for God's sake
in the world
in Christ's name   } are you painting your house purple ? [96]
the hell

Mais s'agit-il vraiment là de marqueurs de dérivations, codés de façon suffisamment stable pour qu'ils puissent être incorporés au système de la langue ?

Là encore tous les degrés se rencontrent de lexicalisation des « indirect speech acts » : certains sont complètement figés et idiomatiques, et cela de manière relativement arbitraire (car Searle, 1975, b) remarque, p. 76, que si « Can you hand me that book ? » fonctionne normalement comme une requête, il n'en est pas de même de la traduction littérale, en tchèque, de cet énoncé, ni non plus du reste de sa paraphrase en anglais «Are you able to...?»), d'autres sont entièrement livrés aux caprices du contexte, cependant que la plupart se situent quelque part sur cet axe de la conventionnalisation, que Strawson (1971), Searle (1975), Wright (1975) ou Morgan (1978) décrivent comme un «continuum».

Les valeurs illocutoires ne détiennent certes pas le monopole d'un tel problème, qui concerne aussi, par exemple, les métaphores : entre les métaphores complètement figées, ou comme dit Lautréamont, «saponifiées» jusqu'à la catachrèse, et les métaphores «vives», il y a la zone intermédiaire des clichés. Et rien n'est plus flou que la frontière qui sépare, pour toute unité lexicale, ses valeurs inscrites en langue, de celles qui surgissent en discours. Mais il existe tout de même des dictionnaires, aussi imparfaits soient-ils. Rien de comparable pour les valeurs illocutoires : tout est à constituer, de leur lexique et de leur grammaire. Les linguistes s'y emploient, mais on ne voit pas clairement comment se découpent ici les territoires respectifs de la langue, et de la parole. Tout ce que l'on peut dire, avec Sadock (1978), c'est qu'il serait aussi absurde d'exclure de la langue la valeur jussive d'une structure telle que «Pourrais-tu ouvrir la fenêtre?», que d'y incorporer, s'agissant d'une phrase comme «Il fait froid ici», des valeurs aussi diverses que /ferme la fenêtre/, /ouvre la fenêtre/, /tu devrais payer ta note de gaz/, /apporte-moi un pull/, /c'est sinistre chez toi/, /tu m'as fait de la peine/, etc.

Les deux problèmes qui viennent d'être soulevés se posent avec une acuité particulière, du fait de l'absence d'un inventaire préétabli des valeurs illocutoires, et de leurs supports signifiants, dans le cas du trope illocutoire. Mais ils ne lui appartiennent pas en propre, ainsi qu'il apparaîtra dans le chapitre suivant, où il sera question du trope en général – et en particulier, de certains phénomènes qu'il nous semble légitime d'y assimiler, bien qu'ils ne soient pas considérés comme tels (ni même considérés du tout) par la tradition rhétorique.

Chapitre 3

Le trope :
pour une théorie standard étendue

Il existe entre les concepts de « trope » et d'« implicite » d'évidentes affinités, que signalent, à des siècles d'intervalle, aussi bien Quintilien (« [Le procédé de l'insinuation] consiste [...] à faire entendre autre chose que ce que nous disons, pas forcément le contraire, comme dans l'ironie, mais autre chose, qui est cachée et que l'auditeur doit pour ainsi dire trouver »), que Searle (« [...] un locuteur peut, en énonçant une phrase, vouloir dire autre chose que ce que la phrase signifie, comme dans le cas de la métaphore, ou il peut vouloir dire le contraire de ce que la phrase signifie, comme dans le cas de l'ironie, ou encore il peut vouloir dire ce que la phrase signifie et quelque chose de plus, comme c'est le cas dans les implications conversationnelles et dans les actes de langage indirects »); affinités que révèlent encore par exemple les différents emplois du terme de « figuration », qui s'applique polysémiquement, tantôt au cas des « interprétations figurales » (*i.e.* aux tropes de la rhétorique classique), tantôt au problème de l'illocutoire dérivé, et à l'ensemble des « softeners », ces procédés qui permettent d'adoucir de différentes manières, dont l'essentielle est l'implicitation, la formulation des actes de langage. Mais on sait que la polysémie, c'est comme les lapsus, révélateur. Expression détournée, représentation indirecte, discours oblique, formulation biaisée... : autant de termes qui caractérisent également le fonctionnement du trope, et de l'implicitation.
   Ce n'est pas qu'il faille identifier ces deux concepts : bien des

contenus implicites échappent à ce mécanisme de « remontée vers la surface » qui définit le trope, et demeurent à l'état de simples connotations; d'autre part, la fabrication des tropes obéit à des règles précises, fixant la nature de la relation existant entre les deux niveaux de contenu – du moins dans la perspective rhétorique classique. Mais il est temps justement de dépasser cette perspective, et notre thèse sera que *tous les types de contenus implicites sont dans certaines circonstances susceptibles de venir fonder l'existence d'un trope.* On voit alors plus clairement comment s'articulent la problématique du trope et celle de l'implicite : *le trope n'est pour nous qu'un cas particulier de fonctionnement de l'implicite,* se caractérisant par le fait que le contenu implicite y devient dénoté – ce qui peut encore une fois se produire quels que soient la nature et le statut du contenu implicite en question.

« Le trope : pour une Théorie Standard Étendue » : connotativement, il s'agit là d'une allusion, toute gratuite du reste, à l'histoire assez cocasse et mouvementée du modèle génératif-transformationnel. Dénotativement, l'expression signifie ceci : que notre conception du trope a pour point de départ les analyses que la rhétorique classique a proposées des métaphores, métonymies, synecdoques, litotes, hyperboles, ironies, etc. – analyses que nous reprenons entièrement à notre compte : théorie *standard* donc; mais aussi *étendue* (cette théorie devenant d'ailleurs de moins en moins standard à mesure qu'elle s'étend davantage), pour autant qu'elle incorpore en outre un certain nombre de phénomènes que n'envisage guère la rhétorique classique, mais dont l'existence a été récemment mise en évidence dans un tout autre cadre problématique : celui de la pragmatique linguistique.

Nous voudrions défendre et illustrer ici l'idée selon laquelle certains des fonctionnements linguistiques sur lesquels se focalise la pragmatique contemporaine peuvent être avantageusement traités dans le cadre beaucoup plus ancien de la théorie des tropes. Avantageusement, car cela permet de marquer clairement la spécificité de fonctionnement de *certains* contenus implicites (certaines valeurs illocutoires dans le trope illocutoire, certains présupposés ou sous-entendus dans le « trope implicitatif », etc.), sans alourdir pour autant le stock des outils descriptifs nécessaires, c'est-à-dire en appliquant le principe du « rasoir d'Occam » : « Evitia non esse multiplicanda praeter necessitatem » – que Searle paraphrase ainsi : « éviter de faire intervenir de nouveaux concepts [...] si l'on peut trouver une solution dans les termes théoriques dont on dispose déjà » (1982, p. 12).

Nous allons pour commencer proposer, à la lumière du fonctionnement des tropes « classiques », une définition unitaire du trope; définition qui permet à la fois de récupérer tous les « tropes classiques », et d'en élargir l'inventaire.

3.1. DÉFINITION DU TROPE

3.1.1. Proposition de définition

Elle sera construite à partir d'un double exemple emprunté à *Booz endormi* : il s'agit de comparer le fonctionnement sémantique des deux mots « gerbe » et « faucille » dans les deux passages suivants du poème de Hugo :

1. Sa barbe était d'argent comme un ruisseau d'avril,
    Sa *gerbe* n'était point avare ni haineuse ;
    Quand il voyait passer quelque pauvre glaneuse :
    « Laissez tomber exprès des épis », disait-il.

2. Le croissant fin et clair parmi ces fleurs de l'ombre
    Brillait à l'occident, et Ruth se demandait,
    Immobile, ouvrant l'œil à moitié sous ses voiles,
    Quel dieu, quel moissonneur de l'éternel été
    Avait, en s'en allant, négligemment jeté
    Cette *faucille* d'or dans le champ des étoiles.

En plus de l'hypallage que comporte le deuxième vers, certains se sont plu à voir dans le mot « gerbe » une connotation sexuelle [1]; connotation quelque peu paradoxale si l'on n'envisage que le cotexte étroit, où il est plutôt question d'impuissance sexuelle – qu'à cela ne tienne : la connotation est en outre ironique, pourra-t-on rétorquer à René Pommier, qui dans un virulent pamphlet, intitulé « Phallus farfelus », eut beau jeu de dénoncer à partir, entre autres, de cet exemple, l'obsession phallique des sémioticiens contemporains – mais qui devient beaucoup moins délirante si l'on tient compte de l'ensemble du poème, où l'isotopie sexuelle se trouve en plus d'un point connotée, et même dénotée.

Mais en tout état de cause, même si l'on admet ici (ce qui n'est ni évident, ni totalement indéfendable) l'existence d'une telle valeur sémantique, cela n'autorise en aucune façon à parler de métaphore à propos du mot « gerbe » : c'est son sens propre et littéral qui s'actualise prioritairement, et qui assure à lui seul l'isotopie textuelle, cependant que le contenu sexuel ne constitue tout au plus qu'une valeur ajoutée, secondaire et marginale par rapport au sens propre : c'est donc ici de *connotation métaphorique* qu'il convient (à la rigueur) de parler.

Il en est tout autrement de « faucille (d'or) », dont le fonctionnement sémantique peut être ainsi décrit :

$$\frac{\text{Sa}}{\text{Sm}_1} = \text{/faucille/ : littéral mais connoté}$$
$$\downarrow$$
$$\text{Sm}_2 = \text{/croissant de lune/ : dérivé mais dénoté.}$$

Le sémème$_1$ s'actualise d'abord, parce qu'il s'attache au signifiant en vertu d'une règle lexicale intériorisée en compétence, mais certains facteurs (d'ordre ici cotextuel : présence, entre autres, de l'anaphorique « cette ») viennent bloquer son fonctionnement dénotatif, et susciter la quête d'un sens second. Une fois atteint le Sm_2, le Sm_1 n'est certes pas totalement oblitéré [2] : il se maintient sous forme de « trace connotative », c'est-à-dire que l'« image » de la faucille vient « s'associer » à celle de la lune pour en enrichir la représentation. Mais c'est bel et bien le Sm_2 qui assure la cohérence interne et l'adéquation externe de l'énoncé (puisque c'est précisément le désir de restaurer une adéquation et une cohérence perturbées par le sens littéral qui suscite son émergence), c'est bel et bien l'objet-lune que dénote le signifiant « faucille » : il y a, alors, *métaphore proprement dite*, c'est-à-dire *trope (métaphorique)* [3].

La même analyse pourrait être faite des cas d'antiphrase, métonymie, litote, etc. : le trope n'est identifié comme tel qu'à partir du moment où s'opère, sous la pression de certains facteurs co(n)textuels, ce renversement de la hiérarchie usuelle des niveaux sémantiques : *sens littéral dégradé en contenu connoté, sens dérivé promu en contenu dénoté*. Ce qui ne veut pas dire, bien sûr, que les deux sens soient toujours hiérarchisables, et de cette manière; mais simplement qu'on ne parle de métaphore ou d'ironie à propos de « faucille » ou de « (Quel) joli (temps!) », qu'à partir du moment où l'on interprète l'énoncé comme voulant *en fait* désigner la lune, et disqualifier le temps.

C'est donc bien la hiérarchie des deux contenus qui se trouve impliquée dans cette opposition entre trope et non trope, métaphore et connotation métaphorique; et si nous sommes tous, d'après René Pommier, des obsédés sexuels, c'est non seulement que nous voyons des contenus sexuels tapis sous les mots les plus innocents, mais aussi que leur accordant un statut dominant, nous prenons la connotation pour la dénotation. Pommier le dit sans doute autrement, car il voue au mot de « connotation » une haine aussi inexpiable que celle qu'il porte au phallus (p. 73 : « Qu'importe qu'on exprime les idées les plus rebattues, les stupidités les plus patentes, si l'on veut faire partie de l'avant-garde, si l'on veut être rangé dans l'élite pensante, il suffit d'employer les vocables en vogue. Point n'est besoin, d'ailleurs, d'en connaître beaucoup : certains d'entre eux sont si goûtés qu'on peut les prodiguer à satiété et il en est même un dont l'effet est tellement magique qu'il peut à lui seul remplacer tous les autres et qu'on peut l'employer dans toutes ses phrases sans jamais lasser les connaisseurs : " connotation " »). Mais c'est bien de cela qu'il s'agit lorsque prenant cette fois pour cible le malheureux Michel Picard, il poursuit en ces termes sa croisade antiphallique (l'enjeu étant ici un signifiant de nature non verbale, mais objectale) : « Il est probable que, lorsque M. Picard voit un parapluie, il explique d'abord à ses amis qu'il s'agit d'un simulacre phallique et qu'ensuite, après un instant de réflexion, il ajoute : " J'irai plus loin : ce simulacre phallique, vous l'avez peut-être remarqué, sert à protéger contre la pluie " » (p. 83).

Conversion du contenu dérivé en contenu dénoté : telle est en tout cas la propriété que nous retiendrons comme véritablement distinctive du trope – et nous considérerons comme négligeable une autre propriété retenue par la rhétorique classique : celle d'être une « figure de mot » [4]. La dimension et la nature du signifiant étant pour nous non pertinentes, nous faisons subir au concept de trope, par rapport à la tradition, une extension sensible, à la faveur de laquelle viennent s'y incorporer certains faits que la rhétorique classique considérerait sans doute plus volontiers comme des « figures de pensée ».

Remarques

– Une précision terminologique tout d'abord : pour différencier le statut des différentes unités de contenu susceptibles d'être véhiculées par une séquence, nous admettrons les distinctions suivantes :

(1) Contenus *littéraux vs non littéraux :*

• littéraux = inscrits dans la séquence en vertu d'une règle linguistique stable; leur décodage fait appel à la seule connaissance du code linguistique; il est donc immédiat, et premier.

N.B. : Les signifiants lexicaux possèdent en général, au sein même de ce code linguistique, plusieurs sémèmes le plus souvent hiérarchisés : on oppose alors au sens « *propre* » les sens « *non propres* » – ou « dérivés »; mais comme le terme est ambigu, nous dirons « *dérivées-*

de-langue » ces valeurs qui, bien que n'étant pas « propres », sont cependant littérales; cela par opposition aux contenus
- non littéraux, ou *dérivés-de-discours* = se greffent en co(n)texte, selon des mécanismes divers, sur les contenus littéraux; plus ou moins instables ou inédits; décodage médiat, second, plus ou moins aléatoire.
    (2) Contenus *explicites vs implicites :*
- explicites = constituent en principe le véritable objet du dire;
- implicites = ne constituent pas en principe le véritable objet du dire, mais s'actualisent subrepticement à la faveur des contenus explicites.

Dans la grande majorité des cas, on peut poser : contenus littéraux = explicites, *vs* dérivés (-de-discours) = implicites, mais les présupposés viennent brouiller ce système d'équivalence, qui sont à la fois littéraux, et implicites (les sous-entendus étant quant à eux dérivés, et implicites).
    (3) Contenus *dénotés vs connotés :*
- dénotés = constituent en co(n)texte l'objet véritable du message, dont ils assurent l'isotopie;
- connotés = valeurs additionnelles, périphériques, marginales (en co(n)texte toujours).

On peut en général poser :
contenus dénotés = explicites, *vs* connotés = implicites,
mais ces équivalences se trouvent cette fois perturbées par le cas du trope d'invention, qui oblige à dissocier les axes (2) et (3) – le cas des tropes lexicalisés se ramenant au problème général de la polysémie, et échappant à la problématique de l'implicite : lorsque je produis une métaphore lexicalisée, j'actualise un sémème qui n'est sans doute pas « propre », mais qui n'en est pas moins littéral et explicite.

Cette précision étant faite, revenons-en aux phénomènes précédemment mis en évidence :
- Les « connotations métaphoriques » ou « ironiques », ainsi du reste que toutes les connotations sémantiques, et les v.i. dérivées par « allusion », sont des valeurs à la fois non littérales (dérivées-de-discours), implicites, et connotées – qui viennent se greffer sur des sens littéraux (propres ou non), explicites, et dénotés.

    Ex. : « Sa gerbe... » :

sens relevant de l'isotopie agricole : littéral (et même propre), explicite, et dénoté;
sens relevant de l'isotopie sexuelle : non littéral, implicite, connoté.
- Dans le trope d'invention, ces mêmes contenus dérivés deviennent

exceptionnellement, sous la pression du co(n)texte, dénotés. Ils opèrent ce faisant une sorte de « remontée vers la surface » qui pourrait inciter à les considérer comme alors convertis en contenus explicites. Ils gardent bien pourtant, si l'on admet la définition initialement proposée, leur statut d'éléments implicites, puisqu'ils ne constituent pas *en principe* le véritable objet du dire, même s'ils le deviennent en co(n)texte : le trope d'invention est une déviance – et la distinction des axes (2) et (3) a précisément pour fonction de marquer ce décalage que le trope institue entre la légalité codique, et l'accident de discours.

Ex. : « Cette faucille d'or... » :

sens relevant de l'isotopie agricole : littéral (et même propre), explicite, mais connoté;
sens relevant de l'isotopie astrale : non littéral (dérivé-de-discours), implicite, mais dénoté.

• Le trope lexicalisé se caractérise au contraire par le schéma suivant :

Pierre est une andouille :

sens relevant de l'isotopie alimentaire : littéral et propre, explicite, connoté;
sens relevant de l'isotopie humaine (= /imbécile/) : littéral mais dérivé-de-langue (par métaphore), explicite, dénoté.

Pourrais-tu me passer le sel?

v.i. interrogative : propre, explicite, connotée;
v.i. jussive : dérivée-de-langue, explicite, dénotée.

D'où cette définition du trope : *le trope convertit en contenu dénoté un contenu dérivé : dérivé-de-langue (donc littéral et explicite) dans le cas du trope lexicalisé, dérivé-de-discours (donc non littéral et implicite) dans celui du trope d'invention.*

– Le problème de l'enchaînement [5].

A la lumière de ce qui vient d'être dit, nous pouvons maintenant préciser que *l'enchaînement cotextuel doit normalement s'effectuer,* non nécessairement sur le contenu explicite, mais *sur le contenu dénoté de la séquence précédente,* et c'est dans cette mesure que l'observation des enchaînements peut permettre l'identification d'un trope (d'une anti-phrase par exemple, lorsque l'énoncé « Quel joli temps! » se trouve suivi d'un « Heureusement que je viens d'acheter un parapluie! »).

Quelques exceptions à ce principe : d'abord le procédé de « filage » du trope, qui consiste à enchaîner sur une métaphore par une métaphore, ou sur un fait d'ironie par une séquence également ironique. Mais le procédé n'est pas tenable trop longtemps. Et surtout, cette loi d'en-

chaînement signifie que *dès lors qu'il y a retour à l'expression directe,*
les arguments doivent nécessairement aller dans le sens du sens dénoté
(*i.e.* dérivé, *i.e.* négatif dans le précédent exemple).

Quant aux autres cas de transgression de cette loi, ils produisent des
effets divers (plaisanterie, mauvaise foi [6]...) et plus ou moins violents,
qui démontrent *a contrario* sa validité. Ou bien encore il s'agit de
fausses transgressions, l'enchaînement venant justement prouver qu'en
dépit des apparences premières, on n'a pas en fait affaire à un trope,
mais par exemple, à une erreur de dénomination et d'interprétation du
référent (dans le cas de cette petite fille commentant en ces termes une
photo de son père en grande tenue de plongeur sous-marin : « Mais
pourquoi papa joue de la trompette dans la mer! On ne peut pas
l'entendre avec le bruit de l'eau! »), ou bien encore à une séquence
relevant du genre fantastique (Queneau : « Il y avait des décrets à
signer mais ils étaient tout mous, tout gluants et la plume n'arrivait pas
à tracer dessus le paraphe mairial »), c'est-à-dire à la description littérale
d'un référent plus ou moins invraisemblable.

3.1.2. Les tropes « classiques »

Les tropes convertissent donc en contenus dénotés certains types de
sous-entendus. Certains types seulement, pour la rhétorique classique,
qui les a scrupuleusement inventoriés, et classés selon la nature de la
relation existant entre les deux niveaux sémantiques impliqués dans le
fonctionnement tropique.

Une littérature très abondante existant sur ces différents tropes que
nous dirons « classiques » [7], nous ne nous y attarderons guère.

Signalons simplement les plus importants d'entre eux :
(1) La *métaphore* repose sur une relation d'analogie perçue entre les
deux objets correspondant aux deux sémèmes concernés (l'objet-lune,
et l'objet-faucille); corrélativement, ces deux sémèmes sont en intersection, puisqu'ils possèdent en commun certains « métasèmes » correspondant aux propriétés communes aux deux objets, et permettant le transfert
métaphorique.
(2) La *métonymie* repose sur une relation de contiguïté existant entre
les deux objets correspondant aux deux sémèmes qui s'attachent au
signifiant employé tropiquement.
(3) La *synecdoque* repose sur une relation d'inclusion d'un objet dans

l'autre dans le cas de la synecdoque du tout et de la partie; d'une classe dénotative dans l'autre (ce qui entraîne l'inclusion inverse d'un sémème dans l'autre) dans les synecdoques du genre et de l'espèce (que pour notre part nous préférons appeler « spécialisation » et « extension »).

(4) Dans la *litote* et l'*hyperbole,* les deux sémèmes occupent une position différente sur un même axe intensif :

• litote : le sens dérivé est plus fort que le sens littéral (ex. : « Je ne te hais point » voulant dire « je t'aime »).

La litote est une « hypo-assertion » (« hypostatement »);

• hyperbole : le sens dérivé est plus faible que le sens littéral (ex. : « Je t'adore », pour dire la même chose).

L'hyperbole est une « hyper-assertion » (« hyperstatement »).

C'est donc en termes d'orientation argumentative que doivent se traiter ces tropes, ainsi que l'a démontré Ducrot de la litote, et que le suggère Fontanier de l'hyperbole, lorsqu'il écrit (p. 123) : « L'hyperbole augmente ou diminue les choses avec excès, et les présente bien au-dessus ou bien au-dessous de ce qu'elles sont [...] » – non qu'il confonde ici hyperbole et litote : c'est plutôt que ces phénomènes sont affaire de force argumentative, et non de contenu informationnel.

En principe du moins. Soient en effet les formules du type : « J'en ai pour une seconde », « C'est à deux pas », « Il n'y a absolument personne », « Je n'ai pas fermé l'œil de la nuit », etc., communément utilisées pour signifier que l'on en a pour peu de temps, que ce n'est pas très loin, qu'il n'y a guère de monde, et que l'on a mal dormi. Envisagées du point de vue de leur contenu informationnel : ce sont des hypo-assertions (elles en disent littéralement moins qu'elles ne veulent donner à entendre); du point de vue de leur force argumentative : en tant qu'énoncés orientés négativement, ce sont des hyper-assertions, qui « exagèrent », qui en rajoutent dans le sens négatif.

Or j'ai pu constater que la plupart des personnes interrogées sur ce point répondent spontanément qu'il s'agit là de litotes... sauf si on les a au préalable « préparées » en leur exposant le problème théorique, ce qui inévitablement infléchit leur intuition « naïve ».

Distinguer l'hyperbole de la litote est chose aisée lorsque le contenu informationnel et la force argumentative de la séquence, ou plutôt lorsque le décalage instauré sur ces deux plans entre les contenus littéral et dérivé, sont de même nature (« J'ai vu ça mille fois » : aucun problème, c'est une hyperbole). Mais en cas de conflit, il n'est pas sûr que seule la force argumentative soit à considérer comme pertinente – si du moins l'on accorde quelque crédit à l'intuition spontanée des sujets parlants [8].

(5) L'*ironie* implique une relation d'antonymie, ou tout au moins d'opposition, entre les deux niveaux de contenu.

Sans revenir sur le détail des problèmes que soulève cette figure, rappelons :

1. que seul nous intéresse ici le *trope* ironique, c'est-à-dire l'*antiphrase,* comportant un décalage plus ou moins fort entre les sens littéral et dérivé. La précision s'impose car le terme d'« ironie » qualifie aussi parfois, et même fréquemment dans le discours ordinaire, des énoncés à prendre littéralement, mais qui se caractérisent simplement par leur valeur illocutoire de raillerie (on traitera alors d'ironique tout propos moqueur, narquois, sarcastique...) : dans cette acception, l'ironie n'a rien à voir avec le trope;

2. que même lorsqu'il s'agit bien d'un trope, l'ironie comporte toujours en outre cette composante pragmatique particulière : ironiser c'est toujours plus ou moins s'en prendre à une cible qu'il s'agit de disqualifier : « I cannot say something ironically unless what I say is intended to reflect a hostile or derogatory judgement or a feeling such as indignation or contempt » (Grice, 1978, p. 124). D'où cette contrainte souvent signalée sur le sens de l'inversion sémantique [9], radicale ou partielle, qui caractérise le trope ironique : il consiste à traiter en termes apparemment valorisants une réalité qu'il s'agit en fait de dévaloriser – donc en la substitution d'une expression littéralement positive à l'expression négative normale (le parcours interprétatif s'effectuant évidemment dans l'autre sens : du contenu littéral positif au contenu dérivé négatif).

3. Grice mentionne pourtant le contre-exemple de « What a scoundrel you are! » (« Quel scélérat! »), employé dans des conditions telles qu'il est évident que l'énoncé ne doit pas être pris au pied de la lettre, mais à contre-pied de ce qu'il exprime littéralement; mais c'est pour ajouter aussitôt : « to say that will be playful, not ironical ».

De ce trope inverse de l'antiphrase ironique on peut semble-t-il dire les choses suivantes :

• D'abord qu'il est rare, beaucoup plus rare en tout cas que son opposé. Ce qui se conçoit fort bien si l'on considère que ce sont de préférence les contenus malveillants qui se formulent indirectement (en termes de Brown et Levinson : ce sont surtout les actes menaçants qui ont tendance à être exprimés « off record »). Sur ces affinités existant entre la malveillance et la formulation implicite nous reviendrons plus tard, ainsi que sur les raisons qui font que voulant faire entendre y, le locuteur énonce dans certains cas x ≠ y. Il y a en effet dans l'existence du trope (de tous les tropes) quelque chose de troublant et de paradoxal, le paradoxe s'accusant dans le cas de l'ironie, où le sens effectif est carrément antinomique du sens apparent – mais elle est bien triviale l'argumentation consistant à prétendre résoudre le paradoxe de la façon suivante : s'il était vrai que L veuille dans l'ironie dire non-p en exprimant p, alors on ne comprendrait pas que L ne dise pas carrément p, donc il est faux que l'ironie fonctionne de cette façon, donc l'ironie n'est pas un trope... : il se trouve, c'est un fait, que les sujets parlants éprouvent parfois le besoin de ce détour tropique. Pourquoi, c'est une autre affaire, sur laquelle nous nous pencherons plus tard.

Pour en revenir à l'antiphrase valorisante, elle est donc rare, mais attestée. En espagnol plus qu'en français paraît-il (ex. : le sobriquet admiratif « El mudo » attribué au célèbre chanteur de tangos argentins Carlos Gardel; et cette exclamation « ¡Qué féo! » – « Qu'il est laid! » – qui accueille lors d'une corrida l'entrée dans l'arène d'un taureau particulièrement somptueux); ou bien encore dans l'argot des Noirs américains, où « bad » s'emploie couramment avec la valeur de « génial » [10]. En français, cette antiphrase valorisante se rencontre surtout dans le discours amoureux, s'il est vrai, comme l'assure Guiraud (*Dictionnaire érotique,* Payot, 1978) que les quelque 12 000 mots utilisés par les Français des deux sexes pour désigner leur partenaire amoureux sont presque tous à l'origine dévalorisants (« mon loup », « mon bandit » « canaille » « ma petite pute », etc.) [11]. C'est aussi de ce type de discours que relève l'exemple suivant, emprunté à Jean Tardieu (« La Société Apollon », *Théâtre de chambre,* Gallimard, 1966, p. 143) :

NANINE *(avec un reproche plein de tendresse).* – « Alphonse! Je vous déteste! »

• Mais Grice a raison, on ne saurait dans de tels cas parler d'ironie – mais d'usage « playful », ou plus précisément, d'après la terminologie de la rhétorique classique, d'« astéisme », ou d'« hypocorisme » – l'astéisme étant pour Fontanier (p. 150) « un badinage délicat et ingénieux par lequel on loue et flatte avec l'apparence même du blâme ou du reproche », et l'hypocorisme, d'après l'étymologie, une sorte de caresse verbale.

• Berrendonner (1981, a), p. 227) nous soumet un exemple très comparable à celui de Tardieu, dans la mesure où il s'agit aussi d'un énoncé dans lequel entrent en conflit les signifiants verbal et para-verbal (la didascalie de Tardieu dénotant bien évidemment un fait de nature intonative et mimique) : « Supposons [...] qu'un ami me salue en énonçant (28) avec un charmant sourire : (28) Salut, vieux débris, cuistre vain! quel est le " vrai sens " de cette énonciation, et comment dois-je la prendre? »

Cela dépend en effet – du contexte énonciatif, *i.e.* des savoirs que L_2 possède sur L_1 (ainsi que de la nature de sourire, car il y a sourire et sourire...).

Première possibilité : L_2 fait confiance au paraverbal. Le sourire est interprété littéralement, et le matériel verbal tropiquement – même si certains éléments du jugement critique sont admis comme sincères, le bilan est globalement positif : c'est une déclaration d'affection (hiérarchiser les sens, c'est déterminer une valeur *dominante,* qui n'annule pas pour autant ses concurrentes) : on a alors affaire à un astéisme.

A l'inverse, L_2 peut recevoir littéralement le contenu de l'énoncé verbal : c'est une insulte. Quant au sourire, il est hypocritement tropique (à moins qu'il ne manifeste la satisfaction de L_1 vis-à-vis d'une formule qu'il trouve particulièrement bien trouvée et envoyée).

Autre possibilité interprétative (celle qu'envisage Berrendonner) : L_1 exprime ainsi *à la fois* sa critique et sa tendresse. Ni les mots ni le sourire ne mentent : ils sont à prendre, selon la formule de Rimbaud, « littéralement et dans tous les sens » : pas de trope donc. Nous ne dirons même pas qu'il s'agit là d'un « paradoxe », mais d'une production relevant d'une « intention communicative complexe » – tout simplement parce que les sentiments c'est complexe, et qu'on peut dans le même temps mépriser, et bien aimer.

Dernière possibilité : j'attribue à L_1 une intention claire, mais je ne parviens pas à l'identifier, faute de disposer des informations nécessaires. L'énoncé m'apparaîtra alors comme équivoque (est-ce une injure, ou une manifestation de tendresse?), et le trope comme indécidable.

Des trois premières interprétations, on peut dire qu'elles ont abouti, puisque L_2 est parvenu à attribuer à l'énoncé de L_1 un sens qu'à tort ou à raison il croit le « bon » (ce n'est que plus tard qu'il constatera éventuellement un malentendu, *i.e.* un décalage entre le contenu qu'il a extrait de l'énoncé, et celui que L_1 prétend y avoir mis). Dans la dernière interprétation au contraire, le décodage effectué par L_2 peut être considéré comme partiellement raté (rappelons cette affirmation de Récanati (1979, a), p. 156) : « Tant qu'on ne sait pas si tel énoncé est, par exemple, un *conseil* ou une *menace,* tant qu'on ne sait pas comment il doit être pris, il est évident qu'on n'accède pas à son sens global, qu'une partie de sa signification nous échappe »), puisque L_2 ne sait pas exactement comment « doit être pris » l'énoncé de L_1, ce qui sera pour lui source d'anxiété (surtout s'agissant d'un énoncé impliquant aussi fortement sa « face positive ») et d'embarras (puisqu'on ne peut enchaîner de façon appropriée sur un énoncé précédent qu'à la condition de l'avoir compris : on peut à la rigueur durant un certain temps entrer dans le jeu de l'équivoque, mais un certain temps seulement).

En 1980, nous concluions en ces termes notre réflexion sur « L'ironie comme trope » : « L'ironie est de tous les tropes celui qui nage le plus volontiers dans les eaux troubles de l'ambiguïté. La métaphore, même clairement identifiée comme telle, demeure toujours informative, puisqu'elle greffe sur la représentation de l'objet dénoté une " image associée " plus ou moins inédite. Une fois identifié à coup sûr le sens dérivé, celui-ci vient au contraire, dans l'ironie, ôter toute pertinence au sens littéral : le principal intérêt de ce trope réside donc dans le brouillage sémantique et l'incertitude interprétative qu'il institue. C'est pourquoi l'ironie, plongeant son destinataire dans un embarras dont l'enjeu peut être plus ou moins grave ou sérieux, a toujours quelque chose, pour emprunter à Alain Finkelkraut l'un de ses mots-valises, de " tyronique ". » On pourrait en dire autant de son inverse, l'astéisme, et en particulier de ceux qui fleurissent dans le discours amoureux : c'est vrai que leur fonctionnement n'est pas simple, et qu'on ne peut pas se contenter de dire d'eux qu'ils expriment le contraire de ce qu'ils veulent donner à entendre. C'est vrai que le sens littéral se maintient au travers même de sa dénégation, et qu'il est paradoxalement responsable de l'effet de « caresse verbale » produit par la séquence apparemment injurieuse : c'est parce que je fais-comme-si tu étais une pute, ou une brute, que je t'aime et que je te dis que je t'aime. N'empêche que c'est aussi parce que je sais que c'est de l'ordre du faire-comme-si, et que tu sais que je le sais et que je sais que tu le sais, que toi et moi le prenons comme un « mot doux » – et non comme une injure véritable.

Le problème n'est au demeurant nullement de savoir quelle est la fréquence relative des cas d'incertitude ou d'atermoiement interprétatif, et des cas où l'on parvient effectivement sans hésiter à identifier le « vrai » sens. Les premiers seraient-ils, à la limite, quantitativement dominants, que ce ne serait pas une raison suffisante pour faire de l'équivoque la norme discursive. Car même s'ils ne parviennent pas toujours à l'atteindre, *les sujets parlants sont en quête, toujours, du vrai sens.* Cette quête, Berrendonner la qualifie de « morale » et il parle à son sujet d'« angélisme » (1981, a), p. 226). Et c'est au linguiste qu'il impute ce moralisme angélique. Or s'il y a quelqu'un de moral dans cette affaire, c'est le sujet parlant. Mais en fait on ne voit pas très bien

ce que la morale vient faire dans cette galère : il s'agit là tout simplement
d'un réflexe sémiotique élémentaire, qui pousse chacun de nous, confronté
à un énoncé quelconque, à chercher à le comprendre, c'est-à-dire à lui
associer *un* sens. Et l'interaction ne peut se poursuivre normalement
que dans la mesure où L_2 *croit,* à tort ou à raison, *qu'il « tient le bon
sens »* de l'énoncé de L_1. La seule chose qui revienne au linguiste, ce
n'est évidemment pas de montrer du doigt le vrai sens-en-soi, qui pour
nous n'existe pas, mais c'est de tenter d'expliquer comment procèdent
les sujets parlants pour extraire de l'énoncé, sur la base des signifiants
textuels, de certains indices extra-textuels, et en vertu de leurs compétences propres, un sens qu'ils croient correct; comment éventuellement
il peut se faire qu'ils n'y parviennent qu'imparfaitement; ou bien encore,
qu'ils extraient un sens différent de celui voulu par l'émetteur : il revient
aussi au linguiste de traquer et d'expliciter les malentendus qui viennent
souvent se lover au cœur des interactions verbales. Mais si ces malentendus n'ont qu'exceptionnellement pour effet de bloquer la machine
conversationnelle, c'est qu'ils ne sont qu'épisodiquement perçus par les
interactants, qui pour pouvoir poursuivre, doivent nourrir l'illusion qu'ils
comprennent à peu près le discours de l'autre – et qu'entre autres, ils
savent s'il faut l'interpréter littéralement, ou tropiquement.

Une chose est en tout cas certaine : c'est qu'on ne peut parler de
trope que dans la mesure où l'on constate l'apparition simultanée et
concurrente de deux contenus distincts pour un même signifiant, et où
l'on parvient à les hiérarchiser. Dire : ici il y a une métaphore, ici une
antiphrase (ironique ou hypocoristique), *c'est exactement la même chose
que de dire :* ici le sens littéral n'est qu'un leurre; le sens véritable,
c'est le sens dérivé qui se dissimule sous le premier (et qui se trouve
vis-à-vis de lui dans telle ou telle relation particulière). Si l'on est
incapable, s'agissant d'une séquence particulière, d'établir cette hiérarchie, on ne saurait la considérer comme un trope. Et si l'on refuse, à
un niveau théorique plus général, d'admettre l'existence d'une telle
hiérarchie, alors on s'interdit à tout jamais de parler de métaphore, de
métonymie, d'antiphrase, de litote – ou bien encore d'énallage : parler
de « présent de narration », c'est en effet admettre que la valeur propre
d'une telle forme (que l'on dit justement « de présent », le signifiant
tirant son nom de sa valeur sémantique dominante), c'est de localiser
le procès en un instant T_0 au moins partiellement contemporain de l'acte
d'énonciation; mais qu'en contexte, la forme est en fait utilisée pour
dénoter son actualisation passée (en un temps T antérieur à T_0), même
si se souvenant de sa valeur primitive, elle connote en même temps la

réactualisation imaginaire de ce procès : c'est donc bien admettre que la hiérarchie des valeurs en discours s'inverse par rapport à leur hiérarchie de langue.

(6) Les *énallages* sont classés par Fontanier dans la rubrique : « Figures du discours autres que les tropes », sans doute à cause du caractère syntaxique de leur support signifiant. Mais ce sont pour nous des tropes, qu'il s'agisse des énallages temporels, ou des énallages de personne, qui sont lexicalisés à des degrés divers (emploi du « vous » « de politesse », du « nous » « de majesté » ou « de modestie » [12], d'un « je » ou d'un « nous » dénotant l'allocutaire, d'un « tu » valant pour un « on », d'un « il » valant pour un « tu » ou un « je », etc. : voir là-dessus notre *Énonciation,* pp. 62-66), figures auxquelles on peut associer cette espèce d'énallage aspectuel (*ibid.,* pp. 65 et 175) que constitue le « pseudo-itératif » identifié et décrit par Genette (1971) à partir de certains emplois particuliers de l'imparfait chez Proust.

En tant qu'ils investissent des unités déictiques [13], les énallages relèvent de la « pragmatique énonciative ». Ils peuvent également pour la plupart être regroupés sous le label de « tropes pragmatiques », les phénomènes qui vont être envisagés maintenant – phénomènes qui n'ont que récemment fait irruption sur la scène linguistique et qu'ignore donc la rhétorique classique; mais qui peuvent légitimement nous semble-t-il être indexés dans le paradigme des tropes.

3.2. QUELQUES TROPES « NON CLASSIQUES »

3.2.1. Le trope illocutoire

Pour compléter ce qui en a été dit précédemment, voici quelques arguments encore justifiant le traitement en termes de tropes de certains cas de dérivation illocutoire : ils prendront la forme d'un inventaire des propriétés qu'ils partagent avec les tropes « classiques ».

1. De même que j'ai été amenée à opposer la métaphore-trope (qui se caractérise par la substitution du contenu dérivé au contenu primitif [14]), à la simple « connotation métaphorique », de même il convient d'opposer au trope illocutoire (substitution de la v.i. dérivée à la v.i. primitive) la simple « dérivation allusive » (ou « connotation illocutoire ») – cet axe d'opposition étant du reste graduel.

2. De même que l'on distingue communément : métaphores lexicalisées *vs* d'invention, de même, à côté des tropes illocutoires lexicalisés,

avons-nous rencontré des tropes illocutoires d'invention, qui ne se constituent qu'à la faveur de contraintes co(n)textuelles exceptionnelles.

Quelques remarques sur cette opposition :
– Tous les tropes n'admettent pas également ces deux modalités d'existence. Certains ne se rencontrent que sous forme lexicalisée : on pourrait ainsi montrer que parmi les tropes « classiques », l'existence sous forme « vive » n'est assurée que pour la métaphore, la métonymie, et la synecdoque de partie. D'autres ne sont au contraire guère attestés que comme tropes d'invention (ou tout au plus comme « clichés ») : il en est ainsi de l'ironie [15], de la litote, de l'hyperbole – et des « tropes implicitatifs » que nous envisagerons sous peu.

– La lexicalisation est une question de degré, les « catachrèses » représentant ainsi la forme ultime de codification possible, et les « clichés » occupant une position intermédiaire entre la zone des tropes franchement lexicalisés, et celle des tropes clairement d'invention.

– On peut en outre remarquer que plus un trope est fortement lexicalisé, et plus il devient transparent, plus son caractère de trope risque d'échapper à la conscience du sujet décodeur. Ce qui apparaît par exemple dans les traductions qui en sont parfois proposées, soit qu'elles fassent disparaître un trope dont l'exact équivalent existe pourtant dans la langue d'arrivée (ex. : « Les jeunes gens dansent toute la nuit tandis que les enfants et les vieillards sommeillent », traduction d'un « carton » figurant dans le film de Griffith, *Naissance d'une nation,* et comportant les trois synecdoques d'abstraction « youth », « childhood », « old age »; ou cette réponse spontanée d'un professeur d'anglais à qui je demandais comment peut se traduire dans cette langue le « Tu peux parler ! » français : « you have no room to talk ! », ou bien encore cette réplique de Bernard Pivot à Lévi-Strauss qui venait de nous confier (« Apostrophes » du 4 mai 1984) qu'il n'était « pas optimiste » quant à l'avenir de l'humanité : « Revenons un peu sur votre pessimisme... puisque vous avez prononcé le mot », ces paraphrases témoignant du caractère lexicalisé, ou du moins fortement stéréotypé, attribué par leur commentateur aux expressions synecdochique, antiphrastique, et litotique concernées), soit à l'inverse qu'elles rajoutent du trope là où la version originale n'en comporte aucun (ex. : le sous-titrage du *Tancrède* de Rossini, retransmis à la télévision, introduisant la métonymie : « [N'oublie pas que tu es] *mon sang* », là où le texte italien dit simplement « mia figlia »).

Or Zuber fait exactement la même remarque de certains tropes illocutoires : « Je pense qu'on peut affirmer que la fréquence des actes dérivés est telle que très souvent l'utilisateur de la langue ne se rend même pas compte du caractère indirect et dérivé des actes linguistiques qu'il accomplit. Il arrive souvent, dans les dictionnaires ou dans les manuels de langue étrangère, qu'une expression véhiculant indirectement une certaine signification non littérale [16] soit traduite par une expression véhiculant *littéralement* cette même signification » (1980, p. 241).

– Même s'ils sont donc plus discrets que les tropes d'invention, même si le sens dérivé s'y trouve en quelque sorte littéralisé [17], les tropes lexicalisés n'en sont pas moins des tropes, dans lesquels le sens primitif se maintient sous forme de trace connotative (c'est même là un des critères que l'on peut exploiter pour dissocier le sens propre d'un item lexical, de ses divers sens figurés : quand je parle d'une « rivière de diamants », le sens propre se profile en filigrane, alors que le mot « rivière » employé proprement n'évoque généralement pas ses valeurs métaphoriques). Les métaphores qu'on dit mortes sont en fait celles qui ont survécu (Searle, 1982, p. 129), et qui même, d'après Lakoff et Johnson, nous font vivre : « They are " alive " in the most fundamental sense : they are metaphore we live by [18]. The fact that they are conventionally fixed within the lexicon of English makes them no less alive » (1980, p. 55) – et il en est de même de tous les tropes lexicalisés.

– Les tropes lexicalisés sont en général constitués comme tels au sein du « diasystème » intégrateur de tous les « lectes ». Mais il en existe qui caractérisent tel ou tel idiolecte, ou « code privé » particuliers : c'est par exemple le « faire catleya » propre à Swann et Odette, ou cette métonymie relevant du seul idiolecte de Christian Metz : « Au moment où j'écris ces phrases, et depuis plusieurs jours déjà, à peu près depuis que cet article m'occupe l'esprit, un marteau-piqueur, dans une rue voisine, me casse la tête sans relâche. J'ai pris l'habitude, lorsque je me " parle " à moi-même, de désigner ce texte, pour lequel je n'ai pas arrêté de titre, comme l'*" article marteau-piqueur "* » (1977, p. 192).

Or le même genre de phénomène s'observe aussi des tropes illocutoires : Morgan signale ainsi (1978, p. 275) le cas de l'énoncé « Est-ce que j'ai l'air d'un homme riche ? », qui dans certain code privé signifie régulièrement « Je refuse de te prêter cet argent », et y reçoit donc le statut de trope illocutoire lexicalisé – alors qu'ailleurs il fera éventuellement figure de trope d'invention.

3. Tout trope est une déviance, et se caractérise par un mécanisme de substitution – mais substitution de quoi à quoi, et déviance de quoi par rapport à quoi?

On ne peut répondre à cette question qu'en distinguant scrupuleusement, à la suite de Todorov, les deux perspectives descriptives suivantes :
« Prenons par exemple la figure constituée par *voile,* pour *vaisseau :*

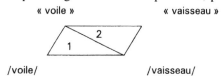

Il y a deux possibilités de commutation. Soit on garde comme invariant
le mot *voile* et on mesure la distance entre ses deux sens, celui de *voile*
et celui de *vaisseau* (le triangle 1), soit on garde comme invariant le
sens (la chose) *vaisseau* et on compare les mots *voile* et *vaisseau* qui
servent à le désigner (le triangle 2) » (1967, a), p. 98).
En d'autres termes :
Dans une perspective *sémasiologique* (de décodage), le trope peut se
définir par la formule « un sens pour un autre ». C'est une *déviance
sémantique,* qui se caractérise par la *substitution d'un sens à un autre,*
plus « normal » (substitution d'un dérivé-de-langue au sens propre dans
le trope lexicalisé, substitution d'un dérivé-de-discours à un sens littéral,
dans le trope d'invention).
Dans une perspective *onomasiologique* (d'encodage), le trope peut se
définir par la formule : « un mot pour un autre ». C'est une déviance
dénominative, qui se caractérise par la *substitution d'un signifiant à
un autre,* plus attendu [19].
Tous les tropes sont susceptibles d'être envisagés dans ces deux perspectives, même si la tradition veut, on ne voit guère pourquoi, que « pour
les métaphores, on compare toujours les différents sens d'un mot (étude
polysémique), alors que pour les métonymies et les synecdoques, on établit
le rapport des deux termes et on cherche à les classer (étude synony-
mique) [20] » (Todorov toujours, pp. 98-99). Mais comme il s'agit pour nous
de tenter l'édification d'un modèle interprétatif, notre perspective est
constamment, et délibérément, sémasiologique. C'est pourquoi par exemple
nous appelons « spécialisation » le phénomène que la rhétorique classique
nomme « synecdoque du genre » (« le quadrupède écume ») et « extension » ce qu'elle considère, dans la perspective onomasiologique qui est
sur ce point la sienne, comme une « synecdoque de l'espèce ».
C'est aussi pourquoi, dans le trope illocutoire en général, et dans cet
exemple en particulier :
    L_1. – Let's go to the movies tonight.

L_2. – I have to study for an exam.

nous décrivons comme suit les deux valeurs illocutoires qui s'attachent à l'énoncé produit par L_2 :

(i) v.i. assertive = primitive

(ii) v.i. de « rejet de la proposition » : dérivée (mais dénotée s'il y a trope).

Or Searle, à qui cet exemple se trouve emprunté (1975, b), pp. 60 et *sqq.*), et d'autres à sa suite, parlent exactement à l'inverse : pour (i), d'acte illocutionnaire « secondaire », et pour (ii), d'acte « primaire »...

Au sujet de « Pouvez-vous me passer le sel ? », Searle écrit de même : « Le locuteur pose manifestement une *question,* marquée dans la phrase par la tournure interrogative : il s'informe sur la capacité que son auditeur a de lui passer le sel. Mais il ne fait cet acte, qualifié pour cette raison de " secondaire ", qu'en vue d'exprimer ce qui constitue le but " primaire " de son énonciation, c'est-à-dire en vue de faire valoir son intention *directive :* amener l'auditeur à lui passer le sel » (1982, p. 10). Déclaration qui permet de localiser la source d'une telle divergence terminologique : c'est que Searle se situe, sans jamais le dire clairement, dans une perspective onomasiologique ; que du point de vue de la chronologie d'encodage, c'est en effet la valeur (ii) qui se trouve sans doute envisagée d'abord (alors qu'elle n'est extraite que secondairement par le sujet décodeur), et qui serait seule verbalisée dans la formulation directe correspondante ; c'est enfin qu'il s'agit là de la valeur dominante, « fondamentale », de l'énoncé (« l'intention qui est marquée dans la phrase, dite " intention secondaire ", n'est que le moyen d'expression d'une intention plus fondamentale, dite " intention primaire " »). Mais cela n'est vrai que dans le cas du trope. Or Searle traite de la même manière tous les cas de dérivation illocutoire, désignant toujours comme « primaire » la v.i. dérivée, et comme « secondaire » la v.i. littérale (ou propre). Ce faisant il rabat l'un sur l'autre les deux principes différenciateurs suivants : caractère littéral *vs* non littéral de la v.i. en question = caractère secondaire (pour nous : connoté) *vs* primaire (dénoté) de cette v.i., principes qu'il nous semble indispensable de dissocier, pour rendre compte justement de la spécificité du trope illocutoire par rapport à la dérivation allusive, dans laquelle la valeur littérale ne saurait être considérée, même au sens où l'entend Searle, comme « secondaire ».

4. Qu'on adopte en tout cas sur le trope l'une ou l'autre de ces deux perspectives, *i.e.* qu'on le considère comme un acte dénominatif déviant, ou comme l'attribution à une séquence d'une valeur sémantico-pragmatique déviante : qui dit trope dit déviance par rapport à un usage

jugé plus juste, plus adéquat – par rapport à une *norme* donc, ou plus exactement, par rapport à deux normes.

Car identifier un trope, c'est percevoir l'existence d'un décalage, voire d'un conflit, entre le sens primitif (propre ou littéral), et le sens adéquat référentiellement; c'est donc à ces deux niveaux qu'intervient le jugement normatif.

– L'identification du sens primitif met en cause la compétence linguistique du sujet décodeur. Elle suppose qu'il soit capable :

• dans le cas d'un trope lexicalisé, d'isoler un sens « propre » dans l'ensemble des sémèmes qui constituent le signifié de l'unité concernée. Opération aisée dans un cas tel que « Cette andouille de Pierre », où la métaphore est évidente. Mais il n'est pas toujours possible, même en recourant à des critères de nature fréquentielle, distributionnelle, ou psycholinguistique, de hiérarchiser aussi facilement les sémèmes. Pour ce qui est en tout cas du trope illocutoire, cette hiérarchie est inscrite dans la terminologie grammaticale la plus ancienne et la mieux admise : de même que l'on parle communément de « forme de présent », admettant par là que ce signifiant signifie proprement l'idée de présent, de même il est usuel de parler de « phrase interrogative », « impérative », ou « assertive », pour désigner certaines structures syntaxiques dont on postule donc qu'elles ont pour finalité normale de véhiculer une valeur illocutoire de question, d'ordre, ou de constat;

• dans le cas d'un trope d'invention, de reconnaître le sens littéral (propre ou non) qui s'attache à la séquence problématique.

On voit difficilement comment pourrait être récusée l'idée qu'en langue, à un signifiant donné, correspondent *certains* sens seulement (même si d'autres peuvent accidentellement venir, en discours, s'y raccrocher) : normalement, « faucille » ne signifie pas /lune/, et « je ne te hais point » ne veut pas dire exactement la même chose que « je t'aime ». Disposer d'une compétence linguistique, c'est savoir que les séquences signifiantes ne sont pas infiniment polysémiques, donc toutes équivalentes les unes aux autres.

Mais cette compétence est une compétence floue, qui en outre varie d'un sujet à l'autre – d'autant plus que par « sens littéral » il convient d'entendre non seulement le noyau sémique d'un item, lequel fait l'objet d'un consensus relativement fort, mais aussi ses implications conceptuelles, au sujet desquelles les compétences peuvent diverger sensiblement, et qui pourtant déterminent l'adéquation référentielle de l'item en question. Supposons ainsi qu'il pleuve, et que L$_1$ déclare ironiquement : « Quel joli temps! » Tout le monde s'accordera pour reconnaître que littéralement, « joli » exprime une évaluation positive. L'adjectif implique en outre généralement, dans un contexte météorologique, qu'il fait soleil – mais en général seulement : si L_2 estime par exemple que la pluie c'est joli, il sera tenté d'opiner : « c'est bien vrai ! » ; ou s'il a quelque raison de supposer que L_1 aime la pluie, il pourra rétorquer : « tu trouves ? ». Dans les deux cas il ratera l'ironie. Mais il aurait au contraire tort de voir quelque antiphrase dans cette exclamation d'un personnage du film d'Alain Tanner *Les années lumière,* contemplant dans le ciel les prémisses d'un terrible orage : « Quel temps superbe ! Quelle journée magnifique ! » : le cotexte est là pour nous en prévenir, ce Yoshka est on ne peut plus sérieux : il aime, vraiment, le « mauvais » temps.

– Ce qui montre qu'intervient en outre, pour permettre cette fois l'identification du sens dénoté, la compétence encyclopédique du sujet décodeur, et celle qu'il suppose à l'émetteur ; en plus d'une norme de nature sémantique, une norme d'analyse et d'appréciation du référent discursif, réel ou fictionnel [21].

C'est en effet essentiellement (même si certains indices cotextuels ou para-textuels peuvent venir conforter ces hypothèses) à partir de ce que j'estime du référent discursif, et de ce que je pense que L en estime, que je parviens à identifier « ce qu'il veut vraiment dire » : si je perçois comme ironique la phrase « Quel joli temps ! », c'est parce que j'ai de bonnes raisons de penser que le temps étant ce qu'il est, L peut difficilement le dire sincèrement « joli » ; si je perçois comme une litote le « je ne te hais point » de Chimène, c'est parce que j'ai de bonnes raisons de penser, étant donné ce que je peux reconstruire, à l'aide du cotexte, de son état affectif, qu'il eût été plus juste, plus conforme, qu'elle utilise l'expression plus forte « je t'aime » (on voit ici comment s'articulent les descriptions sémasiologiques et onomasiologique : le sens dérivé, c'est le sens littéral de la formulation directe correspondante, et l'identifier, c'est reconstituer le signifiant normal) ; si au contraire Roland Barthes considère comme non hyperbolique l'écriture révolutionnaire, c'est qu'il la mesure au contexte historique : « L'écriture révolutionnaire fut ce geste emphatique qui pouvait seul continuer l'échafaud quotidien. Ce qui paraît aujourd'hui de l'enflure n'était alors que la taille de la réalité. Cette écriture qui a tous les signes de l'inflation fut une écriture exacte » (*Le degré zéro de l'écriture,* Seuil, 1953, p. 35) – car il arrive que ce soit la réalité, non le discours qui « exagère »... Et c'est enfin sur la base de supputations concernant les motivations pragmatiques de L lorsqu'il produit en contexte un énoncé donné, que je parviens éventuellement à interpréter celui-ci comme comportant un trope illocutoire. Mais il s'agit là, toujours, de supputations. Et les risques sont grands de désaccords sur ces diverses normes, lesquels peuvent se localiser sur l'un et/ou l'autre de ces deux plans que toute opération linguistique consiste à mettre en correspondance : celui de la signification des unités verbales, et celui de l'analyse du référent discursif.

– Il peut y avoir divergence d'appréciation du sens *propre* de l'énoncé : si je considère par exemple que « crépiter » signifie « faire entendre une succession de bruits secs », je n'admettrai pas de trope dans « les applaudissements crépitent », alors que j'y verrai une métaphore (lexicalisée) si j'estime que ce verbe s'emploie proprement, et plus spécifiquement, du bruit que fait le feu; métaphore encore dans l'expression « une horde d'individus », si je m'imagine (l'assimilant à tort à son paronyme « harde ») que ce terme s'applique en principe à une troupe d'animaux – quand le *Petit Robert* (1981) le définit ainsi : « troupe ou groupe d'hommes indisciplinés ». Divergence aussi d'appréciation du sens *littéral :* rencontrant chez Racine l'expression « flamme noire », j'aurai tendance à l'interpréter comme une métaphore d'invention, à moins qu'une fréquentation plus assidue des textes contemporains, ou la consultation des dictionnaires de l'époque, ne m'amènent à la considérer comme un équivalent lexicalisé d'« amour coupable » [22]; autre exemple encore : au sujet d'allumettes humides et rétives, on me déclare qu'elles « font long feu » : j'y vois d'abord une antiphrase. Puis rectifiant ma conception initiale du sens littéral de l'expression, je me souviens que « faire long feu » se dit d'abord « d'une cartouche dont l'amorce brûle trop lentement », et je me dis que tel est le sens que L a prétendu sans doute ici lui attribuer : le trope s'évanouit du même coup. L'identification du sens littéral ne va pas non plus toujours de soi dans le cas de ces énoncés négatifs qui servent volontiers de base aux fonctionnements litotiques : s'il est vrai, comme le suggère Ducrot (1972, pp. 138-139), que la signification littérale de « x n'est pas beau » est plus proche de celle de « x est laid » que celle de « il n'est pas laid » ne l'est de celle de « x est beau » :

$$\text{non } B \simeq A \text{ , mais non } B = A \text{ ,}$$
$$+ \quad - \qquad\qquad - \quad +$$

alors l'effet litotique éventuel sera plus net lorsque le terme nié est lui-même négatif (*i.e.* « marqué ») : employé pour signifier que « Pierre est sympathique », « Pierre n'est pas antipathique » sera perçu comme plus fortement litotique que « Pierre n'est pas sympathique » signifiant qu'il est, en fait, antipathique. Le trope n'existant que dans la distance qui sépare le sens dérivé du sens littéral, il est d'autant plus fort que cette distance est plus grande [23].

– Imaginons qu'en dépit des difficultés que soulève parfois l'identification précise du sens littéral d'une séquence, L_1 et L_2 en aient la même conception exactement. Il se pourra tout de même que l'un juge litotique, ou inversement hyperbolique, un énoncé que l'autre trouvera « normal » – si leur évaluation diverge du référent discursif cette fois (Louis Lambert, *Formulaire des officiers de police judiciaire,* éditions police-revue, Paris, 1970, p. 58 : « *Traumatiser.* – Ce verbe est imbécilement hyperbolique dans la plupart de ses emplois : ne " traumatise "-t-on pas un jeune délinquant en le condamnant, ou un lycéen en donnant une mauvaise note à son mauvais devoir? »). Ce type de divergence inter-prétative est sans doute plus fréquent encore que le précédent, car on peut penser que les compétences encyclopédiques des sujets parlants sont plus dissemblables que leurs compétences linguistiques.

La reconstruction du sens dénoté ne peut en tout état de cause se faire qu'en pointillés – et c'est même là une des justifications essentielles du trope : introduire dans le discours une marge variable de flou sémantique. On reparlera plus loin des différents indices qui peuvent venir étayer la quête du sens dénoté, des différentes étapes de sa reconstruction, des incertitudes interprétatives, ambiguïtés, et malen-tendus, auxquels donnent parfois lieu les fonctionnements tropiques. Mais pour en terminer provisoirement avec le trope illocutoire, men-tionnons une dernière propriété qui l'apparente aux tropes « séman-tiques » :

5. De même que dans une métaphore, ses conditions de vérité (d'adéquation référentielle) concernent avant tout le sens dérivé, de même les « conditions de réussite » d'un trope illocutoire sont celles qui caractérisent sa v.i. dérivée, et non point primitive (c'est aux conditions qui caractérisent la requête que se trouve soumise la requête indirecte, et à celles qui caractérisent l'assertion qu'est soumise l'interrogation oratoire) : autre manière de dire que dans un trope quel qu'il soit, c'est le contenu dérivé qui constitue le « vrai » sens de la séquence, celui qu'elle a pour finalité de transmettre.

La seule spécificité du trope illocutoire concerne en définitive la nature des deux unités de contenu impliquées dans le fonctionnement tropique : il s'agit de valeurs illocutoires. Le trope illocutoire peut donc être considéré comme un « trope pragmatique » (relevant de la « prag-matique illocutoire »), alors que les tropes « classiques », s'exerçant sur certains éléments du contenu propositionnel, peuvent être dits « sémantiques » (même s'ils produisent secondairement certains effets pragmatiques particuliers).

La rhétorique classique restreint la liste des tropes sémantiques à quelques cas nettement circonscrits (dans la mesure où le sens dérivé s'attache à une unité lexicale, et entretient un type de relation déterminé avec le sens primitif). Or bien d'autres éléments du contenu propositionnel peuvent connaître un semblable fonctionnement tropique. Bien plus : il semble que *tous les types de contenus présupposés, ou sous-entendus, soient dans certaines circonstances* (car il s'agit là de tropes d'invention) *susceptibles de subir cette « remontée vers la surface » qui caractérise le trope :* nous parlerons, faute de mieux, de « trope implicitatif » chaque fois qu'un contenu présupposé ou sous-entendu apparaît en contexte comme le véritable objet du message à transmettre [24].

3.2.2. Le trope implicitatif

1 – Trope « présuppositionnel »

Les contenus posés, avons-nous dit au début de cette étude, sont en principe les seuls à pouvoir être l'objet de l'échange communicationnel, cependant que les présupposés ne sont là que pour assurer au discours un « cadre », un sous-bassement sur lequel viennent s'échafauder les posés. En principe... Mais il arrive parfois qu'en contexte, ce soit précisément l'inverse qui se passe, c'est-à-dire que ce soit le contenu présupposé qui apparaisse comme constituant en fait le véritable objet du dire. Il y a alors renversement de la hiérarchie usuelle des niveaux de contenu – le contenu implicite, normalement secondaire, devenant essentiel, et le contenu explicite, normalement essentiel, se trouvant marginalisé : trope donc.

Je parlerai de trope présuppositionnel dès lors qu'un énoncé est manifestement utilisé (ainsi qu'en témoignent certains « indices » du trope) *pour informer d'abord de ce qu'il présuppose,* ainsi de

    (i) Pierre a cessé de fumer
    (ii) Pourquoi est-ce que tu ne m'aimes plus ?
    (iii) J'ai laissé ma voiture au garage [25],
        J'ai laissé mon mari à Paris,

lorsque ces énoncés signifient en fait (du moins a-t-on de bonnes raisons de le penser), en co(n)texte :

    Pierre fumait auparavant
    Tu ne m'aimes plus
    J'ai une voiture, J'ai un mari,

le fonctionnement sémantique de (i) pouvant en effet être décrit comme
suit :
C_0 /Pierre ne fume pas actuellement/ : contenu explicite, mais connoté;
C_1 /Pierre auparavant fumait/ : contenu implicite, mais dénoté.
C'est parfois l'enchaînement cotextuel, monologal ou dialogal, qui
signale que la séquence doit être interprétée comme un trope présuppositionnel, ou qu'elle a été interprétée comme telle par L_2. Mais le
fait qu'un présupposé produit par L_1 soit aussitôt « relevé » (explicité,
commenté, contesté) par L_2 ne prouve pas nécessairement son fonctionnement tropique :

> LE PROFESSEUR. – [...] Je vais appeler ma femme...
> LE VISITEUR *(soudain hilare)*. – Vous avez une femme, vous! Ah! par exemple!
> *(Il rit avec cruauté)* Ah! ah! Une femme! ah! non!... c'est impayable!...
> (Tardieu, 1966, « La politesse inutile », p. 27.)

Le trope commence à partir du moment où le sujet décodeur non
seulement focalise sur le contenu présupposé son activité interprétative,
mais encore fait l'hypothèse que c'est justement ce contenu-là qu'il
s'agissait pour l'émetteur de lui transmettre prioritairement – ce qui
n'est manifestement pas le cas dans le précédent exemple.
    Une telle hypothèse se construit en général, en l'absence de toute
confirmation cotextuelle claire, sur la base d'un raisonnement tel que :
j'ignorais jusqu'à présent l'information qui vient d'être présupposée, et
j'ai de bonnes raisons de penser que L savait que je l'ignorais; il s'agit
là pourtant, d'après ce que je connais de L, d'une information pour lui
essentielle; or les informations à la fois *nouvelles* et *importantes* doivent
en principe être logées dans l'énoncé sous forme de posés. L vient donc
de transgresser une règle fondamentale du bon usage des présupposés :
c'est sans doute que l'information en question, il veut me la communiquer, mais de façon biaisée (pour diverses raisons attenantes à la nature
de cette information, qu'il vaut mieux manier avec des pincettes), la
ruse consistant alors à la glisser par la bande, à la greffer sur des
contenus posés, à feindre donc de parler d'autre chose, en se ménageant
du même coup le rempart d'un vertueux « Comment, tu ne le savais
pas! Mais j'étais persuadé que tu étais déjà au courant! Non vraiment,
ce n'est pas de cela que je voulais t'informer... » : ainsi une question
telle que « Depuis combien de temps savez-vous que votre fils se
drogue? » peut-elle être, note Anscombre (1976, pp. 20-21), « une façon
cruelle d'informer des parents de l'infortune qui les frappe ».
    Il n'est donc pas surprenant qu'un tel procédé stratégique se rencontre
massivement dans le discours politique, polémique, ou publicitaire.

• Exemples de slogans publicitaires comportant un trope présuppositionnel :

[L'eau d'Évian], nous la buvons sans avoir peut-être compris qu'elle est l'eau des verts pâturages...
Ne laissez pas la pulpe au fond de la bouteille.
Des vacances aux Bahamas ne sont pas seulement économiques, mais elles sont aussi inoubliables.
Nous vaincrons parce que nous sommes les plus forts.
Nos produits sont les moins chers parce qu'ils sont les plus vendus [26],

énoncés dont on peut penser qu'ils veulent avant tout nous dire qu'Évian est l'eau des verts pâturages, qu'il y a de la pulpe d'orange dans les bouteilles d'Orangina, que la formule de vacances en question est économique, que la marque en question vaincra, et que les produits en question sont les moins chers (la structure « p parce que q » posant en principe la vérité de la relation causale, mais présupposant celle de p, ainsi que le montre le groupe λ-l, qui commente en ces termes (1975, p. 260) les deux derniers exemples : « Au lieu d'affirmer brutalement un fait – ce qui pourrait susciter l'idée qu'il est contestable – on en propose une explication – ce qui fait apparaître le fait lui-même comme hors de doute »).

• Exemple extrait d'un très violent article de Michel Droit, paru dans le *Figaro-magazine* du 1er juin 1979 (p. 77), et ayant pour cible Serge Gainsbourg et sa « Marseillaise » façon reggae.

Ce texte procède en deux temps. Première partie (où l'essentiel s'énonce sur le mode explicite [27]) : Gainsbourg est un sale individu qui profane « ce que nous avons de plus sacré » : notre hymne national. Deuxième partie : mais il fait pire. Quoi donc? En se conduisant de la sorte, il risque d'encourager l'idée – fausse bien entendu – selon laquelle les Juifs seraient des ennemis de la France : c'est donc un provocateur antisémite (qui « vient de donner un mauvais coup dans le dos de ses coreligionnaires »), or l'antisémitisme c'est très vilain, et ce n'est vraiment pas le moment de l'encourager.

Voilà pour le niveau des contenus explicites : Droit joue la belle âme, et s'octroie un pieux brevet d'anti-antisémitisme. Mais le texte implicitement nous dit bien autre chose : « Il n'est évidemment pas un homme de bonne foi qui songerait à associer cette parodie scandaleuse, même si elle est débile, de notre hymne national, et le judaïsme de Gainsbourg. Mais ce ne sont pas précisément les hommes de bonne foi qui constituent les bataillons de l'antisémitisme. » En d'autres termes (et par ordre d'implicitation croissante) [28] :

(1) Gainsbourg est juif.

(2) Ce n'est donc pas un hasard s'il a profané notre hymne national, on peut songer à associer cette parodie scandaleuse... et le judaïsme de Gainsbourg – la deuxième assertion étant sous-entendue par la formulation dénégatrice, et la première information, glissée sous forme d'un présupposé (puisqu'elle s'attache à une expression définie), présupposé dans lequel nous voyons personnellement un trope pour les raisons suivantes : le fait que le texte paraît louche, et ses objectifs argumentatifs peu clairs (« mais où veut-il donc en venir ? »), jusqu'à l'irruption de cette phrase qui vient résoudre l'énigme (« c'était donc ça... »); le fait que A (moi en l'occurrence, et les autres lecteurs que j'imagine à mon image) ignorait jusque-là ce fait tu (dissimulé?) par Gainsbourg lui-même, qu'il s'agit pour Droit de « démasquer » et de contraindre à l'« aveu » [29]; mais intervient aussi et surtout ce que je sais de L, de son idéologie (j'ai de bonnes raisons de suspecter Droit d'antisémitisme) et de ses pratiques discursives (car je sais par expérience, et ce texte me le confirme qui constitue un petit chef-d'œuvre de perfidie argumentative, qu'il affectionne les formulations indirectes, et que c'est un professionnel de la mauvaise foi) [30].

Autant de « bonnes raisons » de penser que cette information présupposée est précisément celle que Michel Droit désire *d'abord* nous communiquer, en faisant comme s'il la croyait d'ores et déjà connue de tous; mais qui ne servent tout au plus qu'à nous aiguiller, sans aucunement nous garantir de sa justesse, vers cette interprétation tropique, que l'on peut juger excessivement malveillante. Le problème que pose le trope présuppositionnel est en tout cas le même exactement qui caractérise tous les tropes : une fois identifiés les contenus explicite et implicite, sur quelle base convient-il de les hiérarchiser, et de décider de celui qui est à considérer comme le contenu « essentiel »? Dans la plupart des cas de tropes classiques, le contenu dérivé est le seul acceptable en co(n)texte, et sa découverte vient aussitôt disqualifier le contenu littéral. Mais dans le trope présuppositionnel, les contenus explicite et implicite sont en général compatibles : c'est un posé vraisemblable, et co(n)textuellement satisfaisant, que le présupposé vient parasiter, et détourner à son profit. Seules des considérations plus ou moins subjectives concernant leur « pertinence communicative » relative permettent de trancher entre eux – ou de ne pas trancher, comme dans l'exemple de cette critique du film de Kurosawa, *Kagemusha* : « L'importance du budget engagé – plus de trente millions de francs – l'excellence de la distribution et le nombre – considérable – des figurants... et des chevaux engagés ne rendent pas compte de l'essentiel :

" Kagemusha " est un moment de cinéma exceptionnel » (*Actua Ciné*, n° 7, août-sept. 1980, p. 9) : le critique a beau nous assurer que « l'essentiel » est le contenu posé, la précision même des détails présupposés nous invite à penser qu'il lui importe autant de nous signaler qu'il s'agit là d'un film à grand spectacle et à gros budget, que de nous dire que c'est un chef-d'œuvre. La balance de la pertinence communicative semble dans cet énoncé se tenir en équilibre entre les contenus posés et présupposés, ce qui lui permet de jouer sur les deux tableaux, et d'allécher également les diverses catégories qui composent le public cinématographique potentiel.

Les précédents exemples de tropes présuppositionnels mettaient en cause des présupposés « sémantiques ». Mais les présupposés « pragmatiques » peuvent semblablement faire l'objet d'un usage tropique : dès lors que l'on a de bonnes raisons de supposer qu'un énoncé est utilisé essentiellement pour signifier que les conditions de réussite qui caractérisent l'acte de langage en question sont effectivement réalisées, c'est-à-dire pour informer de ce qu'il présuppose pragmatiquement, on peut considérer que l'on a affaire à un trope présuppositionnel. Ainsi lorsqu'un locuteur, dans une situation de communication relativement formelle (débat public, question posée à un conférencier), voulant par là signifier qu'il connaît personnellement celui auquel il s'adresse, s'arrange pour caser subrepticement un « tu » ou un prénom [31] dans une intervention par ailleurs superflue; lorsqu'il pratique la technique du « name-dropping » (qui consiste à glisser incidemment quelques noms propres prestigieux, attestant de sa culture, de ses fréquentations, bref, de ses « connaissances »); lorsqu'un ordre est donné « avec l'intention principale d'affirmer, sur le mode implicite, qu'on est en situation d'en donner [...] : il suffit de penser à la scène de *Ruy Blas* où Don Salluste..., pour rappeler à Ruy Blas, devenu duc et ministre, qu'il reste néanmoins domestique, lui ordonne successivement, et d'une façon présentée comme gratuite, de fermer une fenêtre et de ramasser un mouchoir » (Ducrot, 1972, pp. 9-10 – c'est donc ici la « gratuité » de l'ordre, donc une infraction aux lois de pertinence et de sincérité, qui dénonce le trope); ou bien encore lorsqu'« on pose des questions pour ne pas laisser oublier – sans en faire toutefois l'objet d'une déclaration explicite – qu'on est autorisé à en poser [32] »; pour l'assertion enfin, dont une des conditions d'emploi consiste en ce qu'« on ne peut parler légitimement à autrui que de ce qui est censé l'intéresser » (ISABELLE. – « Parle-moi de Clindor, ou n'ouvre point la bouche », *L'Illusion comique*, IV, 2, 1050), le trope correspondant sera le suivant : « Parler d'un sujet X à un interlocuteur Y, cela peut revenir, dans certaines circonstances, à dire, sur le mode implicite, que Y s'intéresse à X. Et inversement, pour l'auditeur Y, laisser le locuteur parler de X, cela peut s'interpréter comme l'aveu d'un intérêt pour X. La comédie classique fait un usage assez fréquent de cette figure : la servante, voulant faire savoir à sa maîtresse que l'amour de celle-ci pour le jeune premier lui est connu, parle longuement, et avec insistance, de l'objet de cet amour. Et la maîtresse se repent, comme d'un aveu, de l'avoir laissé parler » (*ibid.,* p. 9).

Ducrot parle à ce sujet de « figure » : il s'agit même, pour nous, d'un trope.

Trope « présuppositionnel pragmatique », qui serait particulièrement bien attesté, si l'on en croit Goffman, pour qui les énoncés verbaux, lors même qu'ils semblent avoir pour but de demander ou d'apporter de l'information, servent en fait essentiellement à la revendication d'un statut social, et au « positionnement » relatif des interactants; et cet exemple extrait de M. Kundera, *L'insoutenable légèreté de l'être* (Gallimard, 1984, pp. 138-139) : Marie-Claude (l'épouse) venant de s'écrier à l'intention de Sabrina (sa « rivale ») : « Qu'est-ce que c'est que ce truc-là? C'est affreux! », le narrateur de commenter (les soulignements sont évidemment notre fait) :

« Pour Franz, tout à coup, c'était absolument évident : Marie-Claude avait déclaré que le bijou de Sabrina était laid *parce qu'*elle pouvait se le permettre.

Encore plus précisément, Marie-Claude avait proclamé que le bijou de Sabrina était laid *pour* bien montrer qu'elle pouvait se permettre de dire à Sabrina que son bijou était laid [...] » (en quelque sorte : avec le passage de l'interprétation causale à l'interprétation finale s'effectue chez Franz la prise de conscience du caractère tropique de la remarque de son épouse). « Franz le comprenait très clairement : Marie-Claude devait profiter de l'occasion pour bien montrer à Sabrina (et aux autres) *ce qu'est le vrai rapport de force entre elles deux.* »

2 - Trope mettant en cause un sous-entendu

Soit le slogan publicitaire : « Sans beurre, la vie n'a pas de sel », qui sous-entend, pour des raisons propres à la « logique naturelle », /Avec du beurre, la vie a du sel/ : on a là encore de bonnes raisons de supposer que c'est l'inférence sous-entendue qui s'y trouve constituer le véritable objet du message, ces « bonnes raisons » étant : ce que l'on sait des règles du genre « message publicitaire », dont la fonction est plus apologétique que polémique (promouvoir un produit), à cette information extralinguistique venant s'ajouter un indice cotextuel iconique, l'image qui accompagne cet énoncé verbal (photographie d'une forte appétissante tartine abondamment beurrée) illustrant justement ce produit qu'il s'agit de promouvoir, et non point son absence.

On a donc affaire ici à l'exact analogue, dans le domaine des sous-entendus, de ce que nous avons appelé, s'agissant des présupposés, le « trope présuppositionnel ».

C'est de même l'enchaînement dialogal qui parfois signale l'existence de ce trope implicitatif, soit que la réplique de L_2 témoigne du fait qu'il a compris comme un trope l'énoncé précédent de L_1 :

> L_2. – Il est médecin.
> L_1. – Il était.
> L_2. – Oh pardon. Je ne savais pas [qu'il était mort]. (Julien Duvivier, *Carnet de bal*),

soit que cette réplique seconde ne puisse être considérée comme adaptée à la précédente, dans le cas par exemple de la paire adjacente question-réponse, qu'à la condition de l'interpréter tropiquement :

> L_1. – Paul est-il gentil avec Jean?
> L_2. – Jean n'est pas encore à l'hôpital,
>   *i.e.* /Paul n'est qu'une brute/. (Cet exemple étant emprunté à Maingueneau, 1981, p. 11.)

Et c'est dans les mêmes types de discours : rhétorique amoureuse, messages publicitaires, discours politiques, que se rencontrent le plus souvent ces deux types de trope implicitatif. Quelques exemples encore de fonctionnement tropique d'un sous-entendu : [33]

• « Je t'aime quand même », déclaration dans laquelle l'inférence /il existe des raisons qui pourraient faire que je ne t'aime pas/ devient souvent, d'après Moeschler (1981, p. 97), « objet de discours ».

• Les slogans publicitaires suivants, qui fonctionnent sur un mode analogue au précédent, c'est-à-dire qu'ils dissimulent sous des apparences négatives leur visée apologétique et incitative (il semble que ce procédé rhétorique soit actuellement très en faveur auprès des rédacteurs-concepteurs) :

« Si vous êtes une " je n'ose pas ", vous n'êtes pas une femme Quartz » (mais si vous êtes du genre « j'ose » – poser nue pour un magazine –, alors cette « eau de parfum », baptisée pour la circonstance « J'ai osé », est faite pour vous, et vous pour elle).

« Si vous ne faites pas la différence avec un autre cognac, mieux vaut acheter un autre cognac » (mais si vous êtes un connaisseur, achetez Rémy Martin!).

3.2.3. Le trope « fictionnel »

Ce n'est pas ici le lieu d'envisager dans son ensemble le problème du statut du discours de fiction [34]. Nous voudrions toutefois mentionner au passage que le fonctionnement global de ce type de discours n'est pas sans présenter certaines analogies avec celui du trope.

Disons pour aller vite que l'on peut très grossièrement distinguer : les textes non fictionnels, qui décrivent, analysent, commentent, représentent une portion de *U,* univers d'expérience admis comme préexistant au discours, *vs* les textes fictionnels (à référence fictive), qui construisent et « présentifient » un simulacre de monde plus ou moins autonome et arbitraire par rapport à *U.*

Au sujet de ce dernier type de textes, je vais simplement m'interroger sur les voies qu'ils empruntent pour se formuler :

L'homme *aurait été* assis dans l'ombre du couloir face à la porte ouverte sur le dehors [...] :

c'est ainsi que s'ouvre *L'Homme assis dans le couloir,* de Marguerite Duras (éd. de Minuit, 1980); par une phrase au conditionnel, qui s'énonce donc littéralement et explicitement sur le mode de la fiction. Mais le récit poursuit :

Il *regarde* une femme qui est couchée à quelques mètres de lui sur le chemin de pierre [...] :

Nous dirons qu'avec le passage du conditionnel à l'indicatif, le statut du référent discursif subit une apparente mutation, et que se constitue un trope (qui tient à la fois de la métaphore, et du trope illocutoire, si l'on admet que les différentes modalités attribuées aux référents discursifs constituent autant d'actes de langage); trope conventionnalisé certes, et même presque catachrétique; trope tout de même, dans la mesure où

• la valeur normale de l'indicatif, sa valeur propre, c'est d'asserter le vrai : normalement, un énoncé à l'indicatif véhicule un présupposé d'existence du dénoté correspondant [35];

• la valeur qui s'actualise en l'occurrence, c'est d'énoncer une fiction.

Cette phrase (et les suivantes) instaure donc un décalage entre le paraître discursif (le référent existe pour de vrai) et l'être discursif (le référent n'existe que « pour de faux »). Le discours fictionnel transgresse, comme tous les tropes, la loi de sincérité (c'est un discours mensonger), dans la mesure non pas où c'est un discours fictionnel en tant que tel (lequel échappe par définition au jugement de vérité/fausseté), mais où il se travestit en discours de vérité. Et comme presque tous les récits sont de bout en bout rédigés à l'indicatif, il est à peine exagéré de considérer la littérature comme (entre autres choses...) un immense trope filé.

Les récits historiques et les récits de fiction, les descriptions de lieux réels et imaginaires (Rouen et Yonville chez Flaubert, l'Afrique des guides touristiques et le Ponukélé de Jean Ferry), épousent en gros les mêmes formes. Mais ils ne fonctionnent pas de la même manière, ni symétriquement : c'est la fiction qui joue à faire semblant, c'est elle qui se donne les allures du sérieux, et non l'inverse.

Corrélativement, les indices de « l'effet-de-réel », et les indices de fictionnalité, n'ont pas du tout, dans cette perspective, le même statut :

1. Les « connotateurs de mimesis » ont pour mission de constituer l'isotopie littérale (laquelle n'est que dans un deuxième temps récusée), et le premier d'entre eux, c'est le mode indicatif; ce que l'on oublie généralement de mentionner, et cet oubli est bien révélateur : dressés comme nous le sommes à lire comme fictionnels la plupart des récits qui nous sont soumis, nous devenons aveugle au trope, et nous traversons sans même le percevoir ce que le texte littéralement nous dit (qu'il s'agit de faits réels), pour ne retenir comme procédés d'effet-de-réel que des faits secondaires quoique effectivement pertinents : la profusion des détails descriptifs, ou au contraire certains raccourcis (*La Chartreuse de Parme,* Le Livre de poche, éd. 1972, p. 311 : « Le lecteur trouve cette conversation longue : pourtant nous lui faisons grâce de plus de la moitié; elle se prolongea encore deux heures »), les scrupules feints vis-à-vis d'un référent fictif (Musil, *L'Homme sans qualités,* U.G.E. 10/18, I, p. 29 : « L'Homme sans qualités dont il est question dans ce récit s'appelait Ulrich, et Ulrich (qu'il est désagréable de devoir continuellement nommer par son prénom quelqu'un que l'on ne connaît pas encore! *mais, par égard pour son père,* le nom de famille doit être tenu secret), Ulrich, donc [...] »), et bien sûr toutes ces préfaces qui tentent, à grand renfort de documents fabriqués de toutes pièces et de pseudo-témoins oculaires, d'authentifier le récit – toutes ces techniques, toutes ces tactiques, n'ayant d'autre fonction que d'opérer cette *dénégation* si fréquente, et elle aussi si révélatrice, du trope fictionnel.

Mais pourquoi donc, finalement, n'est-on pas dupe du trope? Pourquoi va-t-on chercher, au prix d'un surplus de travail interprétatif, un sens dérivé caché sous le sens apparent? Le problème se pose pour tous les tropes, et la réponse générale est la même pour tous : si l'on ne reçoit pas comme vrai le sens littéral, c'est tout bonnement qu'il n'est pas recevable; c'est que certains *indices* viennent bloquer son fonctionnement dénotatif, et déclencher la quête d'un sens second.

   2. En quoi consistent donc les indices de fictionnalité?

– Indices internes :

De même que l'emploi d'un présent de narration est en principe précédé d'une expression temporelle « juste », de même il arrive, comme nous l'avons vu dans l'exemple de départ, que la première phrase d'un récit de fiction se formule au conditionnel [36]. On a alors affaire à une sorte de trope *in praesentia,* puisque se trouvent juxtaposés un signifiant à prendre littéralement, et un signifiant à lire tropiquement (du trope *in praesentia* relève également le cas de ce film fantastique de John Carpenter, *Escape from New York,* dont le premier plan formule ainsi les coordonnées déictiques :

NEW YORK 1997
NOW).

On peut aussi penser bien sûr aux formules liminaires des contes français : « Il était une fois », ou marjorquais : « Cela était et cela n'était pas [37] », qui fonctionnent comme des embrayeurs de fictionnalité – la première à la faveur d'ailleurs d'une conventionnalisation bien paradoxale, puisqu'elle constitue elle-même une sorte d'antiphrase.

   Parfois encore, certains commentaires métalinguistiques viennent dénoncer comme fictionnels, donc arbitraires, les échafaudages narratifs proposés : « Vous voyez, lecteur, que je suis en beau chemin, et qu'il ne tiendrait qu'à moi de vous faire attendre un an, deux ans, trois ans, le récit des amours de Jacques en le séparant de son maître et en leur faisant courir à chacun tous les hasards qu'il me plairait. Qu'est-ce qui m'empêcherait de marier le maître et de le faire cocu? d'embarquer Jacques pour les îles? d'y conduire son maître? de les ramener tous les deux en France sur le même vaisseau? *Qu'il est facile de faire des contes!* » [38] – facile, et bien difficile, quand on est le vrai Maître, libre de construire à sa guise un monde narratif...

   De tels indices sont à coup sûr clairs, et incontestables; mais ils ne figurent que très exceptionnellement dans les textes de fiction. D'autres faits ont été signalés, sans doute plus fréquents, mais dont le statut d'indices de fictionnalité est en revanche plus douteux :

   • les constructions alternatives

     (Manchette : En ce moment il est 2 h 30, ou peut-être 3 h 15 du matin [39].

     Tony Duvert : Deux hommes, non trois, non deux, le troisième attend dans la voiture, emmènent le docteur Brunet, qui n'a pas résisté. Si, il a résisté. Il a grincé, avec sa petite voix de châtré : « Quoi, quoi, de quel droit, mais enfin, mais enfin » [40]),

· les modalisateurs d'incertitude et d'approximation

(Pierre Jean Jouve : *Il est probable* qu'elle ne pense à rien. *Peut-être* est-elle endormie.
La Fontaine : Le corbeau lui tint *à peu près* ce langage),

qui s'ils ont parfois pour effet de souligner le fait qu'écrire une fiction, c'est choisir « indifféremment »[41] à l'intérieur d'un paradigme ouvert de possibles discursifs, produisent au contraire le plus souvent, en mimant les exigences scrupuleuses d'un discours véridique, un fort effet de réel.

– Ce n'est donc pas du côté des propriétés internes de l'énoncé qu'il faut espérer découvrir l'essentiel des indices de fictionnalité : *dans l'identification du trope fictionnel, ce sont incontestablement les informations extra-textuelles qui jouent le rôle décisif,* et ces informations sont de deux types.

1. Premier type : informations « encyclopédiques » concernant U.

Soit ce texte d'André Fontaine, publié dans *Le Monde* du 30 juin 1982, qui débute ainsi [42] :

Conformément à l'attente de la bourse et de la plupart des ambassades, Valéry Giscard d'Estaing a été réélu de justesse, le 10 mai 1981, président de la République. Léonid Brejnev et Ronald Reagan, parmi beaucoup d'autres, lui ont immédiatement envoyé des félicitations où se devinait, au travers des banalités d'usage, un vif soulagement. Celles de Jacques Chirac ont paru nettement moins enthousiastes. Georges Marchais a rejeté toute la responsabilité de l'échec de la gauche sur la politique de division et de compromission avec le capitalisme du P.S. et de François Mitterrand, lequel a accueilli l'événement avec sa sérénité coutumière [...],

et se poursuit selon ce mode sur trois colonnes. Dans la quatrième survient cette phrase :

Ce scénario vaut ce qu'il vaut, mais il n'est pas un homme de bonne foi, dans l'opposition aujourd'hui, qui puisse sérieusement contester que, si la majorité d'hier avait gagné les élections de l'an dernier, elle ferait face à une situation économique et sociale extrêmement difficile [...],

phrase qui fonctionne comme l'indice cotextuel différé du trope fictionnel précédent. Il est toutefois permis de penser, étant donné ce que l'on peut supposer de l'état à cette date de la compétence encyclopédique du lecteur moyen du *Monde,* qu'il n'a pas attendu ce signal pour éventer la ruse. Mais c'est seulement en recourant à des informations extra-textuelles, le texte ne comportant en lui-même aucune trace de son caractère « non sérieux » (sauf peut-être celle-ci : s'il prétendait décrire la réalité post-électorale, donc des faits dans l'ensemble bien connus du public, ce texte transgresserait en plus d'un lieu la loi d'informativité, et le lecteur serait amené à se demander parfois : mais pourquoi diable me rappelle-t-il toutes ces choses, que je sais déjà ? Un énoncé fictionnel court évidemment moins de risques de passer pour non informatif...). Semblablement, c'est essentiellement en confrontant ce que nous montre le texte, et ce que nous savons du référent réel, que l'on est en mesure d'identifier comme fictionnel le film *Punishment Park* de Peter Watkins, qui use des techniques les plus réalistes du reportage pour évoquer un monde « possible » (l'élimination sadique, par les autorités américaines, de ses opposants gauchistes), c'est seulement parce qu'on se dit : je sais bien que ça ne s'est pas, que ça n'a pas pu se passer comme ça – savoir faute duquel on tombe inévitablement (ce qui se produit paraît-il, pour ce film, assez régulièrement) dans le panneau du trope.

2. Second type : informations concernant le statut du texte en question, soit qu'il comporte une indication de genre (« fiction », « roman »), laquelle institue entre l'émetteur et le récepteur un « pacte » de lecture (inverse en quelque sorte du « pacte autobiographique » qu'analyse Philippe Lejeune), soit plus largement que relevant du vaste ensemble des textes littéraires, il y ait de fortes présomptions qu'il soit de type fictionnel [43]. Le problème de la fictionnalité ne peut donc être envisagé, comme le montre S. Schmidt, que dans le cadre pragmatique du fonctionnement de la communication littéraire, du système de normes, socialement et historiquement déterminé, qui la régit, et par rapport à une consigne de lecture que notre éducation nous a inculquée, telle que : « Lorsque vous vous trouvez en face d'un texte qui appartient à la classe socialement définie des œuvres littéraires, considérez comme autonome le monde qu'il construit, et ne l'évaluez pas au nom de son adéquation à l'univers d'expérience, mais bien plutôt dans le cadre de l'univers clos constitué par l'ensemble, ou tel sous-ensemble particulier, des productions littéraires. »

Lorsqu'il épouse les formes du discours non fictionnel, le discours de fiction peut donc être considéré comme un trope filé (autre preuve encore de son statut de trope : c'est que les principales « conditions de réussite » auxquelles sont normalement soumis les énoncés assertifs sont alors suspendues, ainsi que le remarque Searle, 1982, pp. 105-106, qui en vient à cette conclusion que les assertions produites dans le discours de fiction sont des assertions « feintes »). Mais un trope bien particulier, dont la spécificité est la suivante : alors que dans tous les tropes précédemment envisagés le décalage entre l'être et le paraître discursifs se localisaient au niveau du contenu, sémantique ou pragmatique, de la séquence envisagée, il concerne seulement, dans le cas du trope fictionnel, le troisième ingrédient du triangle sémiotique, c'est-à-dire *le statut du référent textuel.* Les textes de fiction sont à interpréter littéralement, et ne contraignent pas obligatoirement le lecteur à aller chercher, sous le contenu littéral, un contenu dérivé plus « conforme ». Leur seule anomalie se situe dans le fait qu'en apparence, ils posent comme vrais les contenus assertés, *i.e.* comme possédant, dans l'univers d'expérience, un corrélat référentiel, alors qu'en fait, ces contenus échappent à tout jugement de vérité, et que leurs corrélats référentiels n'existent que dans un monde « possible » [44] imaginaire, plus ou moins vraisemblable ou au contraire arbitraire.

Le trope fictionnel est bien entendu cumulable avec les autres tropes. Avec la métaphore par exemple, selon deux modes de combinaison également attestés :

• Présence de métaphores dans un texte de fiction.

Le fonctionnement sémantique de la métaphore étant, dans un texte non fictionnel, le suivant :

sens littéral = non vrai
↓
sens dérivé = vrai par rapport à *U,*

il devient lorsque la métaphore se trouve sertie dans un texte de fiction :

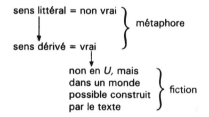

• Interprétation métaphorique globale, ou allégorique, de certains textes apparemment fictionnels, mais qui suggèrent la possibilité d'être « transposés », mis en correspondance avec une réalité donnée (la réalité soviétique contemporaine par exemple, dans tous ces romans qui exploitent, pour faire passer des vérités sur *U* délicates, voire impossibles, à formuler directement, l'un des procédés de ce que A. Berelovitch, 1981, appelle la « langue d'Ésope » : la construction de fictions aisément transposables) [45] :

Notons enfin que la fiction s'apparente à d'autres phénomènes qui peuvent de ce point de vue lui être assimilés : la « *galéjade* » par exemple, l'énoncé fantaisiste que l'on lance en l'air histoire de blaguer un peu, et dont les effets pragmatiques sont variables selon qu'il s'agit d'une assertion, d'une question, ou d'une répone :

1. Assertion :

• Après la représentation de *L'Homme qui rit* par Bernard Guillaumat, dont toute la mise en scène consistait à donner forme, avec la plus grande économie de moyens, au verbe hugolien, tout en faisant semblant de lire le texte, et de le découvrir au fil du spectacle :

Il aurait quand même pu apprendre son texte !

• New York, sommet du World Trade Center :

L₁ − Tu sais, par temps clair, on peut voir la tour Eiffel !

L₂ (éberluée). − Oh ! (puis tentant sans grand succès de compenser le ridicule d'une telle « naïveté » incontrôlée en retournant la galéjade : « Mais c'est pas possible, à cause de la rotondité de la terre » − et jurant, mais un peu tard, qu'on ne l'y prendrait plus).

2. Question :

Quand nous traitons en bulles et en dessins de la torture à propos de la coupe du monde de foot en Argentine, qu'est-ce que nous faisons ? De l'information, du journalisme, ou du fromage de chèvre ?

(Guy Vidal, rédacteur en chef de *Pilote*, protestant − dans *La Quinzaine littéraire*, n° 308, 1ᵉʳ sept. 1979, p. 15 − contre le fait que ce magazine ait été radié de la liste des publications de presse, pour la contestable raison qu'il ne consacre pas 50 % de ses pages à des articles écrits).

3. Réponse :

L₁ − C'était toi les photos ?

L₂ − Non, c'était un crocodile ! (*Diva*, de Jean-Jacques Beineix).

La galéjade n'est pas rare dans l'échange verbal quotidien, mais elle se limite généralement aux dimensions d'une réplique isolée, ou d'un bref échange dialogique. Elle s'oppose sur ce point au discours de fiction, qui lui se présente sous la forme d'un texte continu, en général narratif, ayant pour ambition la construction d'un « monde » cohérent. Celles de la galéjade sont corrélativement plus modestes : fantaisiste, ludique, souvent gratuite, volontiers moqueuse (assertive, elle tend un piège à l'interlocuteur; répliquante, elle dénonce par l'absurde l'absurdité d'un comportement énonciatif précédent), elle a pour fonction essentielle d'opérer un « débrayage » provisoire du discours sérieux. Tandis que les échafaudages fictionnels prétendent tous plus ou moins être pris au sérieux (leur objectif essentiel n'est pas d'amuser), même s'ils ne sont pas « sérieux » au sens où l'entend ici Searle : « [...] les énonciations de la fiction sont " non sérieuses ". Afin d'éviter un type flagrant de contresens, précisons que ces termes n'impliquent en aucune manière qu'écrire un roman de fiction ou un poème ne soit pas une activité sérieuse, mais plutôt que si, par exemple, l'auteur d'un roman nous dit qu'il pleut dehors, il n'adhère pas [*commited to*] sérieusement à l'idée qu'il pleut dehors, au moment où il écrit. C'est en ce sens que la fiction est non sérieuse » (1982, p. 103).

Ces différences mises à part, la galéjade, comme l'énoncé fictionnel, transgresse la « maxime de qualité » gricéenne. On peut la considérer comme un trope dans la mesure où malgré ses allures de discours de vérité (la galéjade est d'autant plus efficace qu'elle se donne les airs du sérieux, et qu'elle s'énonce sur le mode du « pince-sans-rire »), elle consiste en fait à dire sur U « n'importe quoi », ou du moins quelque chose qui ne saurait sérieusement être considéré comme sérieux. Mais comme l'énoncé fictionnel, et à la différence des autres tropes (la galéjade s'opposant par exemple à l'antiphrase en ce qu'elle dit simplement, implicitement, que p est non-vrai, quand l'antiphrase va jusqu'à dire, implicitement toujours, que non-p est vrai), elle n'a pas la prétention de dissimuler sous son sens littéral un sens dérivé précis, qu'il s'agirait de décrypter. Le seul décalage qu'elle institue entre l'apparence et la réalité du discours se situe au niveau de son référent :

Statut littéral (mais illusoire) du référent discursif : existe en U.

Statut dérivé (mais effectif) de ce référent : n'existe pas en U.

(ou en d'autres termes :

Statut apparent de l'énoncé : vrai par rapport à U.

Statut réel de cet énoncé : non-vrai / U).

C'est en un autre lieu encore que se localise le décalage tropique dans le dernier cas de figure que nous allons envisager :

3.2.4. Le trope « communicationnel »

Il s'agira ici d'un phénomène sensiblement différent des précédents, puisqu'il met en cause *la hiérarchie,* non point des contenus énoncifs (qu'ils soient de nature sémantique ou pragmatique), mais *des actants de l'énonciation.*

(N.B. : Les « tropes communicationnels » peuvent porter soit sur l'émetteur, soit sur le récepteur. Il ne sera question ici que du second type, car c'est tout le problème, qui ne concerne qu'indirectement le fonctionnement de l'implicite, de la citation et du discours « polyphonique », que soulève le premier.)

– Les différentes catégories de récepteurs.

Nous appelons [46] :

• allocutaire (A), ou « destinataire direct », celui que le locuteur (L) considère explicitement, ainsi qu'en témoignent certains « indices d'allocution » de nature verbale ou paraverbale, comme son partenaire dans l'interaction;

• un récepteur a statut de « destinataire indirect » lorsque sans être véritablement intégré à la relation d'allocution, il fonctionne cependant comme un témoin, dont la présence est connue et acceptée par L, de l'échange verbal;

• il s'agit enfin d'un « récepteur additionnel » si sa présence dans le circuit communicationnel échappe à la conscience de l'émetteur.

– *Nous parlerons de « trope communicationnel » (portant sur le récepteur) chaque fois que s'opère, sous la pression du contexte, un renversement de la hiérarchie des niveaux de destinataire; c'est-à-dire chaque fois que le destinataire qui en vertu des marqueurs d'allocution fait en principe figure de destinataire direct, ne constitue en fait qu'un destinataire secondaire, cependant que le véritable allocutaire, c'est en réalité celui qui a en apparence statut de destinataire indirect :* « C'est à vous que je parle, ma sœur », répète Chrysale avec une insistance d'ailleurs bien suspecte [47]. Nul doute en effet que l'énoncé qui se dissimule sous le précédent : « Ce n'est pas à vous que je parle, ma femme », ne soit à considérer comme une dénégation : c'est bien à Philaminte, qui d'ailleurs ne s'y trompe pas, que ce discours s'adresse, qui la « concerne » bien plus directement que la pauvre Bélise (c'est donc à la lumière de la « loi de pertinence » que s'identifie le trope).

Le schéma du trope communicationnel est donc le suivant :

En apparence : destinataire direct = A (Bélise)

destinataire indirect = B (Philaminte).

En fait :   destinataire principal = B
              destinataire secondaire = A.

(Dans le cas particulier où A = L, ce trope prend la forme d'un « faux aparté ». Ainsi lorsque dans *Le Tartuffe* (acte II, sc. 2) Dorine, se voyant par Orgon interdite de parole, feint de parler « à son bonnet », alors qu'il est clair que ses propos rageurs sont faits tout exprès pour tomber dans l'oreille de son destinataire en apparence indirect, mais en fait essentiel :

> ORGON. — Donc, de ce que je dis on ne fera nul cas?
> DORINE. — De quoi vous plaignez-vous? Je ne vous parle pas.
> ORGON. — Qu'est-ce que tu fais donc?
> DORINE. — Je me parle à moi-même.)

Le trope opère un renversement de la hiérarchie des destinataires, sans que le sens de la séquence ne se trouve, dans les exemples précédents, modifié dans l'opération. Il arrive en revanche, ainsi dans la fort célèbre scène 5 de l'acte II de ce même *Tartuffe,* que *le trope communicationnel se double d'une syllepse,* certaines séquences discursives se déroulant simultanément sur deux isotopies selon le schéma suivant : L (Elmire)
adresse en apparence à A (Tartuffe) un discours qui pour cet A reçoit le sens S 1 ;
s'adresse en fait à B (Orgon, caché sous la table), qui est censé extraire de l'énoncé un contenu S 2 ≠ S 1 (le statut énonciatif d'Orgon étant celui
pour Elmire, de destinataire en apparence indirect, mais en fait principal, pour Tartuffe, de récepteur additionnel).

C'est ainsi par exemple que la toux d'Elmire ne recevra pas le même statut sémiotique selon qu'elle se destine :
• à Tartuffe, qui l'interprétera comme un *indice*
(de rhume :

> TARTUFFE. — Vous toussez fort, madame.
> ELMIRE. — Oui, *je suis au supplice.*
> TARTUFFE. — Vous plaît-il un morceau de ce jus de réglisse?
> ELMIRE. — C'est un rhume obstiné, sans doute, et je vois bien
>   *Que tous les jus du monde ici ne feront rien.*
> TARTUFFE. — Cela, certes, est fâcheux.
> ELMIRE. — *Oui, plus qu'on ne peut dire),*

• ou à Orgon, pour qui elle est censée fonctionner comme un *signal* (qu'il est temps que la plaisanterie cesse : cf. la didascalie *« elle tousse pour avertir son mari »*); or tel est le statut *véritable* de cette toux, dont le vrai destinataire est bien Orgon : il y a donc bien ici trope communicationnel.

De même les inférences causales venant se greffer sur les séquences par nous soulignées dans les différentes tirades d'Elmire seront-elles d'une nature bien différente selon qu'on les envisage à l'intérieur du circuit communicationnel Elmire-Tartuffe, ou Elmire-Orgon. Dans ce passage enfin, qui exploite fort habilement l'élasticité référentielle du « on » (et joue secondairement sur l'ambiguïté du « vous », et de l'expression « les gens ») :

> ELMIRE *(après avoir encore toussé)*
> Enfin je vois qu'il faut se résoudre à céder,
> Qu'il faut que je consente à tout vous accorder,
> Et qu'à moins de cela je ne dois point prétendre
> Qu'on puisse être content et qu'on veuille se rendre.
> Sans doute, il est fâcheux d'en venir jusque-là,
> Et c'est bien malgré moi que je franchis cela ;
> Mais, puisque l'on s'obstine à m'y vouloir réduire,
> Puisqu'on veut des témoins qui soient plus convaincants,
> Il faut bien s'y résoudre et contenter les gens [...],

le pronom dénote soit Tartuffe, soit Orgon, selon la relation d'allocution dans laquelle il s'inscrit – une telle aisance dans le maniement du trope et de la syllepse, dans cette double duplicité verbale, donnant à rêver s'agissant d'un personnage dont tout le monde s'accorde à vanter la droiture... (et prouvant surtout combien il serait imprudent de traiter un tel discours, pour en extraire des « vérités » d'ordre psychologique, comme le fidèle reflet d'une parole spontanée, quand il s'agit d'une construction obéissant moins aux exigences de la « vraisemblance » qu'à celles de l'efficacité dramatique).

Les exemples de tropes précédemment mentionnés sont empruntés au discours théâtral, où ils mettent en jeu différents *personnages*, c'est-à-dire différents actants relevant de la même instance énonciative. A ce titre, ils peuvent tout aussi bien se rencontrer dans l'échange quotidien, et ils s'y rencontrent effectivement : devant le guichet d'une salle de spectacle, une queue particulièrement dense et survoltée ; quelqu'un lance, à la cantonade : « Y a des salauds ici ! » – espérant bien que le « salaud » (le resquilleur) en question se reconnaisse, en « prenne pour son grade », et comprenne que ce discours non seulement parle de lui (auquel cas il s'agirait d'un simple trope implicitatif), mais en outre s'adresse à lui prioritairement, le reste de l'assistance étant en fait réduit au rôle de témoins de cette apostrophe vengeresse : il y a alors trope communicationnel.

Mais ce qui caractérise spécifiquement la communication théâtrale et son dispositif énonciatif, c'est un dédoublement en abyme des niveaux d'énonciation, parmi lesquels il convient de distinguer
- le niveau extra-scénique (auteur → public)
- le niveau intra-scénique (personnages → personnages
                                   acteurs   →   acteurs).
A qui s'adresse le discours théâtral?

En apparence : des personnages s'adressent à des personnages par acteurs interposés, le public n'ayant pour eux que le statut de « récepteur additionnel » : c'est un intrus, qui « surprend » un discours qui ne lui est pas en principe destiné.

(Cette situation très particulière n'est pas sans incidences sur le fonctionnement interne du discours théâtral. Un seul exemple : le motif du « secret surpris ». Que de « témoins indiscrets » sur la scène classique, que d'intrus dissimulés sous la table, déguisés en statues, tapis dans le « petit cabinet » ou quelque autre de ce que Goffman nomme les « zones d'aguet »! Que d'obsessions précautionneuses aussi, que de soins pour vérifier que l'on n'est pas espionné, qu'il n'y a personne dans ces « petits endroits propres pour surprendre » les précieux secrets... Pourquoi tant de précautions, qui presque toujours demeurent inutiles? Comment expliquer la fréquence d'un tel motif? On le peut de bien des façons. Suggérons simplement ceci : c'est qu'il y a toujours, au théâtre, un témoin indiscret – en la personne collective du public; destinataire de l'auteur et de l'acteur, le public n'est pour le personnage, avons-nous dit, qu'un intrus : nous sommes tous dans le « petit cabinet » noir, à surprendre des secrets. Les précautions des personnages ne peuvent être de ce point de vue qu'inutiles – et le motif évoqué s'interpréterait alors comme une sorte de redoublement spéculaire, sur scène, de ce qui toujours caractérise la relation scène/salle).

Pour en revenir au problème du trope, l'allocutaire au théâtre, c'est donc en apparence les personnages. Mais *en fait,* c'est bien au public que le discours s'adresse, c'est bien lui qu'il s'agit de séduire. Si l'on envisage ce qui se passe dans la relation existant entre actants non plus isotopes, mais hétérogènes énonciativement (*i.e.* si l'on enjambe la « barre » qui sépare l'espace scénique et l'espace extra-scénique), *le discours théâtral apparaît alors comme fonctionnant dans sa globalité sur le mode du trope communicationnel.*

Pris dans un double circuit énonciatif [48], il doit en tout cas satisfaire aux exigences simultanées, et parfois rivales, de ses deux couches de récepteurs. C'est par rapport aux seuls personnages que s'appliquent en principe les lois de pertinence et d'informativité. Mais il faut en même temps intéresser, et informer, le spectateur ou le lecteur. Lesquels ont, à l'ouverture de la pièce, un sérieux handicap : leur compétence encyclopédique, en ce qui concerne l'univers fictionnel dans lequel évoluent les personnages, est vierge. Le dramaturge se trouve donc confronté, lorsqu'il conçoit les scènes d'exposition, à ce problème technique [49] : comment combler ce « retard de savoirs » du spectateur, et le mettre au courant des faits essentiels, mine de rien, c'est-à-dire en préservant l'illusion que le seul destinataire du discours tenu, c'est le personnage présent sur scène, et sans enfreindre à ce niveau les règles de la vraisemblance conversationnelle? Problème que la tradition théâtrale s'est employée à résoudre grâce à un certain nombre d'astuces dont les principales consistent, d'après Anne Leclaire (1979, p. 7)

(1) à mettre en scène un personnage ignorant :

« Corneille, dans " l'examen de *Polyeucte* ", fait allusion à un des aspects de cette convention du théâtre classique. Il remarque que souvent la pièce commence alors que tel événement, telle affection sont fixés depuis deux ou trois ans et que " ce sont des choses dont il faut instruire le spectateur en le faisant apprendre par un des acteurs à l'autre; mais il faut prendre garde avec soin que celui à qui on les apprend ait eu lieu de les ignorer jusque-là aussi bien que le spectateur ". » De même, les personnages que fait dialoguer Robert Brasillach dans le chapitre V des *Sept couleurs* se posent d'entrée cette question des conventions d'ouverture du théâtre traditionnel, et y répondent de la façon suivante (p. 163) :

FRANÇOIS. — Quand le rideau se lève, et qu'on découvre cette pièce à trois murs où vivent les personnages de théâtre, quelle est la première phrase que l'on entend?

CATHERINE. — Il y a plusieurs procédés. Le plus courant est de faire dialoguer les domestiques. C'est fou ce que l'on apprend au théâtre par les domestiques. A croire que le véritable art poétique des dramaturges, c'est le rapport de police privée.

FRANÇOIS. — Il y a aussi la dame qui a été une amie d'enfance de l'héroïne. Elle arrive, *elle ne sait rien* [50], elle se fait introduire dans le salon, et il ne lui est pas difficile de tirer de la femme de chambre les renseignements essentiels.

L'amie d'enfance dans le théâtre bourgeois, la suivante ou la confidente dans le théâtre classique (cette dernière ayant justement pour fonction essentielle de solliciter, et de vraisemblabiliser, la confidence – on peut penser à l'exemple, entre mille, de la première scène de *Britannicus,* entre Albine l'ignorante et Agrippine l'informatrice) : autant de rôles dévolus à l'information indirecte du spectateur.

(2) Si tous les personnages en scène sont également au courant du fait problématique, le stratagème consiste à tirer parti du statut bien particulier des présupposés.

Au début de *Tite et Bérénice* (qu'Anne Leclaire prend comme exemple du procédé), Domitie déclare à sa confidente :

> Laisse-moi mon chagrin, tout injuste qu'il est.
> Je le chasse, il revient ; je l'étouffe, il renaît.
> Et plus nous approchons de *ce grand hyménée* [50],
> Plus en dépit de moi je m'en trouve gênée.

Et le spectateur de se dire : Tiens, tiens! Il y a donc un mariage dans l'air!

Les présupposés constituent en effet un moyen commode de résoudre le problème qui nous occupe ici : ils permettent d'informer, sur le mode implicite, le *spectateur-destinataire* (indirect), pour qui la séquence fonctionne comme un trope présuppositionnel, corrélatif du trope communicationnel dont il a été question plus haut, sans que soit pour autant enfreinte, du point de vue cette fois du *personnage-destinataire* (direct), la loi d'informativité, ce qui serait le cas si le même contenu se trouvait formulé en posé.

Si aucune de ces deux conditions n'est réalisée, c'est-à-dire si le personnage-destinataire possède déjà les informations pertinentes, qui sont malgré tout énoncées sur le mode du posé, il y a transgression des règles du genre, comme dans la scène d'ouverture de *La cantatrice chauve* :

> Mᵐᵉ SMITH. — Tiens, il est neuf heures. Nous avons mangé de la soupe, du poisson, des pommes de terre au lard, de la salade anglaise. Les enfants ont bu de l'eau anglaise. Nous avons bien mangé, ce soir. C'est parce que nous habitons dans les environs de Londres et que notre nom est Smith [...],

qu'Anne Leclaire commente en ces termes (p. 7) : « Ionesco, de la sorte, déchire l'artifice théâtral et la convention du dialogue scénique : on ne fait pas " comme si " les spectateurs ne regardaient pas, n'existaient pas. Les personnages se présentent directement, déclinent leur identité sans passer par le détour de la présupposition. »

(On pourrait également dire que Ionesco exploite ici une convention inverse de la précédente mais beaucoup plus « marquée », et que le théâtre classique n'admet qu'à titre exceptionnel, et dans certains « genres » seulement : celle de l'« adresse au public », par laquelle le spectateur cesse de n'être qu'à la faveur d'un trope le destinataire essentiel de la communication théâtrale, pour l'être de plein droit, explicitement, littéralement – ce procédé se reconnaissant généralement grâce au comportement paraverbal de l'acteur, mais aussi, on le voit ici, à la lumière du fonctionnement de la loi d'informativité [51].)

Le phénomène qui vient d'être envisagé se caractérise donc par un renversement de la hiérarchie normale des niveaux de destinataire : il est à coup sûr de nature pragmatique – à défaut de relever clairement de la catégorie du trope : en déplaçant de la sorte le lieu d'actualisation du fait tropique, nous faisons subir au concept de « trope » une extension que certains pourront trouver abusive.

Il pose en tout cas le même problème que tous les tropes : celui de la reconnaissance d'un décalage entre l'apparence et la réalité linguistiques, donc de l'identification

• de l'allocutaire explicite et littéral, laquelle s'effectue sur la base de certains signifiants – emploi du pronom personnel et des termes d'adresse, direction du regard (mais à l'oral seulement [52]) – qui ne sont pas toujours présents ni clairs ;

• de l'allocutaire implicite mais réel, laquelle peut être orientée par certains indices (de nature surtout paraverbale : regard en coin, etc.), mais repose essentiellement sur des supputations concernant la pertinence relative de l'énoncé produit.

Il arrive donc souvent que l'allocutaire littéral soit clairement identifiable, mais l'allocutaire effectif incertain, et qu'on ne puisse déterminer à coup sûr dans quelles oreilles L veut que ses propos tombent *essentiellement* (ex. : lorsque dans un autobus un passager proteste, à l'intention explicite de ses co-voyageurs, mais assez fort pour que le message atteigne bien sa « cible » : « Ce chauffeur-là, il conduit avec une violence! ») : on a alors affaire à un trope partiel, dans lequel le destinataire indirect cesse d'être un simple « témoin » de l'échange verbal (il « remonte vers la surface »), sans pourtant l'emporter de façon décisive sur le destinataire direct; ou même qu'il soit impossible d'établir, dans l'ensemble des destinataires virtuels d'un discours donné, ceux qu'il convient de considérer comme explicites, ou implicites (ainsi dans ces articles de la presse soviétique dont Michel Heller montre [53] qu'ils tiennent un discours triplement destiné aux publics soviétique, polonais, et occidental).

De même qu'il vaut mieux renoncer au terme de « trope », et parler de « polysémie textuelle », ou de « sens pluriel », lorsque les niveaux de contenu ne sont pas clairement hiérarchisables, de même est-il préférable de considérer que relèvent de la « polyvalence communicationnelle » les cas qui viennent d'être mentionnés.

3.3. LECTURE DU TROPE

> Dire qu'on ne saurait haïr,
> N'est-ce pas dire qu'on pardonne?
> (Molière, *Amphitryon*, II, VI)

Il arrive en effet que les deux formulations soient dénotativement équivalentes – en cas de litote, laquelle s'identifie à la lumière de certains *indices* (à ne pas confondre avec le *signifiant* supportant les significations entrant en conflit dans le trope [54]).

3.3.1. Indices du trope

De l'ironie, Du Marsais écrit que « le ton de la voix, et plus encore la connaissance du mérite ou du démérite personnel de quelqu'un et de la façon de penser de celui qui parle, servent plus à [la] faire connaître que les paroles dont on se sert » (p. 199), et de la métaphore : « Ce n'est que par une nouvelle union des termes que les mots se donnent le sens métaphorique » (p. 161). Réflexions éparses, mais qui suggèrent déjà la typologie suivante des indices du trope [55] :

(1) Indices paratextuels, c'est-à-dire prosodiques et mimo-gestuels.
Il arrive que le rire vienne éventuellement (car on peut y préférer la tactique du « pince-sans-rire ») accompagner la production de certaines séquences ironiques (*La Chartreuse de Parme,* Le Livre de poche, éd. 1972, p. 418 : « [...] un procès ridicule que Rassi instruisait contre Fabrice, accusé du crime de s'être sauvé, ou, comme disait le fiscal en riant lui-même, *de s'être dérobé à la clémence d'un prince magnanime!* »), ou de certaines « galéjades » (comme cette sinistre boutade du Maréchal Pétain que rapporte Darquier de Pellepoix [56] : « Chaque fois que j'allais le voir, du plus loin qu'il m'apercevait, il s'écriait : " Tiens, voilà mon tortionnaire! " Mais c'était pour rire. D'ailleurs, il riait »). Il est très vraisemblable qu'une intonation spécifique vienne marquer comme litotiques certains des emplois de phrases telles que « C'est un peu bien! », ou « On n'est pas en retard! »; qu'un regard en coin signale parfois le trope communicationnel; et que les faits paraverbaux jouent un rôle non négligeable, voire décisif, dans l'identification d'un bon nombre de tropes illocutoires [57]. On imagine mal en revanche quelle intonation, quelle mimique particulières, pourraient caractériser

en propre une métaphore, une métonymie, ou même un trope présuppositionnel. Mais qui sait : s'il est vrai, comme l'a constaté Pierre
Maranda, que l'on réagit souvent par un cillement inconscient à la
reconnaissance de certaines anomalies linguistiques, pourquoi un
comportement du même ordre ne caractériserait-il pas la production et
la réception d'un trope?

Bien peu de choses sont assurées s'agissant de ces faits paraverbaux :
Searle affirme ainsi « qu'en anglais, il y a en fait certaines inflexions
d'intonation caractéristiques qui accompagnent les énonciations ironiques » (1982, p. 162), quand Grice se montre sur ce point beaucoup
plus sceptique (1978, p. 124). Il est donc pour le moment impossible
de mesurer l'exacte importance de ce type d'indices, qui ne fonctionnent
en tout état de cause qu'à l'oral (certains faits de nature typographique :
soulignement, point d'exclamation, points de suspension, etc., jouant
occasionnellement, à l'écrit, un rôle similaire).

(2) Indices cotextuels, inscrits dans l'environnement verbal de la séquence
problématique – le cotexte de ce point de vue pertinent pouvant être
d'une nature et d'une dimension très variables : plus ou moins étroit ou
large, explicite ou discret, il prend selon les cas la forme
    1. d'un commentaire métalinguistique : « pour parler par méta-
phore », « ce n'est qu'une image », « c'est une façon de parler » / « c'est
une litote », « c'est un euphémisme » [58], « au bas mot », « pour le moins »
(ou même ces expressions attestées : « je feutre », « je bémolise ») / « je
plaisante », « c'est une blague », « c'est pour de rire », etc.;
    2. de certains modalisateurs :
Litote : « Je n'ai pas spécialement / tellement l'habitude... », « Ce n'est
pas vraiment une réussite / la joie / un cadeau... »
Ironie : « bien sûr », « vraiment », « évidemment », « en effet », « certes »,
« en vérité », « assurément », « sans doute », « (comme de) bien entendu »,
« comme chacun sait », et autres adverbes intensifs, connotent volontiers,
nous l'avons signalé ailleurs (1976, p. 34) l'ironie;
    3. d'une anomalie combinatoire :
Métaphore : cas particulier des métaphores « corrigées » (du type un
« saucisson à pattes », pour un « basset », ou un « cercueil à roulettes »,
pour une automobile particulièrement dangereuse).
Synecdoque : cf. le slogan « Mangez du lait » (= du « fromage »);
    4. d'une contradiction interne à l'énoncé :
Ironie : « Jean est enfin guéri de sa maladie incurable. »

Hyperbole : « Il n'a aucun moyen, et il les utilise mal », « Je n'ai pas dormi de la nuit, et quand je me suis réveillé... ».
(Peuvent également coexister dans la séquence, contradictoirement, la formulation tropique et la formulation « juste ». Le cas des métaphores *in praesentia* est bien connu. Nous avons précédemment parlé de celui des énallages temporels, et du trope fictionnel, qui se repèrent parfois à la faveur d'une expression littérale les précédant immédiatement. Et l'on peut voir également des sortes de litote, et d'euphémisme, *in praesentia*, dans les exemples suivants :

> Dire que l'église est riche est, pour le moins, une litote : c'est l'une des principales puissances financières du monde occidental (*Libération*, 29 août 1978, p. 9).

> Les jeunes filles se mettent à chanter, c'est un euphémisme, à crier,

dans lesquels le trope se signale doublement par le commentaire métalinguistique, et la substitution d'une formule « juste » à la formulation atténuée précédente.)
5. L'interprétation tropique – celle par exemple du « Je ne te hais point » de Chimène – peut enfin reposer sur des informations cotextuelles plus ou moins lointaines et disséminées, le cotexte ayant alors pour fonction essentielle de permettre la reconstruction du contexte. Les auteurs de la *Rhétorique générale* ayant eu le malheur de voir dans ce « métalogisme » une figure qui met nécessairement en cause le référent du message, M. Charles et J.-B. Comiti de protester (1970, p. 118) : « Comment peut-on dire en effet : " L'analyse du référent montre simplement qu'ainsi Chimène hésite à dire la vérité "? C'est de l'analyse du contexte qu'il s'agit (Chimène n'a d'autre " réalité " que discursive). » Soit. Mais elle a une réalité discursive : elle existe dans le monde de la fiction, avec un statut social déterminé, et des états d'âme déterminables. « L'analyse du contexte » (dans notre terminologie : du « cotexte ») permet en fait la reconstruction du référent diégétique, et *c'est bien par rapport à ce référent*, par rapport à ce que l'on peut reconstituer des « vrais sentiments » de cette Chimène fictive, *que s'évalue le trope*. Les informations cotextuelles sont donc dans ce cas assimilables à des informations contextuelles.
(N.B. : que le cotexte et le contexte jouent des rôles fonctionnellement analogues, cela apparaît par exemple dans le fonctionnement des déictiques : une séquence telle que « Programme d'aujourd'hui », figurant en tête de la rubrique « télé » d'un quotidien, peut s'interpréter par référence, soit à un savoir contextuel, soit à la date mentionnée sur chaque page du numéro; et plus généralement, dans le fait que la

présence du contexte permet dans le « discours de situation » l'économie d'un certain nombre d'informations cotextuelles, cependant qu'inversement, le cotexte permet dans le « displaced speech » – fictionnel ou non – de reconstruire le contexte absent.

N'empêche que les informations pertinentes n'ont pas dans les deux cas le même statut, qu'elles ne sont pas décryptées à l'aide de la même compétence, et qu'elles doivent en conséquence être notées différemment dans le modèle descriptif.)

Quelques remarques pour terminer sur ces indices cotextuels :

1.

> Conformément à l'attente de la bourse et de la plupart des ambassades, Valéry Giscard d'Estaing a été réélu de justesse, le 10 mai 1981, président de la République [...]. *Ce scénario* vaut ce qu'il vaut, mais [...]. (André Fontaine, cité à propos du trope fictionnel.)

> Hé bien ! Petite, nous voilà donc bien fâchée, bien honteuse, et ce M. de Valmont est un méchant homme, n'est-ce pas ? Comment ! Il ose vous traiter comme la femme qu'il aimerait le mieux ! Il vous apprend ce que vous mouriez d'envie de savoir ! En vérité, ces procédés-là sont impardonnables (La marquise de Merteuil à Cécile Volanges, *Les Liaisons dangereuses*, lettre CV, Le Livre de poche, éd. 1972, p. 329).

L'ironie se prolonge ainsi sur une bonne page, puis :

> *Sérieusement* peut-on, à quinze ans passés, être enfant comme vous l'êtes ?

En l'absence (ou en plus) d'indices positifs du trope, celui-ci peut donc se signaler indirectement, après coup, par la présence d'expressions qui sont à l'inverse à considérer comme des « indices cotextuels de retour à la normale » (*i.e. :* au sérieux, à la formulation littérale).

2.

> Il n'y a *absolument* personne.
> C'est *vraiment* malin.
> *Ma parole*, tu es *vraiment* sexy comme ça.
> *En vérité*, ces procédés-là sont impardonnables.
> C'est un *véritable* ours.
> C'est une *vraie* girouette.
> Sam is an *absolute* elephant.
> Je meurs *littéralement* de faim.
> A Berlin, les nageuses allemandes ont *littéralement* coulé.
> Ces techniques secrètes, simples à appliquer, feront *littéralement* exploser votre partenaire et grimper au mur même la moins portée sur « la chose » [59].
> Il s'est *proprement* crevé à la tâche.
> Elle me pompe l'air [= me fatigue et m'exaspère], *sans métaphore*.

> « On n'y respecte rien, chacun y parle haut,
> Et c'est *tout justement* la cour du roi Pétaud » (Madame Pernelle, *Tartuffe*, I, 1) :

Dans ces divers exemples d'hyperbole, d'antiphrases et de métaphores, le trope est flanqué d'un modalisateur dont le fonctionnement est pour le moins paradoxal, puisque c'est en prétendant camoufler cet « usage de faux » que constitue le trope (en soulignant, emphatiquement et mensongèrement, la justesse d'une formule pourtant inappropriée) qu'il en dénonce en fait l'existence : le trope s'énonce souvent sur le mode de la dénégation.

(3) Indices contextuels. Nous entendons par là un certain nombre d'informations « préalables » non inscrites dans l'énoncé, qui concernent

1. Les actants d'énonciation : peut ainsi intervenir dans le décodage d'un trope ce que A suppose

• des savoirs de L, et en particulier de ceux qu'il est censé posséder sur A lui-même : bien des tropes présuppositionnels sont ainsi détectés sur la base d'un raisonnement du type : j'ignorais que Marie se droguait auparavant, et j'ai de bonnes raisons de penser que L connaissait mon ignorance en m'énonçant que « Marie a cessé de se droguer ». Donc...

• de ses caractéristiques psychologiques générales : si je sais L vaniteux, j'aurai tendance à interpréter comme un trope implicitatif

J'ai laissé ma voiture au garage (→ /j'ai une voiture, et un garage/)
New York est une ville fabuleuse (→ /je la connais, j'y suis allé/),

et à la limite, toutes les assertions de L comme signifiant en fait, sur le mode implicite, « je possède x », « je connais y », « j'ai fait z »... (*i.e.* comme ayant pour fonction pragmatique essentielle de « faire mousser » L);

• de ses motivations particulières au moment de l'acte de parole, Ducrot allant même jusqu'à proposer du sous-entendu cette définition (1977, a), p. 197) : « J'appelle " sous-entendus " tous les éléments de sens (à quelque catégorie qu'ils appartiennent) dont j'explique l'apparition en supposant, chez celui qui interprète l'énoncé, un raisonnement du type " si le locuteur a dit *ceci,* c'est qu'il voulait dire *cela* " »;

• de sa « compétence idéologique », dans le texte par exemple de Michel Droit, où nous avons identifié précédemment (dans « le judaïsme de Gainsbourg ») un trope présuppositionnel;

• de ses capacités intellectuelles enfin, auxquelles il est nécessaire de recourir pour rendre compte de la valeur ironique du fameux texte de Montesquieu sur l'esclavage [60]. Texte qui se présente en effet comme un montage de propositions qui toutes, prises indépendamment, pourraient à la rigueur être énoncées au premier degré, et l'étaient d'ailleurs fréquemment à l'époque; mais que rend suspect le fait que ce collage de propositions très élémentaires, Montesquieu le présente comme une démonstration (« Si j'avais à soutenir le droit que nous avons eu de rendre les nègres esclaves, voici ce que je dirais [...] »). Or nous savons bien, d'après ce que nous connaissons par ailleurs des exigences intellectuelles de l'auteur, qu'il ne saurait se contenter de si peu, et prendre pour une argumentation logique une simple juxtaposition d'aphorismes. Ce qui dénonce le texte comme ironique et lui confère les allures d'un sottisier sur l'esclavage, c'est donc moins ce que nous savons de l'idéologie de son auteur (ce serait s'aventurer dans des spéculations bien hasardeuses que de chercher à situer sur ce plan le débat), que ce que nous sommes en droit d'attendre de ses prétentions intellectuelles et exigences argumentatives.

2. Informations concernant l'univers référentiel général ou particulier, la situation communicative, et ces « circonstances » dont Du Marsais nous dit qu'elles nous font éventuellement connaître « que le sens littéral n'est pas celui qu'on a eu dessein d'exciter dans notre esprit », en nous dévoilant « le sens figuré qu'on a voulu nous faire entendre » (p. 252).

C'est en effet bien souvent sur la seule base de ce que l'on connaît du référent discursif, et sur le seul critère de la vraisemblance dénotative de l'expression utilisée, qu'un trope se peut identifier. Qu'il s'agisse d'une galéjade, d'un trope fictionnel, ou illocutoire (si je sais que L sait, et sait que je le sais, que Pierre n'est pas parti, j'interpréterai en conséquence comme « rhétorique » une question telle que « Pierre est-il parti ? »); d'une formule ironique (« Quel joli temps ! »), métaphorique (au sommaire du n° 87, nov. 1982, de *Lire,* ce titre de rubrique : « La cuisine des Goncourt »; automatiquement, j'évente la métaphore : parce que je sais bien que les Goncourt, ce n'est pas la même chose que les frères Troisgros), hyperbolique (*Le Monde* du 25 mars 1979, p. 21 : « L'hyperbole fleurit ce samedi 24 mars à la " une " de certains journaux parisiens : " Paris livré aux casseurs autonomes. " Le lecteur de province pourra le croire, pas celui de la capitale » – qui a, lui, le privilège d'avoir eu directement accès au référent discursif, donc la possibilité de mesurer combien le défigurent les descriptions journalistiques), ou litotique (« la construction du socialisme n'a pas été exempt de faux pas, d'erreurs, parfois de drames ») : c'est en convoquant le référent, en le confrontant à ce qu'en dit littéralement l'énoncé, en percevant ainsi l'inadéquation contextuelle de celui-ci, que je conclus éventuellement au trope.

Et du trope nous conclurons, polémiquement, ceci : *qu'il est à tous égards injustifié de l'assimiler à un fait d'anomalie combinatoire.*

D'abord parce qu'il arrive souvent, dans le discours « de situation » (non « displaced »), qu'un trope s'actualise en l'absence de tout indice cotextuel ; et qu'inversement, certaines anomalies combinatoires résistent à cette résolution que constitue l'interprétation tropique. Soit par exemple la comparaison « impertinente »

> Pierre est léger comme un éléphant :

On résout ici sans difficulté l'anomalie apparente, en faisant subir à l'adjectif une inversion sémantique, *i.e.* en allant chercher sous p, contenu littéral de la principale, un contenu p' obtenu par transformation antonymique : la comparaison est *ironique,* un trope s'y trouve incorporé.

Dans « La terre est bleue comme une orange » en revanche, ou bien encore dans cette phrase de Proust : « Cette obscure fraîcheur de ma chambre était au plein soleil de la rue ce que l'ombre est au rayon, c'est-à-dire aussi lumineuse que lui », l'impertinence ne saurait être versée au compte d'une antiphrase : « jamais une erreur les mots ne mentent pas », et le vrai sens, c'est le sens littéral. Pas de trope donc, et la comparaison est, tout simplement, *paradoxale* (en ce qu'elle prend le contre-pied d'une certaine « doxa » ; quant à résoudre le paradoxe, c'est une autre affaire, qui est loin d'être simple : la simplicité dont il s'agit dans ce « tout simplement » n'est autre que linguistique...).

Bien plus : même quand l'émergence d'un trope se trouve liée à un fait d'incompatibilité cotextuelle quelconque, en dehors de quelques cas simples où l'anomalie combinatoire peut se traiter dans les termes d'une règle de sélection strictement linguistique (« Mangez du lait ! », « Le commissaire aboie »), c'est une fois de plus en convoquant le référent qu'on la résout. Quelle règle « formelle » proposer par exemple pour rendre compte de la différence de statut existant entre les énoncés :

> Mettez du super dans votre moteur,

et

> Mettez un tigre dans votre moteur ?

Nous l'avons dit de la litote « Je ne te hais point », répétons-le à propos d'une séquence ironique telle que celle qui conclut cette biographie d'un couple de « designers » : « Noëlle et Denis Schulmann se sont connus en faisant Math-Sup. Tous les deux devaient dériver ensuite sur l'informatique. Lui commença de la recherche au Collège de France, pour ensuite entrer dans le groupe 3 M, alors qu'elle entamait une carrière chez IBM. Un itinéraire tout à fait logique pour arriver dans l'industrie du meuble ! » [61] : les informations cotextuelles ont pour principale fonction de permettre la reconstruction du contexte, et les impertinences sémantiques, d'être le signal d'une inadaptation référentielle. Mais c'est par rapport au contexte et au référent que s'évalue toujours, en dernière instance, le trope.

Quant à la métaphore, elle est souvent considérée comme « un pur objet de langage ». Nous pensons au contraire que son identification, et celle de ses propriétés particulières – son degré de « motivation », son caractère « *in praesentia* » ou « *in absentia* » : pour emprunter à Joëlle Tamine l'un de ses exemples, dans le syntagme « les framboises de tes seins », où la préposition peut exprimer soit une relation de co-référence (métaphore *in praesentia* donc), soit une relation d'appartenance (métaphore *in absentia*), c'est bien en envisageant la nature de « la chose » que l'on peut trancher en faveur de la seconde interprétation – mettent en jeu toujours, outre les informations strictement linguistiques que l'on peut extraire du texte et du cotexte, certaines considérations d'ordre référentiel.

Enfin et surtout, même s'il s'avérait, ce qui est loin d'être le cas, qu'existe entre trope et anomalie combinatoire une relation de correspondance biunivoque, ce ne serait pas une raison suffisante pour assimiler l'un à l'autre les deux phénomènes. L'anomalie combinatoire est une chose, le trope en est une autre, à savoir : une déviance onomasiologique et sémasiologique, c'est-à-dire un phénomène *paradigmatique* – lequel peut en général être dépisté à la lumière de son encadrement syntagmatique, sans qu'il soit pour autant légitime d'assimiler « focus » et « frame », le fait lui-même et ses indices.

(4) Plutôt que d'indices, il convient d'ailleurs de parler, lorsqu'il s'agit de faits qui se localisent au niveau extratextuel, d'« indications », ou d'« informations » contextuelles. Signalons enfin qu'il est un dernier type d'informations qu'exploite le sujet décodeur lorsqu'il se trouve confronté à un trope : ce sont, dans la mesure où tout trope transgresse l'une et/ ou l'autre des « lois de discours », des *informations de type « rhétorico-pragmatique »*. Se trouvent donc mobilisées simultanément, lors du décodage d'un trope, les compétences (para)linguistique, encyclopédique, et rhétorico-pragmatique du récepteur – sans parler de ce que nous appellerons plus loin sa compétence « logique ».

Nous reviendrons sur cette question de l'interprétation du trope lorsque nous aborderons le problème général du décodage des contenus implicites : le trope ne constituant qu'un cas particulier de leur fonctionnement (dans lequel le contenu implicite se durcit, et « remonte vers la surface »), ses modalités d'extraction ne sont pas fondamentalement différentes de celles de toute inférence.

Mais pour en finir avec ce problème des indices du trope, dont nous venons de voir combien ils étaient *hétérogènes* quant à leur nature, signalons encore

1. qu'ils fonctionnent en général en *faisceau*. Nous l'avons montré ailleurs à propos de l'ironie. On pourrait le constater de tous les tropes : de cet énallage que constitue par exemple le « nous » de majesté/modestie, que l'on identifie à la lumière :

• de certains accords (indice cotextuel clair)

• de la nature de certains prédicats, dont la spécificité invite à penser qu'ils ne peuvent raisonnablement s'appliquer qu'à une personne singulière (indice cotextuel plus flou)

• des informations dont on dispose sur le sujet d'énonciation, directement (indice contextuel), ou indirectement (la signature fonctionnant ainsi comme un indice cotextuel permettant la reconstitution du contexte énonciatif);

2. qu'ils peuvent être *plus ou moins discrets, ou au contraire contraignants,* et qu'en conséquence, l'existence du trope peut être plus ou moins assurée, et parfois même indécidable [62] : indécidable la litote dans cette réplique du *Menteur* (I, 1) :

> DORANTE. – Êtes-vous libéral?
> CLITON. – Je ne suis point avare,

indécidables aussi bien des cas d'ironie : on a signalé à l'envi que les marqueurs de ce trope n'étaient jamais que des indices présomptifs, et non des guides infaillibles [63], et que l'ironie était d'autant plus efficace que ceux-ci, tout en restant perceptibles, étaient plus ténus; on a parlé du funambulisme de l'ironiste, qui doit évoluer sur une corde raide allant de l'excessive discrétion à l'exhibition intempestive. Équilibre de suspension, principe d'incertitude, ambiguïté constitutive du phénomène ironique : tout cela a été abondamment, et fort justement, glosé.

Mais tout cela vaut aussi pour les autres tropes (et singulièrement, pour les tropes « non classiques ») : d'une part, leur nature de trope ne doit jamais se manifester *trop* clairement, faute de quoi le procédé verserait dans l'absurdité (autant s'exprimer en effet, à ce compte, littéralement) : la Silvia d'*Arlequin poli par l'amour,* nous en fournit (sc. 2) une preuve cocasse, lorsqu'elle prévient en ces termes Arlequin : « Écoutez, n'allez pas me demander combien je vous aime, car je vous en dirai toujours la moitié qu'il n'y en a. » Ce qui donne, lorsqu'elle tente bien maladroitement (car voulant produire une litote, elle tombe carrément dans l'antiphrase), de mettre en pratique ce beau principe rhétorique :

ARLEQUIN. – M'aimez-vous beaucoup?
SILVIA. – Pas beaucoup.

D'autre part, même lorsque l'existence du trope est évidente, la nature précise du « vrai » sens ne l'est jamais; même si l'on est sûr de la présence d'un décalage litotique ou hyperbolique, on peut hésiter sur l'importance de ce décalage, puisque « je ne te hais point » peut aussi bien signifier « je t'aime un peu / beaucoup / passionnément / à la folie », et que « mais tu es vraiment noire! » peut selon les cas dénoter un léger hâle, ou un bronzage intense...; et même lorsqu'une lecture métaphorique s'impose, le sens dérivé ne se reconstruit jamais qu'en pointillés : tout trope se ménage toujours, et c'est précisément là que réside l'essentiel de son intérêt, une marge interprétative variable.

C'est finalement quelque chose de bien étrange que le trope : il doit être décelable, sans l'être trop clairement; il énonce p, tout en voulant dire p', sans que p soit totalement disqualifié par p', ni p' identifiable à coup sûr. Fonctionnement paradoxal donc, ce qui n'échappe pas à la perspicacité des rhétoriciens classiques, dont les analyses demeurent encore valides, même si l'on peut être tenté de traduire en des termes plus « nouveaux » ces « pensers anciens ».

3.3.2. Trope et « clivage du moi »

Fontanier, *Les figures du discours,* pp. 123-124 :
« *L'hyperbole augmente ou diminue les choses avec excès, et les présente bien au-dessus ou bien au-dessous de ce qu'elles sont, dans la vue, non de tromper, mais d'amener à la vérité même, et de fixer, par ce qu'elle dit d'incroyable, ce qu'il faut réellement croire* [...] » *:*
Du point de vue de l'encodage, le trope est donc une erreur de dénomination consciente et délibérée (« dans la vue... ») : c'est une espèce de mensonge, mais un mensonge qui se veut reconnu comme tel (« ...non de tromper, mais d'amener à la vérité même »), c'est-à-dire que le producteur du trope s'arrange pour, tout en disant le faux, faire admettre le vrai, en incorporant à son discours certains indices qui permettent au récepteur d'effectuer l'itinéraire menant du sens illusoire à la vérité du discours.

Corrélativement au décodage :
« [...] *Ce n'est pas tout, il faut que celui qui écoute puisse partager jusqu'à un certain point l'illusion, et ait besoin d'un peu de réflexion*

pour n'être pas dupe, c'est-à-dire pour réduire les mots à leur juste valeur. »

Le récepteur d'un trope doit donc tout à la fois
- percevoir et recevoir le sens littéral, et lui conserver jusqu'au bout une certaine validité (« partager jusqu'à un certain point l'illusion »)
- le reconnaître comme fallacieux, n'en « être pas dupe »
- effectuer à partir de certains indices un « calcul » (le décodage d'un trope exige un surcroît de travail interprétatif) permettant d'accéder au sens véritable.

Le trope est une structure duplice, dont l'interprétation (comme la production) exige de la part du sujet qui s'y livre un certain *dédoublement :* nous dirons même, usant ici, de façon quelque peu métaphorique du reste, d'un concept freudien, que le récepteur d'un trope est un *sujet clivé* [64].

Rappelons grossièrement le principe de cette théorie bien connue : le petit enfant (garçon bien entendu) s'imagine d'abord que sa mère a un phallus; jusqu'au jour où il lui faut bien répudier cette croyance. Mais elle ne s'efface pas pour autant complètement. Le désir (de croire, malgré tout, malgré le démenti des faits) agit à distance sur le matériel conscient pour la maintenir en la transformant, à l'insu du sujet : il y a alors clivage entre le sujet qui sait (« *Je sais bien* – que ma mère n'en a pas ») et le sujet qui croit (« *mais quand même* – je ne puis m'empêcher, d'une certaine manière, de croire qu'elle en a »).

Passons sur l'idée selon laquelle ce serait la croyance en la présence du phallus chez la mère qui fonctionnerait comme le paradigme absolu du mécanisme du clivage du moi : outre qu'on y repère aisément un certain sexisme (ou « androcentrisme » certain : car on peut se demander ce qui se passe dans la tête de la petite fille quand elle découvre que son père, lui, en a un, de phallus), elle repose sur le dogme contestable qu'il existe un signifiant suprême fonctionnant comme l'ultime référent de tous les autres signifiants – pour ne retenir que le principe général de l'existence d'un conflit, au sein du sujet, entre le savoir et le croire : ce principe nous semble extrêmement productif, et capable de rendre compte par exemple :

1. du fonctionnement de certaines « superstitions » (Mannoni analysant le cas de la croyance aux masques chez les hopis, et mentionnant celui, dans nos sociétés « rationalistes », de la croyance aux coïncidences, au hasard objectif, à l'onomatomancie, aux horoscopes... [65]);

2. des diverses attitudes vis-à-vis du problème de la « mimologie », dont Genette a admirablement montré qu'elles étaient le lieu d'un conflit

entre la reconnaissance de la vérité (je sais bien que les langues sont arbitraires), et la permanence du désir (mais quand même, je ne puis m'empêcher de croire – parce que le discours d'Hermogène est ingrat, et séduisant celui de Cratyle – qu'elles sont d'une certaine manière motivées);

3. de certains comportements politiques, tel celui de Régis Debray dont Gilles Anquetil commente en ces termes la *Critique de la raison politique* : « Régis va se faire renvoyer son engagement social au visage, comme un contre-preuve. L'auteur a pris pourtant le soin de préciser que son travail était dépourvu d'enjeu pratique [...]. Que nous dit Debray? Si c'est moi, Régis, qui pense dans ce livre, ce n'est pas moi qui y parle. *J'énonce, ici, ce que je crois être le vrai. Mais le vrai n'est pas forcément ce à quoi je crois* [66]. En déshabillant la raison politique, le Debray-chimiste du concept scie la branche sur laquelle s'est assis le Régis-militant. Extraordinaire exercice de *schizophrénie volontaire* où le penseur dit le contraire de ce que fait l'homme d'action » (« Régis contre Debray », *Les Nouvelles Littéraires,* oct. 1981, p. 82); ou celui de certains militants communistes comme cet Alain Ruscio qu'interroge J.-N. Darde (1984, p. 163) : « Alain Ruscio, le plus sincère et le plus candide de mes interlocuteurs, est particulièrement à même de nous expliquer comment un fonctionnaire de la vérité peut tout à la fois, selon son expression, refuser " d'abdiquer sa conscience et son attitude face à la vérité ", et accepter de se taire ou d'écrire le contraire de ce dont il est convaincu. » Autant de cas de « schizophrénie », volontaire ou pas, consciente ou non, sincère ou cyniquement feinte, qu'il est bien tentant de rapprocher de celle à laquelle sont contraints les sujets de l'« Angsoc » d'Orwell, dressés à la pratique de la « double pensée » :

« Connaître et ne pas connaître. En pleine conscience et avec une absolue bonne foi, [...] retenir simultanément deux opinions qui s'annulent alors qu'on les sait contradictoires, et croire à toutes deux [...]. Dire des mensonges délibérés tout en y croyant sincèrement [...], nier l'existence d'une réalité objective alors qu'on tient compte de la réalié que l'on nie, tout cela est d'une indispensable nécessité [...]. *La double pensée est le pouvoir de garder à l'esprit simultanément deux croyances contradictoires, et de les accepter toutes deux* » (*1984,* trad. franç., folio, 1983, pp. 55 et 303-304).

(Darde se réfère également, pour décrire les cas qui l'intéressent de clivage idéologique, aux analyses de certains anthropologues et historiens : « Dans un récent ouvrage, Paul Veyne nous explique comment les enfants peuvent à la fois croire que le Père Noël leur apporte les

jouets par la cheminée et que ces jouets sont placés par leurs parents;
[...] *comment croire, ou croire sans y croire, à des vérités contradictoires.*
Paul Veyne fait appel à la notion de " programme de vérité " : on ne
croit et on ne dit vrai que ce que son programme de vérité amène,
permet de croire et l'on peut croire à des choses totalement contradictoires dans la mesure où ces croyances correspondent à différents
programmes de vérité qui cohabitent dans une même tête sans pour
autant entretenir de relations de type logique : " Notre sincérité est
entière lorsque nous oublions les impératifs et usages de la vérité d'il y
a cinq minutes, pour adopter ceux de la nouvelle vérité. Les différentes
vérités sont toutes vraies à nos yeux mais nous ne les pensons pas avec
la même partie de notre tête ". » (p. 56). Mais Darde ajoute (pp. 57-58)
que chez le rédacteur de *L'Humanité,* « à la différence des cas auxquels
Paul Veyne s'intéresse où des croyances sincères en des vérités contradictoires coexistent sur un même plan », « la sincérité et le cynisme
coexisteraient, mais sur deux plans différents » : « A un premier niveau,
le rédacteur de *L'Humanité* sait, grosso modo, a conscience qu'il produit
des " vérités " à partir d'un programme des vérités donné et que par là
même la réalité risque d'être violée. A un autre niveau, le rédacteur de
L'Humanité peut penser que cès " vérités " acquièrent une valeur de
vérité vraie dans la mesure où, de par la nature de leur mode de
production, elles sont destinées à aider à la victoire du monde de la
vérité sur celui du mensonge, à la victoire du socialisme sur le capitalisme et l'impérialisme. C'est à ce niveau que la sincérité peut trouver
sa place » : le statut des différentes « croyances » cohabitant tant bien
que mal au sein d'un même sujet peut en effet être très variable.)

    4. Enfin, la théorie du clivage s'applique fort bien au cas du trope :
• Métaphore (« ...cette faucille d'or dans le champ des étoiles ») : je
sais bien que la lune n'est pas pour de vrai une faucille, que la poésie
ça n'est pas de la magie, et que les métaphores ne sont pas des baguettes
de fée qui métamorphosent les lunes en faucilles et les citrouilles en
carrosses – mais quand même...
• Hyperbole : je sais bien qu'elle exagère, je ne suis pas dupe, mais
quand même, je partage jusqu'à un certain point l'illusion...
• Ironie : nous avons naguère défendu la thèse selon laquelle il
convient de distinguer deux types d'ironie, citationnelle et non citationnelle. Nous le maintenons. Mais pour préciser que si l'ironie citationnelle
se caractérise par l'existence de deux émetteurs distincts dont l'un
reproduit ironiquement les propos de l'autre, l'ironie non citationnelle
est le fait d'un émetteur unique, mais dédoublé, mais clivé [67].

- Même chose enfin du trope fictionnel :

  Il n'y a personne ici et il y a quelqu'un ici (Rimbaud).

  Quant à l'action qui va commencer, elle se passe en Pologne, c'est-à-dire nulle part (Alfred Jarry, lors de la première représentation d'*Ubu Roi*).

  Cela était et cela n'était pas :

de même que la copule « être » de la métaphore *in praesentia* fusionne en surface un « être » et un « n'être pas », de même le discours littéraire se formule tout entier et tout à la fois sur le mode de l'« être », et du « n'être pas ».

Le trope évoque toujours, ne serait-ce que pour la dénoncer comme illusoire, la possibilité de la situation dénotée littéralement [68]. Son décodage implique une sorte de « double bind » [69] :

Je sais bien que c'est le sens dérivé qui est le bon, mais quand même, je persiste à croire, même après répudiation, au sens littéral.

La lecture du trope s'apparente ainsi à certaines expériences hallucinatoires – si l'on en croit cette déclaration de Sartre [70] relative à ses expériences de mescaline : « *Je savais* que c'était un parapluie, *sans pouvoir m'empêcher de le voir comme* un vautour », ainsi bien sûr qu'à la schizophrénie. Mais si schizophrénie il y a, c'est comme le dit Gilles Anquetil de Régis Debray, une « schizophrénie volontaire ». Dans le trope, les sujets encodeur et décodeur sont dédoublés, mais conscients de l'être; et capables de faire le départ entre réalité et illusion, savoir et croire, dénotation et connotation.

3.4. CONCLUSIONS

(1) Voici donc comment se présente *le système des valeurs sémantico-pragmatiques susceptibles de venir s'actualiser dans l'énoncé,* au terme de cette investigation concernant le statut des contenus implicites :

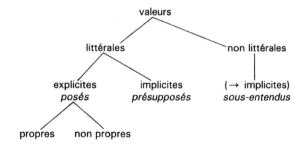

Seules les valeurs littérales sont inscrites en langue.

Elles peuvent être de nature sémantique (au sens étroit : éléments du contenu propositionnel), ou pragmatique (valeurs illocutoires) – cette distinction se retrouvant du reste au sein de l'ensemble des valeurs non littérales.

Au cours de l'actualisation discursive :

• Normalement, le co(n)texte agit simplement pour sélectionner celles qui s'actualisent des valeurs explicites (levée de polysémie et homonymie). Seules en principe candidates à constituer le véritable objet du message à transmettre, ces valeurs reçoivent le statut de contenus dénotés. S'il s'agit de sens propres : pas de trope. S'il s'agit de « dérivés-de-langue » : constitution d'un trope lexicalisé, tel que :

$$\left.\begin{array}{l}\text{métaphore}\\ \text{métonymie}\\ \text{synecdoque}\\ \text{trope illocutoire}\\ \text{énallage}\\ \text{trope fictionnel}\end{array}\right\} \text{lexicalisés}$$

S'actualisent en outre : les présupposés, qui conservent leur statut de contenus implicites (ne constituant pas l'objet du message); certains des sous-entendus susceptibles de venir graviter autour des contenus littéraux (qu'il s'agisse de connotations lexicales, de v.i. allusives, ou d'inférences sous-entendues : de ce vaste magma de valeurs qui peuvent virtuellement se greffer, selon des mécanismes divers, sur le noyau sémique de l'énoncé, le co(n)texte ne sélectionne qu'une infime partie), lesquels reçoivent le statut de contenus secondaires, additionnels, périphériques, dérivés (-de-discours) : connotés.

• Le co(n)texte peut en outre exceptionnellement intervenir pour renverser la hiérarchie normale des unités de contenu, et convertir en contenu dénoté tel ou tel contenu implicite : il y a alors constitution d'un trope d'invention : tropes d'invention « classiques » (métaphore, métonymie, synecdoque, litote, hyperbole, ironie), trope présuppositionnel (qui a la particularité d'investir un contenu littéral, quoique implicite), trope implicitatif portant sur un sous-entendu, trope illocutoire d'invention [71].

(2) Tropes « classiques » et « non classiques ».

« Pourquoi à côté de la contradiction, de la comparaison, etc. », remarquent Wilson et Sperber (1979, p. 83), « n'existe-t-il pas, par exemple, un trope fondé sur l'inversion des rôles de sujet et d'objet dans la phrase, tel que " Pierre aime Marie " puisse, en cas de fausseté manifeste, être compris comme implicitant " Marie aime Pierre "? Bien d'autres types de relation tout aussi " évidents " ne sont jamais exploités dans les tropes. » C'est vrai, et nous serions nous aussi incapable d'expliquer pourquoi « certains types de lien seulement » sont susceptibles de venir fonder l'existence d'un trope.

Mais nous pouvons tout de même remarquer que si nos précédentes considérations sont correctes, l'inventaire que propose des tropes la rhétorique classique n'épuise pas l'ensemble des phénomènes attestés qui peuvent y être assimilés; et que sa vision du problème est doublement limitée du fait qu'elle n'envisage pas le fonctionnement d'unités de rang supérieur au mot et au syntagme (encore les « tropes en plusieurs mots » sont-ils, pour Fontanier, « improprement dits » : la perspective de la rhétorique classique est bien fondamentalement lexicaliste), et qu'elle s'en tient à quelques relations sémantiques formalisables de façon relativement aisée (affirmation qui mériterait d'ailleurs d'être nuancée, car l'investigation rhétorique d'un Du Marsais ou d'un Fontanier déborde largement ce qu'en a retenu l'histoire : la « métalepse » par exemple, dont la notoriété est loin d'égaler celle de la métaphore ou de la métonymie, ressemble fort à notre « trope implicitatif »). Si l'on élargit en tout cas la perspective, il apparaît que les « types de liens exploités dans le trope » sont plus nombreux qu'on pense, et l'heure semble venue d'en tenter, à la lumière des derniers développements de la linguistique, l'inventaire et la classification systématique. C'est cette entreprise que nous avons voulu amorcer ici – sans aucunement prétendre avoir fourni des tropes une liste enfin exhaustive, ni une typologie cohérente. Tout au plus sommes-nous d'ores et déjà en mesure de signaler :

1. Que l'on perçoit intuitivement certaines homologies entre certains des tropes classiques, et certains des tropes non classiques, les seconds transposant parfois au niveau de la proposition une relation sémantique caractérisant les premiers. C'est ainsi qu'une corrélation pourrait être établie entre

• la litote, et certains tropes illocutoires (tels que la requête indirecte);

• la métaphore, et le trope implicitatif, lorsqu'il consiste à parler en fait de y en ayant l'air de parler de x, x et y présentant d'évidentes analogies (M. Heller, *Sous le regard de Moscou : Pologne (1980-1982),* Calmann-Lévy, 1982, p. 59 : « Le 11 décembre, la *Pravda* réédite dans un article la " doctrine Brejnev ", initialement formulée à la veille de l'intervention des troupes soviétiques en Tchécoslovaquie : les pays occidentaux ont le devoir de défendre collectivement le socialisme dans chaque pays, au cas où l'impérialisme le menacerait. A aucun moment, il n'est fait allusion à la Pologne : il ne s'agit " en tout et pour tout " que d'une analyse de la crise tchécoslovaque de 1968. Mais son sens est évident pour tous ») ;

• la « spécialisation » (synecdoque du genre), et le trope implicitatif selon lequel un énoncé général se trouve automatiquement « appliqué », en vertu de la loi de pertinence, à l'objet dont il s'agit en co(n)texte (« Il n'y a pas de sot métier » → /le métier dont il est ici question n'est pas « sot »/) ;

• on pourrait encore assimiler à la métonymie de la cause de nombreux cas de trope illocutoire, où voulant exprimer indirectement une requête, on se contente d'en expliciter la justification :

Quelle chaleur → /offre-moi à boire/
Il va pleuvoir → /prends ton parapluie/
Cette soupe est bien fade → /passe-moi le sel/,

et à la métonymie de l'effet (pour la cause) cet exemple de trope implicitatif (lexicalisé, mais idiolectal, ou du moins réservé à l'usage interne d'une microsociété) que signale Albert Henry (1971, p. 21) : « Dans un quartier où nous avons habité, dans presque chaque jardin était installée une corde à sécher le linge, montée sur deux poulies. Celles-ci étaient rouillées, naturellement, et grinçaient pendant la manœuvre. Comme on pendait le linge surtout par ciel ensoleillé, la phrase *Les poulies grincent* avait fini par signifier, dans le cercle familial " il fait beau ". »

2. Que toutes sortes de combinaisons sont permises entre ces différents tropes, classiques ou non :

• métaphore + hyperbole :

Je suis mort de fatigue !

(Searle, 1982, p. 144 : « en fait, beaucoup de métaphores sont des exagérations [...] ; d'autres figures, comme l'hyperbole, se combinent parfois avec la métaphore ») ;

• métaphore + ironie :

Tu es le sel de ma vie

pouvant signifier (d'après Grice, 1979, pp. 67-68), par métaphore /tu es ma fierté et ma joie/ + par antiphrase /tu m'empoisonnes l'existence/ ;

• métaphore + trope fictionnel : dans le chapitre consacré à ce dernier, nous avons envisagé les différents modes de combinaison possible de ces deux tropes ;

• litote + ironie : on peut parler de « litote antiphrastique » lorsqu'une expression faible, orientée négativement, renvoie non seulement à un état plus faible encore, mais même à un état zéro. Ex. :

une femme de petite vertu [= de vertu nulle] :

il y a litote dans la mesure où sur l'échelle argumentative négative, le sens littéral est atténué par rapport au sens réel; mais aussi antiphrase, puisque l'expression présuppose, mensongèrement /il y a vertu/ (tout en posant que cette vertu est petite). Un tel énoncé est donc litotique quant à son posé, mais ironique au niveau de son présupposé.

Le procédé semble fréquent (« ça n'arrive pas tous les jours » = /jamais/, « y a pas tellement de monde » = /y a personne/, « le nombre d'adhésions ne progresse guère : 125 en 1977, 85 en 1978, 35 en 1979 »), et particulièrement caractéristique de l'ironie voltairienne (exemples relevés dans le *Dictionnaire philosophique* : « L'esprit humain comprend avec peine les raisons d'un tel voyage », « Il me semble qu'il arrivait bien rarement qu'un magicien fût assez habile pour donner une âme à une statue », etc.);

- litote + hyperbole :

C'est tout sauf un imbécile;

- litote + trope illocutoire :

Ce n'est pas dans trop longtemps que vous me ferez signe? (Proust)
= /faites-moi signe le plus vite possible/;

- ironie + trope illocutoire :

Dans un magasin italien, je règle en petites coupures une assez forte somme. Ce qui me vaut la boutade suivante :

Vous n'auriez pas des pièces de 100 lires? = /donnez-moi, si vous en avez, des pièces de 100 lires/ : requête indirecte → /ne me donnez surtout pas.../ : antiphrase;

- trope implicitatif + illocutoire :

Pierre a cessé de fumer = /fais-en autant/

(dès lors que la v.i. dérivée vient se greffer sur un c.p. différent de celui qu'investit la v.i. littérale, c'est-à-dire dans la majorité des cas de trope illocutoire, celui-ci se double d'un trope implicitatif; un cas bien attesté en est celui où une phrase de structure : principale à verbe d'opinion + complétive enchâssée, littéralement, interroge sur la principale, mais en fait, asserte le contenu de la complétive :

L_1. – L'idée ne t'est pas venue que je pouvais être liée à un autre homme?
L_2. – Non.
L_1. – Tu ne me crois pas?,

L_1 avouant par cette réplique que son énoncé précédent était à interpréter, en dépit de la réponse de L_2, comme un trope).

• double trope illocutoire :

Est-ce bien utile de revenir là-dessus ? = /c'est inutile.../ [interrogation rhéto-rique] → /ne revenons pas là-dessus/ [requête indirecte] ;

    • combinaison complexe de tropes :

T'es encore tombée du lit ce matin? (Jean-Claude Grumberg, *L'Atelier*, Stock, Paris, 1979, p. 14)

= /tu t'es encore levée tôt/ : métaphore
→ /tu t'es encore levée tard/ : ironie
→ /tu te lèves souvent tard/ : trope présuppositionnel [sur « encore »]
→ /c'est parce que tu es feignante
              tu te couches trop tard
              tu mènes une vie dissolue/ : trope implicitatif
                    [relation de type métonymique].

3. Que notre inventaire étendu des tropes pourrait être structuré sur la base, entre autres, du plan où se localise le décalage caractéristique du phénomène en question :

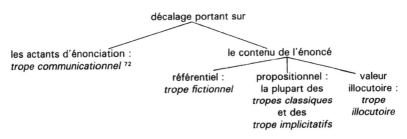

On pourrait également penser à fonder cette typologie selon l'axe suivant : tropes de nature sémantique *vs* pragmatique.

Il apparaîtrait ainsi

• que tous les tropes « classiques » (à l'exception de l'énallage, qui relève de la pragmatique énonciative) sont de nature fondamentalement sémantique : il est vrai que certaines valeurs pragmatiques particulières accompagnent tous les fonctionnements tropiques (c'est particulièrement net dans le cas de l'ironie, mais cela vaut aussi pour la litote, l'hyperbole et la métaphore, qui se prêtent volontiers à un certain nombre d'exploitations argumentatives); n'empêche que c'est d'abord par rapport à la relation sémantique qui unit les contenus littéral et dérivé, lesquels sont de nature sémantique, que sont envisagés et définis ces différents tropes;

• que certains des tropes non classiques relèvent en revanche claire-ment de la pragmatique, énonciative dans le cas du trope communicationnel, illocutoire dans celui du trope illocutoire. Reste à préciser le statut du trope fictionnel, et celui des tropes implicitatifs : lorsqu'ils portent sur des éléments, présupposés ou sous-entendus, du contenu propositionnel, sans doute convient-il de considérer ces derniers comme des tropes sémantiques – recevant comme tous les tropes, secondairement, certaines valeurs illocutoires qui leur permettent de fonctionner comme des actes de langage particuliers –, et de réserver le label de « trope pragmatique » au trope présuppositionnel impliquant un « présupposé pragmatique ».

Cela sous toutes réserves... En l'état actuel de la recherche linguistique – état de confusion pour les uns, d'effervescence créative pour les autres, effervescence et confusion en tout cas dues à l'irruption récente, dans ce champ théorique, de l'envahissante et turbulente pragmatique –, il serait bien imprudent de prétendre fixer une fois pour toutes les bornes qui délimitent les territoires respectifs de la sémantique et de la pragmatique.

DEUXIÈME PARTIE

Genèse et décodage des contenus implicites

Chapitre 4

Les compétences
des sujets parlants

Interpréter un énoncé, c'est tout simplement, qu'il s'agisse de son
contenu explicite ou implicite, appliquer ses diverses « compétences »
aux divers signifiants inscrits dans la séquence, de manière à en extraire
des signifiés. Tout simplement... Mais dès lors que l'on quitte le plan
des principes pour tenter de préciser la nature des opérations interprétatives concrètement effectuées, il n'est bien sûr plus question de
simplicité, mais d'un mécanisme d'une complexité extrême, dans lequel
interviennent conjointement des compétences hétérogènes, dont les
domaines respectifs et les modalités d'intervention sont fort délicates à
préciser.

Pour le moment, et sous toute réserve, nous en distinguerons quatre,
que nous baptiserons « compétence linguistique » / « encyclopédique »
/ « logique » / et « rhétorico-pragmatique » [1].

4.1. LA COMPÉTENCE LINGUISTIQUE

Elle prend en charge, pour leur assigner des signifiés en vertu des règles
constitutives de la « langue », les signifiants textuels, cotextuels, et
paratextuels (ou du moins prosodiques [2]).

Toute unité de contenu possède, directement ou indirectement, un
support signifiant quelconque; et même lorsqu'ils n'ont d'autre ancrage
qu'indirect, les contenus implicites sont en quelque sorte « entés » sur
les contenus explicites, de telle sorte que la reconnaissance des premiers

présuppose l'identification des seconds. Il n'est donc aucune unité de contenu dont le décodage puisse s'effectuer sans l'intervention de la compétence linguistique.

Cette compétence n'est pas, au sein d'une même « communauté » linguistique, homogène : ce qu'on appelle la « langue française » n'est qu'un « diasystème » abstrait intégrant d'innombrables variantes dialectales, sociolectales et idiolectales; et c'est de plus un objet complexe (un « hypercode », dit Umberto Eco) dans lequel s'articulent diverses *composantes* – lexicale, syntaxique, prosodique, stylistique (connaissance des différents registres de langue), typologique (ou « discursive » : connaissance des règles spécifiques à tel ou tel type de discours), etc.

4.2. LA COMPÉTENCE ENCYCLOPÉDIQUE [3]

Si la compétence linguistique permet d'extraire les informations intra-énonciatives (contenues dans le texte et le cotexte), la compétence encyclopédique se présente comme un vaste réservoir d'informations extra-énonciatives portant sur le contexte; ensemble de savoirs et de croyances, système de représentations, interprétations et évaluations de l'univers référentiel, que l'on appelle, c'est selon, « axiomes de croyance », « bagage cognitif », « informations préalables », « information en coulisse » (Zolkovskij), « postulats silencieux » (Korzybski), « complexe de présupposés » (Schmidt), « système cognitif de base » (Flahault), « background information » (Searle, Noordman), « assomptions contextuelles préalables » (Searle), « univers d'assomption » (Martin, Rastier), ou bien encore « topoi » (Ducrot et autres), et dont une petite partie seulement se trouve mobilisée lors des opérations de décodage.

Ces informations encyclopédiques pertinentes peuvent être selon les cas
• (plus ou moins) générales ou spécifiques
• relatives au monde (en général, ou en particulier : on parle alors d'informations situationnelles), ou aux actants d'énonciation (en général, ou en particulier : interviennent ainsi à l'encodage certaines « images » que L se fait de lui-même, se fait de A, imagine que A se fait de A et de L, et que A se fait de celles que L se fait de A et de lui-même... ; et symétriquement au décodage, les images que A se fait de lui-même, de L, etc.)
• neutres ou évaluatives, l'ensemble des informations évaluatives sur U (jugements de valeur véhiculés par les expressions axiologiques,

« lieux » cristallisés dans les maximes et proverbes, etc.), qui peuvent être plus ou moins « endoxales » ou « para-doxales », constituant ce que nous appelons la « compétence idéologique » du sujet parlant ; compétence de nature extralinguistique, au même titre que toutes les composantes de la compétence encyclopédique, et qui peut venir déterminer toutes sortes de comportements verbaux ou non verbaux ; mais qui s'inscrit en même temps dans la compétence linguistique du sujet pour la « marquer » d'un certain nombre d'« idéologèmes » de nature lexicale, voire syntaxique ou stylistique, dont l'ensemble forme un « idéolecte » spécifique (on pourrait par exemple parler de l'« idéolecte » du P.C.F., ou de toute autre formation discursive)

• « partagées » ou non par les interactants, dont les compétences encyclopédiques s'intersectionnent plus ou moins fortement : selon le type de discours c'est leur dissemblance (comme dans cette « guerre verbale » qu'est le discours polémique) ou au contraire leur similitude (dans les échanges complices, qui servent surtout à confirmer un consensus préétabli [4]) qui sera emphatisée. Mais l'échange verbal ne peut de toute façon s'effectuer que dans la dialectique de l'identité et de la différence : il s'érige toujours, et le discours polémique lui-même n'échappe pas à la règle, à partir de ce que Labov appelle un « savoir partagé », et Perelman une « base » (ensemble de faits, vérités, présomptions, valeurs que le locuteur suppose connus ou admis par son auditoire), en même temps qu'il modifie d'une certaine manière les savoirs et positions discursives des individus en présence. Distinguant selon qu'ils sont connus de l'émetteur A et/ou du récepteur B les « A-events », « B-events », et « AB-events », Labov considère qu'au fur et à mesure que se déroule l'interaction, s'accroît corrélativement le nombre des événements « AB » : même si l'on peut estimer excessivement optimiste cette profession de foi unanimiste, qui fait trop bon marché de l'évidente inertie de la compétence encyclopédique (et en particulier idéologique), on ne saurait nier le caractère dynamique et transformateur de la pratique discursive, donc le fait que les « encyclopédies » propres à chaque sujet sont des espaces incessamment évolutifs. Elles varient cependant d'un sujet à l'autre dans des proportions sensiblement plus importantes que la compétence linguistique, et ces divergences encyclopédiques sont sans doute responsables de la majeure partie des déboires communicationnels.

La compétence encyclopédique agit tous azimuts. Elle intervient déjà dans le décodage des contenus explicites (par exemple, dans la levée d'homonymie et de polysémie, et l'établissement des relations de co-référence); mais de façon beaucoup plus évidente et massive, dans celui des contenus implicites. Pour décrypter un sous-entendu, une allusion, il faut le plus souvent faire appel à un savoir extra-énoncif spécifique – les exemples sont trop innombrables pour qu'il soit besoin d'en mentionner un seul : la compétence encyclopédique du lecteur y pourvoira. Il le faut également pour identifier certains tropes, ainsi que nous l'avons vu précédemment. Pour reprendre le seul exemple du trope fictionnel, nous avons dit qu'il ne pouvait le plus souvent être détecté qu'à la lumière de ce que l'on sait du monde « réel », ou plutôt, de ce que l'on pense que L croit de ce monde : lorsque Christophe Colon nous conte des histoires de sirènes, il ne faut pas y voir de trope, puisque Todorov nous apprend qu'il y croit, Colon, aux sirènes – et le Louca des *Bas-Fonds* de Gorki, qu'« une chose existe si on croit qu'elle existe, voilà tout ».

Tout discours s'échafaude sur la base de « postulats silencieux », engrangés dans la compétence encyclopédique, et qu'il s'agit au décodage de reconstituer si l'on veut « comprendre » l'énoncé. De tels postulats peuvent être représentés métalinguistiquement comme des propositions formellement analogues à celles qui représentent les contenus énoncifs – mais à condition de ne pas oublier qu'elles sont statutairement hétérogènes : au lieu d'être supportées par la séquence signifiante, de telles informations sont convoquées de l'extérieur pour permettre son interprétation. Il importe donc d'utiliser, dans la description de cette « chaîne interprétative » qu'il s'agit de mettre au jour, un système de codage qui différencie clairement ces deux types d'informations, internes (explicites ou implicites) et externes (implicites donc, toujours) [5], tel que :

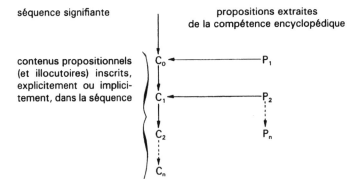

Exemple : A la question « Prendrez-vous du café? », Wilson et Sperber (1979, p. 86) envisagent les trois réponses suivantes :

(1) « Non, je n'en prendrai pas » : réponse directe et littérale,

(2) « Je ne prends jamais d'excitants » : sur le contenu littéral C_0 vient se greffer une inférence sous-entendue C_1 : /je ne prendrai pas de café/, produite par un calcul de type syllogistique que prend en charge la « compétence logique », et qui consiste à combiner C_0 avec l'information préalable P_1 : /le café est un excitant/. Ou bien encore :

(3) « Je veux dormir dans deux heures », qui ne peut fonctionner comme une réponse équivalente qu'à la condition de convoquer cette fois une proposition P'_1 telle que /le café empêche de dormir pendant plus de deux heures consécutives à son absorption/.

Lors des opérations de décodage, les compétences linguistique et encyclopédique se prêtent mutuellement leur concours, et un constant va-et-vient s'effectue entre les informations internes et externes : un terme « intrinsèquement axiologique » (identifiable donc comme tel grâce à un savoir purement linguistique) fournira par exemple à A une indication sur la compétence idéologique de L, laquelle sera stockée dans la compétence encyclopédique de A, qui pourra par la suite la réutiliser pour interpréter d'autres productions de L... : le discours est une pratique qui *exploite* les savoirs préalables en même temps qu'elle en *constitue* sans cesse de nouveaux.

4.3. LA COMPÉTENCE LOGIQUE

Soit cet énoncé mentionné par Ducrot (1972, p. 7) :

Un tel est venu me voir, il a donc des ennuis.

On peut considérer qu'il réalise en surface, de manière incomplète, la structure syllogistique :

1. Majeure : Un tel ne vient me voir que lorsqu'il a des ennuis (donc par intérêt)

2. Mineure : Or un tel est venu me voir

3. Conclusion : Donc il a des ennuis.

Du point de vue de l'encodage, la majeure implicitée, qui fonde le raisonnement, est inscrite dans la compétence encyclopédique de L sous forme d'« information préalable ».

Du point de vue du décodage, cette proposition va être reconstituée par A (et incorporée à sa propre compétence encyclopédique si elle n'y figure pas encore, c'est-à-dire si elle n'a pas le statut d'information

préalable) à l'aide de ce que nous appellerons sa « compétence logique »
(à laquelle fait également appel, bien sûr, L lorsqu'il édifie son raisonnement).

Cette compétence joue dans les fonctionnements langagiers un rôle
fondamental (Lakoff, 1976, p. 11 : « Qu'on le veuille ou non, la plupart
des raisonnements qui sont menés dans le monde se font en langue
naturelle. Et, parallèlement, la plupart des usages du langage naturel
mettent en jeu un raisonnement quelconque »). Elle permet d'effectuer
un certain nombre d'opérations diverses, qu'un peu arbitrairement je
ventilerai en trois catégories :

4.3.1. Opérations qui s'apparentent à celles de la logique formelle (*i.e.* essentiellement au raisonnement de type syllogistique) :

1 – Les syllogismes canoniques sont extrêmement rares dans les énoncés
produits en langue « naturelle », où ils produisent justement un effet
« non naturel ». Citons tout de même les deux exemples suivants :

LE JEUNE HOMME. – Embrassons-nous, il nous reste encore un peu de temps.
S'ils étaient là, on les entendrait. Or, nous n'entendons rien. Donc ils ne sont pas là.
(Roland Dubillard, *Les crabes*, Gallimard, « Le manteau d'Arlequin », 1971, p. 68.)

Tout devient plus facile pour toi, si tu ne m'aimes plus... – C'est vrai. – Or, les
choses ne sont pas faciles... – Non, elles ne le sont pas. – C'est donc que tu m'aimes !
(Serge Doubrovsky, *Un amour de soi,* Hachette, 1982, pp. 338-339),

exemples de syllogismes explicites, que l'on peut expliquer, le premier
par une intention humoristique, et le second (qui opère d'ailleurs, peu
canoniquement, une inversion des termes, et un glissement de la condition suffisante à la condition nécessaire), par la gravité de l'enjeu
argumentatif.

Les syllogismes incomplets (ou *« enthymèmes »* [6]) y sont en revanche
constants.
– Majeure implicite :

On a sonné deux fois, ça doit être le facteur :

1. Majeure : *Le facteur sonne en général deux fois, et il est en
principe le seul à le faire* (caractéristique des argumentations « naturelles », qui évoluent dans le domaine du vraisemblable, est le fait ici
attesté de la modalisation des propositions manipulées).

2. Mineure : (Or) on a sonné deux fois.

3. Conclusion : (Donc) ce doit être le facteur.
– Mineure implicite [7] :

C'est parce que je t'aime, que tu m'aimes quand même.
Tu m'aimes pour mon amour, donc tu m'aimeras toujours (chanson française) :

1. Tu m'aimes pour mon amour.
2. *Or je t'aimerai toujours.*
3. Donc tu m'aimeras toujours.

– Conclusion implicite :
1. « La responsabilité principale du stalinisme, c'est l'impérialisme qui la porte » (Jean Ellenstein).
2. « Or les atteintes aux libertés dans les pays socialistes sont des séquelles du stalinisme » (Jean Kanapa).
3. Donc, pour cet énonciateur unique qu'est le P.C.F. (car pour qu'un syllogisme « marche », encore faut-il que ses différents constituants soient pris en charge par un même énonciateur), *l'« impérialisme »* (*i.e. :* les U.S.A. et leurs alliés) *est responsable des atteintes aux libertés dans les pays socialistes* (d'après J.-N. Darde, 1983, p. 62).

L_1. – Es-tu jaloux ?
L_2. – Seulement quand je suis amoureux.
L_1. – Et maintenant, es-tu jaloux ?
L_2. – Non ! [8]

– Majeure + conclusion :
L_1. – Vous voulez un verre de Martini ?
L_2. – Je suis musulman.

L_1. – Tu es déjà venu ici ?
L_2. – Je suis d'Urbino ! :

1. *Quand on est musulman/d'Urbino, on ne boit pas d'alcool / on connaît forcément cet endroit*
2. Or je suis musulman/d'Urbino.
3. *Donc...*

Sans beurre, la vie manque de sel :

1. *Il faut que la vie ait du sel (du piquant, de la fantaisie).*
2. Or sans beurre, la vie manque de sel.
3. *Donc, mangez du beurre.*

Bon nombre de slogans publicitaires sont construits sur ce modèle d'enthymème, ou sur le suivant (*i.e.* qu'ils se constituent d'une seule proposition, la conclusion étant en tout état de cause implicitée [9]) :

– Mineure + conclusion :
La vie est trop courte pour s'habiller triste :

1. La vie est trop courte...
2. *Or porter des Newman, c'est s'habiller « pas triste »*
3. *Portez donc des Newman.*

– On peut enfin considérer que les assertions non argumentées (celles du moins qui normalement exigeraient de l'être) constituent autant de conclusions sans prémisses.

2 – Parmi les cas de syllogismes incomplets qui viennent d'être mentionnés, revenons sur celui-ci : un énoncé se présente comme « p donc q », mais ne peut fonctionner « logiquement » qu'à la condition de rétablir une proposition r qui seule autorise la déduction de q.

Ce schéma peut être généralisé à d'autres types d'outils conjonctifs. Sans qu'il s'agisse encore à proprement parler de syllogisme, je considérerai comme relevant du raisonnement logique « para-formel » tous les cas où une structure de type p x q (x étant un élément du paradigme des connecteurs logiques) réalise en fait une structure profonde de la forme

$$p \to r\, x\, q,$$

dans la mesure où q n'enchaîne pas directement sur p, mais sur une proposition implicite r que l'on peut et doit inférer de p pour que l'enchaînement puisse être considéré comme satisfaisant.

La relation exprimée par x peut être de type consécutif, causal, explicatif ou adversatif (« Pierre est gentil, [or les gens gentils sont en général aimés], pourtant tout le monde le déteste ») – le cas apparemment le mieux représenté étant celui où x = « mais », ou un connecteur équivalent :

Il n'y a pas d'amour heureux. Mais c'est notre amour à tous deux
↓
donc le nôtre ne saurait l'être
Il avait vu Frau Glanternek, mais persistait néanmoins à l'épouser
↓
or elle n'était guère épousable
Jeanne s'approcha de la fenêtre, mais la pluie ne cessait pas
↓
car elle espérait que la pluie avait cessé

Ce dernier exemple (de Maupassant) est emprunté à Ducrot (1980, a)) : nous ne pouvons en effet sur ce point que renvoyer à cet article, qui analyse avec la plus extrême minutie un certain nombre de structures de ce type, et démontre de la façon la plus convaincante que bien souvent « p mais q » ne peut être interprété qu'à la condition de reconstituer une proposition r implicite [10].

Remarques

– Outre les cas qui viennent d'être envisagés, peuvent être considérées comme relevant de cette rubrique les inférences extraites à l'aide d'un raisonnement de type arithmétique, telles que :

> – Quel âge avez-vous?
> – Je suis né en 1936.
> – Il reste combien de temps?
> – Il est 5 h 20.
>
> Qu'est-ce que la théâtralité? C'est le théâtre moins le texte [11]
> (→ /le théâtre, c'est le texte plus la théâtralité/
> /le texte, c'est le théâtre moins la théâtralité/).

– On peut noter l'extrême souplesse, dès lors qu'ils s'effectuent en langue naturelle, de la plupart de ces raisonnements que Perelman dirait pourtant « quasi logiques »; souplesse a fortiori plus grande encore, s'agissant des opérations que nous allons envisager aux § **4**.3.2. et **4**.3.3.

Les raisonnements « naturels » sont presque toujours, avons-nous dit, elliptiques, la cohérence textuelle (monologale ou dialogale) ne pouvant être rétablie qu'en reconstruisant un certain nombre de propositions implicitées. Lesquelles propositions

• ou bien correspondent à un contenu déjà connu de A, qui va le mobiliser pour interpréter l'enchaînement : l'énoncé a dans ce cas pour effet de réactiver un contenu sommeillant dans la compétence encyclopédique du sujet décodeur,

• ou correspondent à un contenu pour lui nouveau : surgissant à la faveur de la structuration interne de l'énoncé, ce contenu viendra alors grossir le stock des unités constitutives de la compétence encyclopédique de A.

– Nous avons précédemment parlé de « conclusion ». Mais le terme est dangereusement ambigu. Il convient en effet de distinguer trois types d'ordre des propositions inscrites, explicitement ou implicitement, dans un énoncé :

(1) Ordre de succession linéaire à la surface textuelle

(2) Ordre « logique » abstrait (majeure – mineure – conclusion)

(3) Ordre du point de vue de la chronologie de décodage : celle-ci s'effectue en gros selon (1), mais s'achève sur la reconstitution de la proposition implicite, qui de ce point de vue (que ce soit logiquement une majeure, une mineure, ou une conclusion) va fonctionner comme la *conclusion du raisonnement interprétatif,* et parfois, comme la véritable *conclusion argumentative* de l'énoncé (*i.e.* comme la proposition qu'il s'agit essentiellement de faire admettre à A : il y a

alors trope implicitatif [12]). Ainsi que le remarquent Ducrot (1972, p. 8) et Flahault (1978, p. 45), l'absence même de l'assertion implicitée lui « confère une présence d'un type particulier », et la « met fortement en valeur » : sans doute parce qu'ils exigent un travail interprétatif plus grand de la part de A, qui doit les exhumer des profondeurs textuelles, c'est en effet bien souvent sur leurs contenus implicites que se focalisent les énoncés.

4.3.2. Opérations plus spécifiques de la « logique naturelle »

Il n'est plus aujourd'hui nécessaire – grâce aux travaux, entre autres, de Perelman, de Ducrot, de Grize et du Centre de recherches sémio-logiques de Neuchâtel – d'insister sur le fait que les opérations « logiques » auxquelles se livrent les langues naturelles n'ont que peu de rapport avec celles que réglemente la logique formelle. Et il n'est pas ici question de décrire, ni même d'évoquer, l'ensemble des mécanismes caractéris-tiques de la logique naturelle [13]. Tout au plus pouvons-nous souligner, à partir de l'exemple de quelques-unes des opérations les mieux attestées, l'importance du rôle que jouent de telles opérations dans la genèse des inférences.

1 – Inférences qui surgissent à la faveur de l'établissement de relations d'association ou de dissociation

A la base de toute « schématisation » discursive : la constitution d'une classe C_1, associant des objets sur la base d'un certain nombre de propriétés communes, et les dissociant du même coup d'un autre ensemble d'objets eux-mêmes constitués en classe C_2; entre C_1 et C_2, une relation d'opposition plus ou moins drastique; et par là-dessus, généralement, des jugements axiologiques qui marquent d'un + et d'un – les deux classes mises en balance.

On peut s'exaspérer et se désespérer de constater qu'aucun discours, quels que soient ses efforts pour finasser avec ce modèle quelque peu manichéen, ne peut se construire autrement que sur une base aussi outrageusement simplificatrice : associer, dissocier; assimiler, opposer; x-y-z, *vs* x′-y′-z′ ; le bon, *vs* le mauvais paradigme. Mais parler sans doute est à ce prix.

Nous avons envisagé ailleurs (1981, a)) les problèmes que pose, et les exploitations que permet, l'usage de ces techniques associatives et dissociatives. Ce qui nous intéresse ici, c'est qu'elles sont source d'un grand nombre d'inférences :

    1. Les techniques associatives, dans la mesure où l'on a tendance à étendre l'analogie établie entre les objets partiellement assimilés à d'autres propriétés que celles qui leur sont explicitement attribuées. Freud parle à ce sujet d'« unification » (1971, pp. 99-100), dont il illustre le fonctionnement à l'aide de deux exemples empruntés à Heine, déclarant qu'« en général les habitants de Göttingen se divisent en étudiants, professeurs, philistins et bétail », et qu'à l'école il avait « subi également le latin, les corrections et la géographie ». On voit ici quels sont les effets sémantiques de la structure coordinative : explicitement, elle énonce que x, y et z possèdent en commun une ou plusieurs propriétés précisées dans le cotexte (celle d'avoir été subis par Heine dans l'exemple précédent, d'être venus dans « x, y et z sont venus », d'être attributs d'une même substance dans « cet objet est x, y et z », etc.) Mais sur le mode implicite, elle en dit beaucoup plus : elle suggère que ces entités coordonnées ont entre elles bien d'autres affinités que celles qui se trouvent explicitement mentionnées; qu'elles font partie de la même « catégorie », qu'elles sont à mettre dans le même sac [14].

– Quelques exemples d'inférences sous-entendues liées à l'établissement d'une relation coordinative, et aux effets de contagion qu'elle favorise :

    • Influence unilatérale :

        [...] toujours couchée dans un état incertain de chagrin, de débilité physique, de maladie, d'idée fixe et de dévotion (Proust).

        Soirée grecque, soirée argentine, soirée maghrébine ou arménienne, soirée femme *(Lyon-poche)*.

        Tu es jolie, lumineuse, excitante
        Tes yeux sont émouvants
        Tes nichons sont parfaits
        Ta bouche est douce
        Tes cheveux sont châtain clair (Jean-Luc Godard).

Quant à son contenu dénotatif, l'un des éléments de la séquence énumérative produit l'effet d'une rupture d'isotopie; il est alors récupéré au niveau connotatif : connotativement, « châtain clair » devient une espèce d'évaluatif, la dévotion une sorte d'état de morosité obsessionnelle et pathologique, et l'ensemble des femmes, une ethnie particulière. La coordination joue le rôle d'un rouleau compresseur homogénéisateur, qui nivelle les disparités sémantiques, réduit l'intrus, et le rappelle à l'ordre de l'isotopie dominante.

N.B. : il peut y avoir influence unilatérale au sein de l'ensemble des éléments coordonnés même lorsque ceux-ci ne sont qu'au nombre de deux, ex. :

Il est interdit de cracher par terre et de parler breton.

C'est alors en fonction de l'ordre des éléments, et de la nature surtout des contenus engagés – dans l'esprit des responsables de cette formule, le « patois » breton est assimilé inconsciemment à une excrétion répugnante, plus vraisemblablement que l'inverse –, que se détermine le sens dans lequel s'opère la contagion sémantique).

• Influence réciproque :

La chair est triste, hélas, et j'ai lu tous les livres.

La coordination des deux propositions, soulignée par le balancement rythmique, va éventuellement solliciter une double inférence :

/je me suis livré à tous les plaisirs de la chair/
/mon esprit est triste et las/.

– La structure coordinative n'est pas la seule à exprimer en surface une relation logique de type associatif. On pourrait envisager ici le problème de l'analogie (comparaison et métaphore), dont nous avons montré ailleurs (1981, b)) qu'elle donnait lieu à un certain nombre de fonctionnements inférentiels liés à ce que nous appelons le *principe de débordement* – *i.e.* au fait que toute analogie suggère que la similitude entre x et y s'étend bien au-delà des propriétés explicitement mentionnées, ou manifestement sous-entendues; ou bien encore signaler à nouveau (car nous l'avons décrit et indexé, en 1981, a) p. 53, dans la liste des « fautes argumentatives relevant des techniques d'association »), le procédé qui consiste à conjoindre, sur la base d'une relation de contiguïté référentielle, deux objets x et y, et à attribuer à y un prédicat infamant, en espérant qu'il viendra ricocher sur l'objet x pris pour cible à abattre :

Vous avez rencontré tel jour Noël Field
Noël Field s'est révélé être un agent américain
→   Vous avez rencontré un agent américain
(→   Vous êtes un agent américain).

Mitterrand était l'ami de Fabre
Fabre a trahi → est un traître (essentialisation de la prédication)
(→   Mitterrand est un traître).

Bien des questions troublantes restent posées. Ainsi de l'attitude du P.S.I. et de ses intentions. On s'interroge notamment, à Rome, sur le rôle exact que joue l'avocat Giannino Guiso, défenseur des chefs « historiques » des « Brigades rouges » dont le procès est en cours à Turin et qui s'est fait souvent ces temps-ci le porte-parole des intentions des terroristes avant même que ceux-ci n'aient fait connaître ces intentions.

Il se trouve que cet avocat est au P.S.I., et proche de Graxi, le secrétaire général de ce parti (*L'Humanité* du 24 avril 1978, « Qui est derrière les Brigades rouges ? »),

la conclusion du « raisonnement » étant d'ailleurs parfois tirée explicitement, dans le cas par exemple d'André Marty, devenu dans l'idéolecte du P.C.F., à partir de 1953, « le policier Marty », pour la bonne raison qu'il était « en relations suivies avec son frère Jean, qui était lui-même lié au préfet de police ».

2. Dans le cas d'une structure oppositive au contraire, on aura tendance à faire ricocher d'une catégorie sur l'autre les déterminations inverses de celles qui la caractérise elle-même.

• Action unilatérale de y sur x :

Elle préfère à son mari paisible l'amour cruel de son amant (titre de *Quid ? Police*, 1ᵉʳ nov. 1980) :

mari   *vs*   amant
paisible *vs*   cruel
         vs   amour
→ /son mari ne l'aime pas vraiment/.

Combien ont écrit de volumes sans parvenir à une renommée égale même à leur talent ; un seul livre a suffi à M. Baudelaire pour lui faire acquérir une notoriété qui, bien qu'elle puisse être discutée, n'en est pas moins réelle (Pierre Larousse, *Grand dictionnaire universel du XIXᵉ siècle*, article « Baudelaire ») :

Ce jugement se compose de deux phrases qui forment diptyque :
(i) *Beaucoup* ont écrit *des volumes* avec pour conséquence que leur renommée est inférieure à leur talent
(ii) *Baudelaire* a écrit *un* seul *livre* avec pour conséquence que sa renommée est discutable mais réelle.

Les deux phrases sont parallèles, et antonymiques. Mais le parallélisme, et l'opposition sémantique, sont incomplets. Au cours du « calcul interprétatif », on a tendance à parfaire la symétrie en reconstituant l'inférence

/la renommée de Baudelaire est supérieure à son talent : elle est usurpée/,

et la proposition incidente

bien qu'elle puisse être discutée,

qui vient renforcer l'émergence de cette inférence, fait alors figure de litote : cette notoriété est plus que discutable, elle est carrément injustifiée.

(N.B. : l'ensemble prédicatif explicite caractéristique de l'un des deux objets – voire les deux – peut être nul, comme dans cette profession de foi entendue au cours d'un colloque de linguistique : « Je ne mets pas du tout Chomsky dans la même classe que Barthes, c'est un grand savant et un homme extrêmement sérieux. Mais... »)

• Action réciproque de x sur y et de y sur x :

Toto rencontre X, ami de la famille, qui lui prophétise : « Tu seras beau comme ta maman et intelligent comme ton papa. » De retour chez lui, il rapporte l'épisode à ses parents : « J'ai rencontré X, qui m'a dit que je serais idiot comme ma maman et laid comme mon papa » (« histoire drôle » citée par V. Morin, 1966, p. 104).

Plus drôle est l'histoire suivante, attribuant à Talleyrand, on n'est pas plus galant, ni plus fin rhéteur, la déclaration suivante : « Me voici entre la beauté et l'intelligence »; ce à quoi l'une des femmes visées par ce double compliment aurait répliqué : « C'est bien la première fois qu'on me dit que je suis intelligente! »

Comme dans le cas précédent, pour les raisons qui ont été énoncées plus haut, et qui se doublent d'un mécanisme que nous envisagerons bientôt, la structure

x est p et y est p′,

sous-entend fréquemment, lorsque p et p′ représentent des propriétés nettement opposées, et que la conjonction polyvalente « et » recouvre de ce fait une relation de type dissociatif,

/x est non-p′ et y est non-p/.

C'est cette inférence que retient Toto lorsqu'il paraphrase à l'intention de ses parents l'énoncé de l'« ami », et c'est elle que commente l'un des deux personnages féminins impliqués dans la phrase attribuée à Talleyrand – mais lequel? Il ne peut bien entendu s'agir que de celle qu'est censé dénoter, par synecdoque d'abstraction, le mot « beauté » : ce qui justifie le « c'est bien la première fois que... », et ce qui fonde la drôlerie de l'histoire et de la réplique. Réplique spirituelle, parce que cette feinte méprise dénonce l'ambiguïté dénotative de la formule, ainsi que la goujaterie du sous-entendu qui se dissimule sous la littéralité complimenteuse du propos; mais surtout parce qu'elle constitue un exemple de « contradiction pragmatique », intervenant entre le contenu, ici implicite, de l'énoncé : /on me considère d'ordinaire comme dénuée d'intelligence/, et ce que prouve son énonciation – la finesse et l'à propos de la réplique démontrant tout au contraire l'intelligence de son auteur, et que seul un préjugé sexiste veut que si l'on est belle, on ne saurait être intelligente (imaginons qu'au lieu de la « belle », la « bête » ait répliqué : « C'est bien la première fois qu'on me dit que je suis belle » : il y aurait encore eu méprise, feinte ou non; mais point de paradoxe pragmatique, car cela n'eût en rien prouvé sa beauté; et partant, aucun effet comique comparable).

2 – « *Post hoc, ergo propter hoc* »

Lorsque deux faits sont présentés comme étant en relation de succession chronologique (ou même, de coexistence), on a souvent tendance à établir entre eux une relation logique de cause à conséquence ou de conséquence à cause – ce principe, que signale, à la suite de Frege, Ricœur (1975, p. 117), étant responsable de très nombreuses inférences : « " Napoléon, qui s'aperçut du danger sur son flanc droit, disposa lui-même sa garde contre la position ennemie ". La phrase " complexe " pose que Napoléon s'est aperçu..., et a disposé [15]...; mais elle " suggère " que la manœuvre s'est produite *après* la reconnaissance du danger et *à cause* de cette reconnaissance, bref que celle-ci était la raison pour laquelle Napoléon décida la manœuvre; la suggestion peut se révéler être fausse [...] » : ce n'est là en effet qu'un sous-entendu vraisemblable, que Ricœur traite à juste titre comme une « connotation ».

Ce mécanisme de glissement interprétatif s'observe constamment dans les langues maternelles :

1. Il caractérise également toutes les structures syntaxiques qui littéralement énoncent une relation de contiguïté entre deux faits x et y :

• Juxtaposition, ou coordination par « et » :

Jamais je ne monterai en voiture avec Alfred, je tiens à la vie, moi! (exemple emprunté à Flahault, 1978, p. 45).

• Expansion prenant la forme, comme dans la phrase mentionnée par Ricœur, d'une relative dite alors « explicative »; ou bien encore d'un syntagme adjectival, d'un gérondif, d'un participe présent ou passé :

FIGARO. – [...] Voyant à Madrid que la république des lettres était celle des loups [...]; fatigué d'écrire, ennuyé de moi, dégoûté des autres, abîmé de dettes et léger d'argent; à la fin convaincu que l'utile revenu du rasoir est préférable aux vains honneurs de la plume, j'ai quitté Madrid.   (Beaumarchais, *Le Barbier de Séville*, I, 2).

2. La relation de causalité ne détient pas le monopole du procédé : toutes les relations logiques sont ainsi susceptibles de se formuler sur le mode implicite :

ANDROMAQUE. – Je t'aimais [bien que tu fusses] inconstant, qu'aurais-je fait [si tu avais été] fidèle?   (Racine)

GÉRONTE. – Êtes-vous gentilhomme?
DORANTE. – Ah! rencontre fâcheuse!
        Étant sorti de vous, la chose est peu douteuse.
        [...]

GÉRONTE. – [...] Et dans la lâcheté du vice où je te vois,
Tu n'es plus gentilhomme, étant sorti de moi.

3. L'extrait précédent (du *Menteur*, V, 3) le montre clairement : rien, absolument rien ne vient en surface signaler que les deux participes reçoivent respectivement et à l'inverse, une valeur causale, et concessive. Soit encore ce passage de *La Vie d'Henri Brulard* : « Embrasse-moi Henri, me dit-elle. Je ne voulus pas. Elle se fâcha. Je mordis ferme » : si l'on établit à la lecture une relation de cause à effet entre les procès dénotés par les phrases (2) et (3), et (3) et (4), mais non point entre les deux premières, la compétence linguistique n'y est pour rien. Seule notre connaissance des réalités « mondaines », seul un savoir de type psychologique (un refus de y peut susciter la colère de x, et celle-ci la vengeance de y, laquelle peut se manifester sous la forme d'un acte de morsure ferme), seule notre compétence *encyclopédique* donc, autorise l'extraction de telles inférences – parfois secondée par la compétence « rhétorico-pragmatique » :

LE PROCUREUR. – Do you know Walter Grainger?
OSCAR WILDE. – Yes [...].
P. – Did you ever kiss him?
W. – Oh, dear no. He was a peculiarly plain boy. He was, unfortunately, extremely ugly. I pitied him for this.
P. – Was that the reason why you did not kiss him?
W. – Oh, Mr. Carson, you are pertinently insolent.
P. – Did you say that in support of your statement that you never kissed him?
W. – No. It is a childish question.
P. – Did you ever put that forward as a reason why you never kissed the boy?
W. – Not at all.
P. – Why, sir, did you mention that this boy was extremely ugly?

And so on..., le Procureur s'obstinant à voir entre les deux énoncés juxtaposés de Wilde le « sodomite » : « je ne l'ai jamais embrassé », et « il était particulièrement laid », une relation implicite de cause à effet, et Wilde s'empêtrant dans des dénégations bien suspectes. Car outre la vraisemblance référentielle de cette relation causale, la « loi de pertinence » intervient pour renforcer son émergence : pourquoi, répète à juste titre le Procureur, pourquoi avoir mentionné cette particularité physique du garçon, si ce n'est pour étayer (bien maladroitement, ainsi que s'en avise aussitôt Wilde, mais un peu tard) votre assertion précédente, et tenter de la rendre crédible?

4. La vraisemblance interprétative est ici, il faut bien le dire, dans le camp de l'accusateur, et la mauvaise foi du côté de l'accusé. Mais les indices – encyclopédiques, et éventuellement « rhétoriques » – qui

permettent l'extraction d'une inférence de ce type ne sont pas toujours aussi clairs et univoques. Corrélativement, bien des séquences restent de ce point de vue ambiguës :

- Vous vous changez, changez de Kelton ! :

ce slogan publicitaire signifie-t-il

/chaque fois que vous vous changez, changez aussi de montre/,

et/ou

/puisque vous changez de vêtement, pourquoi ne pas changer aussi de montre/ — cette montre étant bien entendu une Kelton?

- La région vit. La B.N.P. est là :

c'est ici une relation causale qu'il convient à coup sûr de rétablir entre les deux propositions juxtaposées. Mais dans quel sens est-elle orientée? est-ce un « donc », ou un « parce que », qu'il faut catalyser?

5. Il se peut d'ailleurs qu'à l'oral, l'intonation permette de différencier les deux structures. Mais nous voici alors renvoyés à un autre problème : si l'intonation est clairement distinctive, la relation logique cesse d'être exprimée implicitement, et son statut n'est pas le même selon que le message est envisagé dans sa réalisation orale, ou bien écrite.

Nous rencontrons ici au passage un problème théorique délicat et pourtant central, que nous avions mentionné au tout début de cette étude : jusqu'à quand doit-on considérer qu'un contenu est énoncé sur le mode implicite, et à partir de quand peut-on lui accorder le statut de contenu explicite? Où passe exactement la frontière entre les formulations implicite, et explicite? Problème qui ne concerne pas le seul cas des messages oraux (où il résulte surtout des incertitudes concernant la distinctivité des intonèmes : existe-t-il une intonation spécifique de la « surbordination implicite » en général, et en particulier, de tel ou tel type de subordination implicite?). A l'écrit, une relation de cause à conséquence entre deux propositions p et p' peut être ainsi véhiculée, entre autres, par les signifiants suivants :

(1) p. p'
(2) p et p'
(3) p, alors p'
(4) p : p'
(5) p donc p'.

En (1) et (2), la relation s'énonce sans aucun doute sur le mode implicite (mais se pose en aval le problème de savoir si ces deux structures expriment littéralement une relation de simultanéité ou de successivité :

Dans ce lit ont couché Henri IV, Louis XIII, Louis XIV et Louis XV – Qu'est-ce qu'ils ont dû être serrés !,

si ces deux valeurs sont ou non hiérarchisées en langue, et comment s'effectue en discours la sélection de la valeur appropriée).

En (3) la relation causale se durcit quelque peu. Mais comme l'adverbe « alors » sert parfois à exprimer une simple relation de contiguïté temporelle, deux traitements différents peuvent en être proposés : si on l'admet comme polysémique en langue, qu'il exprime en discours une valeur temporelle et/ou causale, elles seront toutes deux à considérer comme explicites; si on ne lui attribue en langue que la valeur temporelle, la valeur causale qui vient très fréquemment s'y associer en vertu du principe « post hoc, ergo propter hoc » recevra au contraire le statut de contenu implicite;

En (4) la relation causale est explicitée par le signifiant typographique, mais son orientation est hors contexte indéterminée :

talons hauts : chevilles tordues, vs
chevilles tordues : talons hauts ;

Il avait peur : il était devenu tout pâle, vs
Il avait peur : les flics commençaient à cogner,

ce dont on peut là encore rendre compte de deux manières (mais légèrement différentes, en ce qui concerne du moins la seconde, de celles que nous avons retenues en (3), car le cas n'est pas exactement le même) : ou l'on admet que les « deux points » sont polysémiques, ou l'on considère que ce signifiant signifie explicitement une relation causale neutre du point de vue de son orientation, laquelle ne se détermine qu'en contexte, où elle ne se réalise donc qu'implicitement.

En (5) en revanche, nous dirons sans hésiter que la relation causale existe sur le mode explicite.

C'est donc par toutes sortes de stades intermédiaires, dont le statut est plus ou moins problématique, que l'on passe de la formulation assurément implicite à la formulation incontestablement explicite.

6. Quel que soit précisément leur statut, il est en tout cas certain que les inférences causales sont omniprésentes dans les discours en tous genres; que leur nombre tient au fait que le sujet décodeur, postulant la cohérence du texte produit par l'émetteur, cherche à reconstituer cette cohérence, en en « rajoutant » au besoin; que la cohérence discursive est essentiellement conçue, dans notre culture du moins, en terme d'établissement de chaînes causales entre les faits dénotés : dans notre

culture, ainsi que le note Claude Richard (1983, pp. 15-16) à la suite
de René Thom, règne le « panaïtisme » interprétatif, et le lien causal
est admis comme constituant l'instrument par excellence de l'intelligi-
bilité; et que l'émetteur peut mettre à profit ce réflexe de décodage de
la façon suivante : il note incidemment que tel fait y est en relation de
contiguïté (coexistence spatiale ou temporelle, succession chronologique)
avec tel autre fait x; se garde bien d'établir explicitement entre eux
une quelconque relation logique; mais espère que le récepteur du
message se chargera, dans son souci de « pertinentisation maximale »
(Sperber) de l'énoncé qui lui est proposé, de la rétablir; et fait donc
d'une pierre deux coups, puisqu'il sollicite discrètement une interprétation dont il aura toujours la possibilité de nier, si besoin est, être le
responsable : « Après votre avortement », déclare un gynécologue à une
femme enceinte venue le consulter, « peut-être que vous ne pourrez plus
avoir d'enfant » : c'est littéralement incontestable; plus contestable est
le fait, que suggère insidieusement la phrase, qu'un avortement risque
de rendre stérile...

Tel est le procédé dont Gérard Delechelle signale la fréquence dans
les articles de presse : « le journaliste a tendance – du moins dans le
compte rendu des faits – à privilégier le rapport temporel qui est plus
neutre et à laisser le soin au lecteur ou à l'auditeur d'y ajouter, s'il le
juge utile, une interprétation causale. Est-ce par respect de l'interlocuteur ou par prudence? Toujours est-il qu'il y a là une stratégie
discursive [...] » (1983, p. 48). Procédé que Charolles (1980, a)) identifie
encore dans cette chronique de Philippe Bouvard : « Quand elle est
arrivée chez Maxim's je ne l'ai pas reconnue. J'avais gardé de Delphine
Seyrig le souvenir d'une grande blonde à la crinière platinée, assez
sophistiquée. Aujourd'hui, coiffée à la diable et tirée à deux épingles
seulement, elle a plutôt l'air de sortir d'un atelier d'emboutissage que
de l'Actor's studio. Avouerais-je qu'elle m'a fait peur? Et pas seulement
parce que je la soupçonne de transporter dans son véhicule quelques-
uns de ces instruments tranchants avec lesquels les dames du M.L.F.
nous imposeront un jour la véritable égalité sexuelle : celle de l'anati-
mie [...] », qu'il analyse en ces termes (p. 28) : « Bien sûr, l'auteur ne
dit pas que D. Seyrig est une militante de fraîche date du M.L.F.,
qu'elle a changé depuis son adhésion au mouvement féministe et que
c'est cette adhésion qui est la cause de sa néfaste évolution [...].
L'argumentation n'en demeure pas moins. Sa reconnaissance [...] repose
sur l'idée que le texte est cohérent et que, son auteur étant conséquent,
s'il évoque (indirectement comme on l'a vu) l'appartenance au M.L.F.

dans le même temps qu'il nous parle de son changement d'apparence, cela ne peut être qu'à bon escient. Donc parce que les deux faits ont un rapport qui ne peut être que de cause à effet. »

Tel est le procédé qu'exploite encore cette agence de presse américaine signalant que le « brigadiste » Scalzone « a été arrêté dans le quartier du Marais, qui a été le théâtre de nombreux attentats ces derniers mois », ce que Bertrand Le Gendre commente ainsi (dans *Le Monde* du 1er sept. 1972, p. 7) : « Effectivement, la rue Charles V, où M. Scalzone habitait, est à deux pas de la rue des Rosiers. Suivez la piste... Ce rapprochement ferait sourire s'il ne reflétait le climat entretenu ces derniers jours autour de la lutte anti-terroriste »; ou la direction de *Libération* déclarant : « Les éditions datées du mercredi 2 juin ne paraîtront pas. Le quotidien est en effet victime d'une grève déclenchée sans préavis par la section C.G.T. de la fabrication, à l'heure du bouclage [...]. Et cela en pleine expansion du titre, et surtout le jour même où *Libération* révélait l'affaire du charnier de Khenchela en Algérie » : suivez la piste... Nous avons précédemment mentionné la présence massive, dans le discours stalinien ou néo-stalinien, de ce procédé d'insinuation qui consiste à suggérer que « ce n'est sans doute pas un hasard si... »; et nous avons analysé un exemple de fonctionnement similaire dû cette fois à la plume de Michel Droit : de quelque côté de l'échiquier politique que l'on se tourne, ce sont bien semble-t-il les mêmes stratégies argumentatives, les mêmes roublardises discursives, que l'on rencontre...

3 – Glissement de la condition suffisante à la condition nécessaire

Pour la logique formelle, la structure « Si p, alors q » énonce que p est la condition suffisante de q, et la condition suffisante s'exprime à l'aide de la structure « Si p, alors q ». Mais les langues naturelles sont plus fantaisistes, et les relations entre signifiants et signifiés y sont moins univoques : la condition suffisante peut emprunter en français d'autres voies que le « si », et le « si » peut y recevoir bien d'autres valeurs. Tout cela a été fort bien montré par Ducrot (1971 et 1972) – en particulier, que la « loi de contraposition », qui veut que $p \Rightarrow q$ entraîne $\text{non-}q \Rightarrow \text{non-}p$, ne s'applique que difficilement aux énoncés naturels, où elle exige des acrobaties transformationnelles « quelque peu grinçantes » (1971, p. 62 : « Si tu travailles mal, tu restes à la maison » → « Si tu ne restes pas à la maison, tu ne travailles pas mal »). A l'inverse, le « si » « naturel » se prête très volontiers à une opération qu'interdit la logique formelle : le glissement de la condition suffisante à la condition nécessaire : « Supposons que l'enfant à qui on a dit *Si tu travailles mal, tu restes à la maison*, se trouve effectivement bien travailler, et que, malgré cela, on prétende le retenir à la maison. L'enfant aura le sentiment d'avoir été quelque peu dupé. C'est qu'il a interprété la phrase comme signifiant *aussi* qu'un mauvais travail de sa part était *nécessaire* pour qu'on le force à rester à la maison ».

Ce que nous décrirons de la façon suivante : la structure « Si p, (alors) q » énonce

• *explicitement* : que p est la condition *suffisante* de q (il est impossible que l'on ait à la fois p vrai, et q faux);

• *implicitement* : que p est aussi la condition *nécessaire* de q (on ne peut en outre avoir p faux, et q vrai) – c'est-à-dire que le « si » a tendance à être interprété comme un « si et seulement si ».

Ducrot précise que certaines expressions permettent d'éviter que le *si* soit compris comme l'indication d'une condition nécessaire et suffisante : « Si tu travailles mal, *en tout cas,* tu resteras à la maison » (*ibid.,* p. 63). Mais le contexte énonciatif peut jouer le même rôle, et venir bloquer ce mécanisme de glissement interprétatif : personne n'aura l'idée, en lisant dans certains bistrots l'avertissement « Si vous voulez téléphoner, consommez d'abord », d'y voir une autorisation à ne pas consommer, si l'on ne désire pas téléphoner... Et il faut être Coluche pour tomber dans le piège paresseux d'une inférence aussi manifestement invraisemblable que celle qu'il aurait, veut la légende, extraite d'une mise en garde maternelle : « Sa mère a peur qu'il tourne mal. Elle veut qu'il poursuive ses études, qu'il devienne quelqu'un de bien, c'est-à-dire qu'il ait le certificat. Mais elle va être déçue. En 1957, le jour de l'examen, elle le prévient : " Si tu fais plus de cinq fautes à ta dictée, tu le rates. " Il a tellement peur qu'il se surveille parfaitement et sait ne pas avoir fait plus d'une faute. Fier et sûr de lui, il sait qu'il a virtuellement le certif et décide donc de ne pas se rendre, l'après-midi, à la suite de l'examen » (Éric Bhat et Jean-Quentin Gérard, *Coluche, sa vie, son œuvre*, S.I.P.E., 1981, p. 6).

Ce qui prouve qu'il s'agit bien là (/si tu ne fais pas plus de cinq fautes à ta dictée, tu réussis le certificat/) d'une inférence *sous-entendue,* neutralisable en co(n)texte, et que l'on extrait à ses risques et périls.

Mais dès lors que rien ne vient la contrarier, la voilà toute prête à surgir, au gré des désirs de L :

Si vous n'êtes pas totalement satisfait du chauffeur, ne lui donnez pas de pourboire

(que A interprète alors comme une requête indirecte : ah bon, il faut laisser un pourboire au chauffeur...),

Si vous achez x, vous obtenez y

(schéma auquel se ramènent, d'après Blum et Brisson, 1971, p. 86, bien des slogans publicitaires, et qui « fait apparaître en filigrane " Pour obtenir y, il faut x " »),
ou bien de A :

Nous ne pensons pas vous publier si vous ne réduisez pas votre texte

(formule que la plupart des auteurs interprètent souvent à tort comme signifiant implicitement qu'une fois réduit, leur manuscrit sera sans doute accepté...).

Ce mécanisme de glissement de la condition suffisante à la condition nécessaire s'observe aussi dans d'autres constructions qui de ce point de vue s'apparentent à la structure conditionnelle :

Frais, le café ne brille pas
(→ /s'il n'est pas frais, il brille/).

Sans beurre, la vie n'a pas de sel
(→ /avec du beurre, salé ou non, elle en a/).

Tant que je gagne, je joue

(aphorisme de joueur qui tend à sous-entendre /dès que je commence à perdre, je cesse de jouer/, même si cette inférence n'est pas toujours effectivement mise en pratique).

Comme ce n'est pas une réunion officielle je me permets des écarts de langage – que je me permets ailleurs aussi du reste

(déclaration métalinguistique accueillie par les rires de l'assistance, rires venant sanctionner la contradiction existant entre l'inférence sous-entendue par le début de la phrase, et le contenu littéral du rectificatif qui s'ensuit).

La genèse de cette inférence, Ducrot l'impute à l'intervention de la « loi d'exhaustivité ». On pourrait y voir aussi un effet de la loi d'informativité : si « S'il fait beau, j'irai me promener » ne voulait pas dire que s'il fait mauvais, je n'irai pas, l'énoncé envisagerait la possibilité que j'aille me promener de toute façon, et la subordonnée serait presque superfétatoire – comme dans l'exemple précédent, où l'annulation du sous-entendu prive de toute validité la clause justificative précédente ; et cet aphorisme « belge » bien connu :

Neige en novembre, Noël en décembre [16].

4 – Inférences liées à une structure prédicative de type « x est p », laquelle peut dans certaines circonstances sous-entendre
    soit : y est non-p (seulement x est p)
    soit : x est non-p' (x est seulement p)
(x et y, p et p' étant deux éléments faisant partie du même paradigme défini en co(n)texte, et « être p » représentant en structure profonde toute espèce de prédicat verbal).

   1. *« x est p » → y est non-p,* exemples :

   • – Que pensez-vous du film *Chanel Solitaire ?*
        – Je pense que Marie-France Pizier est très jolie, et que les costumes masculins sont très bien [→ /mais quant à ceux des femmes, c'est une autre affaire.../]
        (Edmonde Charles-Roux, conférence à la Maison française de l'Université Colombia, le 11 novembre 1981.)

   • Le patronat vient de déclarer qu'il condamnait le programme économique de la gauche – ce qui signifie implicitement qu'il est favorable à la candidature de M. Giscard d'Estaing [« le programme de la gauche est condamné par moi » → /le programme de la droite ne l'est pas/].

   • Entretien entre un candidat au concours d'entrée à l'E.N.A. et ses examinateurs (d'après J.-P. Hassoun, *Le Monde dimanche,* 23 mars 1980, p. IV) :

        – Que lisez-vous ?
        – De la bande dessinée au roman policier, en passant par les essais... Je viens de lire un livre de Jacques Attali...
        – Qu'attendez-vous de la bande dessinée ?
        – Le divertissement...
        – Donc vous excluez que les romans policiers et les essais puissent vous divertir...

Commentaire de J.-P. Hassoun : « C'est le piège de la logique tendu par l'examinateur pour mesurer sans doute l'agilité dialectique du candidat. » Mais si logique il y a ici, c'est une logique tout ce qu'il y a de plus « naturelle », car aucun principe de logique formelle ne permet d'inférer, de « x est p » (la B.D. c'est divertissant), « y est non-p » (les romans policiers et les essais ne le sont pas) : c'est à l'intervention toute « rhétorique » de la loi d'exhaustivité qu'il faut imputer l'apparition des inférences précédentes, comme d'ailleurs celle des suivantes.

2. *x est p → /x est non-p'/*
- Musset, *Il faut qu'une porte soit ouverte ou fermée :*

LA MARQUISE. – [...] quand on dit : Je suis chez moi le mardi, il est clair que c'est comme si on disait : Le reste du temps, laissez-moi tranquille

(en effet : « Je suis chez moi le mardi » sous-entend, en vertu de la loi de pertinence /vous pouvez venir me voir le mardi/, qui sous-entend, en vertu de la loi d'exhaustivité : /vous ne pouvez venir me voir que le mardi, vous ne pouvez pas venir me voir les autres jours/).
Plus loin, la Marquise récidive, mais en des termes cette fois plus amènes :

Si je vous ai dit que vous m'ennuyez ce matin, c'est que ce n'est pas une habitude.

Et après avoir ainsi par deux fois explicité clairement auprès du Comte la règle du jeu sémantique qui sous-tend le fonctionnement des sous-entendus, elle la met en pratique aux dépens de son prétendant M. Camus :

Je suis veuve, et il est garçon; il est très bien quand il a des gants.

- Mais l'application de cette règle n'est pas toujours aussi « claire » que le prétend la Marquise :

LUI (personnage incarné par Fernandel, amoureux transi d'une « cruelle »). – Comme vous êtes jolie aujourd'hui!
ELLE. – Merci pour les autres jours!   (Christian-Jacque, *Monsieur Lampion*).

La phrase « Vous êtes jolie-aujourd'hui » sous-entend-elle effective-ment « Vous êtes non(jolie-les-autres-jours) »? Il est vrai qu'*en vertu de la loi d'exhaustivité, les expansions prédicatives ont tendance à prendre une valeur restrictive* [17]; *à suggérer que le prédicat en question ne s'applique pas aux autres objets du même paradigme, et même que le prédicat inverse, lui, pourrait s'y appliquer; et que l'objet en question, étant décrit comme possédant p, ne possède pas les propriétés qui sont en relation contrastive* [18] *avec p.* Cette « tendance » est responsable d'un très grand nombre d'inférences :

Vous m'ennuyez ce matin
Vous êtes jolies aujourd'hui } ⟶ /pas d'habitude/
Il fait chaud ici → /ce n'est pas comme ailleurs/
Il a de beaux yeux → /le reste n'est vraiment pas terrible/, etc.

Mais ce n'est qu'une tendance, et nombreux sont les cas où une telle interprétation serait de toute évidence « abusive ». Elle l'est ainsi dans l'exemple précédent – puisque cette « déclaration », Lampion la réitère chaque jour religieusement... Et si elles sont parfois judicieusement appropriées, les répliques de ce type ne peuvent être sans abus généralisées :

> Tu as de beaux yeux – Merci pour ma bouche !
> Tu as de belles chaussures – Merci pour ma robe !
> Comme tu es belle ce soir – Merci pour ce matin !
> – Merci pour les autres soirs !
> Ce gigot est délicieux – Merci pour le gratin !
> C'est vraiment bien écrit – Merci pour le contenu !, etc.

D'une part donc, la règle que nous tentons de dégager ici fonctionne, c'est sûr, et sous des formes très diverses. En voici quelques preuves encore :

> L$_1$. – Vous croyez qu'il va faire beau pour le week-end ?
> L$_2$. – Ça m'étonnerait : à la météo ils ont dit qu'il continuerait à faire beau pendant deux jours [L$_2$ ignorant apparemment qu'aucun météorologue sérieux ne s'aventure à prédire le temps pour une période excédant les quarante-huit heures].
>
> Bonne année à nos lecteurs (quant aux autres, ils peuvent crever)
> J'aime Paris au mois de mai (en juin aussi d'ailleurs ; et ce qui ne veut pas dire que je n'aime pas Lyon, ou Marseille),

ces deux énoncés (titre de *Charlie-Hebdo* le 2 janv. 1978, et interprétation parodique, par Charles Aznavour, d'une de ses propres chansons) explicitant ironiquement les inférences susceptibles de venir se greffer sur les formules ainsi commentées – le premier, en la confirmant cyniquement, et le second en l'annulant.

Mais d'autre part, elle ne fonctionne que dans certains cas, et son application est soumise à un certain nombre de conditions sans lesquelles elle serait à l'infini généralisable, puisque dire x, c'est toujours et nécessairement ne pas dire y ou z, et qu'actualiser un terme, c'est éliminer tous les autres : de proche en proche, toute phrase énoncée suggérerait alors la fausseté de toutes les autres phrases, ce qui n'est manifestement pas le cas.

Or il semble bien difficile de préciser quelles sont les conditions d'application d'une telle règle. Tout au plus peut-on isoler quelques facteurs qui favorisent le mécanisme de glissement de

« x est p » à
/seulement x est p/ et
/x est seulement p/.

– Tout d'abord, les éléments y et p′ évoqués implicitement par la structure « x est p » doivent nécessairement être en *relation paradigmatique* plus ou moins étroite avec x et p respectivement, et c'est à ce titre qu'ils viennent en filigrane se profiler sous les unités explicitement mentionnées, le paradigme pertinent pouvant être constitué

1. en langue, lorsque x ou p forment avec y ou p′ un système contrastif étroit :

« aujourd'hui », avec « hier », « demain »...

« mardi », avec les autres jours

« la gauche », avec « la droite », etc.

2. par le cotexte, comme dans l'exemple de la B.D. divertissante (par opposition aux essais et aux romans policiers), ou encore ceux-ci :

L_1. – Martha Mitchell is a courageous, sensitive, outspoken critic of the Nixon Whitehouse. Don't you agree?

L_2. – Well, I agree that she's outspoken (M. Huntley, 1976, p. 68).

L_1. – Tu sais que Marchais vient de déclarer que l'U.R.S.S. était une grande puissance économique, sociale, culturelle, démocratique, et militaire?

L_2. – Il a raison sur le dernier point... :

les inférences sont ici claires. Quant à une phrase telle que :

Le Président de la République a été sur ce point particulièrement net pendant sa campagne électorale,

elle sera ou non susceptible de donner lieu à un sous-entendu selon que le contexte précédent évoque plusieurs « points » ou un seul.

Dans les exemples du type :

Me voici entre la beauté et l'intelligence
Tu seras beau comme ta maman et intelligent comme ton papa,

ce sont les facteurs 1. et 2. conjugués qui sollicitent la double inférence : sans doute la langue (*i.e.* l'idéologie qui la sous-tend) a-t-elle tendance à opposer ces deux qualités et à les considérer, bien que non antonymiques, comme plus ou moins incompatibles (en vertu du « lieu » : « On ne peut pas tout avoir »); sans doute arrive-t-il en conséquence que des phrases telles que :

Me voici à côté de la beauté
Tu seras beau...

suggèrent que je côtoie la bêtise, et que tu seras idiot. Mais le sous-entendu devient, ces exemples comparatifs le montrent, nettement plus insistant dès lors que sont mis en syntagme des termes en relation paradigmatique d'opposition virtuelle.

3. par le contexte, électoral par exemple, ou situationnel, ex. :

dans un colloque, la discussion s'éternise, et le retard s'accumule; le programme prévoit que les communications seront suivies de la projection d'un court métrage, puis d'un cocktail chez le préfet.

LE PRÉSIDENT DE SÉANCE. – Excusez-moi mais il est tard et je suis inquiet pour le préfet...

UN PARTICIPANT (auteur du court métrage). – Et pas pour le film?

Autre exemple du rôle des informations contextuelles :

A propos de la phrase « Nous avons bien mangé ce soir », Anne Leclaire remarque (1979, p. 8) que le sous-entendu /c'est pas comme d'habitude/ aura nettement moins de chance de surgir si c'est la première fois que L et A dînent ensemble, que s'ils sont coutumiers du fait.

L'émergence des inférences est donc tributaire des propriétés de l'« univers de discours », qui inclut ou exclut tel ou tel objet, lequel sera en conséquence implicitement évoqué on non.

Quel que soit le mode de constitution du paradigme pertinent, on peut en tout cas estimer que plus les contours de ce paradigme sont nettement dessinés, plus se durcit le sous-entendu restrictif.

Mais d'autres facteurs interviennent encore dans ce mécanisme référentiel :

– Facteur *linguistique.*

> Il fait beau aujourd'hui, *vs* en ce moment, *vs* pour le moment.
>
> C'est un crétin.
>> – Que tu dis, *vs*
>> – C'est toi qui le dis :

certaines expressions sont en elles-mêmes plus que d'autres susceptibles de suggérer cette valeur restrictive : « pour le moment » sollicite plus fortement que « en ce moment », et *a fortiori* que « aujourd'hui », le sous-entendu /ça ne va pas durer/; et la structure emphatique « c'est... qui » vient renforcer l'émergence de l'inférence /moi je ne dirais pas une chose pareille, je ne suis pas d'accord avec toi/ que déjà suggère, en vertu de la loi d'exhaustivité, la réplique « que tu dis! »

– Certains faits *prosodiques,* de nature essentiellement accentuelle, jouent en outre un rôle décisif dans la genèse de telles inférences :

> Les costumes *masculins* sont très bien
> Vous êtes jolie *aujourd'hui*
> je suis libre *demain* (vs « Je suis *libre* demain ») :

lorsqu'une séquence à valeur littérale de précision se trouve « focalisée » par l'accent tonique, elle a très nettement tendance à recevoir une valeur restrictive.

(Le même phénomène s'observe dans le cas des structures que nous avons analysées dans la rubrique précédente, mais qui se caractérisent également par un mécanisme de restriction sémantique – de la condition suffisante à la condition nécessaire :

(i) « *Je me lèverai* quand tu seras debout » : condition suffisante – dès lors que tu sortiras du lit, je te promets que j'en ferai autant, *vs*
(ii) « Je me lèverai *quand tu seras debout* » – et seulement quand ce sera le cas, pas question que je me lève la première...)

– L'inférence restrictive dépend encore du *type de discours* dont il s'agit. Ainsi le discours juridique énonce-t-il des lois pour la plupart « répressives : elles balisent et explicitent le champ de l'interdit, et ne construisent qu'implicitement, *a contrario,* le domaine du permis [19]. Les énoncés juridiques, ou para-juridiques, seront donc sources d'un très grand nombre d'inférences du type :

« x est interdit » → /non-x est permis/

(Regarde : « Interdit de jouer au ballon sur les pelouses », c'est donc qu'on a le droit d'y marcher !
Ce n'est pas mentionné qu'avec ce médicament il ne faut pas boire d'alcool, c'est que je peux en boire !)

– Intervient aussi bien sûr la nature de la situation d'interaction et de la relation entre interactants : pour peu que l'échange verbal se déroule dans un contexte polémique ou tendu, pour peu que le récepteur de l'énoncé ait l'esprit mal disposé ou mal « tourné », il aura systématiquement tendance à « prendre en mauvaise part » cet énoncé, et à y lire des inférences fielleuses (« Tu es douée dans ce domaine – Ah bon, parce que pour le reste... »).

D'autres facteurs seraient encore à mentionner, comme la nature des attentes de A concernant la teneur du discours de L : le fait que le public s'attende, s'agissant d'un film consacré à Coco Chanel, à ce que la conférencière nous parle surtout des costumes féminins ; le fait, pour reprendre un exemple de Grice (1979, p. 66), que le récepteur d'une lettre de recommandation écrite en faveur d'un candidat à un poste de philosophie s'attende à ce qu'elle en dise plus que « M. X a une maîtrise remarquable de l'anglais, et il a été assidu à mes cours ».

Ce que l'on peut en tout cas conclure de toutes ces considérations, c'est que les conditions d'application de la règle qui nous occupe ici sont fort subtiles ; que l'existence corrélative des inférences de ce type est *plus ou moins* assurée ou incertaine ; que leur extraction laisse une marge importante à la subjectivité interprétative, et peut donner lieu à d'infinies controverses ; que L doit constamment se débattre contre l'irruption intempestive d'inférences indésirables, soit en les conjurant à l'aide d'un rectificatif prudent :

Comme vous êtes jolie aujourd'hui – comme toujours du reste
Tu es mignon quand tu dors – pas seulement quand tu dors...
La révolution, ici – comme ailleurs... –, enseigne de surcroît la vertu
Au début de la semaine prochaine – les prévisions ne portent pas plus loin –,
le soleil sera rare [la précaution n'est pas inutile, si l'on se souvient de l'exemple
mentionné quelques pages plus haut],

soit en protestant après coup contre une interprétation abusive de A [20] :

– Ce qui m'intéresse c'est x...
– Donc ce que je fais ne vous intéresse pas?
– Mais si, je n'ai absolument pas voulu dire une chose pareille!

– La B.D. c'est divertissant.
– Donc les essais vous ennuient?
– Mais non, « x est p » n'implique pas forcément que y soit non-p!!

et que ce type de mécanisme, par le flou qui le caractérise et les
atermoiements interprétatifs auxquels il prête, constitue une aubaine
pour les professionnels de la mauvaise foi.

4.3.3. Inférences « praxéologiques » [21]

« Tout individu socialisé possède des connaissances du monde intériorisées et qui sont représentées cognitivement par des scénarios (des
" scripts " disent les travaux de psychologie cognitive) qui établissent
certaines attentes concernant la régularité (la " logique ") des actions
humaines » (A. Petitjean, 1981, p. 21). Et les ethnométhodologues ont
montré que les données référentielles étaient organisées en « frames »
que les sujets parlants ont intériorisés, qui sous-tendent leurs comportements verbaux et non verbaux, et orientent leurs opérations interprétatives (c'est par exemple la connaissance que l'on a de ce qui normalement se passe autour d'une table conviviale qui explique qu'un énoncé
tel que « Verse-moi de l'eau » soit généralement interprété comme
/dans mon verre/ plutôt que /sur la tête/).
    L'effectuation d'un acte quelconque étant donc plus ou moins solidaire
d'un certain nombre de conditions et conséquences, de la consignation
verbale de cet acte on peut au décodage déduire certaines informations
concernant lesdites conditions et conséquences : « la vérité de certains
états de choses peut avoir pour condition nécessaire la vérité d'autres
états de choses, si bien qu'on peut remonter par inférence des premiers
aux seconds » (J. Jayez, 1981, p. 20). *Et nous appellerons « inférences
praxéologiques » les informations présupposées ou sous-entendues par
l'énoncé de tel ou tel fait diégétique, qui au nom d'une certaine « logique
des actions »* (lesquelles s'organisent en « scripts », « frames », « macro-

structures » et autres « praxéogrammes » [22]) *implique nécessairement ou éventuellement la réalisation d'autres actions nécessairement ou éventuellement corrélées* [23].

Le CREDIF envisage ainsi, dans le *Niveau-Seuil* :
– les conditions matérielles nécessaires : « Je suis monté à la tour Eiffel » → /je suis allé à Paris/ (information *présupposée* puisqu'elle porte sur une condition *nécessaire*).

Autres exemples d'inférences liées à l'existence d'une corrélation de ce type :

> Mes enfants que faut-il faire pour que Dieu nous pardonne nos péchés ?
> Un gosse lève le doigt :
> – D'abord il faut pécher
> (Histoire drôle rapportée par L. Olbrechts-Tyteca, 1974, p. 244.)

Feignant de croire que la question porte sur une *condition* du pardon, alors qu'elle concerne manifestement les *moyens* de l'obtenir, le « gosse » (quelque Toto sans doute) explicite cette condition que présuppose effectivement l'énoncé du professeur de catéchisme.

> (1) Tu trouves ça bien, ce que j'ai mis ?
> (2) Tout à fait ; je verrais une fille habillée comme ça, je lui ferais aussitôt du gringue.
> (3) De toute façon, tu es incapable de faire du gringue à une fille
> (Mini-interaction analysée par Flahault, 1978, pp. 188 et *sqq.*.) :

(3) enchaîne ici sur (2) en contestant la condition matérielle (/je suis capable de faire du gringue à une fille/) impliquée nécessairement par l'expression verbale « je lui ferais du gringue », c'est-à-dire en récusant un présupposé praxéologique ;
– les conséquences matérielles nécessaires : « Je viens de rater le dernier métro » → /je ne peux pas rentrer en métro ce soir/ ;
– les conditions matérielles possibles : tout acte accompli (casser une assiette, réparer la télé...) peut *éventuellement* impliquer (donc cette fois *sous-entendre*) un savoir-faire ou un vouloir-faire ;
– les conséquences matérielles possibles : le fait d'être allé au cinéma peut par exemple impliquer la compétence de raconter le film que l'on a vu,
– différents cas auxquels nous ajouterons celui des cooccurrences matérielles nécessaires ou possibles, et qui sont tous susceptibles d'engendrer des inférences (présupposées ou sous-entendues), ex. :
• « Prends un siège » → /assieds-toi dessus/ : conséquence matérielle très attendue (le trope implicatif est quasi lexicalisé, d'où l'effet comique de la formule parodique qu'affectionnent les écoliers : « Prends un siège, Cinna, et assieds-toi par terre »).

• « Le capitaine Épivent rayonnait de gloire; et à tout instant, il répétait : Irma vient de me dire – Irma me disait cette nuit – hier, en dînant avec Irma... » (Maupassant « Le lit 29 », *Boule de suif,* Grands Écrivains, 1984, p. 94) : autant de déclarations qui sont manifestement voulues par le capitaine comme signifiant (tropiquement) /je vis avec Irma/.

La compétence logique : conclusions

– Les inférences qu'elle permet d'extraire peuvent recevoir le statut, soit d'un présupposé si elles s'attachent nécessairement au contenu de l'énoncé (en gros : exemples relevant du § **4.**3.1 et certains de ceux relevant du § **4.**3.3), soit d'un sous-entendu si elles ne s'actualisent que dans certaines circonstances co(n)textuelles (exemples relevant du § **4.**3.2 et certains de ceux relevant du § **4.**3.3).
– Toutes sortes de combinaisons sont possibles entre les différentes opérations qui ont été envisagées dans ces trois catégories. Ex. :

• Frais, le café ne brille pas

(1) présuppose logiquement, en vertu de la loi de contraposition

/s'il brille, c'est qu'il n'est pas frais/

(2) sous-entend, en vertu du principe (spécifique cette fois de la logique naturelle) de glissement de la condition suffisante à la condition nécessaire

/s'il n'est pas frais, il brille/

(3) sous-entend enfin, par application à (2) de la loi de contraposition, ou par application à (1) du principe de glissement de la condition suffisante à la condition nécessaire

/s'il ne brille pas, c'est qu'il est frais/ :

l'application isolée ou combinée [24] de ces deux opérations logiques élémentaires permet donc d'engendrer trois inférences, polémiques ou apologétiques selon les cas.

• Les hommes aiment les femmes qui ont les mains douces [25]
(= les femmes qui ont les mains douces sont aimées des hommes)

sous-entend, en vertu de la règle envisagée en **4.**3.2.*4*

/les hommes n'aiment pas les femmes qui n'ont pas les mains douces/,

inférence qui en contexte (publicité pour une machine à laver la vaisselle) sous-entend à son tour, en vertu d'un double raisonnement de type syllogistique

(/or les femmes qui font la vaisselle n'ont pas les mains douces/ :
mineure extraite de la compétence encyclopédique)

→   /les hommes n'aiment pas les femmes qui font la vaisselle/
(/or vous voulez être aimée des hommes/)

→   /ne faites pas la vaisselle/,

ce qui entraîne l'inférence « praxéologique » (cooccurrence matérielle nécessaire)

→   /achetez un lave-vaisselle, et plus particulièrement.../.

– Le degré de codification des règles constitutives de cette compétence est extrêmement variable; et la logique naturelle est dans son ensemble, et sa spécificité, une « logique floue » (Anscombre et Ducrot, 1978, parlent du fonctionnement « logicoïde » des langues), qui procède par tâtonnements et glissements : raisonner en langue naturelle, et interpréter un raisonnement naturel, c'est en tous sens, *dériver* – certaines argumentations consistant à la limite à construire une chaîne d'équivalences conceptuelles approximatives, transposant en quelque sorte sur le plan sémantique le procédé formel du « marabout de ficelle » : ainsi Luce Irigaray prétend-elle démontrer la vérité de la proposition

L'homme (le mâle), c'est la mort

en posant les équivalences successives suivantes :

viril = rigide = cadavérique = mort [27],

quand on pourrait tout aussi légitimement évoquer la chaîne associative

féminin = mou = putréfaction = mort

– mais c'est sans doute que tous les chemins mènent à mort.

A propos d'une émission consacrée au problème de l'auto-défense, Claude Sarraute écrit (dans *Le Monde* du 30 sept. 1982, p. 21) : « La violence, c'est mal. L'auto-défense, un mal pour un mal, c'est deux fois plus mal. On est à peu près tous d'accord avec cette arithmétique-là. » Mais non, malheureusement. Car c'est un cheminement logique bien différent qu'empruntent les partisans de la loi du talion : un mal *contre* un mal, ce n'est plus un mal. Addition, ou soustraction? La logique naturelle n'a en tout cas rien à voir avec l'arithmétique. S'y rencontrent ainsi massivement :

• des inversions argumentatives en tous genres :

Si le travail, c'est la santé, alors vive la maladie !

c'est-à-dire en fait l'oisiveté, puisque « le travail c'est la santé » implique que « la santé c'est le travail », donc que « la maladie c'est l'oisiveté »... Raisonnement doublement spécieux, entre autres parce qu'il considère comme réversible la relation exprimée par « être », alors qu'elle ne l'est en général pas : « L'enfer c'est les autres » ne signifie pas la même chose que « les autres c'est l'enfer », quoi qu'en dise Sartre (au cours de sa « Radioscopie » par Jacques Chancel) : « Je ne voulais pas dire l'enfer ce n'est que les autres, il n'y a pas d'autre enfer que les autres. Je veux dire que si les rapports avec autrui sont tordus, viciés, alors l'autre ne peut être que l'enfer »;

• des contre-vérités évidentes :

Un petit ordinateur, ça coûte moins cher qu'une voiture... à peine le prix d'une 2 CV,

ce qui en principe sous-entend, et c'est au niveau de cette inférence que se localise la contre-vérité, qu'une 2 CV, ça n'est pas une voiture... (mais c'est qu'en fait « une voiture » doit être ici entendu comme « une voiture " normale ", de prix moyen ») [28];

• et même des contradictions patentes :

En général il arrive toujours en retard
Généralement en italien l'accent est toujours sur l'avant-dernière syllabe
En général dans les colloques on ne répond jamais aux questions posées
Le 15 août généralement, il ne fait jamais beau.

Mais il faudrait savoir : est-ce « en général », ou bien « toujours »? C'est « en général », du point de vue de l'honnêteté et de la prudence, mais « toujours », de point de vue de l'efficacité discursive. Pris entre deux tropismes opposés, le sujet parlant les concilie au prix d'une contradiction, puisqu'il juxtapose sans précaution le terme juste et le terme hyperbolique – le plus remarquable étant non point qu'il nous arrive de nous exprimer ainsi, mais que de telles anomalies logiques « passent » fort bien (nous avons récemment entendu lors d'une conférence sur l'argumentation cette superbe déclaration, comportant une contradiction interne qui n'étant apparemment relevée par aucun membre de l'auditoire, se double d'une contradiction pragmatique intervenant entre le contenu de l'énoncé, et ce que prouve son énonciation : « *Généralement* quand vous entendez une contradiction dans un discours ça fait *toujours* problème »), que de telles anomalies donc, généralement, ne soient jamais relevées [29].

Il est donc temps que la linguistique tente l'inventaire et la description systématique des mécanismes qui caractérisent en propre la logique naturelle. Certains (Ducrot, Grize, etc.) s'y emploient depuis un certain temps déjà. Nous avons envisagé ici quelques-unes des opérations qui nous semblent, du point de vue qui nous occupe ici de la genèse des inférences, particulièrement productives. Il y en a bien d'autres : la négation, par exemple, est également source de nombreux présupposés

et sous-entendus, et connaît en langue naturelle un fonctionnement
sensiblement différent de celui que lui octroie la logique formelle, encore
que depuis qu'elle admet des « relations floues », des « valeurs de vérité
floues », des « raisonnements approximatifs » [30], celle-ci nous offre des
outils descriptifs de mieux en mieux adaptés à la description du
raisonnement naturel, lequel se caractérise encore une fois par son
extrême souplesse, et se démarque des raisonnements formels dans la
double mesure où les énoncés naturels sont chargés de sous-entendus
qui peuvent venir entraver le fonctionnement des règles logiques les
mieux accréditées, et où l'action des règles proprement logiques y entre
en composition avec celle des « lois de discours » et autres « maximes
conversationnelles », dont l'ensemble constitue la compétence « rhétorico-pragmatique » des sujets parlants.

4.4.   LA COMPÉTENCE RHÉTORICO-PRAGMATIQUE

« Rhétorique », « pragmatique », « rhétorico-pragmatique », « pragmatico-rhétorique » : comment la baptiser au mieux, cette compétence que
constitue l'ensemble des savoirs qu'un sujet parlant possède sur le
fonctionnement de ces « principes » discursifs qui sans être impératifs
au même titre que les règles de bonne formation syntactico-sémantique,
doivent être observés par qui veut jouer honnêtement le jeu de l'échange
verbal, et que l'on appelle selon les cas « maximes » ou « principes
conversationnel(le)s » (Grice), « lois de discours » (Ducrot), « postulats
de conversation » (Gordon et Lakoff), « Postulats de Communication
Normale » (Revzine)? Dans notre *Énonciation* (dont nous reprenons ici,
en les développant, certaines des considérations énoncées pp. 210 et
sqq), nous la disions simplement " rhétorique " – en référence au
" composant rhétorique " de Ducrot –, mais le risque de confusion était
grand, que l'expression soit interprétée comme désignant par exemple
l'aptitude des sujets parlants à produire et décoder les figures de
rhétorique, ou bien encore les procédés argumentatifs... Et le terme de
« pragmatique », qui renvoie tantôt aux mécanismes énonciatifs, tantôt
aux fonctionnements illocutoires et perlocutoires, et à bien d'autres
choses encore, eût été tout aussi dangereusement ambigu. C'est pourquoi
nous avons finalement (et provisoirement sans doute) opté pour la
solution du mot composé, en espérant que chacune des deux unités qui
le constituent vienne endiguer la polysémie de l'autre.
   Ce problème terminologique étant posé, et tant bien que mal résolu,

venons-en aux constituants de cette compétence, et pour commencer, aux fameuses « maximes conversationnelles » de Grice, qui fait en ces matières figure de référence obligée [31].

On sait que ces maximes, que subsume *le principe général de « coopération »* : « que votre contribution conversationnelle corresponde à ce qui est exigé de vous, au stade atteint par celle-ci, par le but ou la direction acceptée de l'échange parlé dans lequel vous êtes engagé », sont au nombre de quatre :

1. Maxime de quantité :

Que votre contribution contienne autant d'information qu'il est requis (pour les visées conjoncturelles de l'échange).
Que votre contribution ne contienne pas plus d'information qu'il n'est requis.

2. Maxime de qualité :

Que votre contribution soit véridique, *i.e.*
— N'affirmez pas ce que vous croyez être faux.
— N'affirmez pas ce pour quoi vous manquez de preuves.

3. Maxime de relation :

Parlez à propos [*be relevant*].

4. Maxime de modalité (manner) :

Soyez clair [*perspicuous*], *i.e.*
— Évitez de vous exprimer avec obscurité.
— Évitez d'être ambigu.
— Soyez bref (ne soyez pas plus prolixe qu'il n'est nécessaire).
— Soyez méthodique (Grice, 1975, trad. franç. 1979, pp. 61-62).

Ces maximes ont bien sûr été l'objet de nombreuses critiques, à la mesure même de leur célébrité. On leur a reproché de se recouper les unes les autres (il est de fait qu'on ne voit pas bien ce qui différencie par exemple la consigne « soyez bref », qui relève en principe de la maxime de modalité, de la seconde maxime de quantité), cette redondance étant pour Sadock imputable à leur excès de « puissance » : « So powerful is each of the maxims that at times they vie for the privilege of explaining the same facts » (1978, p. 285); d'être trop générales donc – mais aussi, de l'être insuffisamment : pour Lakoff, ces maximes seraient en fait subordonnées à des principes interactionnels plus généraux tels que « Ne vous imposez pas à votre interlocuteur », « Laissez-le choisir », etc. Et nous dirons de l'ensemble de ces règles ce que Grice reconnaît lui-même au terme de l'inventaire qu'il propose des différentes maximes de modalité : « On pourrait en ajouter d'autres. »

D'autres principes sont en effet susceptibles de jouer dans l'interaction un rôle similaire à celui des maximes gricéennes, et doivent donc être au même titre considérés comme parties intégrantes de la compétence rhétorico-pragmatique; principes nombreux et divers, dont la liste s'allonge chaque jour, et dont nous proposerons provisoirement l'inventaire suivant :

4.4.1. Quelques règles rhétorico-pragmatiques

1 – Principes discursifs généraux

(1) Le principe de coopération («C P»).
Si nos propos sont en général jugés cohérents, c'est, dit Grice, qu'« ils sont le résultat, jusqu'à un certain point au moins, d'efforts de coopération » (*op. cit.,* p. 60), et que l'on peut supposer « que le but recherché soit une efficacité maximale de l'échange d'information » (p. 62). L'hypothèse de l'existence d'un principe tel que le C P repose donc sur des considérations empiriques (p. 63 : « *de fait* les gens se conduisent comme cela, ils l'ont appris pendant leur enfance et n'en ont pas perdu l'habitude »); mais aussi logiques (« J'aimerais pouvoir considérer les règles ordinaires de la conversation non seulement comme des principes que tous ou presque nous observons de fait, mais encore comme des principes que nous suivons avec *raison,* et à quoi il nous *faut* absolument nous tenir ») : les maximes conversationnelles qui régissent les comportements discursifs des sujets discoureurs n'étant que la conséquence de leurs caractéristiques psychiques fondamentales, le C P résulte du fait que ce sont des êtres doués de raison, et il doit être conçu comme l'application aux comportements interactifs du principe plus général de *rationalité* des conduites humaines, et de « *raisonnabilité* » des êtres humains. Idée qui se trouve formulée par la plupart des théoriciens de la communication, tels Fraser (1975), qui envisage une « méta-règle » de « rational behavior », Gordon et Lakoff (1975), qui parlent des « Reasonableness Conditions », ou Goffman, qui soutient « que l'individu agit constamment de façon à faire savoir que son caractère est sain et sa compétence raisonnable » (1979, p. 159).
Mais en quoi est-ce faire preuve de « raisonnabilité » que de se montrer « coopératif » lors d'une interaction? C'est tout simplement que si l'on se refuse obstinément à l'être, l'échange communicationnel s'en trouve inéluctablement bloqué, au grand dam de l'interlocuteur, mais aussi du locuteur : lorsque sont violées par L les maximes conversationnelles, « ce sont plus ses intérêts propres qui sont lésés que ceux de l'assistance » (Grice toujours, p. 63). A moins donc de supposer un sujet masochiste,

et fortement enclin aux conduites d'échec, il faut admettre que dès lors qu'il entre, de son plein gré du moins, en communication, il s'emploie à tout faire pour que « ça marche » : ce n'est donc pas d'un principe moral, relevant de je ne sais quelle idéologie altruiste, qu'il s'agit ici, mais d'une « condition régulatrice » dont dépend fondamentalement la viabilité de l'échange.

Pour B.-N. Grunig (1979, pp. 12-13), ce « modèle coopératif », cette conception d'un langage « instrument d'une harmonieuse, nécessaire et raisonnable collaboration au sein de la société », n'est qu'une fiction idéaliste et lénifiante, qui fait bon marché des conflits, affrontements et ratés qui caractérisent aussi les échanges verbaux. Sans doute. Mais même si les échanges de nature conflictuelle étaient statistiquement plus nombreux que les échanges coopératifs – encore cette opposition est-elle bancale, car on ne peut concevoir d'échanges qui s'établissent sur un mode entièrement non coopératif : polémiquer, c'est encore partager, c'est (ad)mettre en commun un certain nombre de valeurs, et de règles du jeu linguistique et conversationnel –, ils ne sauraient être posés comme *norme* des fonctionnements communicatifs, lesquels reposent sur l'existence d'un *contrat* analogue à celui qui régit l'ensemble des comportements sociaux, ainsi que l'énonce joliment Vincent Descombes (1981) [32] : « On appelle *société* un ensemble d'obligations que diverses personnes ont les unes à l'égard des autres quand elles " font société "», c'est-à-dire lorsqu'elles " mettent en commun ", comme les animaux de la fable, " le gain et le dommage " :

> La Génisse, la Chèvre, et leur sœur la Brebis,
> Avec un fier Lion, seigneur du voisinage,
> Firent société, dit-on, au temps jadis,
> Et mirent en commun le gain et le dommage (La Fontaine, fable 6, Livre I). »

Or l'échange verbal correspond bien à cette définition (p. 4) : « Si deux personnes ont l'une et l'autre intérêt à se parler, elles obtiendront l'une et l'autre un bénéfice si elles réussissent à le faire, et elles y perdront toutes deux si elles n'y parviennent pas. Il y a donc bien mise en commun du gain et du dommage, et on est en droit de tenir leur échange de paroles pour une activité accomplie en société. » Quant au principe de coopération, « il se borne à rappeler que les interlocuteurs forment une société. Si une personne A demande à une personne B le chemin de la gare, le principe nous autorise à considérer que A et B sont associés pour mener une activité commune qui est : " indiquer le chemin de la gare ". Il résulte de cette association que l'obligation à laquelle A doit satisfaire est de demander son chemin en termes intelligibles à B, tandis qu'il revient à B de donner une réponse en des termes que A puisse comprendre. Si l'un ou l'autre agissait autrement, il irait contre le but de la société qu'il a lui-même formée avec son partenaire, et par conséquent contre son propre but. L'obligation qu'énonce le principe de coopération n'est autre que le *lien social de la parole* » (p. 5).

Il est vrai que certains sujets sont moins « coopératifs » que d'autres : au Pays des Merveilles, la bonne volonté communicative d'Alice (« always ready to make herself useful ») se heurte sans cesse à la mauvaise volonté de ses partenaires discursifs, qui se plaisent à lui tendre les pièges les plus sournois, cherchent la petite bête dans ses propos les plus innocents, distordent sans vergogne les règles linguistiques et conversationnelles, et pratiquent systématiquement réfutation, mauvaise foi, manœuvres d'obstruction et de diversion. Il est également vrai que certains types d'échanges – la polémique, la dispute, le discours terroriste, etc. – sont dans leur principe moins coopératifs que les échanges paisibles, voire fusionnels. Et il est certes permis de trouver les affrontements et les malentendus, les manifestations d'un dissensus, les procédures d'« ex-communication » [34], plus intéressants que les interactions « heureuses », et même plus caractéristiques : selon que leur réflexion se focalise sur les échanges réussis ou ratés, et selon qu'ils s'en construisent une image euphorique ou dysphorique, les théoriciens de la communication pourraient être répartis en deux classes, celle des optimistes à la Grice, et celle des pessimistes comme B.-N. Grunig, mais aussi, à des titres divers, P. Henry, E. Verón, ou J.-Cl. Chevalier et S. Delesalle (1979), lorsqu'ils décrivent l'activité dialogique comme une série de coups de force visant à neutraliser le discours de l'autre et assurer sa propre maîtrise sur l'interaction – Wilson et Sperber (1979) occupant en quelque sorte une position intermédiaire, qui déclarent : « La description que nous avons proposée suggère plutôt que le locuteur cherche à avoir le plus d'effet possible sur l'auditeur; un certain degré de coopération serait le prix que le locuteur aurait à payer pour réussir dans un projet essentiellement " égoïste " » (p. 93), un locuteur qui serait donc en quelque sorte non coopératif par nature, mais coopératif par nécessité.

N'empêche qu'aussi bien attestés soient-ils, il semble difficile de nier le caractère *marqué* des échanges qui violent ostensiblement le C P (et que F. Jacques considère à ce titre comme « précaires » et « pervers ») : le malentendu, la mésentente, n'existent que par rapport à une *norme* de bonne entente, que l'on peut estimer toujours illusoire, mais cela est une autre affaire : être coopératif, c'est faire-comme-s'il était et souhaitable, et possible, de communiquer.

(2) La loi de pertinence (« maxime de relation »).

Le principe de coopération constitue donc pour Grice une sorte d'« archiprincipe » subsumant un certain nombre de maximes conversationnelles plus spécifiques. Mais ce titre lui est disputé par un autre principe conversationnel, qui pour Wilson et Sperber est susceptible de rendre à lui seul les mêmes services que l'ensemble des maximes gricéennes : c'est « l'axiome de pertinence » (1979, p. 93 : « Nous avons soutenu que toutes les autres maximes se ramenaient à un axiome de pertinence qui, à lui seul, était plus précis et plus exact que l'ensemble des maximes »). On constate donc, outre le désir que manifestent les uns et les autres de ramener à un principe unique et fondamental les diverses règles qui régissent le fonctionnement rhétorico-pragmatique du discours, certaines incertitudes quant à leur organisation hiérarchique, puisqu'un même principe, que Grice subordonne (sous l'étiquette de « maxime de relation », ou de « relevance ») au C P, se trouve placé par Wilson et Sperber tout en haut de la pyramide des règles conversationnelles.

« Be relevant » : il s'agit là en tout cas d'un requisit fondamental, que Charolles (1980, c), p. 61) identifie carrément avec « l'ordre de la signification », ainsi d'ailleurs qu'avec le principe de cohérence... et de coopération. Être coopératif, être cohérent, être « raisonnable », chercher à communiquer, et à produire du sens : ce sont là finalement diverses façons de dire, de divers points de vues, la même chose.

Mais que recouvre exactement ce principe de pertinence? « Dans sa concision cette règle dissimule bon nombre de problèmes préoccupants : quels sont les différents genres et centres de pertinence possibles, comment se modifient-ils au cours d'un échange parlé, quelles sont les procédures normales qui servent à changer avec quelque légitimité le sujet de la conversation, etc. Ces questions sont à mon avis excessivement difficiles » (Grice, 1979, p. 61). Questions auxquelles Wilson et Sperber répondent de la façon suivante : « De façon très intuitive, un énoncé est d'autant plus pertinent qu'avec moins d'information, il amène l'auditeur à enrichir ou modifier le plus ses connaissances ou ses conceptions. En d'autres termes, la pertinence d'un énoncé est en proportion directe du nombre de conséquences pragmatiques qu'il entraîne pour l'auditeur et en proportion inverse de la richesse d'information qu'il contient [...]. De façon un peu plus abstraite, on dira qu'une proposition p est d'autant plus pertinente par rapport à un ensemble M de propositions que l'union

de *p* et de M permet le calcul d'un plus grand nombre de conséquences nouvelles » (1979, p. 88) : c'est donc sur la notion de *conséquences* entraînées par un énoncé que s'articule la notion de pertinence, qui recouvre par exemple les faits suivants :
– Soit ce bref échange dans lequel la dernière réplique de L_2 dénonce sarcastiquement la non-pertinence de l'énoncé pourtant informatif de L_1 :

> L_1. – Vous savez qu'il y a un tennis attenant au Collège?
> L_2. – Pourquoi, tu sais jouer au tennis?
> L_1. – Non.
> L_2. – Alors ça c'est vraiment parler pour ne rien dire
>   [*i.e.* pour dire quelque chose qui ne « tire pas à conséquence »].

Dans cette perspective, un énoncé sera dit pertinent si l'on peut en tirer certaines conséquences *pratiques* immédiates. Ainsi une phrase telle que « il y a du brouillard ce matin » sera-t-elle, à degré égal d'informativité, d'autant plus pertinente que le brouillard en question aura plus d'incidences sur la conduite de A. Même un énoncé non informatif peut être à ce titre pertinent : « Il pleut », tu le vois bien et je sais que tu le vois bien, mais si je te le dis c'est pour que tu en tires les conséquences qui s'imposent en la circonstance; et l'application du principe de « pertinence pratique » peut permettre l'extraction de certaines inférences, ainsi dans cet échange : « Passons par là, c'est plus court et au moins on ne se mouille pas... – Pleuvrait-il? »

Mais on peut trouver bien sévère notre L_2 de tout à l'heure, et bien étroite, dans son utilitarisme, une telle conception de la pertinence [35].
– Il faut en effet admettre, à côté de cette pertinence « pratique », une pertinence *« argumentative »*, caractérisant tout énoncé qui peut servir de base à l'extraction d'une inférence susceptible de venir modifier le stock des savoirs ou convictions de A, ou à un enchaînement argumentatif explicite, que cet énoncé soit ou non informatif : « Quand on expose une argumentation à quelqu'un, on déclare couramment des prémisses que l'on sait connues d'avance. Par exemple : " Le Pape est catholique, pas vrai? Alors pourquoi devrait-il célébrer la Pâque juive? " » (Gordon et Lakoff, 1973, p. 41).

Autre exemple : dans un restaurant, au moment de payer l'addition, L_1 rechigne et allègue : « J'ai trois enfants! » – énoncé non informatif, puisque tout le monde le sait pertinemment, que L_1 a charge d'enfants, mais néanmoins pertinent argumentativement. Réplique de L_2 : « Oui mais moi j'ai trois amants! », réplique-galéjade, qui échappe donc à la loi d'informativité, mais non point à la règle de pertinence si l'on en extrait symétriquement l'inférence /mes amants me coûtent cher/.

– Seront encore considérées comme pertinentes les informations qui peuvent être jugées *intéressantes* pour A : « converser (vraiment) c'est toujours plus ou moins (essayer d')obliger l'autre à concevoir que ce dont il est question présente de l'intérêt » (Charolles, 1980, b), p. 13). En d'autres termes : parler à A, c'est dire quelque chose en le regardant, mais aussi quelque chose qui le « regarde ». On voit donc que l'informativité et la pertinence d'un énoncé ne se superposent pas, puisqu'un énoncé non informatif peut être argumentativement pertinent, et qu'un énoncé informatif peut être jugé non pertinent s'il est dénué pour A de tout intérêt ; et que la règle de pertinence est dominante par rapport à la règle d'informativité : c'est à sa pertinence, et non à son degré d'informativité, que se mesure essentiellement la légitimité discursive d'une séquence quelconque.

– Tout énoncé doit être enfin doté d'une certaine pertinence « *thématique* », c'est-à-dire être adapté au contexte conversationnel : « lorsque j'engage la conversation avec une personne sur un sujet quelconque, quoi qu'elle me dise, je tiens d'abord pour acquis que ses propos ont un rapport avec le sujet de la conversation » (Charolles, 1980, c), p. 61). Supposant que L parle avec « à propos » (et non « à côté de la plaque »), A va donc chercher, lorsqu'il se trouve confronté à un énoncé apparemment « hors sujet », à construire une inférence mieux adaptée au thème discursif. C'est ce qui explique qu'en co(n)texte, toute assertion de validité générale – maxime, proverbe, sentence, aphorisme – se trouve immédiatement appliquée à l'objet conversationnel particulier dont il s'agit :

L₁ *(fièrement).* – Mon fils vient d'entrer dans la gendarmerie.
L₂. – Il n'y a pas de sot métier
→ /le métier de gendarme n'est pas un métier « sot »/

(cette inférence pouvant d'ailleurs apparaître comme une sournoise dénégation, dans la mesure où vient volontiers s'y greffer une autre inférence, plus désobligeante, qu'engendre cette fois la loi d'informativité :

/on pourrait considérer que le métier de gendarme est un sot métier/).

Les exemples pourraient être multipliés de cas où une inférence surgit à la faveur d'une règle interprétative telle que : « quand apparaît dans une séquence discursive un énoncé de validité générale, augmentez sa pertinence en l'appliquant à la situation particulière dont il s'agit en co(n)texte, c'est-à-dire construisez une inférence dont le contenu soit " spécialisé " (et l'extension donc plus réduite) par rapport au contenu littéral ».

Ce n'est là qu'une des formes que peut prendre la règle plus générale de « pertinentisation maximale » d'un énoncé : quand son contenu littéral est jugé insuffisamment pertinent, on tente d'augmenter, dans la mesure du possible, cette pertinence en calculant une signification implicite plus « intéressante », ou qui « tire » davantage « à conséquence ». Cette règle, nous l'avons rencontrée à diverses reprises : à propos de « Pierre a cessé de fumer » (mais pourquoi diable L se met-il tout soudain à me parler de Pierre, dont le sort m'importe peu, si ce n'est pour me suggérer quelque chose qui me concerne bien davantage?), de la mention par Oscar Wilde de la laideur d'un certain jeune homme (mention qui si elle n'était pas chargée d'une fonction argumentative précise, viendrait là « comme un cheveu sur la soupe »), ou encore de ce trope présuppositionnel particulier consistant à parler à A de x pour suggérer que l'on sait bien que x est l'objet des pensées secrètes de A : ce mécanisme est responsable d'un très grand nombre d'inférences.

Si l'énoncé problématique résiste décidément à la construction d'une telle inférence, il risquera d'encourir les sarcasmes de A (« et alors? », « où veux-tu en venir au juste? »), son exaspération (scène dans le métro parisien :

> L'enfant, tout fier sans doute de savoir lire : — « Maman, on est à Richelieu! Maman on est à Richelieu! Maman...
> La mère — Mais qu'est-ce que tu veux que ça me fasse? On ne descend pas à Richelieu... »),

ou sa stupeur :

> Le flic Julien Sorel, dit « Juju » : — « Pourrais-je visiter le cabinet du professeur Brisset [assassiné la veille]? C'est au premier étage, non?
> — Mais oui! Son étage! dit Oriane [épouse maintenant veuve du professeur Brisset]. J'ignore quoi en faire maintenant. Vous prendriez un locataire à ma place?
> — Euh, dit Sorel interloqué, vraiment je ne... »
> (T. Duvert, Un anneau d'argent à l'oreille, Minuit, 1982, p. 26.)

Et c'est à la limite un jugement de folie qui viendra sanctionner un comportement discursif estimé d'une im-pertinence rédhibitoire : « Si dans l'autobus je dis – sans crier gare – au monsieur d'en face que Pierre est à Chicago en ce moment, il me tiendra pour fou et non sans raison » (R. Martin, 1976, p. 19).

La règle de pertinence existe donc, puisqu'elle fonctionne, et s'applique également à toute espèce d'acte de langage : conseil, requête, question « pertinente » ou « idiote » (voir l'exemple précédent de Tony Duvert, ou encore celui-ci, relevé sur le vif :

> L_1 à L_2, d'origine polonaise. — « Tu vas souvent en Pologne?
> L_2 — Et toi?... »).

Mais comme le dit Grice, bien des questions « excessivement diffi-ciles » se posent à son sujet – concernant son statut, et la façon dont elle s'articule avec la loi d'informativité, et les règles proprement linguistiques qui régissent la cohérence discursive : une réponse perti-nente, c'est par exemple une réponse qui fournit l'information demandée (« Moi qui te parle et à qui tu réponds avec tant de pertinence », déclare contre toute attente, à son partenaire qui ne s'exprime que par borbo-rygmes et répliques écholaliques, un personnage de Jean Tardieu [36]), une réponse cohérente donc au sein de la paire adjacente question/ réponse; faut-il donc considérer que relèvent de la compétence rhétorico-pragmatique le principe général voulant que tout discours, monologal ou dialogal, soit cohérent, et de la compétence linguistique les règles particulières qui assurent cette cohérence? Questions concernant aussi la possibilité de formaliser les conditions d'application d'un tel principe, qui sont entièrement tributaires du contexte énonciatif, et des proprié-tés spécifiques (leur état de savoirs, leurs centres d'intérêt, etc.) des interactants.

(3) La loi de sincérité

> « Si vous me laissez regarder le film, vous pouvez enlever vos masques et je vous promets de dire que vous les avez portés tout le temps, et je ne dirai jamais à la police ni à personne que j'ai vu vos visages, ni que j'ai la moindre idée de votre tête. J'en fais le serment solennel ».
> Il leva trois doigts de la main droite, à la manière des Scouts. Il n'avait jamais été Scout, mais il n'y a que l'intention qui compte.
>
> (D.E. Westlake, V'là aut'chose!,
> Gallimard, « Super noire », 1976, p. 165.)

« Que votre contribution soit véridique » : cette « règle de qualité » qui énonce que l'on ne doit énoncer que ce que l'on tient pour vrai, et qui vaut pour les assertions, mais aussi pour les interrogations (L désire sincèrement connaître la réponse), les requêtes (L désire sin-cèrement que A obtempère), les promesses ou les serments (L a sincèrement l'intention de les tenir), est pour Grice « primordiale ». Ce qui peut sembler quelque peu paradoxal si l'on pense qu'il est souvent reconnu au langage humain, au titre de l'une de ses propriétés spécifiques, la possibilité d'être utilisé « pour tromper autrui ou trans-mettre des informations fausses », c'est-à-dire la possibilité de ce que

Lyons appelle (1978, p. 73) la « prévarication » – et à l'être humain, la propriété d'être avant tout un « animal mendax » [37]. On sait par exemple qu'il est impossible à une abeille d'indiquer par sa danse à une autre abeille la localisation d'une fleur qui n'existerait pas; et que si la fleur indiquée a entre-temps été coupée, il arrive que la seconde abeille, ayant été programmée pour trouver là ce qui n'existant plus, n'existe pas, en meure. Mais elle ne mourra pas d'avoir été trompée. Les êtres humains peuvent au contraire être trompés – et éventuellement, en mourir [38].

C'est pourquoi il importe d'assortir immédiatement l'énoncé de cette « loi de sincérité » de la clause suivante : elle ne prétend nullement que l'on croit nécessairement à la vérité de ce que l'on asserte, ni que l'on a toujours l'intention de tenir ses promesses ou de voir exaucer ses requêtes. Elle énonce simplement que parler, c'est *se prétendre* sincère dans son énoncé; que tout énoncé présuppose, en dehors de contre-indications du type « c'est pour de rire », « je plaisante », etc., et s'il ne s'agit pas d'une citation explicite ou implicite, que L adhère aux contenus assertés; et que corrélativement le récepteur accorde à L, en dehors de toute contre-indication toujours, un crédit de sincérité [39]. Peu importe finalement de savoir si Grice et Moore ont raison lorsqu'ils déclarent que « c'est beaucoup plus facile de dire la vérité que de mentir [40] », ou que « le mensonge, quoique assez commun, est largement exceptionnel » [41] : même si le mensonge était largement attesté, ce n'en serait pas moins un comportement discursif *marqué* par rapport à la *norme* de sincérité, et l'on ne peut concevoir de langue qui fonctionnerait à l'inverse.

Quelques preuves à l'appui de cette affirmation concernant le caractère dissymétrique de l'opposition sincérité/mensonge :

1. Considération d'ordre lexical : il n'existe pas d'antonyme au substantif « menteur »; il est si normal d'être « quelqu'un qui dit souvent (généralement) la vérité » que la langue n'a pas éprouvé le besoin d'instituer un mot pour désigner cette chose-là.

2. Je suis allé au cinéma mardi dernier, mais je ne le crois pas,
   En vérité je suis plus âgé mais je l'ignore (H. Miller),

sont des phrases qui passent pour fortement contradictoires : c'est que « p » signifie en fait « je crois/sais que p » (p est vrai pour moi);
(en d'autres termes :

Les hommes sont mortels = il est vrai que les hommes sont mortels, il est vrai qu'il est vrai que...
   Il est possible que les hommes soient mortels = il est vrai qu'il est possible...
   Il est faux que les hommes soient mortels = il est vrai qu'il est faux que...

Les hommes ne sont pas mortels = il est faux que les hommes soient mortels, il est vrai qu'il est faux... :

seuls les énoncés *marqués* par la négation parviennent à asserter la fausseté d'un contenu propositionnel).

Rappelons encore que si l'on peut généralement formuler une requête indirecte en interrogeant sur l'une de ses conditions de réussite (« Voudrais-tu, pourrais-tu me passer le sel? »), seule la condition de sincérité échappe à la règle (*« Voudrais-je que tu me passes le sel? ») : cette condition ne peut être mise en question (alors qu'elle peut être assertée : « Je voudrais que tu me passes le sel »), car il s'agit là, conclut H. Parret (1978, p. 15), d'un « principe théorématique central ».

3. Symétriquement, l'explicitation d'un principe aussi solidement « taken for granted » produit en général l'effet bizarre d'une tautologie :

Je ne peux pas venir, j'ai quelqu'un à aller chercher à la gare – et en plus c'est vrai.

L'autre jour en relisant Aristote – c'est vrai en plus... :

Expliciter le principe de sincérité qui est censé sous-tendre tout comportement discursif, c'est en quelque sorte transgresser la loi d'informativité, et cela ne se produit que dans certaines circonstances particulières ainsi :

• Pour « endorse, confirm, concede ou reassert » un contenu donné, on pourra par exemple dire « It is true that it is raining », quand la formule normale est tout simplement « It is raining » (Grice, 1978, p. 125).

• Dans certains types de discours, comme les professions de foi électorales, la revendication de sincérité retrouve une certaine informativité, donc légitimité, donc fréquence, en ce qu'elle doit lutter contre un « lieu commun » qui grève ce « typolecte » : les politiciens sont tous des menteurs et des parjures :

Je vous le dis bien franchement...
Mon programme électoral, je l'accomplirai.
Ce que je vous propose, je le ferai. Si vous voulez.

• La propension à se poser explicitement comme « véridicteur » absolu et exclusif caractérise enfin, d'après J.-N. Darde (1983) certains discours idéologiques dans leur ensemble, et singulièrement, celui du P.C.F. et de l'*Humanité*. Après avoir énoncé (p. 15) : « Quand on prend la parole, la règle générale est de se présenter implicitement comme énonçant la vérité, ou du moins comme croyant sincèrement la dire. Cet engagement implicite de respecter le principe de vérité est la condition première de la communication. C'est d'ailleurs sur ce principe essentiel que se fonde la possibilité de mentir avec succès [...]. Parce que l'engagement de respecter le principe de vérité, le contrat de vérité, est implicite, il n'est le plus souvent pas jugé nécessaire de le formuler explicitement », Darde ajoute (p. 16) : « Ce qui distingue l'*Humanité* du reste des grands journaux d'information, c'est d'une part la place qu'y occupe l'affirmation explicite du respect du contrat de vérité, et, surtout, la forme hyper-emphatique qu'elle prend : dans l'organe du parti communiste français, le " Je dis la vérité sur... " laisse le plus souvent la place au " Je suis la vérité " ».

4. La règle de sincérité veut donc que l'on n'énonce que ce que l'on croit vrai; mais aussi, et c'est dans cette mesure qu'il s'agit là d'un principe interactionnel, que l'on soit capable de se porter garant de cette vérité, de montrer que l'on parle en connaissance de cause (« Qu'est-ce que tu en sais? », « Parle de ce que tu connais! », « Quand on n'y connaît rien on a le bon goût de se taire! »), et de justifier, par-delà l'intime conviction, son dire auprès d'autrui. Rappelons que Grice détaille ainsi la maxime de qualité :

> N'affirmez pas ce que vous croyez être faux
> → /n'affirmez que ce que vous croyez être vrai/

(ce qui ne veut pas dire, on y reviendra, que vous deviez affirmer tout ce que vous croyez être vrai).

> N'affirmez pas ce pour quoi vous manquez de preuves

Il est bien évident que ces beaux principes sont loin d'être toujours observés; que l'on énonce souvent des contenus auxquels on n'est pas trop sûr d'adhérer – sans parler du problème psychologique, que nous laisserons prudemment de côté, que pose la notion même d'adhésion, s'agissant de sujets clivés et de contenus flous [42]... : pour en rester au plan qui nous intéresse ici du « faire-comme-si », notons tout de même la fréquence troublante, à l'oral, de la ponctuation « j'sé pas », qui n'empêche pourtant pas le « je » d'asserter –, et que l'on serait *a fortiori* bien incapable d'argumenter : j'ai dit ça en l'air, comme ça, mais tu sais ce que j'en dis, d'ailleurs tu n'es pas forcé de me croire... Pour H. Parret (1978, p. 1), le discours mensonger « constitue une rupture de foi qui risque constamment de ruiner le principe même de la discursivité » : nous reviendrons plus loin sur ce problème, pour envisager (à la suite d'Austin, 1970, 4ᵉ conférence, et Searle 1982, chap. 3), les différents cas de violation du « contrat » de sincérité qui tacitement s'établit, en général et en principe, entre les partenaires de l'échange verbal.

2 – Lois de discours plus spécifiques

a) De caractère linguistique.

Les règles que nous allons envisager ici, tout en étant de nature pragmatico-rhétorique, concernent essentiellement la nature des contenus sémantiques qu'il convient « normalement » de verbaliser, à la différence de celles dont nous parlerons en b), qui régissent les comportements sociaux dans leur ensemble.

(1) La loi d'informativité.

« Dans une situation de conversation où l'on ne fait pas de bavardage » (« small talk »), « normalement on n'énonce pas quelque chose que la personne à qui l'on parle sait probablement déjà, ou tient pour acquis. C'est en gros ce que l'on entend par avoir l'intention d'apporter de l'information » (Gordon et Lakoff 1973, p. 41).

On ne saurait nier qu'une telle « loi de discours » reflète certains aspects de la compétence des sujets parlants, puisqu'elle permet de rendre compte de l'effet bizarre, cocasse ou scandaleux que produit parfois sa transgression :

1. Verbalisation de faits qui « vont de soi », laquelle suscite souvent une réplique narquoise du genre « sans blague! », « tu m'étonnes! » (ironiques), « je suis au courant! », « mais personne ne dit le contraire! », etc. :

> C'est moi. – Je le vois bien!
> Cette robe elle n'est pas donnée. – Non elle est vendue! [43]

2. Truismes, tautologies, lapalissades :

> Quand la borne est franchie, il n'y a plus de limites (François Ponsard).
> Mieux vaut être riche et en bonne santé que pauvre et malade.
> Les enfants sont plus jeunes que bien des vieillards (Éric Satie).
> Depuis que tu es partie je m'aperçois que tu n'es plus là (Imago).
> La meilleure façon de marcher, c'est de mettre un pied devant l'autre, et de recommencer [44].

3. Additifs superflus :

> Tout le monde est invité [à ce match], les parents des joueurs y compris.
> Le Caire est invivable – pour ceux qui y vivent évidemment.
> Ouvrant son second et dernier œil... (Queneau).
> Il n'avait pas de cheveux comme beaucoup de chauves (E. Ajar) [44].

4. Correctifs superflus :

> ... Je ne veux pas dire que c'est le préfet qui a mis la bombe... (Louis Pradel, ex-maire de Lyon).

5. Conseils superflus :

Ne mangez pas l'enfant dont vous aimez la mère (moralité qui clôt le poème de Victor Hugo « Bon conseil aux amants »).

6. Ordres inutiles :

SILVIA. — ... Et moi, je veux que Bourguignon m'aime.

DORANTE. — Tu te fais tort de dire *je veux*, belle Lisette ; tu n'as pas besoin d'ordonner pour être servie (*Le jeu de l'amour et du hasard*, I, 6).

7. Réponses de Normand :

Peut-être bien qu'oui, peut-être bien qu'non.
A qui penses-tu ? — A quelqu'un.

8. Questions de pure forme :

Salut Pierre. C'est toi ? Tu es levé ?

Deux juifs sont plongés dans une discussion passionnée ; l'un d'eux tombe dans un trou. L'autre continue d'abord, puis s'en aperçoit, et revient sur ses pas :
— Tu es tombé ?
— Mais non, c'est là que j'habite, bien sûr !,

cette réplique-galéjade pointant sarcastiquement l'absurdité, liée à son absence d'informativité, de la question précédente : « Si l'on rit, c'est bien aussi par référence à la convention interdisant " normalement " de dire ce qui, dans une situation donnée, est une évidence (y contrevenir est un procédé classique pour faire rire) », qui d'après J. Milner (1976, p. 190) caractériserait l'ensemble des plaisanteries juives dites « en No-Na ! » [45].

Tous ces exemples montrent

• que la loi d'informativité s'applique à toutes sortes d'actes de langage : l'assertion, mais aussi la question (que la réponse ne soit pas totalement évidente), l'ordre ou le conseil (que l'acte ordonné ou conseillé ne soit pas tel qu'il serait en tout état de cause effectué, indépendamment de l'énonciation de l'ordre ou du conseil) – ainsi d'ailleurs qu'à certains comportements non verbaux : au volant par exemple, voulant tourner, je mets mon clignotant ; mais si je constate qu'il n'y a pas d'autre possibilité circulatoire, je le retire aussitôt [46] ;

• que le caractère non informatif d'une séquence peut tenir au fait que l'information en question soit se trouve déjà verbalisée dans le *cotexte* antérieur, soit correspond à une propriété évidente du *contexte* spécifique (« Il pleut », « C'est moi »), ou à une opinion « endoxale » concernant le contexte général (« Mieux vaut être riche et en bonne santé que pauvre et malade »), la tautologie s'opposant ainsi au truisme en ce que son anomalie repose sur la structure sémantique interne de l'énoncé, et s'identifie donc grâce à la seule compétence linguistique, alors que le truisme, qui énonce des vérités qu'il ne viendrait à l'idée de personne de contester, met en cause la compétence encyclopédique des sujets parlants.

C'est donc le *déjà-dit,* ou l'*évident,* qui sont frappés d'interdit par la loi d'informativité, ou qui doivent du moins être manipulés avec des pincettes. « Comme je vous l'ai déjà signalé à plusieurs reprises », « ainsi que nous l'avons déjà mentionné », « c'est une banalité, une vérité d'évidence que de dire... », ...« puisque comme chacun sait Bach fut un certain nombre d'années organiste », « Wittgenstein était, faut-il le rappeler? un Autrichien imprégné de Kant » (M. Meyer, 1981, p. 53), « I begin, then, with some remarks about " the meaning of a word ". I think many persons now see all or part of what I shall say : but not all do, and there is a tendency to forget it, or to get is slightly wrong. In so far as I am merely flogging the converted, I apologize for them » (Austin, 1979, p. 56) : autant de précautions oratoires qui ont pour fonction de tenter de « réparer » cette « offense » que constitue la transgression de toute loi de discours : « Ferrara use d'arguments parfaitement justes [...] mais assez inutiles [...] : je les tenais pour tellement justes que *je ne pouvais pas les confirmer sans offenser le lecteur* » (Pasolini, 1976, p. 110).

Pourquoi donc la commettre, cette offense, si c'est délibérément? Parce que l'on n'est jamais vraiment sûr que ce sont bien des convertis que l'on prêche. La chose saute aux yeux? Mais le destinataire peut être aveugle aux évidences. On la lui a maintes fois rappelée? Mais il peut avoir mal écouté (Patrick Besson, *Les petits maux d'amour,* Seuil 1974, p. 76 : « Je l'ai déjà dit, tant pis. Je répète. Toutes choses sont dites déjà, mais il faut répéter, personne n'écoute »), ou bien encore manquer de mémoire (« there is a tendency to forget it ») : la loi d'informativité fonctionne en relation avec ce que L suppose, non point de la compétence encyclopédique globale de A, mais de ses savoirs *mobilisés :* « la mémoire d'un individu à un moment donné comporte au moins deux parties : d'une part la mémoire passive, informations accumulées et stockées au cours de toute la vie; et d'autre part la mémoire active, informations acquises, ou bien convoquées de la mémoire passive, dans les moments qui précèdent. A l'intérieur même de la mémoire active, toutes les informations ne sont pas également mobilisées à un moment donné » (Sperber, 1975, p. 393), le meilleur moyen de les mobiliser chez A étant sans doute, pour L, de les reformuler... Bref : ce qui va sans dire va parfois mieux en le disant – et inversement, ce qui ne va pas sans dire va parfois mieux en le taisant : « Notre position là-dessus est bien connue, il n'y a pas à y revenir... » : la loi d'informativité peut être aussi alléguée, mensongèrement, pour s'épargner d'avoir à expliciter certains points troubles de son credo.

L'application de cette loi se fait donc en fonction de ce que L suppose de l'état de l'encyclopédie de A au moment de l'acte d'énonciation, par hypothèse – hypothèse que l'on tente parfois de vérifier par avance en recourant à un énoncé pré-assertif de type « Tu sais (ce qui est arrivé, qui j'ai rencontré, etc.)? ». Lorsque l'on a affaire à un destinataire collectif et hétérogène, cette opération de prévision de l'encyclopédie de A devient plus acrobatique encore : c'est en général sur celle des « non informés » que le discours s'aligne alors – quitte à présenter aux informés ses excuses pour cette offense commise à leur endroit : « Nous nous excusons de reprendre sommairement des notions bien connues, mais dont l'omission risquerait d'obscurcir pour certains notre propos » (Anne Ubersfeld *Lire le théâtre,* Éditions Sociales, 1979, n. 16, p. 29).

Quelles que soient donc les difficultés d'application pour L de cette loi d'informativité, il est certain que A suppose en général que L a tenté de la respecter, ce qui lui permet l'identification d'un certain nombre d'inférences,

• soit que A cherche à « informativiser » un énoncé littéralement dépourvu de tout apport d'information en construisant un sens dérivé informatif : on a souvent remarqué que les tautologies du type « une femme est une femme », « un sou est un sou », etc., ne l'étaient qu'en apparence. Sont également réductibles, en considérant qu'ils fonctionnent comme des litotes ou des tropes implicitatifs, les faux truismes tels que :

> Cette robe, elle n'est pas donnée!

(la réplique « non elle est vendue » prenant au pied de la lettre, non sans mauvaise foi, un énoncé manifestement employé tropiquement).

> On n'est pas encore parti à mon avis [= on n'est pas près de l'être].
> Ce feu rouge-là, il faut vraiment le voir! [= il n'est guère visible].
> Ah! tu es bien le fils de ton père.
> Demain est un autre jour.
> Il faut un Président pour la France (slogan analysé par Charolles, 1981).

Évoquons encore cette formule votive originale :

> Je vous souhaite une année,

qui apparaît d'abord comme non informative, par « oubli » d'un qualificatif (positif, de préférence); mais dont après un temps de réflexion on perçoit la valeur informative – donc l'humour, et la noirceur;

• soit, comme c'est déjà un peu le cas dans l'exemple précédent (mais à partir de quelle dose d'informativité un contenu peut-il être considéré comme informatif? si le destinataire de l'énoncé précédent est à l'article de la mort, ce vœu sera pour lui tristement informatif; mais s'il est en pleine force de l'âge?), que l'on ait affaire à un énoncé littéralement informatif, mais qui se charge en outre d'une inférence résultant d'un raisonnement tel que celui-ci : cette séquence nous dit que p; mais elle implique que q, car si L pensait non-q, elle serait non informative. C'est pour cette raison que « Il n'y a pas de sot métier » suggère parfois /on pourrait admettre qu'il en existe/ (s'il n'en était pas ainsi l'assertion serait un pur truisme), et « Sans rancune », /je serais pourtant susceptible d'en éprouver/; et c'est pour la même raison, notent Gordon et Lakoff (1975, p. 92), que si l'on aborde un ami dans la rue en lui déclarant tout de go : « Tu sais, ta femme est fidèle », il risquera fort de se mettre en colère : en vertu de la loi d'informativité, toute affirmation de p sous-entend virtuellement la possibilité d'affirmer le contraire, puisque énoncer p, c'est supposer que p n'est pas « taken for granted » [47].

Le mécanisme est donc analogue à celui que l'on a observé s'agissant de la loi de pertinence : il consiste à faire rentrer dans l'ordre des lois de discours un énoncé qui littéralement les transgresse, ou à augmenter son degré de pertinence ou d'informativité, en calculant une inférence appropriée.

Comme la loi de pertinence, la loi d'informativité fonctionne. Mais comme elle aussi, ses conditions d'application sont bien délicates à spécifier :

– D'abord, la façon dont s'articulent ces deux lois de discours ne nous apparaît pas très clairement.

Pour Charolles (1980, c), p. 50), une assertion est pertinente dès lors qu'elle répond « à une attente d'information ». Mais Sperber précise (1975, p. 394) : « On pourrait croire à première vue qu'une proposition est d'autant plus pertinente qu'elle est plus informative, mais un instant d'attention montre qu'il n'en est rien. » En fait, « un énoncé est d'autant plus pertinent qu'avec moins d'information, il amène l'auditeur à enrichir ou modifier le plus ses connaissances et ses conceptions » (Wilson et Sperber, 1979, p. 88) – mais n'est-ce pas justement en termes d'enrichissement des connaissances de A que se définit l'information d'un message verbal?

On pourrait aussi considérer l'informativité comme une condition nécessaire, mais non suffisante, de la pertinence. Il arrive en effet que la langue commune dise « non pertinente » une question non informative (ainsi du dernier segment de cette sortie de Buster Keaton : « Avez-vous encore d'autres frères et pères? »). Imaginons encore la situation suivante : je rencontre une vague connaissance, sans parvenir à la « situer » précisément et me mets à lui narrer par le menu le colloque de linguistique auquel je viens d'assister : s'il s'agit d'une personne que j'ai précisément rencontrée à ce colloque, mes propos seront en principe dignes de l'intéresser, mais en fait non pertinents – *parce que* non informatifs; s'il s'agit au contraire d'un voisin qui n'est pas du tout de la partie, mon discours sera totalement non pertinent, quoique informatif. Il semble donc qu'il y ait entre la pertinence et l'informativité la relation suivante :

informativité $\not\supset$ pertinence (on peut être informatif sans être pertinent)

non-informativité $\supset$ non-pertinence (pour être pertinent il faut d'abord être informatif : l'informativité est une condition nécessaire, mais non suffisante, de la pertinence).

Il y a pourtant une exception à la règle d'implication précédemment énoncée : une séquence non informative peut devenir pertinente dès lors qu'elle se trouve exploitée argumentativement :

> Je ne suis ni Président de la République ni Premier Ministre. Donc...,
> Si elle n'était pas partie elle serait restée. Et alors...,
> Les socialistes sont au pouvoir. Ils ne peuvent plus comme naguère [...] (Raymond Barre, 31 août 1984),

ce qui oblige à remanier la règle de la façon suivante : la pertinence n'est pas une condition nécessaire de l'informativité; l'informativité est en revanche une condition nécessaire de la pertinence, sauf dans le cas où un énoncé non informatif est « pertinentisé » par son enchaînement argumentatif.

On peut donc avoir des énoncés informatifs non pertinents, et des énoncés pertinents non informatifs. Or les premiers sont jugés anormaux, et normaux les seconds. Ce qui prouve que la loi de pertinence est, répétons-le, *dominante* par rapport à la loi d'informativité; et que certains types de contenus échappent à l'action de la loi d'informativité.
– Il en est de même des contenus présupposés, dont nous avons vu qu'ils n'avaient pas à être informatifs (alors qu'ils sont censés être sincères).
– Mais il est bien d'autres cas où se trouve transgressée la loi d'informativité, sans que cela produise le moindre effet bizarre.

On ne verbalise que ce qui ne va pas de soi? Mais il faudrait être vraiment mal intentionné pour sanctionner par un « Je le vois bien! » un énoncé, produit en situation partagée, tel que « Il fait beau! » : c'est qu'il prétend informer moins de l'état du temps, que du fait que je suis sensible à sa beauté. De même « Je suis en retard » signifie-t-il en général que je reconnais ma faute, et qu'implicitement je m'en excuse.

L'information posée doit toujours être « nouvelle »? Mais on ne cesse de répéter, de ressasser, de rabâcher – dans certains types de discours surtout : la parole didactique, le discours endoxal, l'effusion lyrique :

> MARIO. – Je ne saurais empêcher qu'il ne t'aime, belle Lisette, mais je ne veux pas qu'il te le dise.
> SILVIA. – Il ne me le dit plus ; il ne fait plus que me le répéter [48] (Le jeu de l'amour..., III, 3),

et s'il arrive que l'on réponde à un « je t'aime » par un « tu l'as déjà dit! », c'est rarement par scrupule vis-à-vis de la loi d'informativité...

Il y a des types d'énoncés qui échappent, de par leur nature même, à l'action de cette loi : ceux qui visent à dire à l'autre : « je sais, je pense moi-même p » (dont je sais bien que tu le sais ou pense déjà toi-même); le « small talk », la communication phatique [49] (c'est-à-dire, selon Benveniste (1974, p. 88), cette « forme conventionnelle d'énonciation revenant sur elle-même, se satisfaisant de son accomplissement, ne comportant ni objet, ni but, ni message, pure énonciation de paroles convenues, répétée par chaque énonciateur »), et certaines séquences d'« ouverture » (si l'on en croit J.-L. Morgan (1978, p. 268), les Eskimos entament rituellement une conversation par des déclarations du type « You are obviously eating/skinning a deal », etc.); l'essentiel des commentaires sportifs de la télévision, qui ne font souvent que redoubler verbalement le message visuel; ainsi que certaines précisions d'une importance par trop décisive : « Ma mère lui donna la bénédiction finale dans une lettre qu'elle m'écrivit en octobre : " Les gens l'aiment beaucoup car il est honnête et a bon cœur et puis dimanche dernier il a communié à genoux et a répondu la messe en latin. " En ce temps-là, il n'était pas permis de communier debout et l'on n'officiait qu'en latin, mais *ma mère donne généralement ce genre de précisions superflues quand elle veut aller au fond des choses* » (Gabriel Garcia Marquez, *Chronique d'une mort annoncée,* Grasset, 1981, p. 48).

Il y a des cas où la langue tolère, voire impose la redondance, et d'autres où elle la proscrit; des cas où la violation de la loi d'informativité sera sanctionnée, et d'autres où elle « passera » fort bien. Contraint de louvoyer entre la double exigence discursive de répétition et de progression, et de tenir compte parfois (dans le discours théâtral par exemple, mais aussi dès lors qu'il s'adresse à un collectif d'allocutaires) de l'existence de récepteurs aux compétences encyclopédiques hétérogènes, le locuteur doit composer avec une règle dont le fonctionnement est, au même titre d'ailleurs que celui des autres lois de discours, aussi capricieux qu'incontestable.

– Quant au linguiste, qui est censé expliciter le fonctionnement d'une telle règle, il verra s'ajouter aux difficultés du sujet parlant le fait que l'information d'un énoncé est entièrement fonction de l'état du « bagage cognitif » des interactants au moment de l'interaction (c'est d'ailleurs ce qui rend parfois bien révélatrices certaines séquences que l'on pourrait, en vertu de ses propres standards, croire à tort non informatives : « Respectez la bande blanche », sur les routes italiennes; « Se habla español », sur certaines boutiques de Barcelone; « Vente de billets au tarif officiel », dans le port de Tanger).

Or il est bien évident qu'aucun modèle interprétatif ne peut espérer expliciter la compétence encyclopédique, sur laquelle s'articulent ces lois de discours, de tous les sujets parlants à chaque instant de leur existence discursive... Tout au plus peut-on procéder au coup par coup, c'est-à-dire préciser pour un énoncé donné son statut au regard de cette loi, en fonction de l'existence ou non chez A de telle ou telle unité informationnelle.

(2) La loi d'exhaustivité.

« Que votre contribution contienne autant d'information qu'il est requis » : en tant qu'elle énonce qu'une contribution requiert toujours un *minimum* d'information, la maxime de quantité recouvre la loi d'informativité. Mais elle dit plus : qu'un énoncé doit fournir l'information pertinente *maximale*. On peut donc considérer que cette maxime gricéenne subsume les deux lois de discours dites

• d'informativité : un énoncé ne doit pas être informationnellement vide,

• et d'exhaustivité : « Cette loi exige que le locuteur donne, sur le thème dont il parle, les renseignements les plus forts qu'il possède... » (Ducrot, 1972, p. 134). Ex. : « Quand l'intendant de la marquise entreprend de l'informer des accidents survenus dans ses biens, il n'a pas le droit de se borner à lui annoncer la mort de sa jument grise si, en plus, toute une partie du château a brûlé – à moins, bien sûr, qu'une loi spéciale réglant la communication entre la marquise et son intendant interdise à celui-ci de parler du château et du feu » (Ducrot, 1979, p. 26).

Avec cette nouvelle loi (« la moins controversée » pourtant d'après

Ducrot), on se trouve une fois de plus confronté au problème lancinant que posent tous ces principes conversationnels.

1. D'une part, elle a d'indéniables applications empiriques. Elle permet par exemple :

• d'expliquer la rareté relative des archilexèmes, dont l'emploi est soumis à des contraintes assez strictes, dans la mesure où ils sont moins informatifs que leurs hyponymes ;

• de rendre compte du caractère déviant de certaines pratiques discursives : mensonge par omission, litote, synecdoque du genre (l'hyperbole et la synecdoque de l'espèce relevant quant à elles de la deuxième maxime de quantité, et le mensonge « par commission » de la loi de sincérité) ;

• de rendre compte du fait qu'au regard de la logique naturelle, la modalité du nécessaire n'implique pas celle du possible (Parret, 1975, pp. 11 et *sqq.*) ; « qu'un automobiliste, voyant en un point A du trottoir le panneau " Interdit de stationner ", tend à conclure que le stationnement est interdit seulement à partir de A » (Ducrot, 1972, p. 234) ; que « toute personne qui emploie une phrase du genre " X rencontre une femme ce soir " implicite normalement que la personne qui va être rencontrée n'est ni la femme de X, ni sa mère, ni sa sœur, ni même peut-être une proche amie platonique. De la même façon, si je devais dire " X est entrée dans une maison hier et il a trouvé une tortue derrière la porte d'entrée ", mon interlocuteur serait très normalement surpris si je lui révélais plus tard que la maison était celle de X » (Grice, 1979, p. 70) ; que « si p » sous-entend généralement « si et seulement si », et que bien des expansions prédicatives reçoivent une valeur restrictive : tous les exemples précédemment fournis à ce sujet pourraient être ici repris, pour illustrer comment fonctionne la loi d'exhaustivité, et comment elle engendre certaines inférences. En voici encore quelques-uns :

> Prière de toucher avec les yeux → /seulement avec les yeux/
> Certains chapitres sont intéressants dans ce livre → /pas tous/

(car si L jugeait le livre globalement intéressant, sa formulation ne serait pas exhaustive. Donc c'est sans doute que...)

> 13 millions de Français partiront en vacances début août → /13 millions seulement/

(sans préjuger toutefois de la valeur argumentative de l'énoncé, qui serait spécifiée s'il était dit explicitement que « 13 millions de Français seulement... »).

[Emma Bovary] est une femme de grands moyens et qui ne serait pas déplacée dans une sous-préfecture [mais dans une préfecture...].

Tu es mon meilleur ami à Lyon → /j'en ai d'autres ailleurs/
→ /tu n'es pour moi qu'un ami/

Ce que j'appelle x → /tout le monde ne l'appelle pas ainsi/

(d'où l'effet légèrement ridicule que produit parfois la maladresse de formules telles que « ce que j'appelle signifiant », « ce que j'appelle illocutoire », quand ces termes sont utilisés de la façon la plus orthodoxe).

Que penses-tu de tel étudiant? – Il a une bonne orthographe [mais c'est tout ce que j'ai à dire sur la question].

Que pensez-vous du livre d'une telle? – Elle a obtenu mention honorable à sa thèse...,

cette réponse (attestée...) donnant naissance, si on la suppose exhaustive, à la chaîne d'inférences suivantes :

→ /elle a obtenu *seulement* mention honorable à sa thèse/
→ /elle doit être plutôt nulle/
→ /cet autre ouvrage d'elle ne doit pas être fameux/

Notons au passage, à propos de la première de ces inférences, que dans ce cotexte, et à l'intérieur d'un paradigme de « mentions » qu'il faut nécessairement connaître pour saisir le sous-entendu, l'adjectif « honorable » subit une inversion, du reste assez fréquente, de sa valeur argumentative originelle, inversion qui peut même frapper l'expression « mention très honorable » dans les cotextes

< – à la majorité >
< – Ø   >

Il convient donc de distinguer deux types d'action de la loi d'exhaustivité :

• x est énoncé, quand il pourrait y avoir à sa place y, plus fort (« à l'unanimité »); si L, supposé observer la loi d'exhaustivité, n'a pas dit y, c'est qu'il ne le pouvait pas, et donc que y est faux.

• Ne figurent dans l'énoncé ni x ni y, quand l'un des deux serait attendu. Si le plus fort avait été possible, L ne se serait sans doute pas privé de l'énoncer. S'il ne l'a pas fait, c'est que y eût été mensonger, donc que la vérité est du côté de x.

D'une manière générale, la loi d'exhaustivité peut ainsi prendre en charge des signifiants absents, dès lors que cette absence est « marquée » par rapport à une présence attendue : les « trous » discursifs sont parfois bien éloquents, ainsi que le remarque par exemple Berelovitch (1981) de ces biographies-à-trous que proposent les manuels et encyclopédies soviétiques de tous ces auteurs « morts prématurément » dans « des régions peu proches ». Après toutefois en avoir fourni quelques exemples, Berelovitch ajoute : « Mais peut-être, après tout, ce ne sont là que mes fantasmes et rien de tout cela ne se trouve dans l'article. Rien n'est moins fiable qu'une information qui se reconnaît au fait qu'elle ne donne pas les informations auxquelles on s'attend. » Les inférences de ce type sont en effet beaucoup plus aléatoires encore (car il peut après tout s'agir d'un simple oubli, et à partir de quand peut-on considérer comme marquée l'absence d'un signifiant?) que celles qui viennent se greffer sur une séquence réalisée.

On voit en tout cas qu'il existe deux manières de transgresser la loi d'exhaustivité : ne pas parler du tout de x, et ne pas dire le tout sur x; deux modes auxquels correspondent aussi deux degrés de gravité, dans l'exemple du moins qu'analyse Lilly Marcou, pour qui la nouvelle attitude du P.C.F. vis-à-vis du fait stalinien, telle qu'elle la voit se refléter dans la préface de Francis Cohen à *Joseph Staline. Textes* (éditions sociales, 1983), constitue un progrès par rapport à son attitude antérieure, et témoigne d'une certaine levée du tabou : « En fait, les analyses de Francis Cohen ne se cantonnent plus dans le " non-dit ", mais dans le " pas assez dit ". Ce que Francis Cohen formule en termes euphémiques – " La liquidation des koulaks, en tant que classe, tourne souvent, à cause, pour une part, de leur résistance violente, à la liquidation physique " – fut, en fait, une réelle guerre civile à la campagne, qui se solda par des millions de morts (Staline même devait le confier à Churchill) » (« Une nouvelle lecture de Staline. Un tabou exorcisé », *Le Monde* des 20-21 mars 1983, p. 9).

2. Après ce couplet sur les bienfaits de la loi d'exhaustivité, l'éternel refrain : elle soulève, elle aussi, de gros problèmes d'application.
– D'abord parce qu'elle fonctionne de façon bien capricieuse : si je déclare qu'il y a en France un million de chômeurs, alors qu'il y en a deux millions; que j'ai trente ans ou trois enfants, quand j'en ai quarante, ou quatre : personne n'hésitera à me traiter de menteuse – et l'on voit ici apparaître clairement le fait que *la logique naturelle s'oppose à la logique formelle, en ce qu'entre autres, ses règles de fonctionnement tiennent compte de l'action des lois de discours :* pour la logique formelle, la vérité de « j'ai quatre enfants » implique celle de « j'ai trois enfants » [50] (et l'unanimité implique la majorité). Mais pour la logique naturelle, « j'ai trois enfants » est faux – parce que non exhaustif – si j'en ai quatre.

Le mensonge est déjà d'une autre nature si à la question « Combien avez-vous d'enfants? », je réponds non plus

– « Trois » (alors que j'en ai quatre), mais
– « J'ai trois garçons » (alors que j'ai aussi une fille) :
il s'agira plutôt cette fois d'un simple « mensonge par omission ».

Le problème est encore plus délicat, si je déclare que « quelqu'un a essayé de tuer Harry », alors qu'il y est en fait parvenu, ou que « Pierre a fait une tentative de suicide », alors que ce suicide a été « réussi » : dans de tels cas, Sadock (1978, p. 296), et Gordon et Lakoff (1975, p. 95) considèrent que l'énoncé n'est pas « faux au sens strict » – mais Grice est d'un avis contraire, et il semble bien que linguistiquement parlant, ce soit plutôt Grice qui ait raison : n'étant pas exhaustif, l'énoncé apparaîtra à tout le moins comme captieux.

A l'autre extrême, M. Lampion ne ment pas, lorsque bien qu'estimant *toujours* jolie celle qu'il aime, il lui déclare : « Comme vous êtes jolie *aujourd'hui* », car il n'existe aucune incompatibilité entre le contenu littéral d'une telle déclaration, et celui de la proposition qu'elle nie pourtant parfois implicitement /vous êtes aussi jolie les autres jours/ : les inférences imputables à l'action de cette loi d'exhaustivité sont d'un degré d'évidence extrêmement variable, allant d'un statut de quasi-présupposé à celui d'un sous-entendu des plus aléatoires (je me souviens ainsi d'un démêlé qui m'opposa un jour à la vendeuse d'un magasin affichant « Vente en gros » : elle prétendait que j'aurais dû comprendre que cela ne pouvait signifier – ce que je contestais – que « Nous ne vendons pas au détail »).

Soit enfin cet exemple que mentionne Martin (1976, p. 19) : « Si, ayant perdu mon trousseau de clés, je déclare avoir perdu la clé de la cave (que ce trousseau comportait), mon dire est vrai au sens du logicien : ma clé de cave est effectivement perdue. Mais, incomplète, mon information pourra paraître trompeuse. O. Ducrot parle à ce propos de loi d'exhaustivité de l'information. » Mais tout dépend en réalité du contexte dans lequel s'insère l'énoncé : s'il peut effectivement, dans certaines circonstances, être jugé trop incomplet pour être honnête, il passera dans d'autres au contraire (si le problème auquel se trouvent confrontés les interactants, c'est par exemple d'ouvrir la porte de la cave), pour parfaitement pertinent, donc approprié, et suffisant quoique non exhaustif.

– Car il va de soi que l'application radicale d'une telle loi est impossible et impensable : on ne peut pas dire *toute la vérité* (pas plus que la loi de sincérité, la loi d'exhaustivité ne prétend du reste qu'il faille énoncer tout ce qu'on tient pour vrai : elle dit simplement que l'on doit, sur un objet discursif donné, fournir le maximum d'information).

Nous avons ailleurs montré (1980, b), pp. 131-146), à propos d'un texte de Georges Perec dont l'objectif explicite était d'« épuiser un lieu parisien » (la place Saint-Sulpice), c'est-à-dire de le décrire exhaustivement, que l'entreprise était nécessairement vouée à l'échec : il n'y a pas de limites au dire descriptif, et le descripteur s'épuise bien avant d'avoir épuisé son objet... Encore ce texte apparaît-il comme exceptionnel quant à sa visée (appliquer scrupuleusement la loi d'exhaustivité) : les pratiques discursives ont généralement des objectifs pragmatiques plus précis, et c'est par rapport à ces objectifs que doit s'envisager la loi d'exhaustivité :

Grice : « Que votre contribution contienne autant d'information qu'il est requis *(pour les visées conjecturelles de l'échange).* »

Ducrot : « Cette loi exige que le locuteur donne, sur le thème dont il parle, les renseignements les plus forts qu'il possède, et qui sont *susceptibles d'intéresser le destinataire.* »

En d'autres termes : comme la loi d'informativité, la loi d'exhaustivité est entièrement *subordonnée à la loi de pertinence,* ces trois lois s'articulant de la façon suivante : il faut fournir de l'information, et même le maximum d'information, dans les limites toutefois de la pertinence [51] – sous peine de tomber dans ce que les grammairiens nomment « périssologie » : « Lorsqu'on dit beaucoup plus qu'il n'est nécessaire, et que le discours est chargé de paroles superflues, ce défaut est nommé *périssologie* » (Bernard Lamy cité par M. Charles, 1977, p. 163, n. 1).

– Non seulement donc on ne *peut* pas tout dire, mais il ne *faut* pas tout dire : bien des choses doivent demeurer « secrètes » (quitte à être dévoilées dans la « confidence »). La loi d'exhaustivité possède son envers : une loi d'« *anti-exhaustivité* » en quelque sorte, correspondant à la deuxième maxime de quantité de Grice [52] : « Que votre contribution ne contienne pas plus d'information qu'il n'est requis. »

Lavorel (1973, p. 25) : « En fait, trop d'information est aussi nuisible que pas assez. »

Olbrechts-Tyteca (1974, p. 146) : « On rend comique un énoncé relatif à la longueur d'une rue en l'exprimant en millimètres, à l'importance d'une fortune en l'exprimant en centimes. »

Perec, parlant dans *Le Monde* du 29 sept. 1978 de *La Vie mode d'emploi :* « Je m'inspire de ce qu'on appelle en peinture l'hyperréalisme. C'est en principe une description neutre, objective, mais l'accumulation des détails la rend démentielle et nous sommes ainsi tirés hors du réel » (et de ce même ouvrage Hubert Juin note semblablement, dans *La*

Quinzaine littéraire, n° 288, 16-31 oct. 1978, p. 6 : « L'ivresse du catalogue illimite le quotidien et déréalise le réel : l'accumulation des détails
exacts [...] provoque un vertige par lequel l'imaginaire paraît et s'empare
de tout. C'est le réalisme irréel ») : c'est le laconisme descriptif qui
passe pour « normal », et lorsqu'un texte tente de transgresser la règle
de « sélection draconienne », il produit paradoxalement un effet-de-non-
réel.
Henri Laborit (1983, p. 66) : « A l'opposé, l'abondance des informations
[...] met également l'individu dans un système d'inhibition » : au même
titre que le déficit informationnel, l'excès engendre l'inhibition de
l'action, donc l'angoisse, voire la folie : on voit ici l'importance qu'il
convient d'attribuer à de tels principes discursifs, dont le mauvais usage
systématique peut être symptôme, mais aussi cause de troubles psychologiques divers...
– Être exhaustif, c'est donc fournir le maximum d'information dont on
est capable sur un sujet donné, tout en restant pertinent : cette loi
récupère tous les problèmes afférents au fonctionnement de la loi de
pertinence, en y adjoignant les siens propres.
  Son application est bien entendu fonction des propriétés de l'univers
de discours; de la nature des savoirs et préoccupations de A, mais aussi
de la situation d'énonciation, et du genre de discours dont il s'agit :
mentionner le numéro d'immatriculation de ma voiture accidentée, c'est
fort légitime si je parle à mon assureur, mais beaucoup moins pertinent
si je raconte l'événement à un ami. C'est par rapport aux « règles du
genre » qu'a intériorisées A, et qui déterminent chez lui un système
d'attentes particulières, que s'évalue le taux d'information que doit
normalement comporter un énoncé, et que vont pouvoir naître, en cas
de rupture par rapport à ce système d'attentes, certaines inférences.
C'est ainsi qu'à propos des rapports de police judiciaire (dans lesquels
il convient d'appliquer scrupuleusement les deux maximes de quantité
de Grice, c'est-à-dire d'être à la fois « *précis :* dire tout ce qui est utile,
sans rien omettre », et « *concis :* ne dire que ce qui est utile, et le dire
sous la forme la plus condensée »), Louis Lambert, grand spécialiste du
« style procédural », met en garde en ces termes les débutants en la
matière : « Dites-vous bien que si vous vous mettiez à tout constater
dans la procédure, à détailler chacun de vos faits et gestes, en vous
interdisant la moindre ellipse, il n'y aurait plus de limite logique à ce
besoin d'exhaustivité : il vous faudrait alors verbaliser le coup de sonnette
donné à la porte du domicile où vous allez perquisitionner, verbaliser
le siège que vous avez offert au témoin qui comparaît, verbaliser le

repas que vous avez permis de prendre à la personne gardée à vue, verbaliser le menu de ce repas... ») [53].

Dans la vie courante, les conditions d'application des lois de discours sont beaucoup plus flottantes, et partant, les cas de transgression plus incertains, et diversement évalués. Car tout le monde n'a pas la même conception de la quantité d'information qu'il est normal de fournir, dans une situation donnée, sur un sujet donné. Ainsi *pour moi* (d'après mon code déontologique personnel), les réponses suivantes sont-elles insuffisamment informatives :

> Tu vas à la mer cet été? – Non.
> Tu sais qui habite à côté? – Oui.

Pour moi toujours, il est vraiment peu coopératif de la part de L_2 de ne pas immédiatement intervenir dans des situations telles que celles-ci :

> L_1 raconte par le menu le film qu'il vient de voir. L_2 écoute en silence. Quand L_1 a terminé, L_2 lui apprend qu'il a lui aussi vu le film en question.

> L_1 parle des différentes expositions qu'il a vues à Lyon, et surtout de leur installation : « La plus belle à mon avis, c'était il y a cinq ans, au Musée des tissus... » L_2, responsable de l'installation en question (ce que L_1 manifestement ignore), se contente de hocher la tête [54].

Pour moi donc, il convient d'admettre – et d'appliquer – une loi telle que : dans une situation de « conversation », laquelle se caractérise par une alternance des locuteurs et leur égalité de principe dans l'interaction, si L_2 est susceptible d'intervenir « en connaissance de cause », s'il a sur l'objet conversationnel « son mot à dire », il doit le dire (surtout si ne le faisant pas, il condamne L_1 à être à son insu non informatif, voire discourtois).

Mais cette règle n'est apparemment pas également reconnue par tous : notre L_2 précédent tomberait des nues si on l'accusait de malhonnêteté discursive. Aucune provocation de sa part, aucune rouerie ni dissimulation. Un tel laconisme est, pour lui, normal : il n'a pas, tout simplement, la même conception que L_1 du bon fonctionnement de la loi d'exhaustivité, et plus généralement, du principe de coopération dont elle est une des manifestations.

Indépendamment des cas, fréquents, de transgression délibérée des lois de discours (de la loi d'informativité par exemple, dans cet extrait d'*Amphitryon*, I, 2 :

> MERCURE. – Qui va là?
> SOSIE. –   Moi.

MERCURE. —   Qui, moi?
SOSIE. —   Moi. Courage, Sosie!
MERCURE. — Quel est ton sort, dis-moi?
SOSIE. —   D'être homme, et de parler.
MERCURE. — Es-tu maître ou valet?
SOSIE. —   Comme il me prend envie),

ces divergences de compétence rhétorico-pragmatique sont à la source de bien des controverses : reproches d'un côté (« Mais pourquoi ne me l'as-tu pas dit? Pourquoi ces cachotteries? » – la cachotterie, la dissi-mulation, l'occultation, le mensonge par omission, n'existant que sur fond de norme du devoir-dire), dénégations plus ou moins sincères de l'autre (« Mais je ne te l'ai pas caché! je ne te l'ai pas dit c'est tout » :

> DON JUAN *(il aperçoit Dona Elvire).* – Ah! rencontre fâcheuse! Traître, tu ne m'avais pas dit qu'elle était ici elle-même.
> SGANARELLE. — Monsieur, vous ne me l'avez pas demandé *(Don Juan,* I, 3)),

la violence de ces controverses prouvant combien est fortement ancrée chez les sujets parlants, quelles que soient les incertitudes qui planent sur leurs conditions d'application, la certitude qu'existent de telles règles du jeu conversationnel.

Lois de pertinence, d'informativité, d'exhaustivité : en exhumant ces règles, la linguistique tente, encore maladroitement, de répondre à *la* question qui harcèle, à chaque instant de son existence sociale, le sujet parlant : *que dire, et ne pas dire?* [55]. Question embarrassante :

> Ces détails sont barbants, je le sais bien. Mais si l'on veut essayer de suivre, pas à pas, le chemin hasardeux d'une vie, voir d'où elle vient et où elle va, *comment choisir entre le superflu et l'indispensable?* (Luis Buñuel, *Mon dernier soupir,* Laffont, 1982, p. 64),

pourtant cruciale :

> Gladys disait toujours ce qui lui passait par la tête. C'est pourquoi les gens ne la comprenaient pas. Dans la majorité des cas, *les gens déterminent ce que nous sommes au choix que nous faisons de nos paroles et de nos silences* (Patrick Besson, *Lettre à un ami perdu,* Seuil, 1980, p. 104),

et qui comporte de nombreuses facettes, par exemple :

1. Quels sont les sujets de conversation autorisés/exclus dans une situation donnée :

> C'était très difficile à l'époque – on a le droit de parler de l'avortement?
> – De tout ce que vous voulez...
> – Donc c'était très difficile de se faire avorter (Guy Bedos, A 2, 12 août 1982).

Il n'est en fait jamais permis de parler de « tout ce qu'on veut », et dans la plupart des situations discursives, le paradigme des thèmes exclus est infiniment plus étendu que celui des élus virtuels, ainsi que le montre S.-J. Sigman (1981) des conversations tenues par les pensionnaires d'un asile de vieillards, où ne sont tolérés sous peine de sanction [56] que les sujets suivants (pp. 260-261) :

(i) « Les événements émergeant du contexte immédiat, telle l'attente d'être servi à table [...] »,

(ii) « les références aux anomalies issues de ce contexte immédiat, c'est-à-dire les événements qui ne correspondent pas aux attentes »,

(iii) et les références, lorsque le pensionnaire s'adresse à un membre du personnel, aux activités dudit membre, « par exemple la nourriture avec un cuisinier, le jardinage, avec un membre du personnel de maintenance ».

Notons qu'il s'agit avec (ii) d'un principe discursif très général, découlant de la loi d'informativité : on verbalise de préférence les événements référentiellement « marqués » (cette consigne d'encodage se répercutant au décodage sous la forme d'un réflexe interprétatif consigné dans l'adage « Pas de nouvelles, bonnes nouvelles » – et s'il est vrai que « le bonheur est sans histoire », c'est sans doute qu'il constitue, pour une doxa décidément bien optimiste, un état plus normal que le malheur : il est de fait qu'à la question « Comment ça va ? », une réponse de type « bien » est jugée suffisante, alors que la réponse inverse doit en principe être suivie d'un commentaire explicatif). On parle du retard du train, mais moins systématiquement, dans les pays du moins où les trains ont pour habitude d'être à l'heure, de sa ponctualité. On commente la nouvelle coiffure de machin(e), mais plus rarement sa constance capillaire, et l'on peut estimer quelque peu injustifiées, dans l'échange suivant, les récriminations de L_3 :

> L_1 (à L_2). – Tiens, tu t'es fait couper les cheveux, ça te va bien je trouve.
> L_2. – Ah bon?
> L_3. – Moi tu ne me fais jamais de compliments sur ma coiffure...
> L_1. – Mais tu n'en changes jamais !

Encore plus injustifiée, cette protestation de M. Smith, dans la première scène de *La cantatrice chauve* :

> Il y a une chose que je ne comprends pas. Pourquoi à la rubrique de l'état civil, dans le journal, donne-t-on toujours l'âge des personnes décédées et jamais celui des nouveau-nés? C'est un non-sens.

2. Dans quel cas un acte de langage donné « s'impose »-t-il, qu'il s'agisse par exemple

• d'une assertion informative : « [...] on se sent légèrement obligé d'informer la personne avec qui l'on est de la nature de la relation avec une troisième personne que l'on a saluée en passant » (Goffman, 1979, p. 190);

   • d'une assertion justificative : « Je ne lui avais posé aucune question; mais elle, s'étant aperçue que je l'avais vue hier sur l'esplanade, s'était crue obligée de justifier sa présence en ce lieu » (Italo Calvino, *Si par une nuit d'hiver un voyageur,* Seuil, 1981, p. 69) : l'assertion répond donc ici à une sorte de question implicite posée par la situation. Ailleurs ce sera un refus, une réfutation, et plus généralement, un comportement offensant de nature verbale ou non verbale (retard, intrusion, etc.), qui appellera un commentaire justificatif;

   • de l'énoncé d'une preuve nécessaire pour étayer certains types d'assertion, spécialement dans certains contextes institutionnels (exposé scientifique, procès, etc.);

   • d'une « dénonciation » : « quand l'Autre n'a pas dénoncé au moment des faits ce qui devait l'être, il n'a plus ni crédibilité ni autorité morale pour porter des jugements sur le respect des Droits de l'homme » [...], « quand l'Autre fait silence, sur l'Iran ou sur le Chili par exemple, il ne peut s'agir que d'un " silence complice " » – pour le P.C.F. et l'*Humanité* du moins, dont J.-N. Darde (1984, pp. 122, et 187) montre qu'ils n'appliquent pas toujours à leur propre discours ce beau principe;

   • de la formulation d'une question, par exemple :

Lorsqu'on déclare à L_2 que l'on voit une solution au problème posé, ou que l'on est en train d'écrire un nouveau bouquin, ou que l'on sort d'une épreuve d'examen, on s'attend généralement à ce que L_2 s'enquière : « laquelle? », « sur quoi? », « ça a marché? ».

Lorsqu'on est pris en auto-stop, on s'attend généralement à se voir questionné sur ses origines géographiques, le but de son voyage, etc. (d'où l'étrange impression que l'on éprouve dans certains pays, que l'on peut des jours et des jours sillonner sans que ses chauffeurs de fortune ne posent, jamais, la moindre question).

C'est donc encore une fois le cotexte, ou le contexte, qui selon les cas constitue le stimulus d'une réponse verbale attendue (en forme ici de question).

Un exemple encore de stimulus contextuel :

« Si pourtant on s'en aperçoit [du fait que vous avez huilé la serrure et les gonds de la porte de votre chambre], n'hésitez pas à dire que c'est le Frotteur du Château. Il faudrait, dans ce cas, spécifier le temps, même les discours qu'il aura tenus : comme par exemple, qu'il prend ce soin contre la rouille, pour toutes les serrures dont on ne fait pas usage. Car vous sentez qu'*il ne serait pas vraisemblable que vous eussiez été témoin de ce tracas sans en demander la cause.* Ce sont ces petits détails qui donnent la vraisemblance, et la vraisemblance rend les mensonges sans conséquence, en ôtant le désir de les vérifier » : ainsi que l'enseigne judicieusement Valmont à Cécile Volanges [57], certaines questions sont, dans certaines circonstances, « vraisemblables », et leur absence invraisemblable.

Bref : il y a des choses qu'il convient, en co(n)texte, de dire – mais lesquelles ? Quelles que soient les difficultés qu'a la linguistique à y répondre, cette lancinante question est là toujours, en amont de celle-ci : « Ces choses qu'il convient de dire, comment les dire ? Ces contenus qu'il faut normalement verbaliser, quels signifiants leur attribuer ? »

(3) C'est à cette question du *comment* que tente de répondre la « maxime de modalité » (*alias :* de « manière ») de Grice.
Cette maxime envisage surtout la propriété de *clarté* des énoncés produits ; clarté qui exige par exemple
 • que le cotexte ou le contexte permettent la « monosémémisation » des séquences polysémiques en langue,
 • et que soit encodé et décodé le sens le plus vraisemblable co(n)textuellement – l'existence d'une telle règle apparaissant comme toujours au travers de ses transgressions, ex. :

L'alcool tue lentement,

qui normalement, ayant pour focus le prédicat verbal, se prête à un enchaînement du type

ça ne fait rien, je n'ai pas peur de la mort,

mais peut être interprété par facétie comme se focalisant sur « lentement » (interprétation permise mais beaucoup moins vraisemblable, en l'absence de tout indice prosodique intervenant en sa faveur, et qui donne lieu à cette réplique imprévue mais bien connue

Ça ne fait rien, je ne suis pas pressé [58]).

Mais à côté de cette exigence de clarté, il conviendrait d'envisager aussi, entre autres, et en vrac :
 1. une règle d'*économie,* qui veut que l'on choisisse de préférence, pour un contenu donné, la formulation la plus simple et directe ; règle qui explique par exemple que lorsque le mot correspondant existe, on évite d'utiliser une périphrase plus « coûteuse », à moins d'une intention argumentative particulière [59] ; et qui est responsable de l'effet pour le moins étrange que produisent les phrases suivantes :

> Je raffole des enfants, les petits garçons excepté (Lewis Carroll),
>
> J'aime deux sortes d'hommes : ceux qui ont de la moustache, et ceux qui n'en ont pas (Mae West)
>
> Deux semaines plus tard, Bonadea était depuis quinze jours sa maîtresse (Musil)

2. une exigence d'*honnêteté*, qui veut par exemple que l'on mentionne ses sources, dans les travaux scientifiques bien sûr, mais aussi dans la parole quotidienne : bien que l'on puisse déclarer sincèrement

> New York est une ville fabuleuse

sans y avoir jamais mis les pieds, il est de règle que l'on ajoute dans ce cas la clause « paraît-il/à ce qu'on m'a dit »; en d'autres termes, un tel énoncé proféré « sans autre » implique généralement (et même le veut dire expressément, en cas de trope implicitatif)

> /je suis allée à New York, je connais cette ville/ ;

3. une exigence de *neutralité,* qui veut que dans bien des situations discursives, on évite les expressions trop évidemment orientées argumentativement, et que pour influencer l'opinion d'autrui, on ait recours à des procédés plus discrets :

• en réunion syndicale : « Je vous informe qu'il n'y a pas de mot d'ordre national »/« je vous rappelle qu'il y aura désormais des retenues sur salaire » (→ /tiens il est contre la grève/);

• en délibération d'examen : « c'est la troisième fois qu'elle se présente », « elle est vraiment jolie », « la pauvre elle est un peu ingrate », « tiens elle est née en 1940 », « elle est vraiment toute jeune » : les énoncés les plus contradictoires peuvent dans certains cas être mis au service d'une même intention argumentative;

• s'agissant de choisir un restaurant : « c'est un peu loin », « on y est déjà allé tu te souviens? », « celui-là il est à la campagne » (qui peut entraîner, lorsque l'orientation argumentative de l'énoncé est certaine, mais ambiguë, une sommation du type « et alors? »);

4. une règle plus spécifique qui veut que si l'on est soi-même en mesure, parce que l'on en a eu l'expérience directe, de porter un jugement sur un objet quelconque, on peut demander à autrui son avis sous la forme

> Comment as-tu trouvé ce film?

mais non point sous la forme

> Il est bien ce film?,

car un tel énoncé sous-entend automatiquement

> /je ne l'ai personnellement pas vu/

(Musset, *Un caprice,* Garnier-Flammarion, 1964, p. 144 :

MADAME DE LERY. — Était-il amusant, ce bal?
CHAVIGNY. — Comme cela. N'y étiez-vous pas?) ;

5. une règle beaucoup plus générale qui veut que soient respectées toutes celles qui *régissent les interactions conversationnelles,* et déterminent le fonctionnement des tours de parole, des paires adjacentes et autres « échanges », des séquences d'ouverture et de clôture, etc. ; règles qui lorsqu'on les estime transgressées peuvent faire l'objet d'un commentaire méta-communicatif – ainsi Giscard d'Estaing rappelle-t-il à Mitterrand, lors d'un débat télévisé (1974) :

> Je ne sais pas quelle idée vous avez de la vie publique, mais lorsque je mets en cause quelqu'un, je lui laisse le temps de me répondre.
> Je suis en retard parce que Monsieur Mitterrand parle plus que moi, et je m'efforce d'avoir accès au droit de parole.
> Monsieur Mitterrand, parlons sérieusement...

Ou bien encore c'est à l'ordre des principes argumentatifs que Giscard rappelle Mitterrand :

> Il ne faut pas procéder par affirmations.
> Il faut mettre ses conclusions à la fin de sa démonstration et pas au début.
> Il ne suffit pas de faire le catalogue des problèmes, il faut faire le catalogue des solutions.
> Il faut parler de choses précises.
> A partir du moment où nous discutons de chiffres, il faut discuter de chiffres exacts (d'après P. Baldi 1979, pp. XIII-X).

Le retour obstiné de la formule injonctive « Il faut » le dit assez : il s'agit bien là de règles relevant d'un code déontologique du savoir-dire. Mais après tout, les règles proprement linguistiques se laissent aussi formuler en termes d'un « il faut » (« accorder le verbe avec son sujet », etc.). Sans doute conviendrait-il d'ailleurs d'admettre dans la compétence rhétorico-pragmatique un principe très général mentionnant que l'on doit jouer le jeu du code linguistique, et respecter dans la mesure du possible les règles syntaxiques, et lexicales : tout signifiant doit en discours recevoir l'une ou l'autre des valeurs qu'il possède en langue; tout au plus peut-on exceptionnellement compenser certaines lacunes du lexique en fabriquant un néologisme de signifiant ou de signifié, à condition qu'il soit immédiatement compréhensible, c'est-à-dire clairement motivé. L'apôtre et la figure emblématique d'un usage strictement idiolectal du langage, c'est on le sait, Humpty Dumpty :

> — Quand j'emploie un mot, dit Humpty Dumpty avec un certain mépris, il signifie ce que je veux qu'il signifie, ni plus ni moins.
> — La question est de savoir, dit Alice, si *vous* pouvez faire que les mêmes mots signifient tant de choses différentes.

– La question est de savoir, dit Humpty Dumpty, qui est le maître – c'est tout (Lewis Carroll 1963, p. 246).

Confrontée à cette revendication aussi aberrante que péremptoire, la pauvre Alice se retrouve une fois de plus tout abasourdie. Mais nous sommes ici au Pays des Merveilles. L'histoire, qui nous offre une théorie pourtant impressionnante de maîtres, et de fous, ne nous mentionne aucun Humpty Dumpty : c'est qu'il est impossible de décider de transgresser, systématiquement et délibérément, cette loi de conformité aux usages langagiers (qui est sans doute à verser au compte du principe de coopération) sans se condamner du même coup au mutisme. « Tout mot veut dire ce que je veux qu'il signifie », c'est vrai; mais en même temps, tout mot veut dire ce qu'il veut dire (il a un sens en langue) : parler, c'est tenter de faire coïncider ces deux vouloir-dire. On est, encore une fois, *contraint* d'être coopératif.

Pour en revenir aux règles précédemment envisagées, reconnaissons qu'il s'agit là d'un ensemble fort hétérogène, dont on peut se demander si elles relèvent toutes au même titre de cette compétence rhétorico-pragmatique; que nous ne voyons pas encore clairement comment se découpe et s'organise cette compétence, et que tout ce que nous disons ici à son sujet relève d'un grossier défrichage. Elles sont en tout cas fréquemment transgressées – des règles conversationnelles, Brown et Levinson déclarent (p. 234) qu'elles sont « extremely sensitive to violation » –, et systématiquement suspendues dans certains types de discours : le principe de clarté doit par exemple, d'après notre théoricien du « style procédural », Louis Lambert, être scrupuleusement observé par les officiers de police judiciaire, mais aussi par tout scripteur sérieux : « Aucune ambiguïté, aucune équivoque ne doit exister dans votre procédure [...]. La clarté absolue est un impératif qui joue d'ailleurs pour tous les styles, y compris le style philosophique. Rien n'est plus beau qu'une pensée profonde exprimée avec concision et avec harmonie dans des termes limpides : c'est ce qu'a démontré Bergson. Rien n'est plus ridicule et exaspérant que le galimatias prétentieux et hermétique qui oblige le lecteur à un effort cruel de traduction pour ne découvrir là-dessous qu'une suite d'idées banales sinon même infantiles. » Et de convoquer Paul Morand : « Écrire en français, c'est voir couler une eau de roche, à côté de laquelle toutes les autres langues sont de troubles rivières, c'est vivre dans un palais de cristal. » Ce principe est pourtant systématiquement violé par les discours ludique et poétique, qui exploitent et cultivent l'ambivalence; et par les pratiques discursives qui justement nous intéressent ici : le discours implicite, et le trope d'invention, qui créent une sorte de polysémie inédite, et par définition transgressent les règles de clarté et d'économie.

b) Lois de discours concernant l'ensemble des comportements sociaux, et relevant d'une sorte de code des convenances, dont les manifestations peuvent être aussi bien verbales que non verbales.

« Il y a aussi bien sûr toutes sortes d'autres règles (esthétiques, sociales ou morales), du genre " Soyez poli ", que les participants observent normalement dans les échanges parlés » (Grice, 1979, p. 62).

De même que les principes de coopération et de pertinence peuvent être rattachés à la propriété de « raisonnabilité » des sujets parlants, de même peut-on considérer que ces règles de politesse s'articulent sur la théorie des « faces » : « A la suite de Goffman, Brown et Levinson partent de l'hypothèse que tout individu, dans l'interaction sociale, tient avant tout à sauver la face; ils distinguent la " face négative ", qui est le besoin [...] de défendre le territoire de son moi, et la " face positive ", c'est-à-dire le besoin d'être reconnu et apprécié par autrui. En principe, il est de l'intérêt de chacun des interlocuteurs de maintenir la face de l'autre, afin de ne pas mettre en danger la sienne propre » (on retrouve ici l'idée sperbérienne d'un sujet égocentrique par vocation, mais altruiste par intérêt). « Mais certains actes sont intrinsèquement menaçants pour la face négative [...] ou positive [...] de l'interlocuteur, d'autres pour la face négative [...] ou positive [...] du locuteur. D'où la nécessité de développer des stratégies d'interaction pour réduire cette menace » (Roulet, 1980, b), p. 217).

Nous verrons plus tard quelles sont ces stratégies, qui pour la plupart relèvent de l'indirection. Pour le moment, notons :

1. Que l'on peut, selon qu'ils constituent une menace pour la face négative ou positive de A ou de L, classer les « Faces Threatening Acts » en quatre classes :

(1) Actes menaçants pour la face négative de A (son « territoire ») : ordre, requête, offre, suggestion, conseil, menace, etc.

(2) Actes menaçants pour la face positive de A (son narcissisme) : critique, insulte, rebuffade, réprimande, réfutation, et autres comportements vexatoires.

(3) Actes menaçants pour la face négative de L lui-même : promesse, proposition, et autres « promissifs » austino-searliens.

(4) Actes menaçants pour la face positive de L : aveu, excuse, auto-critique, auto-humiliation, comportement « auto-dégradant » (perte du contrôle de son élocution, ou de sa maîtrise corporelle, etc. [60]),

lesquels actes sont particulièrement déconseillés aux personnes qui occupent une position « haute » (et désirent la conserver), telles les divinités :

> LA NUIT. — Vous vous moquez, Mercure, et vous n'y songez pas :
> Sied-il bien à des dieux de dire qu'ils sont las?
> MERCURE. — Les dieux sont-ils de fer?
> LA NUIT. — Non ; mais il faut sans cesse
> Garder le decorum de la divinité.
> Il est de certains mots dont l'usage rabaisse
>   Cette sublime qualité
>   Et que, pour leur indignité
>   Il est bon qu'aux hommes on laisse (*Amphitryon*, prologue)

2. Que certains comportements discursifs (ou non discursifs) constituent à la fois une menace et une anti-menace – une gifle et une caresse, la blessure et son baume..., et qu'un même acte peut menacer plusieurs à la fois des quatre faces distinguées précédemment. C'est ainsi par exemple que la « déclaration d'amour » – ou *a fortiori*, de passion – de L à A :

(1) menace la face négative de A : l'amour est, plus encore que l'amitié, une sorte d'incursion territoriale :

> ZERBINETTE. — J'accepte la proposition, et ne suis point personne à reculer, lorsqu'on m'attaque d'amitié.
> SCAPIN. — Et lorsque c'est d'amour qu'on vous attaque?
> ZERBINETTE. — Pour l'amour, c'est une autre chose ; on y court plus de risque, et je n'y suis pas si hardie (*Les fourberies de Scapin*, III, 1)

qui peut même être vécue comme une violence intolérable :

> ISABELLE. — Nous donnons bien souvent de divers noms aux choses :
> Des épines pour moi, vous les nommez des roses ;
> Ce que vous appelez service, affection,
> Je l'appelle supplice et persécution (*L'illusion comique*, II, 3) ;

(2) constitue une anti-menace pour la face positive de A : c'est toujours flatteur et gratifiant d'être aimé – de quelqu'un surtout dont on estime le jugement (en revanche et symétriquement, la « déclaration de non-amour » constitue pour A, surtout s'il aime L, une terrible offense : voir dans le court-métrage d'Anne-Marie Miéville *How can I love a man who don't want me* les stratégies auxquelles recourent, honteusement et maladroitement, les amants successifs de l'héroïne pour « adoucir » la formulation de cet énoncé clé de toute scène de rupture : « je ne t'aime plus »; et ce petit dialogue extrait de la *Cenerentola* de Rossini (II, 2) :

> CENDRILLON. — Changez de langage ou je vous quitte.
> DANDINI. — Mais comment donc? Est-ce vous blesser que vous parler d'amour?

CENDRILLON. – Mais si j'en aime un autre?
DANDINI. – *Et vous me le dites en face!* [e me lo dici in faccia!])

(3) est plutôt menaçant pour la face négative de L, qui se trouve assujetti à ce que jadis on nommait le « service d'amour ».

(4) menace la face positive de L, qui encourt le risque humiliant d'un rejet de la part de l'aimé;

3. Qu'il faut admettre un principe général voulant que l'on cherche en général à ne pas trop perdre la face, et à ne pas trop la faire perdre à son partenaire d'interaction, ce principe donnant naissance à un certain nombre de *lois* de discours que nous dirons « *de convenance* » (politesse, courtoisie, bienséance, civilité...) :

(1) Règles concernant le comportement de L vis-à-vis de A

1. Elles se ramènent pour la plupart au principe : *Ménagez autant que possible les faces négative et positive de A.*

• Face négative : « Évitez de donner à A des ordres brutaux, de formuler des exigences inconsidérées, de " marcher sur ses plates-bandes "... »

• Face positive : « Évitez de dire à A des choses désobligeantes, ou de vous moquer de lui » (« Quand quelqu'un cause, et qu'on rigole, c'est méchant » – Fernand Reynaud, *Heureux*).

C'est mal de dire du mal d'autrui [61] – mais c'est encore pire s'il s'agit de son partenaire discursif, et c'est en cela que ces règles de convenance sont de nature *interactionnelle,* puisqu'elles prescrivent d'adopter un comportement discursif spécifique si c'est à A que l'on parle de A; la preuve : pour décrire une personne à son interlocuteur, on n'hésite pas à user d'axiologiques, même négatifs. Mais si l'on se trouve en situation d'avoir à décrire A à A (pour vérifier par exemple au téléphone qu'on ne se trompe pas d'interlocuteur), on dira sans difficulté, car il s'agit là d'un qualificatif « objectif » : « vous êtes blonde »; avec plus d'hésitations et précautions : « Vous êtes (plutôt) petite »; beaucoup plus difficilement, on verra bientôt pourquoi : « vous êtes jolie »; et jamais, si ce n'est en cas de provocation délibérée : « vous êtes moche » : les axiologiques adressés sont des espèces de bombes illocutoires qui ne se manient qu'avec des pincettes.

Autres attestations de cette règle :

Parmi les jeunes Français, Bertrand Blier m'impressionne beaucoup, j'admire ses films. Sinon, il y a bien sûr des gens comme Rohmer. Mais on dit toujours qui on aime...

– Qui n'aimez-vous pas?

– Ce ne serait pas gentil de le dire [dans la mesure surtout où ces mal aimés peuvent être les récepteurs indirects d'un propos aussi peu flatteur], mais soyez certain qu'il y en a beaucoup (« Arthur Penn, un petit grand homme », propos recueillis par Olivier Seguret, *Libération* du 22 déc. 1982, p. 22).

> SILVIA. – Il y a bien encore certaines choses que je pourrais supposer ; mais je ne suis pas folle, et je n'ai pas la vanité de m'y arrêter.
> DORANTE. – Ni le courage d'en parler ; car vous n'auriez rien d'obligeant à me dire. Adieu, Lisette (*Le jeu de l'amour et du hasard*, III, 7).

Remarques

• Les deux énoncés précédents montrent comment cette loi de convenance frappe de tabou certains énoncés ; et le dernier, comment elle peut être à la source de certaines inférences : Silvia ne me parle pas de x, c'est donc que ce qu'elle aurait à m'en dire n'aurait pour moi « rien d'obligeant ».

• On appelle « gaffe » une offense commise involontairement par L, ce qui lui vaut la sanction du ridicule, mais en même temps l'attribution de circonstances atténuantes.

• Cette faute que constitue la transgression des règles de la politesse discursive est plus vénielle aussi lorsque L s'inclut lui-même dans l'ensemble de ceux qu'il pourfend [62] :

> Et si je parle d'eux [les artistes] avec sévérité, c'est que je parle un peu de moi-même, de celui que j'aurais pu devenir (D. Sallenave, *Les portes de Gubbio,* le Livre de poche, éd. 1982, lettre de Kaerner, p. 150).

• Elle s'alourdit au contraire si L, sans l'admettre explicitement cette fois, est lui-même passible de la critique qu'il formule à l'encontre de A (et s'il l'est à un degré plus fort encore, nous appelons « la paille et la poutre » ce délit langagier [63]). Pour avoir le droit d'attaquer A sur x, il convient d'être soi-même irréprochable quant à x, sous peine de se voir décocher un blessant « Tu peux parler ! Tu ne t'es pas regardé ! » :

> Mme MARTIN. – J'ai vu, dans la rue, à côté d'un café, un Monsieur, convenablement vêtu, âgé d'une cinquantaine d'années, même pas, qui...
> M. SMITH. – Qui quoi ?
> Mme SMITH. – Qui quoi ?
> M. SMITH (*à sa femme*). – Faut pas interrompre, chérie, tu es dégoûtante.
> Mme SMITH. – Chéri, c'est toi, qui as interrompu le premier, mufle [doublement, en effet] (*La cantatrice chauve*, scène VII).

• Cela dit, les critiques, attaques, invectives, goujateries, railleries, injures, et autres formes de l'offense verbale, sont monnaie courante. Mais on n'y recourt en général qu'avec prudence et modération. Même le discours de la « critique » use volontiers de la litote, de modalisateurs venant adoucir la brutalité d'un jugement négatif, ou du procédé du balancement axiologique : « Il y aurait beaucoup à dire sur la façon dont est traité ce thème quelque peu scabreux », « Le résultat ne laisse pas de surprendre », « C'est un film très soigné, un peu esthétisant peut-être », « Cette fois, il faut l'avouer, l'entreprise nous semble peu convaincante », « Cet ouvrage a le mérite de..., même si... », « Il évoque fort bien..., on peut cependant regretter que.../ il n'en reste pas moins que... », etc. Si l'on veut éviter que soit déterrée la hache de guerre, si l'on désire préserver ce minimum de coexistence pacifique nécessaire à la poursuite de l'interaction, il faut éviter d'infliger à autrui (même s'il s'agit, comme dans les exemples précédents, d'un destinataire indirect, et *a fortiori* s'il s'agit de son destinataire direct) une blessure narcissique trop cruelle. Voilà pour le principe. Quant à ses applications, elles ne peuvent être envisagées que dans le cadre institutionnel propre à chaque type d'interaction : le 16 février 1983, Jean d'Ormesson s'exclamait sur les ondes, à propos et en présence de Roland Leroy : « L'imbécile ! » L'insulte (non directement adressée pourtant, mais on peut y voir un faux aparté, donc un trope communicationnel) fit scandale, et d'Ormesson dut la « retirer » publiquement (c'est-à-dire en fait, y ajouter une formule performative à fonction « réparatrice »). On mesure à cet exemple la distance qui sépare les normes régissant les comportements quotidiens, et les interactions « formelles »...

• Donc, c'est mal de dire du mal de x. On pourrait penser que c'est donc bien de dire du bien de x. Lorsque x correspond à l'allocutaire, on constate pourtant une chose bien étrange : il est dans une certaine mesure conseillé de parler avec chaleur de A à A, et même d'user alors, en vertu de la *règle de sympathie,* de l'hyperbole : « C'est, semble-t-il, un principe des relations sociales que des personnes en relation qui se parlent (directement ou par téléphone) expriment d'une façon ou d'une autre le degré exact de leur intimité et le plaisir qu'elles éprouvent toutes deux devant cette occasion d'entrer en contact. Une " règle de sympathie " s'applique. En fait, on tend à manifester plus d'intérêt et d'engagement qu'il n'y en a peut-être, et l'erreur va habituellement dans le sens des effusions » (Goffman, 1979, p. 210). Mais dans une certaine mesure seulement.

2. Intervient en effet une règle complémentaire et inverse de la précédente, qui frappe de tabou les comportements non plus de blâme, mais de louange : *n'exaltez pas excessivement la face positive de A.*

Comment expliquer cette censure sur le compliment (*i.e. :* sur les propos élogieux portant sur A, ou sur un objet dont il est directement

responsable – progéniture, maison, cuisine, œuvres en tous genres)?
D'abord parce que tout compliment risque d'être interprété comme
insincère, c'est-à-dire « flatteur » :

> L_1 [Louis de Funès, ou plutôt le personnage qu'il incarne dans *La folie des
> grandeurs,* de G. Oury], à son courtisan L_2 [Yves Montand]. – Flatte-moi.
> L_2. – Vous régnez sur le plus grand état...
> L_1. – Mais c'est pas de la flatterie ça, c'est vrai!
> L_2. – Vous êtes beau.
> L_1 (se regardant dans la glace). – Tu en es sûr?
> L_2. – Monseigneur, je flatte!

La flatterie, c'est un compliment insincère. Mais le simple mot de
« compliment » connote souvent lui-même l'idée d'insincérité :

> L_1. – Je vous considère comme l'un de mes plus chers amis, et j'ai en vous une
> confiance illimitée.
> L_2. – Laissons de côté les compliments.
> L_1. – Ce ne sont pas des compliments. Je vous parle du fond du cœur (Ch. de
> Bernard, « Une consultation »).

A quoi tiennent ces affinités entre compliment et insincérité? Au fait
que l'on a souvent *intérêt* à complimenter – pour se faire bien voir,
pour obtenir en retour, ne serait-ce que sous la forme d'un contre-
compliment (le code du compliment s'apparente à celui du potlach),
quelque avantage ou gratification. Pour Brown et Levinson, tout complimenteur « indique qu'il aimerait quelque chose » de A, et tout compliment constitue à ce titre une menace pour la face négative de A. Les
compliments sont donc suspects d'être insincères, parce qu'ils sont
suspects d'être intéressés – lorsqu'ils s'intègrent par exemple à un macro-
acte de « cour », ou de « drague » (les courtisans, et les dragueurs, étant
en quelque sorte des complimenteurs, voire des bonimenteurs, professionnels).

C'est en tout cas bien souvent sur le mode de la contestation de la
sincérité du complimenteur, ou de la vérité de l'assertion complimenteuse, que l'on répond à un compliment : fréquente aux États-Unis, la
réponse de type « merci » est plus rarement attestée en France, où on
lui préfère en général les diverses formes de la dénégation et du rejet.
C'est qu'un compliment met son destinataire dans l'embarras, car il va
à l'encontre de la « loi de modestie » qui veut qu'on ne laisse pas exalter
excessivement sa propre face positive – et *a fortiori,* qu'on ne l'exalte
pas soi-même.

Il existe en effet des règles qui dictent également les comportements
discursifs que L doit adopter vis-à-vis de lui-même. Avant de les aborder,
notons que *les règles de convenance ont pour fonction de canaliser les*

comportements menaçants pour les faces négative et positive de A, *mais aussi les comportements « anti-menaçants »* pour
• la face négative de A : « ne pas laisser intact le territoire de A » : un minimum d'incursions s'impose si l'on ne veut pas se voir reprocher un défaut d'intérêt pour A ;
• sa face positive, la règle prenant alors la forme non pas de « il faut dévaloriser A », mais de « il ne faut pas trop le valoriser ».
Toute loi de discours a son revers : il est décidément bien difficile de parler juste.

(2) Règles concernant le comportement de L vis-à-vis de L.

1. *Arrangez-vous pour ne pas perdre trop manifestement la face,* qu'il s'agisse de votre face négative : « sauvegardez, dans la mesure du possible, votre territoire, et protégez-vous des incursions par trop envahissantes »; ou positive : « ne laissez pas impunément dégrader votre " image " (répondez aux critiques, attaques et insultes), et ne contribuez pas vous-même à cette dégradation ».
Relèveraient par exemple de ce principe ce que l'on pourrait appeler
• une « loi de prudence » :
Ne pose pas de question dont tu n'aimerais pas la réponse,
Ne dis rien ça évite les complications,
le moins on dit le moins on a à se dédire (adages inspirés de S. Doubrovsky, *Un amour de soi*, Hachette, 1982, pp. 162-163).

• une « loi de décence » : évitez les manifestations discursives trop débridées, ou susceptibles d'être jugées choquantes, par leur teneur ou leur formulation (certaines précautions oratoires telles que « si vous me passez l'expression », « sauf votre respect », « révérence parler », pouvant être utilisées pour « faire passer » la séquence indécente);
• une « loi de dignité » : ne pas « baisser son pantalon », ou « s'écraser » ostensiblement (quand on est par exemple contraint, sous la pression des événements, de faire machine arrière, et de revenir sur des positions obstinément défendues jusqu'alors, mieux vaut tenter, à l'instar d'Arafat acceptant, en juillet 1982, « les résolutions de l'O.N.U. relatives à la question palestinienne », d'enrober d'un flou artistique un tel reniement de soi-même); ne pas « se diffamer » soi-même :
Peter, choisissez le cognac vous-même, cette collection est extraordinaire, moi je n'y connais rigoureusement rien. J'avale tout sans regarder l'étiquette. Vous constatez, Oriane, que je n'ai même pas l'excuse d'être une fine gueule. Non. Un gros tas vaguement alcoolique, avec des jambes comme des poteaux. Vos autres amies ne me ressemblent pas, j'espère.
— Gilberte, vous vous diffamez (T. Duvert, *Un anneau d'argent à l'oreille*, Minuit 1982, p. 86) [64].

2. Mais il ne convient pas non plus de se glorifier soi-même : la précédente règle a elle aussi son envers, que l'on peut appeler *règle de modestie,* ou encore : « règle qui interdit que l'on se jette ostensiblement des fleurs à soi-même » (p. abrév. : *règle des fleurs*) – A. Pomerantz parlant quant à elle du principe de « Self-Praise Avoidance » et Ken-Ichi Sasaki, des « barricades de la bienséance qui interdisent de manifester des vanités » (1979, p. 336).

Cette règle est solidement inscrite, dans notre culture du moins [65], ainsi qu'en témoignent les effets que produit immanquablement sa transgression : accusation de mégalomanie, voire de folie (Jean-Edern Hallier, en déclarant ses propres écrits « éblouissants », se fait traiter de « provocateur à l'égocentrisme forcené »; le facteur Cheval, en inscrivant au fronton de son Palais Idéal « Cette merveille, dont l'auteur peut être fier... », ou ce peintre new-yorkais couvrant les murs de la ville du graffiti I AM THE BEST ARTIST, signé RENÉ, passent pour fous); stupeur ou incrédulité de l'interlocuteur, qui tente de « sauver » le locuteur (et la loi de discours) en lui prêtant une intention non sérieuse :

> Marguerite Duras. – J'ai revu à Lisbonne récemment *Son nom de Venise dans Calcutta désert,* j'ai trouvé ça complètement génial. J'ai revu le *Navire Night,* je trouve ça très beau. Ça vous choque que je dise des choses pareilles? Je suis très sérieuse : j'aime beaucoup ce que je fais. Pas tout : il y a des films que je n'aime pas : *Véra Baxter,* je ne l'aime pas.
>
> Q. – Je me demande si vous cabotinez ou si vous êtes sérieuse?
>
> M.D. – Non non. Si je cabotinais, ça commencerait à se savoir dans le monde (S. Lamy et A. Roy éd. *Marguerite Duras à Montréal,* « Conférence de presse du 8 avril 1981 », Spirale, Montréal 1981, p. 25).

Plus communément, qui viole étourdiment la « loi des fleurs » encourt le ridicule :

« Bien qu'il soit souhaitable que le discours contribue à la bonne opinion que l'auditoire peut se former de l'orateur, c'est assez rarement qu'il est permis à ce dernier, pour y parvenir, de faire son propre éloge [...]; l'éloge de soi-même produit un effet déplorable sur les auditeurs [...]. Aujourd'hui, l'éloge que ferait l'orateur de sa propre personne nous paraîtrait déplacé et ridicule » (Perelman et Olbrechts-Tyteca, 1976, pp. 429-430). Étant ridicule, un tel éloge fait rire, en effet :

> Mon livre est justement réussi à cause de ça... (Jacques Brenner, à *Apostrophes*) [→ rires du plateau.]
>
> Je crois qu'un ami chaud, et de ma qualité,
> N'est pas assurément pour être rejeté (Oronte, *Le Misanthrope,* I, 2) [→ sourire du public/lecteur.]
>
> Have you ever adored a young man madly?
> – No, not madly ; I prefer love, that is a higher form.

– Never mind about that. Let us keep down to the level we are at now.
– I have never given adoration to anybody except myself [« loud laughter » –
du jury, du public, et du lecteur de ces minutes du procès d'Oscar Wilde].

Effet garanti donc – qui peut prendre encore la forme d'une réplique sarcastique telle que :

C'est pas la modestie qui t'étouffe!
T'as les chevilles enflées/bleues! Ça va tes chevilles? [car c'est apparemment dans cette partie du corps que se localise la vanité],

mais que l'on peut toutefois tenter de neutraliser à l'aide de procédés tels que :

• une formule d'excuse, ayant pour but de « réparer » cette « offense » que constitue la transgression d'une loi de discours :

Pardon pour ce plaidoyer pro domo...
Je m'y suis sentie bien parce que, pardonnez-moi, j'avais le sentiment de représenter un symbole, celui de la féminité (Jeanne Moreau, interviewée au journal d'Antenne 2, le 7 sept. 1982, sur la façon dont elle avait vécu le tournage du film de Fassbinder Querelle);

• un petit rire désamorçant par avance celui du récepteur :

Vous savez je suis très intelligent... [petit rire]. J'ai une culture très vaste [petit rire] (Vittorio Gassman, « Les grands portraits », T.F. 1, 5 mars 1979);

Comme je trouvais ce schéma assez mauvais j'en ai fait un moi-même que je trouve... plutôt bon [petit rire de L, auquel vient faire écho celui de l'auditoire];

• une incidente reconnaissant le délit, ou le niant au contraire – sans que l'effet produit soit du reste fondamentalement différent (ces tirades étant toutes deux accueillies par les rires complices de l'assistance) :

Je pose une question stupide... Mais je crois que... (je suis toujours mégalomane) les génies posent toujours des questions stupides (T. Kantor, T.N.P., 9 oct. 1982).

Je le dis avec une modestie profonde : j'ai obtenu un triomphe... et puis je suis resté un an sans travail (Daniel Emilfork, « Droit de réponse », T.F. 1, 5 févr. 1983);

• un commentaire métalinguistique précisant que l'on connaît la règle, que l'on aimerait bien pouvoir la respecter, mais que certains impératifs nous contraignent à la transgresser :

LISETTE. – Monsieur, on a de la peine à se louer soi-même; mais malgré toutes les règles de la modestie, il faut pourtant que je vous dise que, si vous ne mettez ordre à ce qui arrive, votre prétendu n'aura plus de cœur à donner à Mademoiselle votre fille [– car il est en train de me le donner...]   (Le jeu de l'amour et du hasard, II, 1)

L'auto-apologie n'est pas de mise, et il n'est pas convenable d'exalter sa propre face positive [66]. Sans doute est-ce en partie parce qu'un tel comportement atteint indirectement, par un mouvement inverse de dévalorisation implicite, celle de l'autre. Dans ses Œuvres morales

(t. II), Plutarque fait l'inventaire des différents moyens de « se louer soi-même sans s'exposer à l'envie » : c'est donc que dans tous les autres cas, on s'expose à l'envie en se louant soi-même... On voit donc que les règles que nous avons envisagées en *(1)* et en *(2)* se font écho – mais aussi, que les secondes sont subordonnées aux premières.

Entre les règles qui gouvernent les comportements de L vis-à-vis de A, et celles qui régissent les comportements de L vis-à-vis de lui-même, la symétrie n'est en effet pas parfaite :

• vis-à-vis de A, L doit avant tout éviter d'adopter un comportement menaçant – et dans une moindre mesure, observer les règles inverses, en particulier celle qui veut qu'on ne loue pas A immodérément : être trop poli envers A, c'est contraindre A à être immodeste;

• s'agissant de lui-même, L doit avant tout éviter d'adopter un comportement anti-menaçant trop voyant, qui constituerait pour A une menace indirecte : être immodeste, c'est être impoli envers A.

En d'autres termes : louer l'autre, c'est plus convenable que se louer soi-même; corrélativement : se dévaloriser soi-même, c'est moins grave que de dévaloriser l'autre. D'une manière générale, ces lois de convenance nous disent que les intérêts de l'autre doivent passer avant les siens propres. A un certain niveau de surface du moins (mais ce sont les fonctionnements sociaux superficiels que codifient ces lois de discours), *le souci de l'autre* apparaît comme le requisit fondamental de la communication. Souci qui se manifeste encore dans les règles conversationnelles suivantes :

• « Ne pas monopoliser la parole » : « there is a stigma attached to monopolize a conversational exchange », ce qui explique, d'après Donaldson (1979, p. 276), qu'une même conversation tenue entre A et B, mais dans laquelle A a « tenu le crachoir », sera rapportée par B en ces termes : « Il a parlé de Montague pendant deux heures », quand A préférera dire, c'est en effet plus avouable : « Nous avons parlé de Montague... ».

• « Ne pas tenir un discours trop auto-centré » :

LE PROFESSEUR *(s'efforçant de sourire.)* – D'ailleurs, pardonnez-moi si je parle tant de ma personne! Un sujet bien mince! C'est à vous de me dire quelles sont vos impressions, si vous vous plaisez dans cette ville, ce que vous comptez faire... Parlez, je serai enchanté de vous entendre... *(Le Visiteur regarde en l'air en sifflotant.)* Vous ne sauriez croire à quel point je m'intéresse à tout ce qui vous touche. Mais peut-être la modestie vous retient-elle de parler? Oui, la pudeur des âmes fières... Mais je vous en prie, considérez-moi comme un ami et faites-moi l'honneur de vous confier entièrement à moi.

LE VISITEUR *(brutal).* – Au-cun in-té-rêt (J. Tardieu, 1966, p. 26).

Les règles de la courtoisie exigent que l'on feigne, au moins, de s'intéresser à « tout ce qui touche » son partenaire discursif – même si c'est pour mieux récupérer la parole dès que l'on estime avoir suffisamment rempli son devoir d'altruiste (mais la ruse est vraiment trop grossière qui consiste, nous connaissons tous des spécialistes de la chose, à formuler sur ce mode les « opening sequences » : « Tu as passé de bonnes vacances ? Parce que moi... »).

Et nous terminerons sur ce point en évoquant cette savoureuse déclaration [67] attribuée à Sacha Guitry :

> Mais assez parlé de moi, parlons de vous : Comment avez-vous trouvé ma dernière œuvre ?

c) Les conditions de réussite des actes de langage.

A verser encore au compte de ces lois de discours : *une règle générale spécifiant que pour qu'un énoncé fonctionne normalement, doivent être réalisés*

– tous les présupposés que comporte cet énoncé, et en particulier ses présupposés pragmatiques, c'est-à-dire

– toutes les « conditions de réussite » de l'acte de langage correspondant.

On sait que pour Searle, ces conditions de « felicity » sont de quatre types :

(1) Conditions de « contenu propositionnel »

(2) Conditions « préparatoires » (ou « préliminaires »)

(3) Condition de sincérité

(4) Condition « essentielle » (qu'il convient à notre avis d'éliminer de la liste de ces « conditions » car elle correspond au « but illocutoire » de l'énoncé, donc à son *posé* pragmatique) [68].

Avec la « condition de sincérité », on retrouve la « loi de sincérité » envisagée précédemment. Ce qui montre que ces conditions de réussite ont partie liée avec les lois de discours, mais pose en même temps le problème de l'articulation de ces deux concepts.

• Pour ce qui est des conditions préliminaires de l'assertion, on nous dit par exemple (Pavel, 1982) que le contenu asserté ne doit pas être connu de A, et que L doit être capable de défendre la vérité de cette assertion : il s'agit ici tout bonnement des loi d'informativité et maxime de qualité.

• Pour qu'un ordre ou une question « réussissent », il faut que A soit en mesure d'obtempérer, ou de fournir la réponse : ces conditions peuvent aisément rentrer dans le cadre du principe de pertinence.

• Pour qu'un vœu soit « heureux », il faut que l'état de choses invoqué ne soit pas de nature à s'accomplir de toute manière, que cette formule votive soit ou non proférée (« Bon voyage », nous souhaite un jour une aubergiste italienne, qui explicite en ces termes inquiétants l'informativité de la formule :

je vous souhaite bon voyage, parce que *non si sa mai...*) :

c'est de la loi d'informativité qu'il s'agit ici, ni plus ni moins; il faut d'ailleurs aussi que cet état de choses puisse se réaliser :

L_1. – Bonnes vacances!

L_2. – C'est pas la peine de me souhaiter de bonnes vacances, les vacances c'est par définition mauvais!,

mais une telle condition peut à la rigueur être prévue par la loi de pertinence.

• Se moquer de x, c'est un acte que certains considèrent, Cyrano de Bergerac par exemple, comme le privilège exclusif de x lui-même :

[...] Eussiez-vous eu, d'ailleurs, l'invention qu'il faut
Pour pouvoir là, devant ces nobles galeries,
Me servir toutes ces folles plaisanteries,
Que vous n'en eussiez pas articulé le quart
De la moitié du commencement d'un, car
Je me les sers moi-même, avec assez de verve,
Mais je ne permets pas qu'un autre me les serve (I, 4).

Mais on pourrait fort bien incorporer cette condition très particulière d'acceptabilité de l'acte de moquerie aux lois de convenance, liées comme on l'a vu au système des faces.

Il semble donc que le concept de « conditions de réussite » soit plus ou moins redondant par rapport à celui de « lois de discours » (Goffman, 1983, admet d'ailleurs quant à lui un principe très général de *Felicity's Condition,* qui subsume tout à la fois les conditions de réussite de Searle, les maximes conversationnelles de Grice, et les principes interactionnels des conversationnalistes). Nous l'envisageons ici pourtant, dans la mesure où ces deux concepts se sont développés de façon relativement autonome : cet inventaire des lois de discours reflète l'état actuel de gestation de la recherche pragmatique, et n'est encore une fois que provisoire. Il appelle bien sûr une restructuration ultérieure, où se trouveront sans doute fusionnés ces concepts, soit que l'on décide d'incorporer les lois de discours à la problématique des conditions de réussite des actes de langage, soit que l'on préfère incorporer celles-ci aux règles pragmatico-rhétoriques, quitte à en allonger encore la liste, et à spécifier la forme particulière qu'elles prennent lorsqu'elles s'appliquent à tel ou tel acte particulier.

Le degré de généralité de ces conditions que l'on peut dire encore d'« appropriation contextuelle » est en effet très variable : certaines valent pour tous les actes de langage, par exemple celle qui veut que toute énonciation se fasse à l'intention d'un destinataire, capable de recevoir et de décoder le message (il n'est pas sourd, il connaît la langue en question, le message peut lui parvenir car le canal fonctionne, sans que trop de « bruits » ne s'interposent, etc.), cette condition rendant compte « du fait qu'à parler ou à gesticuler tout seul, on passe vite pour un " anormal " » (Berrendonner, 1981, a), p. 229). Il est certain que le langage verbal, à la différence du chant par exemple, n'autorise guère le soliloque : on ne prêche pas dans le désert, on ne parle pas à un mur... [69], et c'est ce qui explique que pris en flagrant délit de violation de cette règle, le sujet soliloquant, pour échapper à la sanction du ridicule, cherchera à maquiller la parole non adressée, soit en parole adressée (il se découvrira après coup un destinataire pouvant faire l'affaire), soit en chant non adressé (si c'est au volant de sa voiture qu'il est surpris à soliloquer ainsi, il se mettra par exemple à balancer la tête en cadence), et tout rentrera dans l'ordre des règles gouvernant les comportements sémiotiques.

D'autres conditions de réussite sont au contraire spécifiques de tel ou tel acte particulier : ainsi le fait qu'un ordre « échoue » si la situation ordonnée est d'ores et déjà réalisée [70], ou si l'acte en question n'est pas de ceux que l'on peut commander (tous les verbes ne peuvent pas également se mettre à l'impératif : « Chante! », « Regarde! », mais * « Tombe! », * « Vois! », * « Peux! », qui font figure d'« impératifs oratoires », dont l'usage ne peut se concevoir que dans le cadre de certaines pratiques magiques, ou fictives).

Par ailleurs, ces conditions peuvent concerner des objets bien différents, tels que :
– les propriétés de l'espace communicationnel
(« Ferme la porte » : qu'il y ait une porte, qui soit ouverte au moment de l'acte de parole...)
– les propriétés du destinataire
(« Ferme la porte » : que A existe, puisse décoder le message, soit capable d'effectuer l'acte...),
– mais aussi de l'émetteur (qu'il soit en position de donner des ordres) : n'est pas qui veut autorisé à ordonner, remercier, questionner, répondre, pardonner, etc. : encore faut-il que l'« illocuteur » dispose, au moment de la prise de parole, du « droit de réponse », ou qu'il occupe une position qui lui permette l'impérialité de l'ordre, ou la condescendance du pardon [71].

De cet ensemble hétéroclite de conditions de réussite, certaines peuvent être isolées, que l'on peut appeler *conditions de légitimité,* et qui concernent le statut *institutionnel* des interactants (ou même d'une tierce personne : pour « diffamer » x, encore faut-il que x possède une « fama », c'est-à-dire en vertu de sa position dans l'édifice social, une réputation à défendre). Ces conditions de légitimité ont été mises en évidence surtout à propos des expressions performatives : « De toute manière, un énoncé performatif n'a de réalité que s'il est authentifié comme *acte.* Hors des circonstances qui le rendent performatif, un tel énoncé n'est plus rien. N'importe qui peut crier sur la place publique : " Je déclare la mobilisation générale. " Ne pouvant être *acte* faute de l'autorité requise, un tel propos n'est plus que *parole :* il se réduit à une clameur inane, enfantillage ou démence » (Benveniste, 1966, p. 273). De même, « si le juge peut se contenter, pour condamner, de dire " Je vous condamne... ", c'est parce qu'il existe toute une institution, la Justice, faite de contraintes mutuellement imposées et subies, qui lui garantit que son verdict sera bien exécuté par divers gendarmes, gardiens de prison ou bourreaux, lesquels se sentiront obligés d'agir à sa suite dans certaines formes légales » (Berrendonner, 1981, a), p. 96). Mais elles fonctionnent de façon similaire pour les assertions constatives : « N'importe qui ne peut pas affirmer n'importe quoi : faire une affirmation sur un sujet dont il est connu qu'on ignore tout, c'est comme déclarer la séance ouverte quand on est pompier de service » (Récanati, 1981, a), p. 193), ainsi d'ailleurs que pour tout acte de langage.

On pourrait par exemple énoncer une règle telle que celle-ci : *la réussite d'un acte menaçant pour A implique que L soit en position supérieure, ou au moins égale à A :*

1. Conseil, ordre, prière (qui menacent principalement la face négative de A) :

Jacques Chirac, vous dites que le Président de la République devrait écarter du gouvernement les ministres communistes après leur mauvais score électoral aux élections municipales.

— Non, je ne dis pas cela car j'aurais l'air de donner un conseil au chef de l'état, ce qui n'est pas mon rôle (France Inter, 16 mars 1983).

A la fin, la Souris, qui semblait exercer une certaine autorité sur l'assemblée, ordonna [...] (L. Carroll, *Alice........*, p. 38).

Silvia. — Je vous trouve admirable de ne pas le renvoyer tout d'un coup et de me faire essuyer les brutalités de cet animal-là.

Lisette. — Pardi! madame, je ne puis pas jouer deux rôles à la fois ; il faut que je paraisse ou la maîtresse, ou la suivante, que j'obéisse ou que j'ordonne (*Le jeu de l'amour.....*, II, 7.).

On ne saurait être plus clair : en tant qu'elle joue son propre rôle de suivante, Lisette ne peut qu'obéir; en tant qu'elle est, pour les besoins de l'intrigue, travestie en maîtresse, elle doit ordonner. Dans le monde de Marivaux, il est permis de jouer (pas trop longtemps), mais il n'est point de hasard : à telle fonction sociale, tel acte de langage.

Citons encore cette « sornette » que rapporte Jean Paulhan (1970, p. 51), et qui constitue d'ailleurs un bel exemple de « double bind » :

« Voilà un beau théâtre guignol. Si tu avais envie que je te le donne, je te le donnerais.

— Ah ! mais je le veux, grand-père.

— Écoute, il ne s'agit pas de ce que tu veux. D'ailleurs un enfant ne dit jamais " je veux " quand il est bien élevé.

— Je t'en prie, grand-père.

— Voyons, voyons, il ne s'agit pas de prière. Je ne suis pas le bon Dieu [72]. Si tu veux que je te le donne, je te le donnerai.

— Eh bien, donne-le-moi !

— Comment ! Des ordres à présent, à moi, ton grand-père ! A quoi songes-tu ? Si tu veux que je te le donne, je te le donnerai. »

Ce genre de jeu s'appelait une sornette et même cette sornette-ci s'appelait, je ne sais pourquoi, la sornette de l'agneau blanc. A la fin, excédé, je finissais par dire :

« Mais enfin, qu'est-ce que tu veux que je te dise ? » A quoi l'on répliquait évidemment :

« Mais il ne s'agit pas de ce que je veux te faire dire. Si tu désires que je te le donne, je te le donnerai. »

2. Contestation, critique, réprimande, reproche (qui menacent la face positive de A) :

CLITON. — Quoique mon sentiment doive respect au vôtre,
        La plus belle des deux, je crois que ce soit l'autre [73] (Corneille, Le Menteur, I, 4).

SILVIA. — Je vous dis que, si elle osait, elle m'appellerait une originale.

LISETTE. — Si j'étais votre égale, nous verrions (Le jeu de l'amour..., I, 1)

SGANARELLE. — Mais laissons là la médecine, où vous ne croyez point, et parlons des autres choses ; car cet habit me donne de l'esprit, et je me sens en humeur de disputer contre vous. Vous savez bien que vous me permettez les disputes, et que vous ne me défendez que les remontrances (Dom Juan, III, 1)

MARY. — Pourquoi êtes-vous venus si tard ! Vous n'êtes pas polis. Il faut venir à l'heure. Compris ? Asseyez-vous quand même là, et attendez, maintenant (La cantatrice chauve, sc. III ; et sc. IV :)

M. SMITH (furieux). — Nous n'avons rien mangé de toute la journée. Il y a quatre heures que nous attendons. Pourquoi êtes-vous venus en retard ? :

Mary, la bonne, et M. Smith, l'hôte, houspillent les Martin, visiteurs, à cause de leur retard. On pourrait s'attendre à ce qu'un tel manque d'égards soit perçu comme plus fortement transgressif de la part de Mary, que de celle de M. Smith. Or il n'en est rien : c'est que dans le cadre institutionnel de la relation d'hospitalité, l'hôte-qui-reçoit doit endosser, par rapport à l'hôte-qui-est-reçu, le rôle d'un subalterne occasionnel (ou bien : que les règles de la politesse ne se laissent pas si aisément traiter en termes de relation sociale hiérarchique...).

Mais les actes manifestement menaçants ne sont pas les seuls à être soumis à des contraintes de ce type. Comme le montre M. Ebel (1980), n'importe qui ne peut pas expliquer (ni n'est tenu de se justifier de) n'importe quoi auprès de n'importe qui dans n'importe quelle circonstance (les actes d'« explication » et de « justification » n'étant d'ailleurs pas soumis aux mêmes conditions préliminaires). Bien plus, même un acte aussi « anti-menaçant » que l'expression d'un assentiment peut dans certaines circonstances paraître incongru :

• Cours d'anglais : le professeur, anglais de surcroît, expose un point de grammaire; un élève opine : « You're right. »

• Film burlesque *Monty Python Sacré Graal* : apparaît soudain parmi les nuées la figure divine, qui dévoile à Arthur les projets le concernant; le roi commente : « C'est une bonne idée. »

Cette incongruité se comprend sans peine : c'est que l'expression d'un accord sous-entend la possibilité d'un désaccord et peut à ce titre être jugée offensante et irrévérencieuse quand elle vient sanctionner le discours d'un sujet présumé infaillible.

(N.B. : Il ne faudrait pas croire non plus que les interactants qui occupent une position « haute » n'ont que des droits, et que ceux qui se trouvent en position « basse » ne connaissent que des devoirs : comme le remarque Fillmore (1973), un gardien de prison n'est pas plus autorisé à demander au prisonnier une permission (« May I come in? »), que le prisonnier n'est autorisé à donner un ordre à son gardien.)

Donc, pour qu'un acte illocutoire réussisse, il faut que l'illocuteur soit *autorisé* à l'effectuer; qu'il dispose d'une compétence *légitime,* cautionnée par l'*institution,* et d'une parole « accréditée et digne de créance », qui à ce titre seulement pourra être « suivie d'effet » : voilà ce que répète, à la suite d'Austin, Bourdieu (1982, pp. 68-69) : « L'imposition symbolique, cette sorte d'efficace magique que l'ordre ou le mot d'ordre, mais aussi le discours rituel ou la simple injonction, ou encore la menace ou l'insulte, prétendent à exercer, ne peut fonctionner que pour autant que sont réunies des conditions sociales qui sont tout à fait extérieures à la logique proprement linguistique du discours [...]. Comme l'indiquent les exemples analysés par Austin, ces " conditions de félicité " sont des conditions sociales et celui qui veut procéder *avec bonheur* au baptême d'un navire ou d'une personne doit être *habilité* pour le faire, de la même façon qu'il faut, pour ordonner, avoir sur le destinataire de l'ordre une autorité reconnue. »

C'est incontestablement juste. Mais ce disant, Bourdieu enfonce des portes depuis longtemps ouvertes par la philosophie du langage et l'ethnographie de la communication, et reprend à son compte des idées que la linguistique a faites siennes depuis un certain nombre d'années (même si on peut s'étonner qu'elle ait été si peu prompte à les accueillir). Ce que nous n'aurions certes pas l'idée de lui reprocher, n'était le ton polémique sur lequel s'énoncent ces idées fortes : « Tout le destin de la linguistique moderne se décide en effet dans le coup de force inaugural par lequel Saussure sépare la " linguistique externe " de la " linguistique interne ", et, réservant à cette dernière le titre de linguistique, en exclut toutes les recherches qui mettent la langue en rapport avec l'ethnologie [...] » (p. 8), ce qui est d'autant plus grave que tel un cheval de Troie, la linguistique a sournoisement investi et contaminé les autres sciences sociales. Il est donc grand temps de « tirer toutes les conséquences du fait, si puissamment refoulé par les linguistes et leurs imitateurs, que " la nature sociale de la langue est un de ces caractères internes ", comme l'affirmait le *Cours de linguistique générale* » (p. 9) : telle est la tâche qui me revient, à moi Pierre Bourdieu, et d'enseigner aux linguistes fourvoyés « ce que parler veut dire ».

Mais comme il y a déjà belle lurette que la linguistique a opéré une spectaculaire sortie de « l'immanence », qui n'a plus que quelques défenseurs irréductibles, et cessé de considérer le langage comme « un objet d'intellection plutôt qu'un instrument d'action et de pouvoir » (p. 13), ces propos polémiques, qui, par ignorance sans doute [74], construisent de toutes pièces un objet fictif pour mieux le pourfendre, ne sont qu'un coup d'épée dans l'eau.

Nous avons cependant cherché en quoi ces propos, qui le plus souvent ressemblent à s'y méprendre à un manifeste très orthodoxe de « pragma-linguistique », se démarquaient du discours des linguistes. Quelques développements assez confus mis à part – sur la distinction par exemple (pp. 70-71) entre performatifs explicites et performatifs « au sens large », laquelle aurait d'après Bourdieu pour but de « récuser l'analyse des conditions sociales du fonctionnement des énoncés performatifs », ce qui est assurément inexact –, il semble que l'originalité de cette thèse tienne au fait :

1. qu'elle condamne « l'exercice logique qui consiste à dissocier l'acte de parole de ses conditions d'effectuation » (p. 71),

2. et qu'elle considère que l'efficacité pragmatique des énoncés

réside *exclusivement* dans « les conditions institutionnelles de leur production et de leur réception » (p. 111).

Quelques mots donc sur ces deux points :

1. On ne saurait dissocier l'acte de parole de ses conditions d'effectuation : c'est là pour Bourdieu une opération d'abstraction absurde,
qui aboutit à admettre qu'un acte de langage puisse fonctionner même
si ses conditions institutionnelles de réussite ne sont pas réunies; or il
n'en est rien : « Seul un soldat impossible (ou un linguiste " pur ") peut
concevoir comme possible de donner un ordre à son capitaine » (p. 72)
– et l'on voit se profiler ici la figure de Chomsky, linguiste pur et soldat
impossible, lorsqu'il raconte, pour illustrer une thèse exactement opposée
à celle de Bourdieu (la signification d'un énoncé existe indépendamment
de cet épiphénomène que constitue sa réussite ou son échec pragmatique), qu'il lui est un jour arrivé de « faire un discours contre la guerre
du Vietnam à un groupe de soldats qui avançait en tenue de combat,
fusil à la main » (1977, p. 78); discours désespéré sans doute, et dépourvu
de toute attente illusoire d'une quelconque « réussite », mais non pour
autant, comme le voudrait Bourdieu, « dépourvu de sens » [75].

Mais le raisonnement est douteux : *dissocier,* par une opération
d'*abstraction* analytique, x et y, cela n'implique en rien reconnaître à
x la possibilité de fonctionner indépendamment de y. Toute la linguistique repose sur des dissociations plus « absurdes » encore : quand par
exemple, tout en postulant qu'au niveau du *fonctionnement* du langage
il n'est point de signifiant sans signifié et inversement, elle s'évertue à
les analyser séparément, et montre qu'il est possible et nécessaire, au
niveau *descriptif,* de décoller le recto du verso d'une même feuille de
papier... Un simple soldat qui dirait à son capitaine « Balayez les
latrines » serait fou peut-être (sa parole serait « inane », et insane); son
acte jussif serait à coup sûr raté et « malheureux » : il n'en serait pas
moins accompli (*i.e. :* il serait *nul,* mais *avenu*).

La seule solution descriptive juste consiste pour nous, conformément
à la tradition pragmatique, à dissocier *l'acte de langage,* et ses *conditions
externes de réussite;* corrélativement : la *prétention illocutoire* d'un
énoncé, et son *résultat perlocutoire.* Que l'on s'intéresse, selon qu'on se
sent plutôt linguiste ou plutôt sociologue, plutôt à l'une ou à l'autre de
ces deux instances, est affaire de goût. Mais elles existent bien toutes
deux.

Question annexe : quel est le statut de cette instance extralinguistique
dont dépend la réussite ou l'échec d'un acte de langage? C'est, dit et
répète Bourdieu, une « institution ». Laquelle se définit, d'après Berren-

donner, par, et même comme, « l'existence d'un pouvoir normatif assujettissant mutuellement les individus à certaines pratiques, sous peine de sanctions. Une " institution " peut être un organisme administratif quelconque (exemple : la justice), ou quelque chose de plus diffus (un ensemble de règles de politesse), ou encore une norme très localisée, comme la règle du jeu d'échecs » (1981, a), p. 95) : c'est donc ici tantôt un « organisme » qui édicte un certain nombre de règles, tantôt un « ensemble de règles » (à ce titre, tout code sémiotique, et en particulier, toute langue, est donc une institution); mais c'est encore, plus loin (p. 222), un ensemble de discours : « Une institution [...] s'identifie à ses productions discursives. » Dénotant tout à la fois le corps social constitué qui produit les règles, l'ensemble des règles produites par ce corps social, et l'ensemble des discours produits selon ces règles, il est à craindre que le terme d'institution, mis à tant de sauces, voie s'émousser d'autant son pouvoir descriptif.

Il est à coup sûr approprié dans le cas de certaines situations discursives où le statut social du sujet détermine automatiquement son droit à la prise de parole (statut que symbolise ainsi le fameux « skeptron » homérique), ou à certains types de paroles : Dieu disposant, dans la *Genèse*, du monopole de la dénomination de tous les êtres de l'univers, mais laissant à l'homme le privilège de nommer les animaux, créés pour lui être soumis; les « taras » (dignitaires et initiateurs en tous genres) étant seuls autorisés, chez les Beti du Cameroun, à pratiquer l'insulte, l'oraison funèbre, et le langage érotique. Ce concept rend aussi fort bien compte des échanges formels observables dans le cadre du fonctionnement d'organismes tels que l'armée, la justice, et dans une mesure variable, « l'institution » scolaire, les relations maître/domestique (cf. les exemples précédemment empruntés à Marivaux), patron/employé, parents/enfants... Plus le contexte est fortement structuré, plus la répartition des rôles illocutoires est clairement déterminée par celui-ci, et plus il est légitime de parler de « conditions institutionnelles » de l'usage et de la parole.

L'emploi de ce terme est en revanche plus contestable, s'agissant du fonctionnement de la « conversation », c'est-à-dire d'un échange informel qui d'après S.K. Donaldson (1979) se caractérise par le fait que pendant la durée de l'échange, les participants « se comportent comme des égaux », et gomment autant que faire se peut les manifestations extérieures les plus voyantes de leurs différences éventuelles de statut social. Traiter en termes d'institution les échanges conversationnels les plus « sauvages » en apparence, sous prétexte qu'ils obéissent tout de même à certaines règles conventionnalisées, c'est faire de ce concept un usage quelque peu métaphorique. Nous n'avons rien du reste contre les métaphores. Mais il faut prendre garde aux connotations qu'elles véhiculent : celle-ci risque de donner une image trop rigide et fixiste des interactions de ce type, où *les rapports de place ne sont pas entièrement constitués* a priori *par le statut extra-verbal des interactants, mais se constituent partiellement dans et par l'usage même de la parole.*

2. Nous voici donc au seuil du second problème que soulève l'ouvrage de Bourdieu : où se localise exactement le « pouvoir d'agir » des énoncés verbaux? est-ce dans les mots eux-mêmes, ou dans le contexte dans lequel ils sont produits et reçus?

Pour Bourdieu, tout est dans le sceptre : « Essayer de comprendre linguistiquement le pouvoir des manifestations linguistiques, chercher dans le langage le principe de la logique et de l'efficacité du *langage d'institution,* c'est oublier que l'autorité advient au langage du dehors, comme le rappelle concrètement le *skeptron* que l'on tend, chez Homère, à l'orateur qui va prendre la parole. » Mais dans leur aveugle entêtement (p. 105 : « Tel est le principe de l'erreur dont l'expression la plus accomplie est fournie par Austin [...] lorsqu'il croit découvrir dans le discours même, c'est-à-dire dans la substance proprement linguistique – si l'on permet l'expression [76] – de la parole, le principe de l'efficacité de la parole »; p. 132 : « C'est ce qu'oublient les linguistes qui, dans la lignée d'Austin, cherchent dans les mots eux-mêmes la " force illocutionnaire " [...] »), les linguistes refusent de voir que les énoncés verbaux se contentent de *refléter* des rapports de pouvoir qui leur sont extérieurs, et qu'ils sont intrinsèquement dépourvus de toute fonction agissante, et même de sens, puisque le sens d'un énoncé est par Bourdieu assimilé à ses effets perlocutoires. Obstinément, ils refusent de comprendre que ce n'est pas à eux linguistes, mais au sociologue, qu'il revient de parler pertinemment du langage.

Nous pensons au contraire que l'activité verbale constitue pour tout sujet, mais inégalement selon son statut social, l'un des divers moyens dont il dispose pour exercer son pouvoir. Les productions discursives « enferment » effectivement « *en elles-mêmes* le principe d'un pouvoir », pouvoir virtuel qui ne devient effectif qu'à la condition que le contexte institutionnel le permette, faute de quoi l'acte de langage, tout en ayant été accompli illocutoirement, échoue perlocutoirement. L'institution apparaît alors comme une structure contextuelle qui contraint la production des actes de langage, et conditionne leur réussite – et non plus comme l'instance où se localiserait en fait le « pouvoir des mots ».

Bien plus, il arrive qu'un acte de langage réussisse, même si ses conditions de réussite ne semblent pas *a priori* réalisées. Dans un petit texte de fiction où Jean Schuster évoque à la manière de Queneau une conversation d'un haut niveau quoique de bistrot, on lit ceci : « Brasilou, la servante, estima qu'il y avait deux littératures et deux accommodements possibles au télévisuel art. Devant le zinc en faux marbre, la polémique galopait de plus belle. Un quidam, plutôt jeunet pour les lieux, s'y était mêlé sans la vergogne qu'eussent exigée sa relative immaturité et son absence de référence patronymique en ce quartier » (La *Quinzaine littéraire,* nº 297, 1ᵉʳ mars 1979, p. 29) : tout le monde ne peut pas en principe pénétrer à son gré dans l'arène polémique, et tous les participants n'y luttent pas à armes égales. N'empêche que ce jeune quidam, bien qu'au départ non « autorisé » à participer à l'interaction, le devient justement à la faveur d'un coup de force langagier. Coup de force plus spectaculaire encore : celui que commet le héros du roman de Driss Chraïbi *Le passé simple* (Denoël, 1954), qui décide un beau jour de se rebeller contre la terreur verbale qu'exerce à son endroit le « Seigneur » son père, de devenir « anathème », d'inverser les règles du jeu interactionnel, et le « rapport de places » qui lui ont été jusqu'ici imposés avec la bénédiction de l'institution (*i.e. :* la société marocaine de l'époque); y parvient, et conclut : « Le tout était d'oser. »

Il ne suffit pas toujours, bien sûr, d'« oser » et d'être « sans vergogne » pour renverser l'ordre social. C'est seulement *dans certaines conditions et limites* (en encourant le risque d'être « remis à sa place » par une réplique du genre « Mais enfin de quel droit, qu'est-ce qui te permet de parler de la sorte », ou même des sanctions autrement plus graves), que l'on peut faire ainsi bon marché de son statut institutionnel, en osant un acte de langage en principe interdit. Notre intention n'est pas de promouvoir, à l'exact inverse de Bourdieu, une sorte de pragmatique gauchiste, idéaliste et volontariste. Mais de rappeler que pour exercer un certain pouvoir par le biais du langage, *le sceptre n'est pas toujours nécessaire, si non plus suffisant :* on peut parfois agir verbalement sans y être autorisé; inversement, il ne suffit pas toujours d'être le maître pour que réussissent ses actes de langage : seul un Humpty Dumpty de fiction peut prétendre réussir à imposer par la force son propre idiolecte, et seul un Bartholo de comédie, prétendre réussir à imposer d'évidentes contre-vérités :

LA JEUNESSE *(éternuant).* – Eh mais, Monsieur, y a-t-il... Y a-t-il de la justice?...
BARTHOLO. – De la justice! C'est bon entre vous autres misérables, la justice! Je suis votre maître, moi, pour avoir toujours raison.

LA JEUNESSE *(éternuant).* – Mais, pardi, quand une chose est vraie...

BARTHOLO. – Quand une chose est vraie ! Si je ne veux pas qu'elle soit vraie, je prétends bien qu'elle ne soit pas vraie.   (Beaumarchais, *Le Barbier de Séville,* II, 7).

– mais il fait rire à ses dépens, ce Bartholo qui prétend ainsi subordonner la vérité à la « maîtrise ».

Nous récusons également la conception déterministe et fixiste d'un Bourdieu, pour qui le langage se contente de refléter un ordre social pré-constitué, et celle qui consiste à croire que les rapports de place et de force ne se constituent que dans et par l'usage de la parole. La relation est pour nous *dialectique* entre les pratiques discursives et leurs conditions socio-institutionnelles d'effectuation [77] : les comportements langagiers peuvent *refléter* certaines relations de pouvoir existant entre les interactants, mais aussi les *confirmer,* les *contester,* et même les *constituer;* ils sont déterminés par les rapports de place, en même temps qu'ils les construisent. Le discours est une activité tout à la fois *conditionnée,* et *transformative :* les rôles sociaux ne sont pas une fois pour toutes distribués par cette « institution » souveraine, mais ils sont sans cesse négociés, remaniés, redistribués au cours d'affrontements et d'interactions qui sont *aussi* de nature verbale. Pour donner efficacement un ordre il faut sans doute être plus ou moins autorisé à le faire; mais du seul fait de le donner, l'illocuteur prétend exercer sur son illocutaire une certaine domination, et se placer dans une position « haute » qu'il ne possède pas nécessairement avant la formulation de l'ordre – et il y parvient souvent.

Il existe d'autre part de nombreuses façons, plus ou moins comminatoires, de formuler un ordre, et de le « faire passer ».

Or la nature de la situation communicative ne conditionne pas seulement le fait que tel acte de langage soit possible ou proscrit, mais aussi le fait qu'il soit formulé de telle ou telle manière, plus ou moins brutale ou adoucie. Ainsi que le montrent Brown et Levinson, il existe des règles qui mettent en relation systématique certaines données de la situation interlocutive, et le type de formulation choisi par le locuteur (par exemple, p. 234 : « Direct commands [...] may be made by non-powerful persons *only if* they are (ostensibly) in the hearer's interest »; cf. aussi Goody, 1978, p. 33 : « In other words, there seem to be a shift from command (" Go and greet the chief ") to statement (" We will go and greet the chief ") to question (" Will we go and greet the chief? ") depending on the relative status of the questioner and respondent. What is permissible as a command from a superior, or as a statement between equals, is only permissible as a deference question when the initiator is a subordinate »). On pourrait donc concevoir l'édification d'un modèle de production plaçant en « input » les caractéristiques du cadre de l'interaction, et en relation avec celles-ci les intentions illocutoires du locuteur; et générant le paradigme des énoncés susceptibles d'exprimer ces intentions sous une forme stratégique appropriée au « setting ». Telle est la proposition de Brown et Levinson (p. 246 : « to define precise theories that will take as input social-structural informations and generate as output expectable and acceptable styles of interaction between particular participants »), tel est aussi l'objectif du modèle de pragmatique générative préconisé par Halliday (1976), qui envisage par exemple dans cette perspective (pp. 154-159) les différentes réalisations possibles des « options sémantiques » : « menace », et « avertissement »; mais qui reconnaît qu'un tel traitement n'est pas également adapté à tous les types de discours, et conclut qu'une telle « sémantique sociologique est encore à un stade plutôt élémentaire » (p. 165)...

De plus, un tel modèle fonctionne à sens unique : il n'accorde aucune place aux effets en retour des productions verbales sur les données contextuelles, et laisse entier le problème de savoir comment on pourrait rendre compte de l'action mutuelle et incessante qu'exercent l'une sur l'autre ces deux instances, le contexte déterminant dans une certaine mesure les comportements discursifs qui modifient le contexte qui à nouveau...

Rappelons enfin que ce sont les mécanismes d'interprétation, et non de production des énoncés, qui nous intéressent ici.

d) Dans cette perspective, il convient enfin, pour en terminer avec cet inventaire des lois de discours, que nous avons classées par ordre de généralité décroissante, de rappeler que doivent y être versées certaines « *petites règles* » permettant d'engendrer l'illocutoire dérivé, telles que :

• « Si X interroge Y sur les possibilités qu'a Z d'être le bénéficiaire d'une action A d'agent W, X accomplit à l'adresse de Y la requête que W fasse A. »

• « Si X interroge Y sur les intentions qu'a W d'être l'agent d'une action A de bénéficiaire Z, X accomplit à l'adresse de Y la requête que W réalise A » (Anscombre, 1980, pp. 99 et 102).

Ou bien encore, pour Sinclair et Coulthard (1975) cette fois [78] :

Règle 1 : « Une interrogative doit être interprétée comme une requête si elle remplit les conditions suivantes :

• si le sujet de l'interrogative est aussi l'interlocuteur;

• si le prédicat est une action physiquement possible au moment où est produit l'énoncé », ex :

> Tu nous joues du piano ?

Règle 2 : « Une déclarative ou une interrogative doivent être interprétées comme des requêtes concernant l'arrêt d'une activité, si elles se réfèrent à une activité interdite au moment où se produit l'énoncé », ex. :

> Quelqu'un est en train de rire
> Quelqu'un rit ?

Règle 3 : « Une déclarative ou une interrogative doivent être interprétées comme une requête si elles se réfèrent à une activité que l'enseignant et l'enseigné savent devoir être accomplie, et qui ne l'a pas été », ex :

> La porte est ouverte
> Pouvez-vous fermer la porte ?

(Proposons encore ceci : « Une déclarative ou une interrogative " totale " doivent être interprétées comme une question en " pourquoi ", *i.e.* comme une demande de justification, lorsqu'elles portent sur un comportement insolite de A », ex :

> Tu es bien matinale aujourd'hui
> Tu ne manges pas ?

Mais ce ne sont là que des exemples entre mille, puisqu'à chaque cas de dérivation illocutoire, correspond en principe une règle de ce type.)

La liste de ces lois de discours ne cesse de s'allonger au fur et à mesure que progresse l'investigation pragmatique [79] – la prolifération de telles règles, plus ou moins générales ou « ad hoc », étant d'autant plus aisée et incontrôlée que leur statut est bien incertain.

4.4.2. Problèmes concernant le statut, et les conditions d'application, de ces lois de discours

1 – Leur statut

« Maximes », « règles », ou « lois », les principes qui viennent d'être énumérés ont un statut étrange, car ils relèvent tout à la fois, et dans des proportions variables,

1. du *linguistique :* la question se pose, pour certains d'entre eux, de savoir s'ils ne sont pas à considérer comme les constituants d'une *composante* particulière de la compétence linguistique [80], plutôt que comme les ingrédients d'une *compétence* « rhétorico-pragmatique » autonome ; c'est malgré tout pour cette dernière solution que nous optons,

dans la mesure où il peut se faire, semble-t-il, qu'un locuteur disposant d'une compétence linguistique normale ne parvienne pas à manipuler normalement cet ensemble particulier de règles :

J'avais si peu l'habitude de parler qu'il m'arrivait de temps en temps de laisser échapper, par la bouche, des phrases impeccables au point de vue grammatical mais entièrement dénuées, je ne dirai pas de signification, car à les bien examiner elles en avaient une, et quelquefois plusieurs, mais de fondement (Samuel Becket, *Premier amour*, Éd. de Minuit, 1970, p. 46).

2. du *psychologique* : car on peut être d'un « naturel » plus ou moins coopératif, sincère, courtois, modeste, loquace ou laconique...

3. de la *morale* : « Éviter le mensonge est une règle normative, et même morale » (Flahault, 1979, p. 77) : *Turpe est mentiri*.

Tomas comprit enfin que c'était un interrogatoire. Il se dit que chacune de ses paroles pouvait mettre quelqu'un en danger. Il connaissait évidemment le nom du journaliste, mais il nia : « Je ne sais pas » [...].

Il est tragi-comique que ce soit précisément notre bonne éducation qui soit devenue l'alliée de la police. Nous ne savons pas mentir. L'impératif « Dis la vérité ! » que nous ont inculqué papa et maman, fait que nous avons automatiquement honte de mentir, même devant le flic qui nous interroge [....]

En entendant l'homme du ministère lui reprocher son manque de sincérité, Tomas se sentit presque coupable ; il dut surmonter une sorte de blocage moral pour persévérer dans son mensonge (M. Kundera, *L'insoutenable légèreté de l'être*, Gallimard, 1984, p. 235).

Mais la loi de sincérité n'est pas seule dans ce cas : toutes ses maximes, Grice les formule comme des espèces de commandements; et c'est, avons-nous dit, à une sorte de code déontologique du bon usage langagier que se rattachent les lois de discours (d'après le docteur Grignon – *Le Monde* du 20 juin 1979, p. 18 –, c'est enfreindre les règles de la déontologie médicale que de ne pas informer un patient du fait que les opérations de chirurgie plastique présentent dans 15 % des cas certaines complications; mais c'est aussi enfreindre une règle de déontologie langagière : la loi d'exhaustivité). On peut en fait dire de la plupart des lois de discours ce que Goffman note du cas particulier des « rituels réparateurs » : qu'avec elles « nous nous trouvons directement ramenés aux traditions morales qui sont au fond de la culture occidentale » (1979, p. 178) – et des règles conversationnelles, qu'elles sont une affaire de « conscience » :

LE MAÎTRE – Laissons cela. Tu te portes bien, tu sais mes amours ; en conscience tu ne peux te dispenser de reprendre l'histoire des tiennes (*Jacques le Fataliste*, le Livre de poche, p. 274).

4. Nous nous trouvons aussi ramenés à certains des principes *juridiques* qui fondent la société dans laquelle elles s'inscrivent. Tombe

ainsi sous le coup de la loi la transgression de certaines lois de discours [81] telles que :

• celle qui veut que l'on n'attaque pas publiquement la face positive d'un individu (surtout s'il s'agit d'un notable), sous peine de se voir intenter un procès en « diffamation » – la diffamation (*Petit Robert,* 1981 : « Action de diffamer », *i.e.* de « chercher à porter atteinte à la réputation, à l'honneur de quelqu'un [...], en lui imputant un fait vrai ou faux ») devant être distinguée de la calomnie (« Imputation mensongère qui attaque la réputation, l'honneur »), laquelle transgresse en outre

• la loi de sincérité, qui a elle aussi des implications juridiques, ainsi qu'en témoigne par exemple la loi de 1963 sur la publicité mensongère; le fait que le 28 janvier 1983, « Madame Brigitte Bardot, qui avait traité une fleuriste qui avait assassiné son petit chat de " salope " et de " criminelle " a été relaxée, le tribunal lui ayant accordé l'excuse de sincérité » (l'observation de la loi de sincérité venant ici « atténuer » le délit de non-observation de la loi précédemment évoquée); ou que dans tout interrogatoire, le mensonge est considéré comme délictueux;

• le mensonge « par commission » du moins, qui est juridiquement (et socialement) plus grave que le mensonge par omission : on a toujours le droit, nous rappelle Denis Langlois dans son *Guide du citoyen face à la police* (Seuil, 1980, p. 157), de déclarer que l'on n'a rien à déclarer, et de garder « un silence prudent, qu'il ne faut surtout pas confondre avec le mensonge » – sauf dans le cas d'un interrogatoire avec commission rogatoire, où l'on est au contraire tenu de dire « toute la vérité » : la loi d'exhaustivité reçoit donc elle aussi parfois un statut juridique;

• il en est de même, parfois toujours, de la loi de pertinence, à preuve ce procès intenté par le Préfet de police à Jean Bruel, coupable d'avoir distribué des brochures touristiques mettant en cause de Gaulle, la France libre, et diverses institutions, et tombant donc sous le coup de l'arrêté préfectoral du 6 août 1979 interdisant aux concessionnaires de transports fluviaux « la distribution de dépliants [...] contenant des commentaires étrangers à l'objet de la concession »; accusation à laquelle il fut par Bruel répondu : « Le contenu " effectif " de cette brochure est en rapport étroit avec les monuments que font voir mes bateaux. Ainsi je fais allusion à la France libre en parlant de la statue de Bourdelle qui lui est dédiée, au Musée d'art moderne » (*Le Monde* du 15 sept. 1980) : c'est donc bien au niveau de la pertinence des commentaires incriminés que se trouve ici placé par les deux parties en présence, officiellement du moins, le débat juridique.

5. Les lois de discours relèvent enfin du champ de la *sociologie,*

puisqu'un certain nombre d'entre elles ne constituent rien d'autre, comme le montre à l'évidence Goffman, que l'application au cas particulier des comportements discursifs de principes qui régissent l'ensemble des interactions sociales :

> — Un peu de vin? demanda le Lièvre de Mars d'un ton aimable.
> Alice examina ce qu'il y avait sur la table, mais elle ne vit que du thé :
> — Je ne vois pas de vin, fit-elle observer.
> — Il n'y en a pas, dit le Lièvre de Mars.
> — Alors ce n'est pas très poli de m'en offrir, dit Alice avec indignation.
> — Ce n'était pas très poli non plus de vous asseoir à notre table sans y avoir été invitée, dit le Lièvre de Mars (L. Carrol, *Alice...*, p. 86).

A juste titre, le Lièvre assimile l'impolitesse d'une conduite à celle qui consiste à transgresser la loi de sincérité, appliquée ici à l'acte illocutoire d'offre : le code rhétorico-pragmatique s'apparente en effet aux codes de l'étiquette et de la politesse, et les règles du savoir-dire, à celles du savoir-vivre.

« Que dire [...] des échanges suivants?
— Mes respects, Lambert. — Salut, Monsieur le Directeur.
— Accusé, je vous prie de vous lever. — Une minute, juge.
A quel genre d'astérisque aurons-nous recours? Ces dialogues que l'on peut dire aberrants sont-ils déclarés tels au nom de règles linguistiques? Cela paraît bien difficile à admettre : il s'agit de règles sociales dont seules les manifestations sont du langage. Mais l'interprétation et la description totale du discours commandent de s'y intéresser. On semble alors se diriger vers une linguistique hypertrophiée dans une démesure encyclopédique. Il y a bien des types d'échange langagier que nous jugeons non acceptables d'après ce que nous dit notre compétence, une de nos compétences. Il faudra bien un jour dire, si l'on veut continuer à utiliser ce concept, quelles sont les limites de la compétence linguistique ». Le problème est de taille, que soulève ici Roggero (1978, p. 138), et en considération duquel nous avons préféré faire de l'ensemble des lois de discours une compétence distincte de la compétence linguistique. Mais il est vrai que ces lois n'en sont pas moins linguistiquement pertinentes, puisqu'elles interviennent de façon décisive dans l'interprétation des énoncés. On ne peut donc que partager l'« embarras » de Roggero, qui conclut (p. 143) : « Ce qui précède traduit l'embarras du linguiste de base devant les développements récents d'une recherche qui se place sous le pavillon de la linguistique. L'objet semble continuellement à définir, et la science ne peut qu'hésiter. Ce n'est pas seulement une question d'extension du domaine, je veux dire une

question purement quantitative, ce qui serait de peu d'importance. Mais à mesure que l'on modifie l'objet, c'est-à-dire que l'on y ajoute en fait sans retrancher, la méthodologie applicable jusqu'à un point donné devient tout à coup inutile ou faible; il en faut une autre, qui fonctionne avec un nouveau domaine, mais rétrospectivement n'est pas applicable à l'autre. De sorte qu'il y a en fait une juxtaposition méthodologique qui remet en cause l'unité épistémologique de ce que l'on appelle la linguistique » – mais aussi lui répondre qu'en s'ouvrant aussi résolument aux données contextuelles, par le biais en particulier des conditions institutionnelles de réussite des actes de langage, la linguistique perd sans doute en « unité épistémologique » et méthodologique, mais elle gagne considérablement en intérêt et pertinence : le bilan est, pour nous, globalement très positif.

2 – *Leurs conditions d'application*

Autre problème embarrassant : de chacune de ces lois de discours nous avons dit premièrement : oui il faut admettre, pour rendre compte d'un certain nombre de phénomènes langagiers, un tel principe, que les sujets parlants ont intériorisé en compétence, et qu'ils font régulièrement fonctionner – mais non systématiquement. Deuxièmement donc : la validité de cette règle est toute relative, et soumise à des conditions d'application qu'il est en général bien difficile d'expliciter...

En quelque sorte : il s'agit là d'« idéalisations pratiques », qui sont tout à la fois, pour la communication, conditions de possibilité, et causes de précarité.

Voici quelques aspects de ce problème, qui montrent la complexité du fonctionnement de ces règles rhétorico-pragmatiques :

1. *Chacune d'entre elles à son envers* : il faut être exhaustif, mais pas trop. Il convient d'exalter la face positive de l'autre, et de ne pas magnifier inconsidérément la sienne propre; mais l'excès de louange, et de modestie, font mauvais effet. Semblablement, « l'hyper-pertinence » constitue pour François Armengaud une offense communicative (1981, p. 20 : « La redoutable hyper-pertinence des gens trop avisés exclut l'allocutaire, en ne lui laissant le choix qu'entre la soumission à la pertinence d'autrui, et donc la résignation à sa propre insignifiance, ou l'impertinence libératrice mais marginalisante. L'hyper-pertinence peut être, tout comme l'impertinence, ex-communicative »), ainsi que l'excès de sincérité, pour Philinte (*Le Misanthrope*, I, 1 :

> Il est bien des endroits où la pleine franchise
> Deviendrait ridicule et serait peu permise).

2. Pourquoi cela? Parce que, nous dit Philinte au cours du grand débat qui l'oppose sur ce plan à Alceste, le principe de sincérité doit parfois céder le pas aux impératifs de la politesse et de la civilité :

> Lorsqu'un homme vous vient embrasser avec joie,
> Il faut bien le payer de la même monnoie,
> Répondre, comme on peut, à ses empressements,
> Et rendre offre pour offre, et serments pour serments.
> [...]
> Mais quand on est du monde, il faut bien que l'on rende
> Quelques dehors civils que l'usage demande.

Il arrive donc aux lois de discours d'entrer en *conflit* les unes avec les autres, le plus constant de ces conflits étant celui qui oppose aux diverses lois de convenance la règle de sincérité : déchirés comme nous le sommes si souvent entre notre désir de franchise, et notre souci d'épargner à autrui les blessures narcissiques qu'elle ne manquerait pas de lui infliger, nous ne cessons de composer avec ces deux exigences contradictoires, au profit généralement de la seconde; à l'instar de Philinte, nous nous exclamons « Comme c'est joli chez vous », « Ça te va bien cette nouvelle coiffure », quand l'énoncé inverse serait certes plus conforme à notre intime conviction; pour ménager la face positive de l'autre, par « délicatesse » ou « compassion », nous lui prodiguons sans vergogne des « mensonges de convenance » et ces « gentillesses » insincères dont parle Goffman :

> La question fondamentale que j'ai voulu poser dans *Les Bas-Fonds* est la suivante : Qu'est-ce qui est le plus utile? Faut-il au nom de la compassion utiliser le mensonge comme Louka? (Gorki).

> « Cela fait cent fois que je te demande qu'on aille ensemble en Espagne... Tu as toujours refusé... Inventé mille prétextes... » C'est vrai... Je n'ai jamais réussi à être assez goujat pour lui dire qu'un voyage avec elle *m'ennuyait*... Tout simplement... Qui rendra jamais justice à l'incroyable délicatesse des hommes?... A leur ingéniosité dans la feinte et l'invention plutôt que de blesser définitivement une femme?... En lui avouant enfin la vérité : qu'on n'a pas envie... (Philippe Sollers, *Femmes*, Gallimard, 1983, p. 365).

Ainsi donc les hommes, dans leur incroyable délicatesse, donnent-ils généralement (à l'exception de quelques irréductibles Alcestes) la primauté à la courtoisie, plutôt qu'à la sincérité – lorsque leur est du moins laissé le droit de choisir. Sosie, lui, qui n'est que valet, laisse à son maître le soin de choisir à sa place en cette délicate alternative :

> (SOSIE. – Non : je suis le valet, et vous êtes le maître ;
> Il n'en sera, Monsieur, que ce que vous voudrez),

et de résoudre ce conflit rhétorico-pragmatique qu'il explicite avec autant de malice que de lucidité :

> Mais, de peur d'incongruité,
> Dites-moi, de grâce, à l'avance,
> De quel air il vous plaît que ceci soit traité.
> Parlerai-je, Monsieur, selon ma conscience,
> Ou comme auprès des grands on le voit usité ?
> Faut-il dire la vérité,
> Ou bien user de complaisance ? (*Amphitryon*, II, 1).

Même si celui-là est le mieux attesté, d'autres cas se rencontrent encore de conflit entre les diverses lois de discours :

• sincérité/modestie : on refoule spontanément, même lorsqu'on estime secrètement qu'il serait justifié, tout éloge de soi-même, car c'est là un comportement discursif jugé de mauvais aloi – préférant alors, à l'immodestie sincère, la « fausse modestie »;

• sincérité/pertinence : « " Bien merci " est impersonnel et constitue un rempart solide contre de nouveaux commentaires ou explications. En fait " Bien merci " constitue toujours la réponse correcte et normale à la question " Comment allez-vous ? ", à moins qu'il y ait des raisons de croire que la personne qui pose la question s'intéresse vraiment à l'état de votre santé » (Sacks, 1973, p. 196).

• exhaustivité/convenance :

« La peste, puisqu'il faut l'appeler par son nom... » : après les périphrases euphémistiques (« Un mal qui répand la terreur », etc.), le terme propre : les principes d'exhaustivité et de clarté finissent par l'emporter chez le fabuliste sur son souci premier d'épargner au destinataire la violence d'un mot tabou;

• exhaustivité/informativité :

« Défense de fumer, de manger et de boire » (inscription figurant dans un laboratoire de langues) : le conflit se résout ici au profit de la loi d'informativité : on ne nous dit pas tout ce qu'il est interdit de faire en ce lieu, car le reste est considéré comme allant de soi; il serait donc non informatif, et partant non pertinent, de l'énoncer;

• exhaustivité/pertinence :

> Le petit Billy, qui se lave, se met à pousser des hurlements.
> Sa maman se précipite – Qu'est-ce qui se passe, mon Dieu ?
> Le petit Billy. – J'ai du savon dans les yeux.
> La maman. – Comment se fait-il que tu aies toujours du savon
> dans les yeux et jamais ailleurs...? (L. Olbrechts-Tyteca, 1974, p. 119) :

M feint ici de croire que B a été exhaustif, alors qu'il a en fait été non exhaustif, mais pertinent, et informatif : il n'a mentionné que le savon-dans-les-yeux, car c'est le seul dont l'existence ne soit pas impliquée par la situation de discours, le seul qui fasse problème, et explique le hurlement que B a pour devoir de justifier.

Or c'est ici Billy qui a raison, le comportement interprétatif de la mère étant d'une évidente mauvaise foi. Le principe de pertinence est en effet généralement dominant par rapport aux règles d'exhaustivité et d'informativité. De même la règle de sincérité est-elle, dans notre société du moins, dominante par rapport à la règle d'exhaustivité, ce qui apparaît par exemple dans le fait que le mensonge par omission soit un délit conversationnel, voire juridique, moins grave que le mensonge par commission, et que, dans notre société toujours, on préfère en général rester évasif (« Pierre viendra dans l'après-midi »), plutôt que de fournir une information plus précise, mais moins sûre. Pour Grice, la règle de sincérité l'emporte encore, dans certains cas du moins, sur la loi de pertinence (1979, p. 62 : « Évidemment, il est bien plus nécessaire d'observer certaines de ces règles que d'autres; un homme qui a parlé trop longtemps sans raison serait en général moins critiqué que celui qui a affirmé quelque chose qu'il savait être faux [82] »). Mais toutes les lois de discours ne se laissent pas aussi aisément hiérarchiser, leur hiérarchie étant variable avec la situation de communication, par exemple : les ordres sont en général formulés de façon indirecte et adoucie (« Que pensez-vous de l'idée que nous sortions d'ici? »), c'est-à-dire que l'on camoufle partiellement, en cas de requête, sa véritable intention pragmatique, et que la loi de sincérité s'efface partiellement devant la loi de convenance (ne pas menacer trop violemment le territoire de A); mais la hiérarchie s'inverse lorsque des « considérations supérieures » font qu'il n'est plus de mise d'être d'une exquise courtoisie : si un incendie se déclare, la formulation la plus brutale (« Sortons d'ici! ») reprend légitimement tous ses droits.

La hiérarchie des lois de discours est également fonction bien sûr de la nature de la relation interlocutive, et des interactants.

3. Ce qui pose la question de leur *universalité;* question à laquelle Goffman, et Brown et Levinson, répondent de la façon suivante : en gros, ces lois de discours relèvent d'un « diasystème » universel :

Goffman (1975, p. 41) : « L'idée impliquée dans mon propos est que, sous leurs différences culturelles, les hommes sont partout semblables [...]. Il faut considérer le fait que, partout, les sociétés, pour se maintenir comme telles, doivent mobiliser leurs membres pour en faire des participants de rencontres autocontrôlées. Le rituel est un des moyens d'entraîner l'individu dans ce but. »

Brown et Levinson (1978, p. 289) : « Interactional systematics are based largely on universal principles. »

Mais en même temps, « the application of the principles differs systematically across cultures, and within cultures across subcultures, categories and groups ». Il convient donc de distinguer, au sein de la compétence rhétorico-pragmatique générale, différents « lectes », qui ne coïncident pas nécessairement du reste avec les clivages linguistiques :

- Variations *dialectales (géographiques)*.

« Les voyageurs occidentaux se plaignaient de ce que les Chinois ne disaient jamais ce qu'ils pensaient, mais ce qu'ils estimaient que leurs auditeurs étrangers voulaient entendre. Les Chinois, eux, se plaignaient de la rudesse et de la grossièreté des Occidentaux » (Goffman, 1975, p. 19, n. 11) : politesse en deçà de certaines frontières, grossièreté au-delà... Les exemples sont légion de ces divergences géographiques des codes interactionnels, que nous signalent à l'envi Bateson, Brown et Levinson (qui distinguent des cultures « à politesse positive », *vs* « négative », « debt-sensitive », *vs* « non debt-sensitive », etc.), ou encore Doï Takeo, qui nous conte un certain nombre de ses mésaventures, imputables au « choc de deux cultures » qu'il subit en 1950, débarquant du Japon aux États-Unis :

« Je donne un exemple : c'était peu de temps après mon arrivée. Je rendis visite à un Américain, à qui j'avais été présenté par un ami japonais. Après quelques minutes de conversation, il me demanda : " Avez-vous faim, prendrez-vous une glace ? " Je répondis que non, je n'avais pas faim, croyant qu'il serait malséant de dire le contraire, étant donné que c'était la première fois que je le rencontrais – et cela malgré le fait que j'étais effectivement plus ou moins disposé à prendre quelque chose. Je m'attendais vaguement à ce qu'il renouvelât sa proposition – au moins une fois. Mais, sans plus insister, il se contenta de me dire : " Comme vous voudrez... ", et je me souviens d'avoir regretté à ce moment-là de ne pas lui avoir répondu oui. Je me pris à penser que si mon interlocuteur avait été japonais il n'eût jamais manqué de politesse au point de demander à quelqu'un qu'il rencontrait pour la première fois s'il avait faim; il lui eût tout simplement offert quelque chose » (1982, p. 13). Après avoir mentionné un autre exemple de déboire similaire, Doï Takeo conclut (p. 14) : « Bien sûr, cela tenait surtout, je pense, à l'insuffisance de mon anglais à l'époque. Pourtant je pressentais déjà vaguement qu'il y avait là bien plus qu'une simple barrière linguistique. »

Bien plus en effet : on admet sans difficulté, parce qu'on a appris dès son plus jeune âge qu'il en était ainsi, que tous les peuples ne parlent pas la même langue [83]; mais on résiste bien davantage, parce que l'on est moins averti à ce sujet, et que l'on est d'autant plus attaché aux règles qui nous sont inculquées que la compétence en est plus implicite, à accepter l'existence de divergences dans les principes qui régissent les comportements interactifs, qu'ils soient de nature verbale ou non verbale (on a par exemple du mal à admettre ce fait déroutant, en tous les sens du terme : que dans certaines régions d'Afrique du Nord, il n'est pas concevable que la personne à qui vous demandez votre chemin avoue l'ignorer; il vous l'indiquera, toujours, et avec force détails – quitte à vous expédier aux antipodes de l'endroit désiré). De telles divergences nous laissent d'abord désemparés, car on a le sentiment obscur qu'il s'agit là de phénomènes fondamentaux et insaisissables, troubles et troublants, qui sont à la source de bien des malentendus et réflexes xénophobes (Brown et Levinson, p. 258 : « This framework puts into perspective the ways in which societies are not the same interactionally, and the innumerable possibilities for cross-cultural misunderstanding that arise »).

Voici un petit catalogue de quelques clichés ethniques concernant le fonctionnement « cross-cultural » des lois de discours :

La loi d'exhaustivité serait volontiers transgressée par les Français, qui voueraient à la litote une affection particulière (quand ils trouvent une chose très belle, ou très moche, ils ont coutume de dire, nous ont fait remarquer plus d'un étranger, « c'est pas vilain », ou « c'est pas terrible »); et pour le père Lamy (cité par Le Guern 1983), par les « Orientaux », qui seraient coutumiers de l'ellipse : « Cette figure est fort commune dans les langues orientales : les peuples d'Orient sont chauds et prompts, ainsi l'ardeur avec laquelle ils parlent ne leur permet pas de dire ce qui se peut sous-entendre. »

(Plus récemment, Jacques Ruscio, correspondant de *L'Humanité* à Hanoï au moment des événements évoqués, justifie en ces termes auprès de Jean-Noël Darde – *Le Ministère de la Vérité*, p. 172 – son « silence complice » à propos de la chute de Phnom Penh : « [...] il était quand même hautement improbable que Phnom Penh soit tombée autrement que du fait de l'armée vietnamienne. Mais évidemment, moi, je ne l'ai pas écrit puisque nos amis vietnamiens soit ne disaient rien, soit niaient farouchement, avec beaucoup d'aplomb. Cette attitude des Vietnamiens, beaucoup de choses peuvent l'expliquer, entre autres *une certaine tradition vietnamienne de ne pas dire tout à fait directement les choses comme on devrait le faire en Occident*, et aussi une pratique de l'information officielle qui fait qu'un fait n'est réel qu'à partir du moment où c'est dit officiellement ».)

Curieusement, ces mêmes « Orientaux » pratiqueraient abondamment, d'après Du Marsais cette fois, l'hyperbole : c'est donc aussi la loi d'« anti-exhaustivité » qu'ils se plairaient à transgresser... hyperbole qui fleurit encore dans la bouche des Italiens : « ho una fame/sete, fa un caldo, te amo *da morire* »; Italiens qui seraient d'après Stendhal plus respectueux que les Français de la loi d'informativité : « " Pourquoi répéter si souvent, se disait Fabrice, ce que nous connaissons tous trois parfaitement bien? " Il ne savait pas encore que c'est ainsi qu'en France les gens du peuple vont à la recherche des idées » (*La Chartreuse de Parme*, Le Livre de poche, éd. 1972, p. 67); et qui sacrifieraient volontiers à des exigences supérieures la loi de sincérité, si l'on en croit cet adage consigné dans les pages roses du *Petit Larousse :* « Si non è vero, è bene trovato. » Cette loi de sincérité, il est en tout cas certain que toutes les cultures ne sont pas également soucieuses de la respecter : les Indiens d'Amérique, c'est bien connu, ignorent le mensonge, ou plutôt, nuance Todorov (car « on ne peut concevoir un langage sans la possibilité de mensonge »), le sanctionnent sévèrement : « Selon Alvarado Tezozomoc, " Moctezuma fit promulguer une loi d'après laquelle quiconque dirait un mensonge, quelque léger qu'il fût, devait être traîné dans les rues par les jeunes garçons du collège de Tepochcalco jusqu'à ce qu'il eût rendu le dernier soupir " » (1982, pp. 95-96). Dans la société burundi au contraire, « la notion de vérité n'a de valeur que par rapport aux circonstances; il n'y a pas de vérité objective. Si elle gêne ou ne doit mener à rien, il faut la rejeter sans hésiter, puisque ce n'est pas alors une bonne arme de survie. Le mensonge, par contre, sous forme de calomnies ou de flatteries, a une valeur positive dans l'interaction sociale, d'où le concept clé sous-jacent aux pratiques des Burundi, celui de " ubgenge " ou " habileté qui réussit " » (Bachmann, Lindenfeld et Simonin, 1981, pp. 68-69).

Toutes ces considérations doivent bien entendu être maniées avec les plus prudentes pincettes. Mais il est sûr qu'elles touchent à des questions fondamentales, et dont on fait concrètement l'expérience parfois douloureuse lorsque l'on se trouve brutalement transplanté d'une culture à l'autre.

• Variations *sociolectales*.

« C'est ainsi qu'*en France, les gens du peuple* vont à la recherche de la vérité » : l'axe des différenciations géographiques se croise en effet avec celui des différenciations socioculturelles. Le théâtre de Marivaux constitue par exemple un corpus de choix pour observer comment sont diversement maniées, par les maîtres et les domestiques, les lois de discours : on y verrait chez les premiers, un souci de litotisation des formules incursives, et d'hyperbolisation des formules réparatrices ; chez les seconds au contraire, une prédilection pour le langage « droit », et un certain refus du trope :

> MONSIEUR ORGON. – Mon cher monsieur, je vous demande mille pardons de vous avoir fait attendre ; mais ce n'est que de cet instant que j'apprends que vous êtes ici.
>
> ARLEQUIN. – Monsieur, mille pardons ! c'est beaucoup trop ; et il n'en faut qu'un, quand on n'a fait qu'une faute (*Le jeu......*, I, 10).

L'ironie, la galéjade, la litote, l'euphémisme [84], sont dans une certaine mesure l'apanage des gens « urbains », et de bonne compagnie :

> Et cette façon de se foutre des gens, qui me libère de mon milieu... Chez mes parents, on ne plaisante jamais, ils prennent tout au sérieux, pas le droit de dire des bêtises pour le plaisir, l'ironie, ils connaissent pas... (Annie Ernaux, *Les armoires vides*, Gallimard, 1974, p. 145).
>
> Le Rassi fut atterré ; il avait trop peu l'habitude de la bonne compagnie pour deviner si le comte parlait sérieusement : il rougit beaucoup, ânonna quelques mots peu intelligibles ; le comte le regardait et jouissait de son embarras (*La Chartreuse de Parme*, p. 308).
>
> Il a plu toute la journée sur tout le territoire. En langage des villes, on pourrait dire qu'il n'a guère fait beau (A 2, le 12 sept. 1976).
>
> DORANTE. – Non ; mais qu'est-ce que cela vous fait ? Supposé que Lisette eût du goût pour moi...
>
> MARIO. – Du goût pour lui ! où prenez-vous vos termes ? Vous avez le langage bien précieux pour un garçon de votre espèce.
>
> DORANTE. – *Monsieur, je ne saurais parler autrement* (*Le jeu.....*, III, 2).

Dans cette pièce de Marivaux, les maîtres jouent aux valets, et les valets aux maîtres. Mais malgré qu'ils en aient, ils jouent plutôt mal : leur vraie nature sociale transparaît au travers de leurs efforts pour la travestir. « Qui es-tu donc », demande Silvia à Dorante déguisé en Bourguignon, « toi qui me parles ainsi ? » Tu ne peux pas être celui que tu prétends être, car ton dire n'est pas accordé à ton être officiel. Les gens de condition ne peuvent parler qu'avec délicatesse, et les faquins sont réduits à parler faquin (Orgon, II, 11 : « Ces gens-là ne savent pas la conséquence d'un mot », ils ne cessent de violer la quatrième maxime de Grice). Quand on emprunte le langage de l'autre, on ne saurait être qu'« emprunté » : dis-moi comment tu parles, je te dirai qui tu es. (N.B. : on parle en général de « sociolectes » à propos des caractéristiques propres à un milieu socio-culturo-professionnel donné; mais on pourrait y verser aussi – à moins d'envisager différents « *sexolectes* » – les différenciations liées au sexe du locuteur : ainsi les femmes seraient-elles en général, d'après Robin Lakoff, *Language and Woman's Place*, New York, 1975, sensiblement plus « polies » dans leur expression verbale que les hommes).

• Variations *idéolectales*.

La vérité, c'est ce qui sert la révolution (Brecht) ; S'il faut choisir entre la vérité et la révolution, nous choisirons la révolution (un dirigeant communiste, cité par L. Sciascia).

Seule la vérité est révolutionnaire (Gramsci) ; La vérité, quelle qu'elle soit, n'est jamais obscène (Serge July).

Entre ces deux conceptions opposées de la vérité, donc du fonctionnement de la loi de sincérité (absolument prévalente pour les seconds, et pour les premiers, assujettie à des intérêts supérieurs), le choix ne dépend que de la « compétence idéologique » (« idéolecte ») du sujet parlant.

Même si les intérêts supérieurs en question sont d'un autre ordre, il s'agit ici en fait du même débat que celui qui oppose Alceste, ardent défenseur de la sincérité à tout prix, et Philinte, pour qui elle doit parfois abdiquer devant les exigences de la civilité mondaine, et de la communication symétrique [85] :

ALCESTE. – Je veux qu'on soit *sincère*, et qu'en homme d'honneur,
　　On ne lâche *aucun mot qui ne parte du cœur*.
PHILINTE. – Lorsqu'un homme vous vient embrasser avec joie,
　　Il faut bien le payer de *la même monnoie*,
　　Répondre, comme on peut, à ses empressements,
　　Et *rendre offre pour offre, et serments pour serments*.
　　[....]
ALCESTE. – Non, vous dis-je, on devrait châtier, sans pitié,
　　Ce commerce honteux de semblants d'amitié.
　　Je veux que l'on soit *homme*, et qu'en toute rencontre
　　Le fond de notre cœur dans nos discours se montre,
　　Que ce soit lui qui parle, et que nos sentiments
　　Ne se masquent jamais sous de vains compliments [86].

• Variations *idiolectales* – l'idiolecte se trouvant à l'intersection de tous les lectes précédemment évoqués, mais étant en outre déterminé (comme c'est d'ailleurs également le cas s'agissant des comportements discursifs opposés d'Alceste et de Philinte) par les caractéristiques « psi » du sujet parlant.

Or on peut être, avons-nous dit, d'un tempérament plus ou moins coopératif ou égocentrique, courtois ou impertinent, laconique ou bavard, modeste ou suffisant; on peut être plus ou moins susceptible, et jaloux de son territoire (*i.e. :* plus ou moins chatouilleux sur le chapitre de ses faces, positive et négative); et l'on peut plus ou moins accepter ou rejeter telle ou telle loi de discours en vigueur dans l'environnement social :

Rejet de la loi de « délicatesse », au profit de la seule loi de franchise : « Elle ne cachait jamais rien à personne. Quand elle trouvait un homme laid [...], elle lui disait aussitôt : " Monsieur, vous êtes laid " » (Patrick Besson, *Lettre à un ami perdu*, Seuil, 1980, p. 76) – ou d'intérêts polémiques divers, le pamphlet, les discours extrémistes, se caractérisant ainsi par l'usage immodéré de termes violemment injurieux (« poux », « racaille », « vipère », « hyène », « rat visqueux », « chacal puant »), sans s'embarrasser outre mesure du principe de ménagement des faces d'autrui...

Rejet de la loi « des fleurs » :

> SOSIE. – [...] Des pieds jusqu'à la tête, il est comme moi fait,
> Beau, l'air noble, bien pris, les manières charmantes.
> $\qquad$ (*Amphitryon*, II, 1).

> MATAMORE. – [...] Le seul bruit de mon nom renverse les murailles,
> Défait les escadrons, et gagne les batailles.
> Mon courage invaincu contre les empereurs
> N'arme que la moitié de ses moindres fureurs ;
> D'un seul commandement que je fais aux trois Parques,
> Je dépeuple l'État des plus heureux monarques ;
> La foudre est mon canon, les Destins mes soldats :
> Je couche d'un revers mille ennemis à bas, [...]
> $\qquad$ (*L'illusion comique*, II, 2)

– le délire mégalomane se déplaçant ensuite, du thème des conquêtes militaires, à celui des conquêtes féminines.

C'est là, on le sait, une des composantes essentielles du « profil rhétorico-pragmatique » du « fanfaron », du « miles gloriosus », que cette propension à transgresser, de façon aussi spectaculaire, la loi des fleurs. Elle caractérise aussi le comportement de certaines « divas », tels Serge Lifar (*Les saisons de la danse*, n° 162, 10 mars 1984, p. 34 : « Mais mon défaut, c'est que sans doute l'homme que j'admire et considère le plus, c'est moi! Je suis comme Antonin Artaud qui disait : " J'assiste à Antonin Artaud ! " Eh bien, plus que jamais, j'assiste à Serge Lifar – et croyez-moi, c'est un sacré spectacle! »), ou Arnold Schwarzenneger « le Magnifique », super-star du culturisme, qui loin de s'en excuser comme d'un « défaut », revendique hautement son absence de modestie, et considère comme une imposture la loi des fleurs, lorsqu'elle va à l'encontre de la maxime de qualité, et contraint aux hypocrisies de la fausse modestie :

M.F. – N'avez-vous pas un talent formidable pour l'auto-promotion?

ARNOLD. – C'est simplement que je sais que je suis formidable [« great »], que je suis un vrai champion. Cela me donne confiance, si bien qu'il me devient facile de faire ma propre publicité.

M.F. – N'avez-vous pas peur que de tels propos passent pour horriblement suffisants [« egoistical »]?

ARNOLD. – C'est juste le contraire. La suffisance, c'est quand vous vous faites mousser sans le mériter. Si vous êtes vraiment bon, c'est naturel de le faire savoir. Bien des gens qui sont vraiment bons n'osent pas le dire, parce qu'ils penseni qu'on va croire qu'ils ne font que se vanter. Moi je pense que quand on est formidable, on doit le montrer. Je suis contre la fausse modestie (*Muscle and fitness*, mars 1982, p. 39).

Plus spécifiquement encore, la manipulation des lois de discours dépend de l'humeur, et de l'état affectif du locuteur au moment de la prise de parole :

Ah! jamais les amants ne sont las de jaser (*Le Tartuffe*, III, 1).

Ah! ah! ah! que ton cœur a de caquet, ma sœur! quelle éloquence! (*Le jeu de l'amour...*, III, 4).

Et elle dépend aussi bien sûr de la situation d'interaction, du statut institutionnel des interactants, et de l'image que L s'est construite de son partenaire discursif : s'il le tient pour vaniteux, et désire rester en bons termes avec lui, il aura tendance à ménager davantage, voire à exalter sans vergogne, sa face positive; s'il le sait particulièrement obtus, il n'hésitera pas à introduire dans son discours un taux de redondance supérieur à la normale :

Je l'ai vu, dis-je, vu, de mes propres yeux vu,
Ce qu'on appelle vu. Faut-il vous le rabattre
Aux oreilles cent fois et crier comme quatre? (*Le Tartuffe*, V, 3).

Le fonctionnement des lois de discours est donc tributaire d'un écheveau de facteurs qu'il n'est pas toujours aisé de démêler [87]. Dans la communication effective, on constate que ces principes interactionnels, étant d'un codage plus ou moins flou ou contraignant, sont corrélativement plus ou moins aisément transgressés, sans qu'apparaisse toujours clairement auquel de ces facteurs il convient d'imputer les faits observés [88].

3 – La transgression des lois de discours

– Grice (1978, p. 113) : Les maximes conversationnelles « are standardly (though not invariably) observed by participants in a talk exchange ». « Pas invariablement » : ces règles sont en effet transgressibles, plus en tout cas que les règles relevant de la compétence linguistique, et c'est heureux. Comme elles entrent fréquemment en conflit les unes avec les autres [89], les sujets parlants, s'ils étaient impérativement tenus de les respecter toutes, seraient en situation de double contrainte permanente, dont on sait quelles néfastes conséquences elle entraîne pour ceux qui s'y trouvent soumis... Mais si « double bind » il y a, c'est un double bind « mou », en quelque sorte, car ces règles ne sont pas tyranniques au point que l'on ne puisse avec elles ruser, louvoyer, adopter diverses stratégies de compromis – de manière par exemple à être franc sans passer pour gaffeur, modeste sans passer pour « faux », ou poli sans sembler malhonnête – et se tirer honorablement de ce travail d'équilibriste que nous imposent les usages langagiers.

– Pour échapper à cette honte que constitue la transgression d'une loi de discours (car il est honteux de mentir, mais aussi de violer la loi de modestie, ou d'informativité :

B. Pivot, *Apostrophes*, « Variations sur le pouvoir » :

Alors Marc Paillet, vous avez en face de vous quelqu'un qui est tout à fait représentatif de la réussite de cet « establishment » puisque vous parlez abondamment des grandes écoles. Or, il faut que vous sachiez, parce que je vais le dire à sa place, autrement il rougirait, si c'était lui : Yves Canac, vous avez à dix ans eu le premier prix de français au concours général. Il a fait ensuite des études de mathématiques supérieures. Il est rentré à Normale Sup où il a fait des études de lettres. Puis il a été premier à l'agrégation d'histoire, et ensuite il est rentré premier à l'E.N.A. et en est sorti Major...

Michelangelo Zurletti, « La Traviata opera borghese », présentation du disque R.C.A. :

La storia della « prima » della *Traviata* è nota e arcinota. Le tre lettere con cui Verdi annunciava il fiasco sono entrate nell'aneddotica spicciola, si ché quasi *ci si vergogna di citarle ancora*),

pour échapper donc à cette honte, on peut alléguer la nécessité de respecter une loi rivale. On peut aussi user d'une de ces formules « réparatrices » (Goffman) visant à tenter de faire admettre une telle « offense » communicationnelle :

• excuse éventuellement assortie d'une justification : « Excusez-moi d'insister mais... », « Pardonnez-moi cette digression mais... », ou bien encore :

Ceux qui ont lu mes précédents ouvrages trouveront sans doute que je me répète [...]. *Mais je veux dire pour ma défense que* [...] (H. Laborit *La colombe assassinée*, Grasset, 1983, p. 9).

Je suis très travailleur. *Je sais bien que je suis mal venu à faire moi-même mon apologie auprès de vous. Mais à qui laisser ce soin? Et les vertus de travail et d'application que je revendique, parce que vous les estimez, il n'est peut-être pas très mal de se vanter de les avoir* [...] (Proust, *Correspondance avec Madame Straus*, le Livre de poche, 1974, lettre VI, pp. 17-18) ;

• précaution oratoire :

Si vous le permettez,
Quoique mon sentiment doive respect au vôtre [...]
Si je n'avais pas peur d'être franchement ridicule, je dirais que les rues de New York sont dangereuses le soir;

• ou simple commentaire méta-communicatif (qui peut même prendre la forme discrète d'un petit rire prétendant désamorcer par avance celui de l'autre) : « Comme je l'ai déjà mentionné », « faut-il le rappeler? », « c'est une lapalissade », « en toute modestie », « sans vouloir être prétentieux », « sans vanité », « sans vouloir vous blesser », etc.

Ce sont là autant de procédés par lesquels, en plaidant coupable et faisant amende honorable, on parvient en général à échapper à la sanction que risque d'encourir le délit de violation d'une maxime conversationnelle.

N.B. : si l'on a omis de prendre les devants, on peut encore, moins élégamment, tenter de récupérer après coup la maladresse étourdiment commise : « Vous lisez le texte et puis vous le traduisez *en français...* » (petits rires du reste du jury assistant à cette épreuve agrégative de latin) « ...évidemment ».

– En l'absence de tout « atténuateur » de ce type, la violation d'une loi de discours peut produire sur l'auditoire divers effets tels que :

• Si elle est perçue comme délibérée : on l'impute parfois à une intention ludique ou humoristique; à moins qu'on ne l'interprète comme reflétant l'impudence d'une provocation : « l'impudent peut être celui qui se décerne des éloges; ou celui qui parle de lui et de ses activités d'une façon qui suppose chez les autres un intérêt qu'ils n'éprouvent pas vraiment; ou celui qui paraît s'exprimer plus souvent et plus longuement qu'il n'est convenable [90] » (Goffman, 1975, p. 108); ajoutons à l'inverse : celui qui « se tait avec une évidente insolence », comme ce Visiteur de la piécette de Tardieu intitulée « La politesse inutile », qui ne répond que par un superbe mépris aux avances inutilement polies du Professeur.

• Si elle est perçue comme involontaire : on l'interprète comme une bourde, une maladresse discursive, que vient sanctionner le rire ou le sarcasme « ex-communicatif » (« Et alors? », « Sans blague! », « Ça te regarde? », « De quoi je me mêle! », etc.).

A la limite, on portera un jugement de folie sur qui transgresse trop fortement ou constamment les règles conversationnelles [91] :

M. MARTIN. – Je crois que la bonne de nos amis devient folle... Elle veut dire elle aussi une anecdote.

LE POMPIER. – Pour qui se prend-elle? (*Il la regarde*) Oh !
Mᵐᵉ SMITH. – De quoi vous mêlez-vous?
M. SMITH. – Vous êtes vraiment déplacée, Mary... (*La cantatrice chauve*, sc. IX).

Car on ne saurait mieux marquer la différence de statut existant entre les règles rhétorico-pragmatiques, et les règles proprement linguistiques, qu'en considérant les formes que prend leur transgression la plus radicale, celle qui n'est ni occasionnelle, ni délibérée : celui qui ne parvient pas à maîtriser les règles du code linguistique, on le dit aphasique; mais celui qui ne maîtrise pas les règles du code rhétorico-pragmatique, c'est un inadapté, voire un fou – la folie n'étant souvent que l'incapacité à intérioriser, ou le refus d'observer, ces règles fort subtiles qui gouvernent le fonctionnement des rituels conversationnels. – De tels effets ne surgissent qu'en cas de violation « non réductible » d'une loi de discours. Mais la plupart de ces violations ne sont en fait qu'apparentes, et se résorbent par la construction d'une inférence qui permet de faire rentrer l'énoncé problématique dans l'ordre des lois de discours. Dans cette mesure, les règles rhétorico-pragmatiques ont étroitement partie liée avec le problème de l'implicite discursif.

4.4.3. Lois de discours et implicite

Remarque préliminaire : même si ces lois sont en général présentées comme des consignes d'encodage, elles se répercutent symétriquement sur les stratégies de décodage. C'est parce que je sais que l'émetteur est en principe sincère que je serai, moi récepteur, crédule; parce que j'estime qu'il m'a fourni l'information maximale que j'aurai tendance à interpréter, parfois à tort, un « si » comme un « si et seulement si »; parce que je sais qu'il a tendance à adoucir la formulation de ses requêtes que j'interpréterai un souhait comme un ordre indirect; et c'est pour des raisons semblables que je peux déduire du silence de mon interlocuteur sur ma nouvelle coiffure, en faisant jouer à la fois la loi d'exhaustivité (il aurait dû, normalement, m'en parler) et de convenance (on évite en général, sauf si l'on désire délibérément l'agresser, les propos désobligeants à l'endroit de son partenaire discursif), une inférence telle que : « C'est donc qu'il la trouve moche. »

Ainsi les lois de discours interviennent-elles, au cours du processus interprétatif, essentiellement pour solliciter l'émergence d'un certain nombre d'inférences. Et c'est encore une fois à Grice que l'on doit, dans « Logic and Conversation », d'avoir explicité le mécanisme de genèse des « implicitations conversationnelles », en des termes que

F. Armengaud résume de la façon suivante : « Le locuteur a dit P. Le locuteur est présumé observer les règles. Or dire P constitue une transgression d'une des règles. Mais si le locuteur pense Q, alors il a pu à la fois observer les règles et dire P. Le locuteur sait que son allocutaire est capable de ce raisonnement. Donc il a voulu communiquer indirectement Q. Bref, il a *implicité* Q » (1981, a 12). L'implicitation (pour nous : « inférence ») apparaît donc comme une hypothèse que l'on construit pour « normaliser », du point de vue de son fonctionnement rhétorico-pragmatique, un énoncé apparemment transgressif.

Remarque : ce mécanisme ne fonctionne qu'à deux conditions : que A soit coopératif, faute de quoi il s'en tiendra aux apparences et jugera l'énoncé inepte; et que la construction de l'inférence soit possible, faute de quoi A, aussi coopératif soit-il, en sera réduit à considérer comme pathologique le comportement discursif de L.

Supposons donc que ces deux conditions soient réunies : en faisant fonctionner telle ou telle loi de discours, A construit, à partir de P, l'inférence /Q/. Mais cette inférence peut recevoir divers statuts, et c'est sur ce point que nous voudrions insister quelque peu, sans nullement remettre en cause les propositions descriptives de Grice, qui sont sans aucun doute fondamentalement justes.

Rappelons qu'un contenu sous-entendu peut soit venir s'ajouter, sous la forme d'une connotation (additionnelle et marginale) au contenu littéral, soit venir se substituer à celui-ci, et lui subtiliser son rôle dénotatif : il y a alors constitution d'un trope.

Or ces deux cas de figure (qui correspondent en gros aux groupes A et C de Grice) sont également engendrés par l'action des lois de discours, mais selon un processus de « calcul » sensiblement différent :

(1) Inférences qui restent connotées, et viennent simplement s'ajouter à la signification littérale
Exemples :

> Certains chapitres sont intéressants dans ce livre
> Pierre viendra dans l'après-midi
> Fromage ou fruit?

énoncés qui sous-entendent respectivement :

> /tous les chapitres ne le sont pas/
> /je ne sais pas exactement à quelle heure il viendra/
> /il y a le choix entre diverses sortes de fromages, ou de fruits/ [92],

en vertu du raisonnement suivant : si L estimait que c'est la totalité de l'ouvrage qui est intéressant, il me le dirait, puisqu'il est censé être exhaustif dans sa formulation; s'il ne me le dit pas, c'est donc qu'il ne le pense pas, et qu'il pense au contraire que certains chapitres ne sont pas intéressants; plus généralement : L énonce P, dont le sens littéral n'est conforme aux lois de discours qu'à la condition d'admettre également /Q/; P sous-entend donc /Q/, puisque si ce n'était pas le cas, son sens littéral violerait l'une ou l'autre des lois de discours.

C'est pour la même raison qu'en vertu cette fois de la loi d'informativité,

Il n'y a pas de sot métier →
/on pourrait estimer qu'il y en a/.

Mais le mécanisme est différent dans

Cette robe, elle n'est pas donnée,

puisque littéralement, l'énoncé ne peut être qu'un truisme (tous les objets présentés dans un magasin ne peuvent s'obtenir que moyennant finance). Impossible de conformer le sens littéral à la loi d'informativité : on va donc chercher, sous ce sens littéral, un sens dérivé quant à lui « conforme » (« cette robe est chère »), que l'on considérera comme le vrai sens de l'énoncé, lequel fera alors figure de trope (en l'occurrence litotique).

(2) Inférences qui viennent se substituer au contenu littéral de l'énoncé, et constituent ainsi un trope [93]

Pierre a cessé de fumer :

Si littéralement, l'énoncé est informatif, et au moins partiellement pertinent, on pourra lui construire une inférence destinée à le « pertinentiser » davantage (/Tu ferais bien d'en faire autant/), mais qui restera connotée.

S'il apparaît au contraire comme non informatif, et/ou totalement non pertinent (dans la mesure par exemple où le sort de Pierre ne m'intéresse nullement), l'inférence précédente recevra le statut d'un contenu dénoté, et l'énoncé celui d'un « trope implicitatif ».

(N.B. : L'information et la pertinence dont il vient d'être question ne concernent que le contenu posé. Quant au présupposé, il convient en général, au contraire, qu'il soit non informatif. Si ce n'est pas le cas, l'énoncé pourra fonctionner comme un « trope présuppositionnel » signifiant /Pierre fumait auparavant/.)

En *(1)* comme en *(2)*, une inférence est construite de manière à faire rentrer l'énoncé dans l'ordre des lois de discours. Mais en *(1)*, c'est le sens littéral qui constitue le sens essentiel de l'énoncé, même si vient s'y greffer un contenu dérivé nécessaire pour concilier le sens littéral avec le respect présumé des lois de discours; en *(2)*, le sens littéral, non

« normalisable », est au contraire évincé par le sens dérivé, seul compatible avec les lois de discours.

Remarque : il arrive fréquemment qu'un même énoncé se prête virtuellement à plusieurs interprétations concurrentes.

Pour entonner une fois de plus l'antienne « Je ne te hais point », on peut ainsi attribuer à cet énoncé les trois fonctionnements sémantiques suivants :

(1) L'énoncé est à prendre littéralement; mais il se charge d'une inférence connotée, sans laquelle il ne serait pas exhaustif : /je ne t'aime pas non plus/.

(2) 1. L'énoncé est utilisé pour véhiculer essentiellement l'information ci-dessus : il s'agit alors d'un trope implicitatif.

2. Littéralement, il transgresse la loi d'exhaustivité. Pour le normaliser, il faut l'interpréter comme signifiant en fait, plus exhaustivement, /je t'aime/ : il s'agit alors d'une litote.

La loi d'exhaustivité intervient, on le voit, dans les trois lectures qui viennent d'être envisagées; mais ce n'est pas elle qui nous dira quelle est, en situation, la bonne : seules des informations de nature co(n)textuelle peuvent permettre de trancher entre *(1)*, *(2)* 1. et *(2)* 2.

C'est-à-dire qu'en matière d'interprétation des énoncés, les lois de discours n'ont pas réponse à tout, et ne sont pas responsables de tout.

Revenons sur le cas des tropes : leur décodage s'effectue en trois temps, c'est-à-dire implique trois opérations logiquement successives (même si leur exécution exige en fait un va-et-vient de l'une à l'autre) :

1. Blocage de la lecture littérale, et déclenchement du mécanisme de dérivation.

2. Aiguillage vers tel ou tel type de trope.

3. Quête, et découverte, du sens dérivé contextuellement adéquat.

Il arrive d'ailleurs que l'on ne parvienne pas au terme du processus interprétatif, et que tout en soupçonnant l'existence d'un trope, on ne soit pas en mesure d'effectuer jusqu'au bout l'itinéraire qui mène du contenu littéral au contenu dérivé [94]; le décodage s'arrête alors en chemin, au terme de l'étape 1., ou même 2., lorsqu'on subodore par exemple une métaphore [95], ou un trope implicitatif (« C'est dimanche. – Et alors? ») [96], mais que l'on achoppe sur la nature précise du contenu véritablement dénoté.

Mais le plus souvent, on réussit à l'identifier, en appliquant certaines règles dérivationnelles telles que :

• métaphore : chercher un $sens_2$ qui soit en intersection avec le $sens_1$, sur la base d'un certain nombre de « métasèmes » reflétant les propriétés communes aux deux objets entre lesquels est perçue et établie une relation d'analogie;

• antiphrase : chercher un sens$_2$ antonymique du sens$_1$ (ou du moins, en relation d'opposition sémantique avec lui);

• litote/hyperbole : chercher un sens$_2$ plus fort/faible, sur la même dimension sémantique, que le sens$_1$;

• trope présuppositionnel : convertir en posé le présupposé;

• trope illocutoire : faire fonctionner l'une de ces règles dérivationnelles telles que « Questionner quelqu'un sur ses possibilités de faire une action F, c'est – dans certaines circonstances – lui demander de faire F », etc.

Trois questions donc, auxquelles il faut répondre : Y a-t-il trope? Lequel? Quel est exactement le sens dérivé? Or les maximes conversationnelles ne font que *contribuer,* et parfois bien pauvrement (ainsi dans le cas des métaphores), aux réponses qu'appellent ces trois questions.

Pour ce qui est de la première, un énoncé est à prendre tropiquement si pris littéralement, il apparaît comme défectueux. Mais il peut l'être de bien des façons, souvent d'ailleurs cumulées : fonctionnement rhétorico-pragmatique aberrant, mais aussi, absurdité sémantique interne, et/ou invraisemblance référentielle...

Pour ce qui est de la nature du trope, interviennent surtout la nature de l'unité linguistique où se localise le trope [97], celle des indices ou marqueurs de dérivation (dont certains sont plus ou moins spécialisés), ainsi que certains facteurs prédisposants tels que le type de discours dont il s'agit, le « profil tropique » des locuteurs, etc.

Quant à l'identification du « bon » sens, elle s'appuie sur un faisceau de facteurs d'ordre cotextuel et contextuel, et mobilise simultanément les compétences linguistique, encyclopédique, et rhétorico-pragmatique du sujet décodeur.

Une fois cette tâche menée à bien, toutes les anomalies se résorbent à la fois : l'énoncé retrouve sa cohérence cotextuelle, son adéquation contextuelle, et son appropriation rhétorico-pragmatique – car au niveau de leur contenu dérivé, l'énoncé ironique est sincère, la litote exhaustive, et les tropes implicatifs ou illocutoires redeviennent pertinents, informatifs, et exhaustifs (alors que « Peux-tu ouvrir la fenêtre? » est le plus souvent littéralement non informatif, et que « J'aimerais bien que tu ouvres la fenêtre » est littéralement non exhaustif).

Soit pour terminer cette formule énigmatique de Jean de Sponde : « L'or tombe sous le fer ». Hors co(n)texte, on la peut interpréter de bien des façons, qui toutes respectent les règles dérivationnelles, les exigences de la cohérence sémantique, et celles de la vraisemblance référentielle [98]. Mais en cotexte, ces deux tropes filés ne peuvent correspondre respectivement qu'à une métaphore (« le blé »), et à une synecdoque de matière (« la faux ») : c'est de l'évocation d'une scène de moisson qu'il s'agit ici, sans nul doute possible. S'il est rare que pour un signifiant donné se présentent concurremment, en discours, plusieurs possibilités de dérivation figurale, c'est que la nature même de ce signifiant, jointe aux contraintes cotextuelles et contextuelles, n'autorise en général qu'une solution interprétative satisfaisante.

Il est pourtant malaisé d'*expliciter* le processus de découverte de cette solution, donc de la résolution du trope [96], qui s'effectue par tâtonnements, essais et erreurs. Mais ce qu'il y a de sûr, c'est qu'il serait injustifié de tenir ces principes conversationnels, quelle que soit l'importance du rôle qu'ils jouent dans ce processus, pour les dépositaires exclusifs de la clef du sens, et la miraculeuse panacée de tous les problèmes interprétatifs.

4.4.4. L'implicite, pour quoi faire?

Avant d'en venir aux principes généraux qui sous-tendent le fonctionnement de la machine interprétative, et pour en finir avec ces considérations concernant la compétence rhétorico-pragmatique, une question mérite d'être posée, que nous avons incidemment croisée à plusieurs reprises : l'implicite, pour quoi faire?

Pourquoi ne parle-t-on pas toujours, ce serait tellement plus simple pour tout le monde, directement? Si l'on veut faire entendre q, pourquoi est-ce p que l'on énonce? Et corrélativement : si l'énoncé nous dit p, pourquoi y lit-on q [100]?

Il y a là une espèce de paradoxe, puisque les formulations indirectes, exigeant un surcroît de travail productif et interprétatif, vont à l'encontre du principe de moindre effort [101], et qu'elles transgressent toujours la maxime de modalité : « De cette maxime il est aisé de dériver une sous-maxime selon laquelle il faut être " direct " dans la mesure du possible, c'est-à-dire éviter de fournir implicitement une information requise [...] si on n'a aucune raison valable de ne pas la fournir explicitement » (Récanati, 1981, a), p. 217).

Plus précisément encore :

– Tout trope transgresse, outre cette règle de clarté, la maxime de qualité (c'est un cas particulier de mensonge), au niveau du moins du sens littéral de l'expression, qui n'est en fait qu'un leurre – et c'est à ce titre qu'il est parfois condamné, comme un crime même, dans certaines cultures : « En Polynésie, par exemple, les actes *djeadjea* – qui attirent la mort par la foudre – sont au nombre de trois : l'inceste, l'homosexualité, et le fait de donner à un homme ou à un animal un nom qui ne lui convient pas, ou de dire de lui quelque chose qui est contre sa nature; par exemple, du pou, qu'il danse, du rat, qu'il chante [...]; d'enterrer des bêtes toutes vivantes en disant : " J'enterre un homme "; d'écorcher vive une grenouille en disant : " Maintenant, elle a ôté son manteau. " [...] Car l'usage de la parole confère aux êtres humains non seulement un privilège mais aussi une *responsabilité* (très littéralement : ils doivent être capables de *répondre* de ce qu'ils affirment) » (Nancy Huston, 1980, p. 90). Et chaque trope particulier (il ne s'agissait dans le cas précédent que de la métaphore) transgresse en outre telle ou telle loi de discours particulière : première maxime de quantité dans la litote et la synecdoque du genre, seconde maxime de quantité dans l'hyperbole et la synecdoque de l'espèce, loi de pertinence dans un certain nombre de tropes illocutoires, etc.

– Même lorsque le sens littéral n'est pas évincé par le sens dérivé, le fait même de produire un énoncé sur lequel viennent se greffer certains contenus sous-entendus constitue, au niveau de ces contenus dérivés :

• une violation de la maxime de modalité puisque la formulation implicite relève d'une sorte de langage chiffré que le Géronte du *Menteur* va jusqu'à assimiler à une langue étrangère :

> DORANTE. – [...] Alors, me voyant pris, il fallut composer.
> GÉRONTE. – C'est-à-dire, *en français*, qu'il fallut l'épouser? (II, 5) ;

• ainsi qu'une violation de la loi d'exhaustivité, puisque le dire implicite est en quelque sorte un « sous-dire » (qui s'énonce « sous cape », « à mots couverts »), comparable en ce sens à la litote.

De l'existence des maximes conversationnelles découle donc un principe tel que : *ce que l'on a à dire, on doit en principe le dire explicitement* (un responsable syndical, au cours d'une grève étudiante : « Le Syndicat se déclare pour la liberté de circulation dans les locaux universitaires... Je n'ai pas voulu dire qu'il était contre les piquets de grève. Si j'avais voulu dire ça je l'aurais dit ») – ce devoir se faisant plus pressant dans certaines circonstances, lorsqu'il s'agit par exemple d'un contenu particulièrement informatif et/ou discutable (Sperber, 1974, montrant ainsi, pp. 135 et *sqq.*, que le degré d'explicitation d'un contenu doit être proportionnel à son degré d'informativité, et de « controversialité »), ou encore particulièrement important : il y a des cas, ainsi que le remarque

Mannoni, où il vaut vraiment mieux être clair : « à quelqu'un qui vous interrogerait sur la marée on ne pourrait pas répondre : voyez la lune. On serait responsable de trop de noyades » (1964, p. 1266).

Quelle que soit la fréquence des formulations implicites, tropiques ou non, il s'agit là de pratiques *marquées,* qui donc appellent, en vertu de la maxime de quantité, explication et justification.

Pour ce qui est du cas des tropes, on doit à la rhétorique classique un certain nombre de suggestions concernant le problème des « causes génératrices » des tropes, lesquelles sont pour Fontanier à mettre en corrélation avec une typologie des « facultés » (p. 161 : « Oui, c'est à nos facultés, et à nos facultés morales ou intellectuelles, que tiennent les *Causes génératrices* des Tropes; ou, en d'autres termes, ce sont ces facultés elles-mêmes qui sont ces causes »); causes d'ordre donc essentiellement psychologique (*Imagination, Esprit, Passion,* ou bien encore, s'agissant du cas particulier de la métaphore, démon de l'analogie, Todorov résumant en ces termes (1977, p. 102) la pensée de Du Marsais à ce sujet : « Il est dans la définition même de l'homme de lier les objets entre eux; il est donc dans la définition de l'homme de faire des tropes » – et l'on pense à cet aveu de Flaubert : « Je suis dévoré de comparaisons comme on l'est de poux, et je ne passe mon temps qu'à les écraser; mes phrases en grouillent » [102]); causes aussi d'ordre linguistique : « Pourquoi les enfants, les sauvages, les ignorants ont-ils comme nous l'avons dit, leur langage presque tout en tropes qui nous étonnent? Ce n'est sans doute que parce que, bornés à un très petit nombre de mots, ils se trouvent à tout moment forcés de les faire servir à la place de ceux qui leur manquent encore. On voit donc ce qui a dû d'abord donner lieu aux tropes : c'est la pauvreté de la langue » (Fontanier, p. 158). Il est certain que le recours à tel ou tel trope peut tenir à l'existence d'une lacune dans le système lexical : le fait par exemple qu'il n'existe en français aucun antonyme de « tardif », ou de « faciliter », explique sans doute la fréquence de l'usage litotique d'expressions telles que « à une heure aussi peu tardive », ou « ça ne facilite pas les choses ». Certain aussi qu'une formule tropique n'est jamais réductible à sa traduction en termes littéraux, puisque le sens littéral s'y maintient toujours en filigrane, et que le sens dérivé ne s'y reconstitue souvent qu'en pointillés : quoi qu'en dise Alcmène dans *Amphitryon* (II, 6, v. 1418-1419), « dire qu'on ne saurait haïr », ce n'est jamais exactement la même chose que de « dire qu'on pardonne ». Prolifération des connotations, surplus de sens, flou interprétatif : autant d'effets des tropes qui ont été trop souvent signalés pour qu'il soit utile d'insister là-dessus.

Plus intéressantes nous semblent ici, car elles concernent l'ensemble des formulations implicites, les explications de nature plus évidemment pragmatique qu'envisage Quintilien, lorsqu'il s'interroge sur les conditions d'emploi de l'« insinuatio » : « On en fait un triple usage; lorsqu'il est trop peu sûr de s'exprimer ouvertement; puis, lorsque les bienséances s'y opposent; en troisième lieu, seulement en vue d'atteindre à l'élégance, et parce que la nouveauté et la variété charment plus qu'une relation des faits toute directe » (*L'institution oratoire,* IX, 2, p. 189).

Passons sur le troisième lieu : ce plaisir et ce charme attenants aux formulations indirectes, Fontanier les prête également aux tropes, qui « donnent au langage [...] plus d'intérêt et d'agrément » dans la mesure où ils affublent les contenus d'« une forme étrangère qui les déguise sans les cacher » (p. 167), formule que l'on peut rapprocher de celle de Benjamin disant du jeu de cache-cache qu'« être caché est un plaisir, mais n'être pas trouvé est une catastrophe ». Plaisir, pour l'encodeur, de dissimuler sa véritable intention communicative, et de la voir cependant, selon son vœu (car le trope est un mensonge qui se veut reconnu comme tel) découverte; plaisir, pour le décodeur, de parvenir à résoudre cette énigme que constitue la formulation indirecte; et pour tous les deux, plaisir d'une connivence semblable à celle qui s'établit dans le jeu de la devinette : plus l'échange communicatif est périlleux, plus grands sont les risques que A ne parvienne pas, quelle catastrophe, à trouver le sens caché par L dans l'énoncé, et plus est grand aussi le contentement qu'entraîne sa réussite pour les deux partenaires de cet échange.

Quant aux deux autres motivations que Quintilien attribue à l'usage des insinuations, dont la seconde peut être considérée comme « noble », alors que la première constitue une ruse discursive plus douteuse (de la litote, Fontanier déclare semblablement, p. 133, que « c'est par modestie, par égard, ou même par artifice, qu'on emploie cette figure »), elles correspondent bien aux deux grandes catégories de situations où l'on observe de la part du locuteur une tendance prononcée à user des diverses possibilités que lui offre la langue pour « gazer » son opinion réelle.

1 – L ne peut pas, pour des raisons de convenance, utiliser l'expression directe.

(1) Il recourt alors à la formule implicite pour conjurer l'existence de certains tabous, dans une société donnée, pour déjouer certaines censures d'ordre moral, politique ou juridique, et ruser avec la loi du silence qui

frappe d'interdit certains objets discursifs : dans un contexte social déterminé, bien des choses ne " se disent pas " – du moins directement.

Il n'est pas toujours bienséant, parce que la pudeur du sexe y répugne, ou qu'il s'agit d'une inclination coupable, d'« avouer » son amour : on usera alors de la litote (ainsi du « je ne te hais point » de Chimène, mais aussi de Silvia, qui déclare à Dorante-Bourguignon : « Lève-toi donc, je t'en conjure; il peut venir quelqu'un. Je dirai ce qu'il te plaira; que me veux-tu? je ne te hais point, lève-toi; je t'aimerais si je pouvais, tu ne me déplais point, cela doit te suffire » [103]), ou des diverses formes de l'indirection :

> PHÈDRE. – Tu vas ouïr le comble des horreurs.
> J'aime... A ce nom fatal, je tremble, je frissonne,
> J'aime...
> OENONE. – Qui?
> PHÈDRE. –   Tu connais ce fils de l'Amazone,
> Ce prince si longtemps par moi-même opprimé?
> OENONE. – Hippolyte? Grands Dieux!
> PHÈDRE. –   C'est toi qui l'as nommé (I, 3).

> PHÈDRE. – Oui, Prince, je languis, je brûle pour Thésée.
> Je l'aime, non point tel que l'ont vu les enfers,
> Volage adorateur de mille objets divers,
> Qui va du Dieu des morts déshonorer la couche ;
> Mais fidèle, mais fier, et même un peu farouche,
> Charmant, jeune, traînant tous les cœurs après soi,
> Tel qu'on dépeint nos Dieux, ou tel que je vous vois.
> Il avait votre port, vos yeux, votre langage [...] (II, 5).

Il est inconvenant de parler des choses de sexe : on pratiquera alors l'euphémisme, l'énigme, l'allusion, le langage chiffré.

Il est risqué, dans tel pays à régime « totalitaire », d'aborder tel sujet compromettant : on aura recours à la métaphore, l'allégorie, la parabole, le trope fictionnel [104] :

> Plus d'une fois j'ai essayé d'analyser pourquoi je faisais mes œuvres d'une certaine manière. Je me disais : en Espagne, la plupart des écrivains ont été obligés de raconter les choses indirectement. Pourquoi? Parce que quand ils le faisaient de façon directe, ils se retrouvaient en prison. Ils étaient contraints de recourir à des paraboles, à des vues de biais. Oui, peut-être sommes-nous très doués pour ce genre d'écriture parce que nous avons derrière nous des siècles de censure (Carlos Saura, *La Quinzaine littéraire*, n° 282, 15 juill. 1978, p. 22),

et à toutes ces techniques que Berelovitz traque dans les écrits des critiques soviétiques, et qui relèvent de la « langue d'Ésope » (ou de « l'autrement dit » : comment dire l'indicible, et formuler l'informulable).

Il est en France interdit de tenir des propos trop manifestement racistes, et en particulier antisémites (cet heureux temps n'est plus où l'on pouvait déclarer comme Barrès : « Que Dreyfus est capable de trahir, je le conclus de sa race ») : on pourra toujours contourner cette loi en usant, comme Michel Droit, de l'allusion et du trope implicitatif... [105].

« Nous savons », écrit Freud (1971, pp. 262-263), « que dans l'élaboration du rêve, les déplacements marquent l'influence exercée par la censure de la pensée consciente [...]. Il faut compter parmi les déplacements, non seulement la déviation du cours des idées, mais encore toutes les sortes de représentation indirecte, en particulier la substitution à un élément significatif, mais offensant, d'un autre élément indifférent, mais inoffensif en apparence à la censure, élément qui figure une allusion des plus lointaines au premier, un équivalent symbolique, une métaphore, un détail. » Or ce sont là autant de procédés constitutifs de la « langue d'Ésope », et le discours implicite ressemble fort, à cette différence près que le travail de « caviardage » y est en général effectué plus ou moins consciemment, à ce que Freud dit du langage onirique : à l'encodage, effacement des contenus censurés de la surface textuelle; au décodage, reconstitution d'un texte latent greffé sur les contenus manifestes. Une fois de plus, on voit comment les comportements de décodage se modèlent sur ce que l'on suppose des comportements d'encodage : les thèmes que l'on sait frappés de tabou, et donc enclins par nature à la formulation indirecte, on aura tendance, si rien ne vient entraver cette lecture, à orienter dans leur direction le travail interprétatif; ici, à voir sous un énoncé apparemment innocent allusion sexuelle ou sous-entendu grivois; là, à déceler partout des allusions politiques plus ou moins subversives – parfois même, en en « rajoutant » sur les intentions avouées de l'émetteur : « Le public est à l'affût », remarque une actrice polonaise, « des correspondances avec notre époque. Il guette la moindre allusion à la situation du pays, et va parfois jusqu'à l'inventer. Que de fois, croyant jouer un texte simple, dénué de toute connotation politique, les acteurs de théâtre n'ont-ils pas été surpris d'entendre crépiter les applaudissements, après la répartie de l'un d'eux, ou sur un détail de mise en scène! Une réaction de complicité à ce que le public croit être un clin d'œil entendu des artistes. Le peuple tout entier cherche cette complicité » (Krystina Janda, propos recueillis par A. Cojean, *Le Monde* du 26-27 déc. 1982, p. 9).

(2) *Implicite et « figuration »*

> Le vieux Nazaire Larouche [...] demanda brusquement : « Avez-vous cuit ? »
> Sa belle-sœur, étonnée, le regarda quelques instants et finit par comprendre qu'il demandait ainsi du pain. Quelques instants plus tard, il interrogea de nouveau :
> « Votre pompe, elle marche-t-y bien ? »
> Cela voulait dire qu'il n'y avait pas d'eau sur la table. Azalma se leva pour aller en chercher, et derrière son dos il adressa à Maria Chapdelaine un clin d'œil facétieux.
> « Je lui conte ça par paraboles, chuchota-t-il, c'est plus poli. »
> [...] Nazaire Larouche continuait à se faire servir par paraboles.
> « Votre cochon était-il ben maigre ? » demandait-il ; ou bien : « Vous aimez ça, vous, le sucre du pays ? Moi, j'aime ça sans raison » (Guy Hémon, *Maria Chapdelaine*, Hachette, 1951, p. 17).

Parler par paraboles, c'est plus poli : le vieux Nazaire Larouche formule à sa manière une idée maintes fois énoncée par les théoriciens de l'interaction (Goffman, Searle, 1975, b) ; Lakoff, 1976 ; Goody, 1978 ; Brown et Levinson, 1978 ; Roulet, 1980, a) et 1981, etc.) : l'une des motivations et fonctions essentielles de l'indirection, c'est d'atténuer cette menace que constituent les « F.T.A. » pour les faces négative et positive du destinataire du message (Lucile, *Les Serments indiscrets*, III, 8 : « je me mets à votre place ; il n'est point agréable de s'entendre dire de certaines choses en face »). Explication qui inclut du reste la précédente, si l'on admet que toute transgression d'un tabou constitue une sorte d'« offense », et qui vaut par exemple pour

• la litote, qui consiste d'après Ducrot à remplacer un énoncé vrai, mais difficilement énonçable pour des raisons de convenance, par l'énoncé licite le plus proche de l'énoncé normalement attendu [106] ;

• l'ironie, qui formule de manière indirecte un contenu dévalorisant, donc menaçant pour la face positive de A lorsqu'elle prend celui-ci pour cible – et si l'on rencontre aussi parfois, quoique plus rarement, la figure inverse appelée « astéisme », c'est tout simplement qu'à côté du principe voulant que l'on n'attaque pas trop brutalement la face positive de A, existe aussi, quoiqu'elle soit moins impérative, la loi inverse voulant qu'on n'exalte pas excessivement cette même face positive ;

• le trope communicationnel, qui consiste à feindre de ne pas affronter directement celui qu'on attaque verbalement : pour éviter qu'il n'en prenne « plein la gueule », on parle « dans son dos », c'est plus poli :

> MADAME LAURENCE. – Tant qu'il y en aura qui parlent dans mon dos ! [...]
> MIMI (*à Laurence*). – C'est pour moi que vous dites ça ? [= vous me reprochez dans mon dos de vous parler dans votre dos...]
> SIMONE. – Elle a pas parlé de toi, voyons !
> MIMI. – C'est pour moi que vous dites ça ?
> MADAME LAURENCE. – Qui se sent morveuse...

MIMI. — C'est par politesse que je parle dans ton dos, figure-toi
(J.-Cl. Grumberg, *L'Atelier*, Stock, 1979, p. 55)

• et bien sûr, pour le trope illocutoire, la théorie des actes dérivés venant alors se greffer sur celle de la « figuration » (expression un peu ambiguë qui traduit communément le « face-work » de Goffman), s'il est vrai que toute formulation indirecte d'un acte de langage trouve son origine dans le souci de L d'atténuer la menace potentielle qu'il constitue pour A [107] – le degré d'atténuation variant selon le type de formulation choisie. Énumérant ainsi par ordre de politesse décroissante quelques-unes des possibilités qu'offre la langue anglaise pour signifier « Prête-moi ta voiture » :

> There wouldn't I suppose be any chance of your being able to lend me your car for just a few minutes, would there?
> Could you possibly by any chance lend me your car for just a few minutes?
> Would you have any objections to me borrowing your car for a while?
> I'd like to borrow your car, if you wouldn't mind.
> May I borrow your car please?
> Lend me your car,

Brown et Levinson concluent que la politesse d'une formulation est proportionnelle à l'effort dépensé par L pour préserver la face de A : « The more *effort* a speaker expends in face-preserving work, the more he will be seen as trying to satisfy H's face wants » (pp. 147-148).

Le cas des requêtes indirectes est en effet celui où se manifeste de la façon la plus spectaculaire le processus de « figuration »; celui des actes menaçants pour la face positive de A (critiques, jugements vexants, propos blessants...) nous intéresse plus encore, car l'observation du fonctionnement de tels actes permet de mettre en évidence le fait frappant qu'il existe *d'étroites affinités entre formulation implicite, et expression de la malveillance.* Ainsi :

• le verbe « insinuer » n'a pas d'antonyme, en ce sens qu'il n'existe aucun verbe signifiant « dire implicitement de façon bienveillante, valorisante, ou laudative »... et pour cause : lorsqu'on désire dire une chose allant en ce sens, on le dit tout net;

• la formule « j'insinue que p » peut être considérée comme agrammaticale, ce qui sans doute tient d'abord au fait qu'elle serait, au même titre que « je sous-entends que p », contradictoire [108]; mais on ne dit pas non plus « j'ai insinué que p », alors que la formule négative correspondante est fort bien attestée : une insinuation est souvent déniée, mais jamais assumée par L. On ne rencontre guère non plus d'ailleurs la séquence « j'ai sous-entendu que p » : c'est qu'un certain discrédit frappe la formulation implicite (ce que l'on a à dire, on doit, en principe et de préférence, le dire explicitement), au même titre que les formules malveillantes.

Donc : c'est mal de dire du mal,

       ce n'est pas très bien de parler implicitement,

   → c'est doublement mal de dauber à mots couverts (et de manquer alors du «courage de ses opinions»).

Mais en même temps : il faut être sincère, et exhaustif (ce qui exclut la solution consistant à ne dire toujours que du bien), et il convient d'adoucir l'expression des F.T.A...

Étant donné que l'on *pense* souvent du mal d'autrui, comment le *dire*? Voilà une fois de plus le sujet parlant soumis à une sorte de «double bind», puisqu'il est censé obéir à la fois aux deux consignes opposées : être clair, donc explicite / ménager l'autre, donc rester implicite. Double contrainte qu'il résout en général au profit de la loi de convenance – et c'est ce qui explique qu'une grande partie des sous-entendus que nous avons identifiés dans les différents corpus sur lesquels nous avons travaillé relèvent de la catégorie «insinuation» (le terme signifiant pour nous «sous-entendu malveillant»), et qu'il s'agisse plus précisément d'insinuations portant sur A.

2 – *Implicite et manipulation*

Il arrive donc que le choix d'une formulation implicite se justifie par le fait que certaines considérations d'ordre rhétorico-pragmatique rendent difficilement praticable l'expression directe. Mais il arrive aussi qu'en l'absence de toute contre-indication, la formulation explicite soit écartée au profit de la formulation implicite, qui se prête mieux à certaines manipulations plus ou moins roublardes, et peut être mise au service d'intentions stratégiques plus ou moins honnêtes – pour Aristote déjà, ainsi que nous le rappelle M. Meyer dans son introduction à la *Rhétorique* (p. 26-7), l'usage de l'enthymème ne relève pas simplement du «souci d'aller vite ou de ne pas énoncer ce sur quoi tout le monde s'accorde», mais aussi d'intentions moins louables :

L'idéal dialectique consiste plutôt à faire passer [une affirmation] comme allant de soi, donc à supprimer dans l'esprit de l'interlocuteur tout caractère problématique susceptible d'éveiller ou de renforcer la contestation.

Le procédé de l'implicitation ne se prêtera pas exactement aux mêmes exploitations selon que le contenu implicite en question a statut de présupposé ou de sous-entendu :

(1) Étant incontestablement inscrits, au même titre que les contenus explicites, dans la séquence verbale, les *présupposés* ne peuvent voir

leur existence contestée ni par L, ni par A. Mais leur usage est soumis aux conditions suivantes : L ne doit en principe formuler une unité de contenu sous forme d'un présupposé que :

1. s'il a de bonnes raisons de considérer que l'information en question est d'une vérité incontestable ;

2. s'il a de bonnes raisons de supposer que cette information, A la possède déjà au moment de l'acte de parole – cette règle ne s'appliquant en fait, ainsi que nous l'avons vu au début de cette étude, qu'aux contenus particulièrement « importants » pour A ;

3. si cette information ne constitue pas pour lui l'objet principal du message à transmettre.

Corrélativement, on pourra suspecter un présupposé d'être « trafiqué » en vue de certains intérêts argumentatifs peu avouables dans les situations suivantes :

1. L'information présupposée est d'une vérité pour le moins douteuse.

La ruse consiste ici à tenter de la « faire passer », cette information douteuse, en la présupposant – c'est-à-dire en la *présentant* comme vraie-en-soi, irréfutable, indiscutable ; et si A désire malgré tout la discuter, et résister à un tel effet-d'évidence, il ne peut le faire que sur un mode polémique (puisque c'est le comportement énonciatif de L, et non plus seulement, comme dans la contestation d'un posé, le contenu de son énoncé, qui se trouve alors mis en cause), mode auquel il ne se sent pas forcément d'humeur à recourir. C'est précisément là-dessus que table L, sur le fait que A préférera le plus souvent « laisser passer » un présupposé auquel pourtant il n'adhère pas, lorsqu'il déclare par exemple péremptoirement : « Notre ville, qui a été gérée huit ans par des incapables, souhaite un nouveau maire » : « L'astuce d'une telle présentation est que l'interlocuteur, du simple fait qu'il continue le dialogue, est placé devant un dilemme. Ou bien il "laisse passer", et il semble par là souscrire au présupposé, dont il renforce ainsi, par son abstention même, l'apparente évidence ; ou bien il s'y oppose, mais on peut l'accuser alors d'interrompre la conversation, de sortir du sujet, voire de chercher à "envenimer le débat" » (Ducrot, 1972, p. 96).

2. Infraction à la deuxième règle d'emploi : l'information présupposée (dont la vérité cette fois est peu douteuse, et l'importance incontestable), L a de bonnes raisons de supposer qu'elle est encore ignorée de A.

La ruse alors change de visage : elle consiste à glisser par la bande (à la faveur des contenus posés) l'information nouvelle, en feignant d'enseigner autre chose, et en se ménageant ainsi le rempart d'un vertueux : « Comment, tu ne le savais pas ? Mais j'étais persuadé que tu étais déjà au courant !... »

3. Si cette information présupposée constitue en outre le véritable objet du comportement discursif de L (F. Jacques, 1979, p. 172 : «La communication paradoxalement sera au service du contenu présupposé parce que le locuteur communique cela même qui est présupposé, en faisant *comme si* l'auditeur le connaissait déjà»), le locuteur commet alors ce «trope présuppositionnel» dont nous avons précédemment décrit le fonctionnement.

(2) Si les présupposés sont nécessairement assumés par L et décodés par A, il n'en est pas de même des *sous-entendus*, qui ne sont jamais imputables à coup sûr à leur énonciateur, et dont le décryptage n'est jamais absolument contraignant. A ce titre, ils peuvent être l'objet de manipulations diverses, de la part soit de L, soit de A.

– Au *locuteur*, les sous-entendus permettent

1. soit de prétendre avoir sans conteste énoncé un contenu qu'il s'est simplement contenté de suggérer :

> L_1. – Vous savez ce qui me ferait plaisir?
> L_2. – Non?
> L_1. – Que vous m'appeliez Robert.

Un peu plus tard :

> L_1. – Je vous avais demandé de me tutoyer.
> L_2. – Mais non, vous m'avez juste demandé de vous appeler Robert.
> L_1. – *C'était sous-entendu* (extrait d'*Attention au travail*, création collective du Théâtre de la Salamandre).

2. soit, plus fréquemment, de suggérer q sous les dehors de p, tout en lui ménageant la possibilité de nier avoir dit q; c'est-à-dire que les sous-entendus permettent à L d'orienter insidieusement le récepteur vers telle ou telle interprétation, sans avoir à endosser la responsabilité de cette interprétation : tu prétends que j'ai dit q, mais en fait c'est toi qui ce faisant énonce q («C'est toi qui l'as nommé!»), mois je n'ai dit que ce que j'ai dit, à savoir p – le contenu explicite servant alors de paravent derrière lequel L peut commodément se replier en cas d'explicitation de q par A :

> Vous savez les habitants y vont surtout [aux rencontres de musique contemporaine de Metz] parce qu'ils ont peur de manquer un événement, mais ils ne sont pas tellement motivés par la musique contemporaine...
> – Vous voulez dire que les Messins sont snobs?
> – C'est vous qui l'avez dit! (France-Culture, le 18 nov. 1982).

Le recours au sous-entendu est providentiel quand le contenu correspondant serait difficilement énonçable explicitement, soit qu'il contrevienne aux lois de convenance (il s'agit par exemple d'un jugement désobligeant : on va donc l'insinuer), soit que sa vérité soit par trop contestable (Quintilien : «On fait un triple usage de ces insinuations : lorsqu'il n'y a pas de sûreté suffisante à s'exprimer ouvertement...»). Comme les présupposés, mais pour une autre raison, les sous-entendus sont en effet malaisés à réfuter : c'est qu'il y a quelque imprudence à s'évertuer à réfuter des propos dont on ne peut pas vraiment prouver qu'ils ont été vraiment tenus... Si je relève un sous-entendu, et que je le dénonce comme faux, il ne m'est pas pour autant possible d'accuser son auteur d'erreur ou de mensonge, sans risquer d'être moi-même accusé de mauvaise foi. Tout au plus puis-je lui reprocher d'avoir «laissé entendre» q à tort, et d'être de mauvaise foi s'il nie le fait, d'une mauvaise foi d'autant plus grande qu'est plus évident le sous-entendu en question.

Voici deux exemples de dénégation quelque peu suspecte, par L, d'un sous-entendu qu'il est pourtant bien tentant d'extraire de ses propos :

• France Musique, «La tribune des critiques de disques», 27 févr. 1983 :

> – Il respecte la lettre...
> – Comment! Vous voulez dire qu'il ne respecte pas l'esprit?
> – Mais non, on peut très bien respecter la lettre et l'esprit à la fois... :

sans doute. Mais dans ce cas on dira de préférence, en vertu de la loi d'exhaustivité : «il respecte et la lettre, et l'esprit/non seulement l'esprit, mais aussi la lettre»...

• Lettre de Boris Vian, publiée par *Jazz Hot*, févr. 1952 :

> Revenons en France avec le Bulletin du Hot Club que Baudelet m'apporte tout juste. Ah mais je suis très fâché. Voilà que cette grande brute d'Hugues [Panassié] me met en cause en dernière page; voilà qu'il cite une de mes réparties spirituelles pour l'opposer à une de maintenant. Il paraît qu'en avril 1948 j'ai dit que «Mezz [Mezzrow] joue mieux qu'avant-guerre» et «qu'on peut s'améliorer à tout âge», et que maintenant j'affirme qu'il joue «comme un cochon et que c'est une insulte à l'oreille, etc.».
>
> C'est vrai. Je ne le renie point. Mais dites-moi, mon Gugusse, quoi de contradictoire? C'est là une opinion d'une constance inflexible, exprimée
> a) dans le premier cas avec gentillesse
> b) dans le deuxième avec franchise.
> Si l'on s'en tient au texte, on a ceci :
> 1) Mezz joue mieux qu'avant-guerre.
> 2) Mezz joue comme un cochon.
> La logique la plus absolue nous enseigne qu'il n'y a qu'une conclusion possible, et c'est :
> 3) Avant-guerre, Mezz jouait mieux qu'un cochon.
> Allons, Hugues, vous n'êtes pas sérieux? Vous n'avez pas appris la logique, depuis le temps?

L'enjeu de ce débat argumentatif est en fait le suivant : y a-t-il ou non contradiction entre les deux propositions :

(i) Mezz joue mieux qu'avant (-guerre), et

(ii) Mezz joue mal?,

le problème théorique sous-jacent étant celui des structures comparatives enchâssant des termes évaluatifs : «x est + A que y».

Or on pourrait montrer [109] que

si A est le terme marqué (*i.e.* négatif) de l'opposition (« Pierre est plus petit que Marie »), la structure présuppose « x est A », et sous-entend « y est A »;

si A est un terme non marqué (positif : « Pierre est plus grand que Marie »), la structure ne dit rien de y et sous-entend « x est A ».

Ainsi la proposition « Mezz joue mieux qu'avant » (p) sous-entend-elle, sans l'impliquer vraiment, /Mezz joue plutôt bien/ (q). Si contradiction il y a entre (i) et (ii), elle est entre un posé et un sous-entendu : contradiction faible donc, et contestable. De Vian et de Panassié, qui a tort et qui a raison? Ils ont tous deux et raison et tort : tort de ne pas reconnaître le caractère vacillant du sous-entendu, et que p suggère *plus ou moins* q [110] – et c'est sur la latitude bien commode de ce « plus ou moins » que joue Boris Vian en niant fermement avoir énoncé q.

– Au *récepteur*, le fait qu'une unité de contenu ne soit assertée que sous la forme d'un sous-entendu permet

1. soit de l'« ignorer » :

> [Lucien] domina bientôt la conversation ; bientôt, tout en amusant fort les dames assises auprès de Mᵐᵉ de Chasteller, il osa faire entendre de loin des choses qui pouvaient avoir une application fort tendre, ce qu'il n'aurait jamais pensé pouvoir tenter de sitôt. Il est sûr que Mᵐᵉ de Chasteller pouvait fort bien feindre de ne pas comprendre ces mots indirects (Stendhal, *Lucien Leuwen,* Garnier-Flammarion, 1982, I, pp. 270-271);

2. soit d'imputer fermement à L, contre le gré de celui-ci, un contenu que la structure sous-entend parfois, mais non nécessairement. A commet alors le délit de « mauvaise foi interprétative », dont la gravité sera inversement proportionnelle au degré d'évidence du sous-entendu. En voici trois exemples, ordonnés selon un axe d'évidence décroissante du contenu problématique (donc de mauvaise foi croissante du décodeur) :

• Soit cette phrase extraite de l'*Encyclopédie de la vie sexuelle* (Hachette, 1973).

« Si l'enfant prend goût à la masturbation, dit papa, il lui sera plus difficile plus tard d'aimer quelqu'un d'autre », phrase que Tony Duvert commente en ces termes (*Le Bon sexe illustré,* Éd. de Minuit, 1974, p. 86) : « On admirera ce " plus difficile " : il est entendu, pour ce papa, qu'" aimer quelqu'un d'autre " est toujours difficile; mais si on se branle, ce sera " plus difficile " encore. »

Mais est-il bien certain que la phrase en question affirme qu'il est toujours difficile d'aimer? Le problème linguistique est ici le même que dans la précédente déclaration de Boris Vian, à cette différence près que le terme enchâssé dans la structure comparative est le type « marqué ». Étant donné que cette phrase peut être paraphrasée en « aimer-si-l'on-se-masturbe est plus difficile qu'aimer-si-l'on-ne-se-masturbe-pas », si l'analyse générale proposée plus haut est correcte, alors elle présuppose qu'il est difficile d'aimer lorsqu'on a pris goût à la masturbation, mais elle se contente de sous-entendre qu'il est en tout état de cause difficile d'aimer [111]. Ainsi Duvert transforme-t-il un sous-entendu en un « (bien) entendu ». Les tactiques de « forcing interprétatif » utilisées par Boris Vian et Tony Duvert, le premier récusant fermement un sous-entendu qu'on lui impute non tout à fait à tort, et le second, imputant fermement un sous-entendu partiellement récusable, sont exactement symétriques. C'est dans les deux cas de bonne polémique – encore y faut-il une certaine dose de mauvaise foi.

• Mauvaise foi qui s'accroît avec l'exemple suivant, dont nous avons déjà décrit le fonctionnement :

L_1. – Comme vous êtes jolie aujourd'hui !
L_2. – Merci pour les autres jours !

• L'interprétation sur laquelle se fonde ici la réplique sarcastique de L_2 (/vous n'êtes pas jolie d'habitude/) est à coup sûr tendancieuse, et même abusive. Du moins n'est-elle pas totalement aberrante, comme dans ce dernier exemple où la mauvaise foi de L_2, dont le contresens simulé lui permet d'échapper à cette « incursion territoriale » que constitue tout acte de requête, est aussi manifeste que sont invraisemblables les propositions implicites qu'il feint d'extraire de l'énoncé de L_1 :

L_1. – Tu pourrais fermer la fenêtre. Il fait froid dehors.
L_2. – Ah bon, parce que si je fermais la fenêtre, il ferait moins froid dehors?

Le raisonnement sous-jacent à l'intervention de L_1 (requête indirecte + justification de la requête) est le suivant :

(1) Il fait froid dehors.
(2) Or la fenêtre est ouverte.
(3) Donc le froid extérieur passe à l'intérieur, ce qui refroidit la pièce.
(4) Or ça serait mieux s'il faisait moins froid dans la pièce.
(5) Donc ça serait mieux si tu fermais la fenêtre,

raisonnement que L_2 feint d'interpréter ainsi :

(1) Il fait froid dehors.
(2) Or la fenêtre est ouverte.
(3) Comme il fait froid dedans, cela abaisse encore la température extérieure.

(4) Or c'est un mal.

(5) Donc il faut fermer la fenêtre,

et qu'il dénonce ironiquement comme inepte, ce qu'il est en effet car la proposition (3) est irrecevable : dans un contexte de froidure, la température des habitations est en général plus élevée que la température extérieure, et la disproportion des masses d'air fait que lorsqu'on ouvre une fenêtre, c'est la température extérieure qui vient modifier la température intérieure et non l'inverse. Quant à la proposition (4) elle est non pertinente : le problème n'est pas celui de la température extérieure, sur laquelle on ne peut rien, mais celui de la température intérieure.

En d'autres termes, quand L_1 dit : « Ferme la fenêtre, parce qu'il fait froid dehors, donc dedans, et que si tu la fermais il ferait moins froid dedans », L_2 feint de croire qu'il dit : « Ferme la fenêtre, parce qu'il fait froid dehors, et que si tu la fermais il ferait moins froid dehors. »

L_2 construit donc de toutes pièces un raisonnement fictif manipulant de façon défectueuse et même absurde la relation causale, raisonnement qu'il a le culot de feindre d'imputer à L_1 (« Ah bon parce que... » = tu me dis ça parce que tu t'imagines sans doute que...), dont il sape ainsi sans vergogne, en disqualifiant fallacieusement sa justification, l'acte de requête.

Les diverses stratégies dont il vient d'être fait mention se rencontrent dans tous les types de discours. Mais il est hautement vraisemblable que leur terrain de prédilection soit, outre l'échange quotidien, le discours politique. Renvoyons une fois encore à l'ouvrage de Jean-Noël Darde, qui illustre en divers lieux la manière dont sont exploités par *L'Humanité*, « journal de la vérité », les présupposés et les sous-entendus :

– Présupposés (les séquences en italique sont de *L'Humanité*, leur commentaire est de Darde; il s'agit des événements qui se sont déroulés au Cambodge de 1975 à 1979) :

• « [...] *les incidents graves, et qui continueraient, provoqués aux frontières du sud-ouest par des éléments armés khmers* [...] » : « Dans le titre comme dans l'article [...], l'existence d'un conflit est présupposée alors qu'elle n'avait jamais encore été explicitement posée » (p. 114);

• « *Rappelons que Phnom Penh, une cité d'environ 800 000 habitants en temps normal – plus d'un million et demi en avril 1975, avec l'afflux des réfugiés – a été totalement vidé de sa population en 24 heures, comme toutes les villes du Cambodge.* [...] *Faut-il rappeler les responsabilités d'un groupe de criminels* [...] », etc. : « *L'Humanité* ne cesse de " rappeler " la vérité et de dénoncer les oublis de l'Autre. Elle

" rappelle " avec d'autant plus d'insistance la vérité du jour que celle-ci est contradictoire avec celle d'hier et que ces " rappels " contribuent à masquer la palinodie » (p. 131);

– Sous-entendus :

• A propos d'une « brève » datée du 9 août 1977 : « A s'en tenir au sens littéral de ce texte, *L'Humanité* n'indique en rien l'existence d'un conflit frontalier entre les deux pays " frères ", ni même son éventualité [...]. » Mais en fait, elle le suggère de différentes manières. De la sorte, « Si *L'Humanité* place ses lecteurs en situation de conclure à l'existence de problèmes frontaliers entre le Cambodge et le Vietnam, elle ne prend pas la responsabilité de cette conclusion. Ainsi, suivant l'évolution des rapports entre les deux pays, *L'Humanité* se réserve la possibilité d'affirmer ultérieurement avoir informé ses lecteurs du conflit, ou de ne jamais avoir prêté attention aux rumeurs malveillantes d'une propagande hostile au Vietnam et au Cambodge » (pp. 105-106).

• Article de Jean-Émile Vidal paru le 14 février 1979 : « *Le régime de Pol Pot avait entrepris de briser les liens familiaux, d'éparpiller la population, d'éloigner les gens de chez eux. Est-il utile de dire que tout cela se fit sous la contrainte, dans la violence?* » (sous-entendu : bien sûr que non, puisque nous l'avons toujours dit, ou du moins considéré comme allant de soi. Or :) « Il semble d'autant plus " utile " de dire " que tout cela se fit sous la contrainte, dans la violence ", qu'à l'époque, *L'Humanité* s'était acharnée à soutenir le contraire : Jacques Coubart voyait " l'air de la calomnie anticommuniste ", et René Andrieu " une campagne d'intoxication qui est en train d'atteindre des records rarement égalés " dans l'affirmation de cette violence » – puisqu'il s'agissait pour eux, d'une simple évacuation « à la bonne franquette »... Conclusion : « Jean-Émile Vidal " fait comme si " *L'Humanité* avait dès 1975 dénoncé, témoignages à l'appui, les violences des Khmers rouges perpétrées pendant l'évacuation de Phnom Penh. *L'Humanité* " fait comme si " ou, plus précisément, elle le " donne à penser ". Elle donne à penser le faux en ne posant et présupposant que le vrai » (pp. 124-126) – dans cet exemple du moins, car il arrive que les présupposés de ce discours, on vient de le voir, et ses posés, soient eux-mêmes erronés (ce dont *L'Humanité* n'a certes pas, bien loin de là, le monopole). Mais en tout état de cause, plus un contenu est implicite, et moins son éventuelle fausseté sera, pour le responsable du contenu en question, « risquée ». [112]

Mais revenons au discours « ordinaire » : grâce aux sous-entendus, on peut dire, en faisant semblant de ne pas avoir dit. Mais aussi, on risque à cause d'eux de se voir accusé d'avoir dit, sans avoir voulu dire. D'où la nécessité parfois de conjurer ou de neutraliser les sous-entendus indésirables, sous peine de s'exposer au déboire que subit à son corps défendant Lampion-Fernandel :

> Vous avez la formule heureuse ce soir... — comme toujours du reste.
> Ce gigot est délicieux... Le gratin aussi est fameux !
>
> Et lisez beaucoup de poésie demain [c'est sur cette recommandation que se clôt *Apostrophes,* le 22 avril 1983, veille de la Journée nationale de la poésie. Générique. Puis réapparition imprévue de Pivot, pour cause de repentir]. Je vous ai dit de lire beaucoup de poésie demain. Mais bien sûr, n'en lisez pas seulement demain. Lisez de la poésie tous les jours !
>
> L'huile de l'épicier du coin est de bien meilleure qualité que l'huile de l'épicier d'en face, elle est même meilleure que l'huile de l'épicier du bas de la côte. Mais je ne veux pas dire que leur huile à eux soit mauvaise (Mme Smith, *La cantatrice chauve,* sc. 1).
>
> Je connaissais mal les femmes, à cette époque. Je les connais toujours mal d'ailleurs. Les hommes aussi. Les animaux aussi (Beckett, *Premier amour,* Éd. de Minuit, 1970, p. 24).

Toujours prêts à venir subrepticement se faufiler dans la moindre séquence, les sous-entendus sont à la fois commodes et encombrants, et ils constituent pour L une aubaine, et un péril. Ils lui permettent de tendre à A des pièges :

> Elle a feint de lire encore quelques lignes, puis elle a relevé les yeux et m'a demandé :
> — C'est d'accord ?
> — Si tu veux. Qui nous y mène ?
> — Le type de Sandra [Sandra : ex-petite amie du narrateur, dont il est secrètement inconsolable].
> Je sursautai.
> — Il a une voiture ? (Ce n'était pas la question que je voulais poser.)
> Aude a fait oui de la tête. Elle attendait mes questions, elle avait frappé juste, elle le sentait, la pute. Bien sûr, je mourais d'envie d'en savoir plus, mais le piège [du trope présuppositionnel] était quand même trop visible pour que j'y tombe du premier coup (P. Besson, *Les petits maux d'amour,* Seuil, 1974, pp. 58-59).
>
> PIPPERMINT PATTY. — Je peux te demander quelque chose ? Dis-moi, à ton avis, est-ce qu'une fille moche a les mêmes chances d'être heureuse qu'une fille qui est belle ?
> CHARLIE BROWN. — Mais bien sûr ! D'abord tu as une personnalité intéressante et puis...
> PIPPERMINT PATTY. — Mais qu'est-ce qui t'a fait penser que je parlais de moi, Charlie Brown ? Je t'ai pris au piège, hein ?

— mais parfois, tel est pris qui croyait prendre...

Tout dépend finalement, s'agissant d'unités dont le statut linguistique est aussi précaire, du rapport de forces dans lequel s'inscrit l'interaction verbale, et du cadre dans lequel se « négocient » les contenus échangés; des dispositions bonnes ou mauvaises de son partenaire discursif, et de sa compétence plus ou moins grande à jongler avec les sous-entendus.

Car nous ne sommes pas tous égaux devant l'implicite. En tant que producteurs de discours, nous n'avons pas tous l'*adresse* des héros stendhaliens (*Lucien Leuwen*, G.F., 1982, p. 243 :

Il mettait une adresse prodigieuse à faire des questions indirectes au sujet de M. de Busant et de l'accueil dont il avait été l'objet ;

La Chartreuse de Parme, Le Livre de poche, 1972, p. 288 :

Il y eut là un petit moment de conversation qui ne fut pas dépourvu d'adresse de la part du prélat. Sans parler en aucune façon du nouveau prisonnier, il s'arrangea de façon à ce que le courant du discours pût amener convenablement dans sa bouche certaines maximes morales et politiques ; par exemple [...]).

En tant que récepteurs, nous ne sommes pas tous également *entraînés* à détecter les sous-entendus (A. Opulskij, cité par Berelovitz, 1981, pp. 140-141 :

L'écrivain soviétique acquiert peu à peu non seulement l'art d'exprimer ses idées [...] mais aussi de les exprimer de telle sorte qu'elles puissent passer la censure et être comprises d'une partie des lecteurs qui les expliqueront à leur tour à d'autres lecteurs. Parfois on obtient beaucoup, le plus souvent fort peu. Mais le lecteur entraîné a parfaitement appris à comprendre les allusions les plus infimes et à reconstituer le tout à partir des détails ; il est reconnaissant à l'auteur non seulement pour son art d'écrire mais aussi pour son art de la ruse. Je me souviens comme je fus content du lecteur d'un de mes derniers livres qui avait compris que ce n'était pas par hasard que je signalais au passage que « l'isba aux tortures » de Pavel Iᵉʳ se trouvait à l'angle de la Ljubanka, c'est-à-dire à l'endroit où se trouve actuellement le K.G.B.),

Charolles le dit et le montre à partir de l'exemple de la façon dont est interprété par différents sujets testés le slogan : « Il faut un président pour la France » : « Tous les sujets n'accèdent pas à une compréhension égale des messages qu'ils reçoivent [...] Il y a une inégalité devant la signification. Qu'est-ce qui fait que untel " voit " si facilement les sous-entendus pendant que untel ne peut guère que redire ce qui est déjà dit ? » (1981, p. 100). Conclusion (p. 118) : « Le sens n'est pas la chose du monde la mieux partagée » – surtout lorsqu'il s'agit de sens implicite.

Ultime question : des formulations explicite et implicite, laquelle est la plus violente, et la plus efficace ?

C'est en principe l'explicite : exprimées directement, une assertion est plus péremptoire, une requête plus comminatoire, une critique plus blessante... Et l'on ne peut qu'être d'accord avec Roland Barthes et Joseph Rovan, lorsqu'ils déclarent préférer à l'expression brutale d'un ordre, ou d'une opinion raciste, une formulation plus feutrée :

Le hasard fait que j'ai reçu coup sur coup à titre de plaisanterie affectueuse (et bien intentionnée) trois ou quatre comminations : « Ne fumez plus », « Ne soyez pas

triste », « N'oubliez pas vos lunettes », etc. Je pense alors : et si l'on supprimait l'impératif? [...]
– Si quelque décret du gouvernement Barre supprimait l'impératif, d'abord : quel tollé ! Et puis surtout, ce mode serait immédiatement remplacé dans l'usage par mille autres formes de commination. C'est d'ailleurs ce qui se passe, dans au moins deux de nos discours : celui de la Loi (« Il est interdit... », « Nul ne pourra... ») et celui de la Politesse, qui use de circonlocutions (« Auriez-vous l'obligeance de... »). En somme, vous êtes formaliste. C'est la forme impérative qui vous gêne.
– La forme est une trace. Il y a dans l'impératif une violence qui est encore plus manifeste lorsqu'il vous est adressé « pour votre bien ». Quoi qu'on en pense, l'impératif est l'indice d'une mainmise, il est un désir de pouvoir (« La chronique de Roland Barthes », *Le Nouvel Observateur*, nº 741, 22 janv. 1979, p. 70).

  Il subsiste certainement en France d'importantes réserves de xénophobie et de racisme « silencieux », au sens où l'on parle de « majorité silencieuse ». Maints comportements quotidiens en fournissent des démonstrations éloquentes, cependant que s'en trouvent interdites les manifestations publiques et officielles. La France d'avant Auschwitz n'avait pas l'idée de ce tabou. Le racisme et la xénophobie de 1983 sont devenus plus hypocrites. Je pense qu'on peut s'en féliciter » (J. Rovan « Des Français contre les immigrés », *L'Histoire* nº 57, juin 1983, p. 17).

Imaginons encore qu'au lieu de la formule rituelle « Je remercie x, y, z », qui laisse planer un flou artistique sur le paradigme des exclus, on découvre en page de garde d'une thèse de troisième cycle (le fait est attesté) :

  Je remercie x, y, z [...].
  Je ne remercie pas x′ et y′, qui n'ont rien fait pour m'aider :

l'effet obtenu sera incomparablement plus violent.
(N.B. : dans tous les cas de ce genre, la distance séparant les deux types de formulation sera d'autant plus grande que la liste des éliminés est plus ouverte et floue, et inversement. Comparer par exemple

  (i) – Tu aimes la musique contemporaine?
      – Oui : Stockhausen, Ligeti, Berio, Takemitsu..,
  (ii) – Tu aimes ta famille?
      – J'aime bien ma mère, et mon frère aîné).

Mais les choses bien sûr ne sont pas aussi simples. Par exemple [113] :
– L'ordre qui emprunte la voie directe de l'impératif est en principe plus impératif que celui qui se déguise en assertion ou en question. Pourtant :
Dans certaines circonstances, les formules du type : « Tu voudrais bien ne pas te mettre en colère s'il te plaît? », « Aurais-tu je te prie la gentillesse de ne pas pleurer comme ça? », sont infiniment plus blessantes qu'un tout simple « Te fâche pas! », « Ne pleure pas! » (A. Davidson, 1975, p. 150, note semblablement, quelques exemples à l'appui, que « indirect speech acts can be used to express anger and extreme

rudeness »). Le fait est constant lorsque l'ordre prend la forme d'une assertion au futur : son exécution étant ainsi posée comme assurée, la requête prend alors des allures de diktat :

SCAPIN. — Vous ne le romprez point [ce mariage].
ARGANTE. — Je ne le romprai point? [...].
SCAPIN. — Vous ne le déshériterez point [votre fils].
ARGANTE. — Je ne le déshériterai point?
SCAPIN. — Non.
ARGANTE. — Non? (*Les Fourberies de Scapin*, I, 4).

« Après avoir retiré vos affaires du bureau, Bartelby, vous fermerez la porte à clé, naturellement, et vous glisserez la clé sous le paillasson, je vous en prie, afin que je la trouve au matin. Je ne vous reverrai plus. Adieu donc. Si, par la suite, dans votre nouvelle retraite, je puis vous être de quelque utilité, n'hésitez pas à m'en aviser par lettre, et portez-vous bien. »
Il ne répondit pas un mot.
Je regagnai, l'humeur pensive, mon domicile, la vanité l'emportant sur la pitié. Je ne pouvais que me glorifier hautement de mon habileté à me débarrasser de Bartleby. Je la qualifierais volontiers de magistrale, et tout homme réfléchi et impartial en conviendra. La beauté de mon procédé résidait, me semblait-il, dans sa parfaite sobriété. Point de scène vulgaire, point de bravade, de rudoiement coléreux, de gesticulation désordonnée à travers la pièce, point d'ordre enjoignant à Bartleby de débarrasser le plancher de ses nippes. Rien de la sorte. Sans commander bruyamment à Bartleby de quitter les lieux — comme un esprit inférieur n'eût pas manqué de le faire — j'étais parti du *postulat* qu'il devait le faire et c'est sur ce postulat que je fondais tout ce que j'avais à dire. Plus je songeais à ma méthode, plus elle me remplissait d'aise [...] :

ainsi s'applaudit le narrateur de *Bartleby*, lorsqu'il pense être enfin parvenu, par la vertu magique du trope illocutoire, à se débarrasser de Bartleby, figure emblématique de la résistance passive. Mais il déchante vite, prenant conscience qu'aussi grande soit-elle, la force illocutoire d'un énoncé n'aboutit pas toujours perlocutoirement, et que dire, ce n'est que *prétendre* faire :

Néanmoins, le lendemain matin, j'eus des doutes... Mon procédé me semblait toujours aussi sagace que jamais... mais seulement en théorie. Ce qu'il donnait dans la pratique, voilà où le bât blessait. C'était en effet une riche idée que d'être parti du postulat que Bartleby voulait déguerpir, mais après tout, ce postulat était mon fait et non celui de Bartleby. La question n'était pas de savoir si, *moi*, j'avais postulé son départ mais si Bartleby, *lui*, préférait s'incliner. C'était un homme de préférences plutôt de postulats (Herman Melville, *Bartleby*, Le nouveau commerce, 1976, p. 37).

— D'autre part, l'exhumation d'une inférence exigeant de la part du récepteur un travail et une participation accrus, on peut penser qu'elle s'en trouve du même coup, parfois, emphatisée; que le contenu implicite, du seul fait qu'il se donne à *découvrir* plutôt qu'à voir, s'inscrit plus fortement dans la conscience du découvreur — car la dissimulation fétichiste, c'est bien connu, l'objet dissimulé : parler comme les Précieuses de « fiture », c'est prêter au « con » une importance bien excessive, et tenir sur le sexe un discours de prohibition obsessionnelle, c'est en fait, comme l'a montré Foucault (pour qui ce discours fonctionnerait en quelque sorte tout entier sur le mode du trope illocutoire), stimuler et alimenter « la volonté de savoir ».

Le cas apparemment paradoxal de la litote en est un bel exemple : quand l'hyperbole, à sa manière un peu simpliste, choisit d'exagérer pour se rendre plus convaincante, la litote préfère affaiblir en surface, sachant bien qu'à un autre niveau, l'expression y gagnera en relief et en intensité [114].

– D'autant plus qu'on se lasse vite des formules fortes : « L'excessif », enseigne Georges Bataille, « est insignifiant ». Dans certains types de discours, où l'excès devient norme, l'expression feutrée peut être autrement efficace que la formule incendiaire.

Bien d'autres mécanismes psychologiques plus ou moins ténébreux interviennent encore, qui font que parfois, l'expression implicite (en principe plus « soft ») a un impact bien supérieur à celui de l'expression explicite (« hard ») correspondante : elle peut être mieux acceptée, en évitant les réactions de rejet que risquerait de susciter une formule trop brutale [115]; plus insidieusement efficace, car le récepteur est d'autant plus vulnérable aux contenus implicites que leur perception est souvent, en quelque sorte, « subliminale »; plus blessante et venimeuse, car elle opère parfois avec la perfidie de la flèche du Parthe [116]; plus sadique aussi :

> FERRANDO. – E la mia Dorabella? Come s'è diportata? [...] Come? Cesse ella forse alle lusinghe tue? Ah s'io potessi sospettarlo soltanto!
> GUGLIELMO. – È sempre bene il sospettare un poco in questo mondo.
> FERRANDO. – Eterni Dei, favella : a foco lento non mi far qui morire... (Cosí fan tutte, acte II).

Mais l'efficacité du discours implicite est entièrement subordonnée aux propriétés du cadre interactionnel, et surtout, à la compétence interprétative du récepteur. C'est pourquoi R. Bautier ne répond qu'en termes nuancés à cette question : « Quels sont les avantages respectifs des deux types de pratiques communicationnelles consistant, dans un cas, à formuler la conclusion du message persuasif, dans l'autre, à laisser le récepteur tirer lui-même la conclusion? » :

« A priori, on peut estimer que la première pratique devrait permettre une plus grande clarté du message et favoriser, par là même, une meilleure compréhension de la part du récepteur, tandis que la seconde devrait se traduire par un plus grand impact du message dans la mesure où la participation qui est alors demandée au récepteur implique que celui-ci ne tienne pas la conclusion en question comme lui étant imposée de l'extérieur mais, au contraire, comme lui étant propre.

Les recherches qui traitent de ce problème montrent, en général, qu'une conclusion explicite est plus efficace qu'une conclusion laissée à l'état implicite. Ce qui est observé, en particulier, c'est que souvent les sujets ne sont pas à même de tirer eux-mêmes la conclusion du message lorsque celui-ci ne la fournit pas explicitement ; dès lors, l'éventuelle acceptation " plus profonde " de la conclusion ne peut se réaliser. Cependant, il semble que, lorsque les sujets sont capables de tirer eux-mêmes la conclusion, le fait de la laisser à l'état implicite favorise effectivement un plus grand impact du message » (1981, pp. 220-221).

La formulation implicite est parfois plus efficace, mais elle est toujours plus *risquée* que la formulation explicite : risque, voulant éviter le Charybde de la transparence excessive, de tomber dans le Scylla de l'illisibilité. Il revient au sujet parlant de calculer ces risques, en fonction du type de discours, de la situation énonciative, des caractéristiques de l'interlocuteur, de ses propres objectifs pragmatiques – et de doser en conséquence explicite et implicite : c'est bien à celle du funambule que s'apparente l'activité langagière.

4.5. CONCLUSIONS

Il nous semble donc nécessaire, pour rendre compte de la façon dont ils produisent et interprètent les messages, de supposer chez les sujets parlants l'existence de *quatre compétences,* dont l'ensemble constitue une sorte d'« hyper-compétence », et qui sont articulées les unes sur les autres en ce que par exemple, les données contextuelles influencent directement l'action de la compétence linguistique puisque les énoncés dont elle est responsable doivent être d'un niveau de langue, ou « dialecte situationnel », approprié ; en ce qu'aussi, la teneur des lois d'informativité, pertinence ou exhaustivité, et plus généralement les conditions d'application des diverses lois de discours, ne se déterminent – ce fut notre leitmotiv tout au long des pages qui précèdent – que par rapport aux propriétés du « cadre » dans lequel s'inscrit l'interaction verbale.

Ces compétences agissent en osmose, à tel point même qu'il n'est pas toujours commode de déterminer la part exacte qui revient à chacune d'entre elles. On a au passage signalé que le tracé de frontière n'était pas net entre les compétences linguistique et encyclopédique (savoir sur les mots *vs* les choses, cotexte *vs* contexte, statut des informations intertextuelles et para-textuelles), ou linguistique et rhétorique (certaines de nos « lois de discours » s'apparentant aux règles linguistiques) : l'ensemble des aptitudes productives et interprétatives des sujets parlants se présente comme un édifice fort complexe dont l'organisation interne est encore bien loin d'être claire.

Quels que soient pourtant les problèmes d'attribution de domaines que pose ce découpage en compétences (lesquelles partagent d'ailleurs la propriété d'être toutes quatre des compétences *floues*), il nous semble encouragé par certaines considérations concernant l'*extension géographique* desdites compétences. Car si elles se diversifient toutes en « lectes » (dia-, socio-, idio-, voire « idéo- » ou « typo- » [117]), les contenus des lectes linguistiques, encyclopédiques, logiques, et rhétorico-pragmatiques, ne se superposent pas : deux sujets pourront ainsi fort bien parler, en gros, la même langue, sans disposer du même stock de lois de discours, et inversement.

D'autre part, ces diverses compétences n'ont pas toutes exactement les mêmes modalités d'intervention :

La compétence linguistique est toujours nécessairement impliquée d'abord dans l'interprétation d'un énoncé. Lorsque je lis dans les stations-service italiennes cette formule (qui s'adresse aux possesseurs de « coupons », et s'explique par le fait que le prix de l'essence vient d'augmenter) : « Dovete pagare la differenza », je ne comprends que partiellement l'énoncé si je ne dispose pas de l'information encyclopédique pertinente; mais il me reste totalement impénétrable si je ne sais pas un mot d'italien.

Il ne faudrait pas toutefois croire que la compétence encyclopédique se contente toujours de *compléter* les informations qu'extrait de l'énoncé la compétence linguistique : les choses sont, une fois encore, plus compliquées. Parfois, les compétences culturelle et idéologique influencent de façon plus décisive le travail interprétatif dans la mesure où certains sujets ont tendance à projeter sur ce que leur dit le texte ce qu'ils imaginent *a priori* du référent textuel. C'est en tout cas ce que note J.-P. Balpe des paraphrases produites par des élèves de L.E.P. à partir d'un récit de fiction qui leur est proposé : « Ce qui frappe à la première lecture de ces textes, c'est la difficulté que les élèves ont eue à sortir de leur système d'idées reçues (ce que l'on pourrait appeler le monde de référence du texte de l'élève (M.R.e.) par rapport au monde de référence du texte donné (M.R.t.), c'est-à-dire des informations réellement contenues dans ce texte et à partir desquelles il était " légitime " de travailler) » (1980, p. 49). Même remarque chez R. Bautier : si certains lecteurs acceptent docilement la teneur argumentative du texte qu'on leur soumet, d'autres inféodent au contraire leur compréhension aux jugements évaluatifs qu'ils portent sur le contenu des propositions énoncées, c'est-à-dire « refusent la tâche " logique " au bénéfice de la tâche " empirique " » (1981, p. 214) : tendance à n'apprendre que ce que l'on sait déjà, et à ne comprendre que ce que l'on admet.

Donc :

• la compétence linguistique est logiquement première;

• la compétence encyclopédique joue un rôle complémentaire mais fondamental dans la détermination du sens global d'un énoncé – et même à l'occasion, dominant par rapport aux compétences linguistiques et logique;

• la compétence rhétorico-pragmatique intervient de façon décisive, nous l'avons suffisamment montré, dans l'extraction des contenus implicites, mais en subordonnant son action à celle des compétences linguistique et encyclopédique. Comparons par exemple :

(i) « J'ai tenté d'indiquer la mise en scène théorique de ce jeu dans ce texte énorme, fragmenté, génial et murmurant qu'est *Moïse et le monothéisme* » (M. de Certeau, 1976, p. 62) : à défaut de savoir préalablement que cet ouvrage est de Freud, on peut en tout cas deviner, grâce à la loi qui veut qu'un être raisonnable ne se lance pas aussi ostensiblement des fleurs, qu'il n'est pas de Certeau : la règle rhétorico-pragmatique vient ainsi lever l'ambiguïté structurale, liée au problème de la base d'incidence du syntagme introduit par « dans », de la phrase, et trancher en faveur de l'interprétation la moins « transgressive ».

(ii) « Les hommes parfois n'aiment pas les femmes intelligentes; et moi, j'aimais les hommes et je voulais qu'ils m'aiment » (Françoise Lévy, *Marx, un bourgeois allemand*, Grasset 1976, p. 11) : ici en revanche aucune autre possibilité interprétative n'existe, que celle admettant l'inférence /je suis une femme intelligente/. Il faut en prendre son parti : l'énonciateur transgresse ici la « loi des fleurs ».

• Quant à la compétence logique, son statut est particulier puisqu'elle permet d'effectuer, à partir des informations fournies par les autres compétences, les opérations de calcul aboutissant à la construction des interprétations (les inférences « praxéologiques » par exemple sont construites sur la base des informations que possède A sur l'organisation de U en « frames » et « scripts », mais que prend en charge, combine et manipule la compétence logique de manière à engendrer les inférences en question). Reprenant l'exemple searlien « Le chat est sur le paillasson », Charolles montre semblablement comment certaines « règles de calcul » vont s'exercer sur les données linguistiques (le « sens littéral de l'énoncé »), rhétorico-pragmatiques (les « règles d'appropriation conversationnelle, et en particulier la contrainte de pertinence »), et encyclopédiques (les « données de faits propres à la situation matérielle »), pour engendrer l'inférence /ouvre la porte/ (1980, c), p. 60).

« Voilà, me semble-t-il, conclut Charolles, quelques éléments à prendre en compte pour expliquer qu'un sujet en situation soit capable d'effectuer certains calculs d'interprétation. » Voilà quels sont aussi pour nous les ingrédients dont s'alimente essentiellement la machine interprétative.

Quant à savoir comment elle les combine, digère et synthétise, c'est malheureusement une autre affaire...

Chapitre 5

Le calcul interprétatif

D'une manière générale, le travail interprétatif consiste, en combinant les informations extraites de l'énoncé (compétence linguistique) et certaines informations dont on dispose « préalablement » (compétence encyclopédique), et de telle sorte que le résultat se conforme aux lois de discours (compétence rhétorico-pragmatique) et aux principes de la logique naturelle (compétence logique), à construire de l'énoncé une représentation sémantico-pragmatique cohérente et vraisemblable : en dehors de toute contre-indication ou impossibilité patente, A postule que L a produit un énoncé à tous égards bien conformé [1].

Sans doute s'agit-il même là d'une espèce d'« archi-loi de discours » : produire un énoncé à tous égards bien conformé, pour l'encodeur; et pour le décodeur : résorber les anomalies en tous genres, résoudre les contradictions éventuelles, éliminer le « louche » [2]... Interpréter un énoncé, c'est choisir dans le paradigme des significations qui sont susceptibles de venir l'investir celles qui apparaissent comme les meilleurs candidats possibles à la cohérence et à la pertinence – parfois même, en en « rajoutant » par rapport au projet d'encodage [3].

Il ressort des réflexions qui précèdent que la machine interprétative, dont on découvre chaque jour de nouveaux rouages, est d'une complexité telle qu'il semble prématuré de tenter de construire un quelconque « modèle global » ou « intégré » prétendant mimer même approximativement les aptitudes et comportements interprétatifs des sujets parlants. Plutôt que de se laisser obnubiler par des considérations formelles (combien convient-il de distinguer de « compétences », et de « composantes », dans chacune d'entre elles, quelle forme faut-il accorder aux règles qui les constituent, dans quel ordre faut-il les faire intervenir, etc.), il nous semble plus opportun de tenter d'isoler tous les paramètres pertinents qui entrent en jeu dans les opérations de décodage, de spécifier leur action, d'expliciter petit à petit les règles constitutives des diverses compétences; et de tirer quelques conclusions générales sur le fonctionnement des mécanismes interprétatifs.

Voici les nôtres :

5.1. Pluralité des facteurs qui interviennent dans le décodage des unités de contenu, et interaction des différentes compétences.

« Le sens n'est pas la chose du monde la mieux partagée » : aucun doute là-dessus. Mais Charolles précise : « L'inégale habileté à comprendre que l'on observe chez les sujets serait donc liée à leur inégale capacité à mobiliser des connaissances linguistiques et situationnelles et à raisonner à partir de ces informations » (1981, pp. 118-119). En d'autres termes : ces différences d'aptitudes interprétatives ne sont pas imputables à la seule compétence linguistique des sujets parlants, mais elles sont aussi à verser au compte de leurs compétences encyclopédique, logique, et rhétorico-pragmatique, qui interviennent conjointement dans le décodage même des contenus explicites, mais plus évidemment, dans le décryptage des contenus implicites. Ainsi l'identification d'un trope repose-t-elle en général sur un faisceau d'indices hétérogènes, et exige-t-elle le recours simultané à des observations cotextuelles et contextuelles, à ce que l'on sait du fonctionnement des maximes conversationnelles, ainsi qu'à divers raisonnements logiques ou para-logiques.

L'interaction des différentes compétences apparaît encore dans les faits suivants :

– compétences linguistique et encyclopédique : nous avons à plusieurs reprises mentionné l'existence d'un va-et-vient permanent entre informations « préalables » (stockées dans la compétence encyclopédique) et « non préalables » (directement extraites de l'énoncé à l'aide de la compétence linguistique), consistant par exemple en ce que les secondes vont venir enrichir la compétence encyclopédique de A, et recevoir alors le statut d'informations préalables, lesquelles seront éventuellement mobilisées plus tard pour éclairer l'interprétation d'un nouvel énoncé, dont seront extraites certaines informations qui à leur tour...

– compétences encyclopédique et logique : elles se prêtent mutuellement leur concours dans la reconstruction de syllogismes complets à partir de ces innombrables enthymèmes que l'on rencontre dans les textes produits en langue naturelle; ou bien encore, dans la manière dont les

savoirs contextuels peuvent venir activer, ou bloquer au contraire (« Si vous voulez téléphoner, consommez d'abord »), certaines opérations logiques, et certaines inférences corrélatives;
– compétences encyclopédique et rhétorico-pragmatique : elles peuvent jouer l'une par rapport à l'autre des rôles
  • redondants :
      « Sur la place Saint-Sulpice, il y a une mairie, un cinéma... » : un cinéma seulement, en vertu de la loi d'exhaustivité; une mairie seulement, pour la même raison, mais à cause aussi de ce que l'on sait de l'organisation administrative française;
  • complémentaires :
      « (restaurant) fermé le dimanche »
→ /seulement le dimanche/, en vertu de la loi d'exhaustivité,
vs « (restaurant) ouvert le dimanche »
→ /même le dimanche/ : le sous-entendu précédent se trouvant ici bloqué par l'action entravante de la compétence encyclopédique, c'est la loi d'informativité qui prend en charge l'expression.

Deux exemples encore montrant qu'en général, l'intervention des lois de discours ne suffit pas à préciser la nature d'une inférence, qui nécessite en outre le recours à un savoir encyclopédique :
« Tu connais des prières? – Ne m'insulte pas s'il te plaît » (Hitchcock, *The Secret Agent*) : en vertu de la loi de pertinence, la seconde réplique est automatiquement comprise comme une réponse implicite à la question précédente; bien plus : une réponse modalisée par un « bien sûr (que oui/non) ». Mais pour savoir si elle est, ce qui est tout de même assez important, de nature positive ou négative, il faut absolument connaître le contexte.

Le mécanisme est similaire dans le cas d'un enchaînement tel que celui-ci : « Quelle heure est-il? – Le facteur vient de passer. »

5.2. Caractère supputatif et aléatoire du calcul interprétatif

Étant donné la multiplicité des facteurs intriqués dans cet écheveau fort complexe que constitue la compétence interprétative globale, il n'est pas étonnant que la quête du sens d'un énoncé quelconque soit toujours plus ou moins tâtonnante, et son résultat toujours plus ou moins aléatoire. C'est vrai surtout bien sûr de la construction des inférences (Ricœur, 1975, p. 30 : « Le propre d'une suggestion est de pouvoir égarer »), qui ne sont jamais que des *hypothèses* hasardées pour normaliser l'énoncé.

Le calcul interprétatif se nourrit de conjectures : sur les raisons que L peut bien avoir d'énoncer ce qu'il énonce; sur les informations que l'on est en droit d'attendre dans un type de discours donné, et même dans un texte particulier [4]; sur la vraisemblance référentielle de l'énoncé, celle du niveau de langue adopté [5], et du choix de la formulation implicite – puisque, avons-nous dit, certains types de contenus étant par eux-mêmes plus enclins que d'autres à être exprimés indirectement dans la mesure où leur expression directe est frappée d'un interdit plus ou moins fort, c'est dans la direction de ces domaines censurés que va de préférence s'orienter la quête du sens caché [6] : le champ de l'implicite recouvre en grande partie celui du tabou.

Conclusion : il y a du *vraisemblable* interprétatif, mais point de vérités sémantiques absolues. On peut ajouter celle-ci à la liste des fausses tautologies : *interpréter, c'est interpréter* (l'extraction du sens est une opération qui implique toujours un certain nombre de décisions plus ou moins subjectives), et dire des contenus linguistiques ce que déplorent des contenus symboliques ces personnages d'une pièce de Reinhard Lettau : leur identification est souvent laissée à la discrétion de chacun, car on ne dispose pas toujours à leur sujet de consignes interprétatives claires et contraignantes :

ROSA. – Un symbole, c'est quand quelque chose signifie quelque chose d'autre que ce qu'il signifie principalement, et donc, en général, quelque chose de plus noble, qui vous élève l'âme.

LE PRÉSIDENT DE SÉANCE. – Vous distinguez entre signification principale et signification symbolique? Comment reconnaît-on cette dernière?

LE PROFESSEUR. – [...] Par exemple, si le Palais du gouvernement a des colonnes grecques, cela signifie premièrement que c'est un palais avec des colonnes grecques, deuxièmement que le pays a un grand passé.

LE PRÉSIDENT. – Parfait, colonne signifie passé. Que signifie tasse?

Le professeur est alors obligé d'admettre que les choses ne sont pas toujours aussi simples.

LE PRÉSIDENT. – Vous voulez dire qu'il n'y a pas de directives?

ROSA (à la cantonade). – M. le Professeur! S'il vous plaît, Monsieur le Professeur! Nous avons une question à vous poser. A-t-on, à votre connaissance, publié quelque part des directives sur la signification des symboles, le drapeau, le sang, etc.?

(*Propos de petit déjeuner à Miami*, Seuil, 1981, pp. 30-31)

5.3. Existence de degrés d'implicitation

Question : étant donné un énoncé actualisé E, la signification S se trouve-t-elle, oui ou non, inscrite en E?

Réponse : elle y est *plus ou moins*, selon sa nature et son statut.

Plus ou moins voyantes ou discrètes, timides ou assurées, les unités de contenu ne sont pas toutes dotées du même degré d'évidence, ni de la même force d'actualisation. *Les structurations sémantiques sont des ensembles flous* [7]; et la linguistique, dont la mission est de décrire, sans plus, les comportements langagiers des sujets parlants, n'a pas à élaguer ce flou, et à tenter de répondre en termes binaires à une question à laquelle les exigences d'adéquation empirique imposent de ne répondre qu'en termes graduels.

Ce qu'elle pourrait et devrait en revanche tenter, c'est de construire une *échelle d'implicitation* permettant d'évaluer le degré d'évidence d'un sous-entendu, compte tenu d'un certain nombre de facteurs tels que :

(1) le nombre (nul en cas de marquage indirect) des supports signifiants du contenu envisagé ;

(2) le « degré d'enfouissement » de ce contenu, c'est-à-dire la distance qui le sépare du niveau explicite, (2) étant lié à (1) dans la mesure où plus une inférence s'éloigne du niveau 0, et moins elle a de chance de posséder à la surface énoncive un support signifiant spécifique.

Mais ces considérations quantitatives concernant le nombre des signifiants impliqués, et des maillons constitutifs de la chaîne interprétative, ne sont certainement pas suffisantes, ni même peut-être les plus pertinentes : certains contenus implicites sont immédiatement décodés, et semblent pour ainsi dire affleurer à la surface de l'énoncé, alors qu'il faut pour en rendre compte faire intervenir un certain nombre d'étapes intermédiaires, et bien des inférences inversement, qui se branchent directement sur le contenu littéral, demeurent à l'état de sous-entendus plus douteux : les inférences les plus indirectes ne sont pas forcément les moins évidentes, et inversement. Considérations qui doivent donc s'assortir d'observations qualitatives concernant

(3) le statut du ou des marqueurs éventuellement responsables de l'inférence, et qui peuvent la solliciter avec plus ou moins d'insistance ; ou le statut, lorsque l'inférence ne possède pas d'ancrage direct, des contenus hyper-ordonnés (qui peuvent eux-mêmes être plus ou moins évidents), ainsi que la nature du raisonnement qui permet de passer du niveau n-1 au niveau n.

Il faut en outre tenir compte

(4) de certains facteurs cotextuels ou contextuels, par exemple :

• Un contenu implicite peut être *renforcé* par d'autres contenus implicites ou explicites plus ou moins lointains, et de nature comparable ou hétérogène, mais en tout cas « allant dans le même sens » :

J'*étais* très naïve *à l'époque*

Ça ressemble au diamant
C'est taillé comme un diamant
Ça brille tel un diamant
Ça se porte comme un diamant [→ mais ce n'est pas un diamant] :

dans cette publicité pour le Blue River de Diemlite, le sous-entendu déjà très fort (mais suspensible : « Ils étaient beaux comme des Italiens... qu'ils étaient! ») porté par la structure comparative se trouve encore renforcé par l'évidente allusion à la célèbre publicité « Canada dry ».

• Un contenu implicite peut être ou non *nécessaire à la cohérence de l'énoncé,* et il va de soi qu'il sera nettement plus fort dans le second cas : les propositions indispensables au bon fonctionnement d'un syllogisme, ou d'un connecteur argumentatif, seront dotées, bien qu'implicites, d'un degré d'évidence maximal; ailleurs, la nécessité de rétablir la cohérence isotopique perturbée par le sens littéral imposera une lecture tropique, c'est-à-dire une spectaculaire remontée vers la surface du contenu dérivé.

• Même chose des contenus implicites *nécessaires à l'appropriation rhétorico-pragmatique de l'énoncé :* plus un énoncé transgresse fortement, au niveau de son contenu explicite, l'une ou l'autre des lois de discours, et plus s'actualise fortement l'inférence normalisatrice, le cas limite étant encore une fois celui du trope, dans lequel la promotion du contenu implicite en contenu essentiel est corrélative du fait que le contenu explicite est carrément inacceptable en contexte.

• Enfin, la force d'actualisation d'un contenu implicite est dans une certaine mesure fonction de son degré d'informativité, de nouveauté, d'importance et d'intérêt pour A.

Pour Sperber (1974, pp. 136-140), la focalisation sur un sous-entendu serait proportionnelle à son degré d'informativité : plus un contenu implicite est pour A paradoxal, et plus il retient l'attention de A, qui glisse au contraire sans s'y attarder sur les sous-entendus allant pour lui de soi. En somme, plus un contenu implicite est évident, et moins il est perçu. Mais on voit combien est ambiguë cette notion de « degré d'évidence d'un contenu » que nous cherchons ici à préciser : il s'agissait jusqu'ici d'évidence *linguistique, i.e.* du degré d'assurance avec laquelle il était permis d'affirmer que le contenu en question figurait ou non dans l'énoncé; alors que le problème que soulève Sperber est plutôt d'ordre *psycholinguistique,* en ce qu'il concerne le degré d'attention et d'intérêt portés par A aux informations que véhicule l'énoncé, en relation avec les savoirs et opinions dont il dispose préalablement – ce qui ne revient pas du tout au même puisque linguistiquement : un contenu existe d'autant plus qu'il est plus « évident », au sens qui vient d'être défini; psycholinguistiquement : un contenu existerait d'autant moins pour A qu'il serait pour lui plus « évident », c'est-à-dire cette fois conforme à certaines données de sa compétence encyclopédique.

C'est aussi dans une perspective psycholinguistique que se situe R. Bautier, lorsque se demandant dans quelle mesure il est ou non opportun de laisser dans l'ombre du dire implicite la conclusion d'un message à prétentions persuasives, il déclare (1981, p. 211) : « Par ailleurs, on doit, sans doute, prendre en compte le degré de motivation des récepteurs du message : l'usage d'une conclusion implicite nécessiterait, pour qu'il soit efficace, que les récepteurs soient fondamentalement intéressés par le contenu du message ».

Il est de fait que les informations présupposées ou sous-entendues ont tendance à être négligées ou au contraire relevées, selon qu'elles sont, pour A, anodines ou cruciales. Un seul exemple : le choc que produit, sur le lecteur d'*Agatha* de Marguerite Duras, cette irruption imprévue du possessif « notre » (Éd. de Minuit, 1981, p. 13) :

ELLE. – Une femme vous y avait emmené une fois, vous étiez très jeune, c'était au printemps. *(Temps.)* Une amie de notre mère [...] :

c'est en effet sur le seul présupposé que comporte cette forme, qui ne peut ici recouvrir qu'un « nous » inclusif – l'information est donc aussi évidente linguistiquement qu'elle l'est peu encyclopédiquement – que repose cette révélation capitale : entre Elle et Lui, qui s'aiment et se séparent, c'est d'un amour incestueux qu'il s'agit.

Deux remarques pour terminer sur ce point :

1. De ces différents facteurs qui entrent en jeu dans la détermination du degré d'actualisation d'un contenu implicite, certains sont plus délicats à traiter que d'autres : les facteurs qualitatifs par exemple le sont plus que les facteurs quantitatifs. Mais même (1) et (2) ne sont pas aussi aisément déterminables qu'on pourrait le croire, parce que les marqueurs d'indirection ne sont pas toujours clairement localisables, et qu'ils cumulent souvent plusieurs rôles signifiants; et parce que la reconstruction de cet artefact descriptif qu'est la « chaîne interprétative » exige un certain nombre de décisions plus ou moins arbitraires – nous l'avons constaté en travaillant collectivement sur certains corpus : autant de descripteurs, autant de propositions descriptives différentes; en particulier, ce que l'un considérera comme constituant une seule et même inférence sera par l'autre dissocié en deux niveaux de contenu : on ne peut donc accorder qu'une validité toute relative au chiffre obtenu en

dénombrant les maillons constitutifs de cette chaîne interprétative. De plus, le problème se pose de savoir comment il conviendrait de pondérer l'importance relative des différents facteurs pertinents envisagés... Bref : il ne faut pas se faire trop d'illusions sur les possibilités de construire objectivement cette « échelle d'implicitation » qui permettrait corrélativement d'évaluer le degré de mauvaise foi du manipulateur d'un contenu implicite donné, et les controverses interprétatives ont encore de beaux jours devant elles. Controverses sur l'existence ici ou là de tel ou tel trope (tel texte doit-il être lu métaphoriquement/ironiquement, ou au contraire pris « au pied de la lettre »?), controverses sur l'interprétation de telle ou telle « petite phrase » (*La Reppublica,* n° 153, 27 juillet 1982, p. 1 : « Una " piccola frase " di Yasser Arafat ha scatenato una tempesta di interpretazioni. In un documento firmato domenica, il presidente dell'O.L.P. afferma di accettare " tutte le rizoluzioni dell'O.N.U. relative alla questione palestinese ". Egli ha dunque accolto le rizoluzioni 242 e 338 che sollecitano il reconoscimento di Israele? »)... A propos d'une déclaration de Valéry Giscard d'Estaing dans *Le Monde* du 30 janvier 1978, qui s'achève par « vous ferez le bon choix pour la France », F. Nef (1980) montre qu'il est possible de reconstruire un macro-acte illocutoire de type directif (« Votez pour la majorité »), subsumant toutes les propositions du texte, et pouvant en être dérivé. Cette exhortation implicite, tous les commentateurs de l'époque s'accordèrent à la voir inscrite dans la déclaration en question; mais leur interprétation divergea sensiblement quant à l'évaluation de son « *degré d'indirection* », les partisans de Giscard estimant très discrète, donc légitime, cette suggestion électorale, et ses adversaires la trouvant au contraire « à peine voilée », au point même d'y voir un trope illocutoire, puisque certains d'entre eux résument ainsi les propos de Giscard : « il a demandé (ordonné, conseillé...) de voter pour la droite » – et ce faisant, il a passé outre aux obligations de réserve et de neutralité auxquelles est en principe soumis le chef de l'État.

Dans cette polémique concernant non l'existence de S en E, mais son statut et son degré d'actualisation, qui a tort, et qui a raison? Il ne semble pas qu'ici, l'arbitrage du linguiste [8] soit objectivement possible.

2. Il n'est d'autre part pas question, lorsqu'on entreprend de reconstituer la chaîne interprétative censée représenter le sens d'un énoncé donné, d'expliciter tous les présupposés (existentiels, pragmatiques, etc.) qu'il véhicule [9], et encore moins tous les sous-entendus qui sont éventuellement susceptibles de venir se greffer sur son contenu explicite, et dont certains sont d'ailleurs incompatibles entre eux. Il convient en

revanche de distinguer dans l'ensemble de ses contenus implicites virtuels ceux qui se trouvent *présents et exploités*, vs *présents mais non exploités*, vs *bloqués* en co(n)texte.

Exemple : « Si vous ne faites pas la différence avec un autre cognac, achetez un autre cognac » (publicité pour le cognac Rémy Martin) :

• Inférences qui s'attachent à la subordonnée :

(1) /il est possible que vous ne fassiez pas la différence entre R.M. et un autre cognac/ : inférence présupposée, qui elle-même présuppose

(2) /certaines personnes ne font pas la différence/.

La protase sous-entend encore

(3) /il y a une différence à faire entre R.M. et les autres cognacs/, qui peut à son tour sous-entendre, soit

(4) /R.M. c'est mieux/, soit

(4′) /R.M. c'est moins bien/ : mais il va de soi qu'en contexte énonciatif, cette dernière possibilité interprétative sera spontanément exclue.

Remarque : (3) et (4) agissent en outre rétroactivement sur (1) et (2) pour y greffer le sous-entendu

(5) /ces gens-là manquent de discrimination et de goût, ce ne sont que des béotiens/.

• Quant à l'apodose, son énoncé va solliciter la quête d'une inférence justificatrice telle que

(6) /(achetez un autre cognac) parce que ce serait du gâchis que d'acheter R.M. sans être en mesure de faire la différence/, au nom du « lieu » commun que l'on pourrait appeler celui de « la confiture aux cochons ».

Mais d'autres interprétations sont également envisageables théoriquement, par exemple

(6′) /(achetez un autre cognac) parce qu'étant de meilleure qualité que ses concurrents, R.M. est aussi plus cher/, interprétation qu'encourage (4), mais que décourage le contexte énonciatif : sans être absolument bloquée, une telle inférence est à tout le moins laissée dans une ombre pudique.

• L'énoncé global sous-entend enfin, en vertu du mécanisme de glissement de la condition suffisante à la condition nécessaire :

(7) /si vous faites la différence, alors achetez R.M./, inférence qui présuppose et sous-entend à son tour

/il est possible que vous fassiez la différence/

(certaines personnes sont capables de faire la différence), et

/ces gens-là sont des gens de goût/,

et vient renforcer et confirmer (4).

Or ces diverses inférences sont très inégalement focalisées par l'énoncé : (4′) à coup sûr, et (6′) vraisemblablement, sont carrément bloquées par le contexte énonciatif; les inférences polémiques (1), (2), (5) et (6), quoique étroitement liées au contenu explicite de la séquence, apparaissent comme bien marginales par rapport à ce que l'on peut supposer de l'intention argumentative d'un tel énoncé (le but d'un slogan publicitaire, c'est plus de vanter les mérites d'un produit et de flatter la « cible », que de disqualifier ses concurrents et leurs consommateurs) : nous dirons qu'elles sont faiblement sollicitées et exploitées; les inférences laudatives (3), (4) et surtout (7) et ses dérivées, sont au contraire celles sur lesquelles se focalise principalement l'énoncé, au point même que (7) peut être considéré comme constituant l'objet essentiel du message à transmettre, et ce message, comme fonctionnant sur le mode du trope implicitatif.

5.4. Qu'est-ce, finalement, que le sens d'un énoncé?

A cette question, aussi épineuse que cruciale, je répondrai pas la série ordonnée (dans le sens d'une précision croissante) des propositions suivantes :

1 – Un énoncé n'a pas de sens-en-soi :

Le sens n'existe que par rapport à, et pour un sujet disposant pour l'extraire de l'énoncé de tel ou tel ensemble de compétences; en d'autres termes : le sens n'est pas un donné, mais une *fonction à deux arguments,* le signifiant d'une part, et les compétences de A d'autre part. Conséquence méthodologique : les règles interprétatives, au lieu d'être « neutres », doivent recevoir la forme « *Si...* (le sujet dispose de tel savoir linguistique ou encyclopédique, se trouve dans telle situation, etc.), *alors...* (il interprétera l'énoncé de la façon suivante). Si au contraire... ».

Donc : l'expression « sens de E » n'a de sens qu'à la condition de la considérer comme l'équivalent elliptique de « sens de E pour x » – mais quel x?

2 – Un énoncé veut dire ce que ses récepteurs estiment qu'il veut dire :

c'est-à-dire que nous nous situons délibérément dans une perspective de décodage, et que nous considérons que l'entreprise linguistique consiste essentiellement à *comprendre comment les énoncés sont compris* [10].

Un énoncé n'accède au sens qu'à partir du moment où il est reçu, perçu, et déchiffré. Autant de déchiffreurs, autant de sens différents (plus ou moins, selon que divergent plus ou moins les compétences des différents interprétants, et selon que le texte dans lequel il s'insère est plus ou moins « ouvert »). Prétendre que tout énoncé possède une signification et une seule, c'est admettre : soit que cette signification existe en soi, par rapport au seul signifiant dans lequel elle se trouverait enclose, ainsi que dans un bocal de formol; soit qu'elle se détermine bien par rapport à un sujet, mais un sujet unique, seul dépositaire du bon sens – l'émetteur par exemple, ou le récepteur effectif du message, lorsqu'il en existe un, ou un « archi-récepteur » [11] virtuel, ou bien encore moi-même, en tant que récepteur particulièrement compétent [12]...

Mais aucune de ces attitudes théoriques n'est pleinement recevable. Ne revenons pas sur la première : elle relève de cette position immanentiste que nous rejetons globalement. L'archi-récepteur? Mais on ne voit pas bien sur quelles bases pourrait être légitimement construit cet objet fictif. Le récepteur effectif? Certains conversationnalistes préconisent en effet de considérer que le sens d'un énoncé produit par L_1, c'est celui qu'en extrait L_2, ainsi qu'en témoigne son enchaînement dialogal. Cette attitude descriptive, qui n'admet comme unités sémantiques pertinentes que celles qui se trouvent réinjectées dans le circuit communicationnel, a le mérite d'épargner au descripteur d'avoir à faire lui-même certaines hypothèses interprétatives. Mais elle est bien restrictive : d'abord parce que toutes les significations extraites par L_2 ne sont pas, loin de là, appréhendables à partir de son comportement-réponse; ensuite parce que d'autres sujets se trouvent également impliqués dans le processus interprétatif, ne serait-ce que L_1, mais aussi d'autres témoins éventuels de l'échange verbal, et bien sûr le descripteur de l'énoncé, qui a tout de même son mot à dire sur la question... Réduire le sens de E à celui qu'en reçoit un seul interprétant, c'est renoncer à décrire un des aspects les plus intéressants des fonctionnements langagiers, à savoir les malentendus, et les divergences interprétatives. L'émetteur du message? Mais nombreux sont les auteurs qui acceptent d'être dépossédés du monopole de la vérité en matière d'interprétation des textes dont ils sont responsables :

Montaigne : « Un suffisant lecteur découvre souvant ès escrits d'autruy des perfections autres que celles que l'autheur y a mises et apperceües, et y preste des sens et des visages plus riches » (cité par Charles, 1977, p. 289), et aussi : « La parole est moitié à celui qui parle, moitié à celui qui l'écoute. »

L. Carroll : « Quant à la signification du *Snark,* j'ai bien peur de n'avoir voulu dire que des inepties! Toutefois, voyez-vous, les mots ne signifient pas seulement ce que nous avons l'intention d'exprimer quand nous les employons : de sorte que la signification d'un livre doit certainement dépasser les intentions de l'auteur. Ainsi, toute signification satisfaisante que l'on peut trouver à mon livre, je l'accepte avec joie comme étant la signification de celui-ci » (extrait d'une lettre à un ami américain, figurant au dos de l'édition Seghers, 1980, de *La Chasse au Snark*).

Valéry : « Il n'y a pas de vrai sens d'un texte. Pas d'autorité de l'auteur. Quoi qu'il ait voulu dire, il a écrit ce qu'il a écrit. Une fois publié, un texte est comme un appareil dont chacun peut se servir à sa guise et selon ses moyens; il n'est pas sûr que le constructeur en use mieux qu'un autre » (cité par Barthes, *Le Nouvel Observateur,* n° 737, 23 déc. 1978, p. 61).

Barthes *(ibid.)* : « Nous ne cessons d'ajouter à la " Recherche " (comme Proust le faisait à ses manuscrits), nous ne cessons de l'écrire. Et sans doute, c'est cela la lecture : réécrire le texte de l'œuvre à même le texte de notre vie. »
Bob Wilson (interviewé sur *Einstein on the beach*) : « Je manie les images comme un compositeur. On est libre de les interpréter comme on veut. » Mais un peu plus tard, à la question : « Que représente ce bâtiment? Est-ce une école? », le voilà qui proteste, scandalisé : « Mais non! Pas du tout! »
Cette contradiction, il nous arrive à tous d'y céder, un jour ou l'autre. En tant que sémioticien, on est prêt à admettre et même revendiquer le droit, pour un même texte, à la lecture plurielle; à répéter inlassablement (car cette vérité est loin d'être encore reconnue majoritairement dans le monde de la critique, ou celui des enseignants de littérature) qu'il faut reconnaître l'existence, au cœur de l'activité interprétative, d'un principe d'incertitude et de diversité. Mais dès que l'on ôte sa casquette de sémioticien pour redevenir un consommateur ordinaire de textes littéraires ou non, on retombe illico dans ce dogmatisme interprétatif que l'on pourfendait peu de temps auparavant, prônant mordicus les vertus du bon sens, et partant en croisade contre le contresens : je sais bien, mais quand même...
D'ailleurs, aucun sémioticien, aussi libéral soit-il, n'est disposé à admettre que toutes les lectures se valent : même Barthes, l'apôtre le plus fervent sans doute de la lecture plurielle, prend bien garde d'opposer (1971, p. 13) la « signifiance » (« le sens subsiste, mais pluralisé ») et la « signifiose » (« le désordre du signifiant se retourne en errance hysté-

rique : en libérant la lecture de tout sens, c'est finalement *ma* lecture que j'impose »). Quant à Montaigne et Lewis Carroll, ils n'envisagent prudemment que le cas des lecteurs « suffisants », et des significations « satisfaisantes » : c'est implicitement reconnaître que tous les lecteurs, et toutes les lectures, ne le sont pas également.

Mais les difficultés commencent dès lors que l'on cherche à expliciter les principes à partir desquels on pourrait tenter d'*évaluer* comparativement les différentes lectures infligées à un texte donné; principes tels que, par exemple et entre autres :

1. Une lecture est d'autant meilleure qu'elle prend en compte un plus grand nombre de signifiants [13] : celle qui fait un sort à tous est incontestablement supérieure à celle qui « écrête » le texte, ou le traverse en diagonale.

Autre exemple :

« Enfin, à la question que vous m'avez posée sur la valeur de ce que j'aurais reçu, j'oppose un démenti catégorique... » : cette déclaration de Giscard d'Estaing relative à « l'affaire des diamants de Bokassa » fut complaisamment interprétée par la plupart des commentateurs comme une dénégation du Président. Or cette interprétation n'est possible qu'à la condition d'« oublier » le signifiant « valeur ». En effet, la phrase « j'oppose un démenti catégorique en ce qui concerne la valeur de ce que j'aurais reçu » sous-entend effectivement /je n'ai rien reçu/ au niveau de la forme du conditionnel, mais présuppose, contradictoirement, /j'ai reçu quelque chose/, puisque « démentir la valeur de x » présuppose /il y a valeur de x/, donc /il y a x/, signifiant d'ailleurs partiellement escamoté par Giscard (qui énonce précipitamment ce mot-aveu de « valeur »), et ce gommage partiel du signifiant favorise sans doute l'effacement du signifié correspondant. N'empêche que quand « les lèche-pouvoir changent un aveu implicite de Giscard en réfutation globale sur le fond » [14], ils commettent une erreur, volontaire ou involontaire, d'interprétation.

2. Une lecture est d'autant meilleure que la reconstitution à laquelle elle aboutit est plus cohérente.

Ce principe de cohérence joue à coup sûr un rôle important dans la construction des interprétations, et doit intervenir de façon décisive dans leur évaluation. Par exemple, l'identification d'une unité de connotation est d'autant plus convaincante que son contenu converge avec d'autres signifiés (dénotés ou connotés) inscrits dans le cotexte, et s'intègre à tel ou tel des réseaux isotopiques qui structurent le texte. Mais on peut lui objecter deux choses : qu'en l'état actuel des choses, on ne dispose pas d'instruments permettant de mesurer précisément le taux de cohérence d'une interprétation; et qu'il n'est pas toujours légitime d'identifier degré de cohérence, et degré de validité d'une lecture : certaines interprétations parfaitement cohérentes n'en sont pas moins délirantes; et tous les types de textes ne prétendent pas également à la cohérence...

3. Une lecture est d'autant meilleure qu'elle incorpore plus d'informations extratextuelles et intertextuelles correctes (*i.e.* que le lecteur est mieux « informé »). Si par exemple elle se fonde sur un savoir encyclopédique manifestement faux (si je lis comme un documentaire le film de fiction *Punishment Park*), on pourra à son sujet parler de « contresens ». Mais si elle est, tout simplement, lacunaire? A partir de quel degré de carence encyclopédique peut-on dire d'une lecture qu'elle est mauvaise? Que penser d'affirmations péremptoires (et assurément hyperboliques) telles que celles-ci : « On ne peut rien comprendre à Van Gogh si l'on ignore combien il a été influencé par les estampes japonaises », « On n'a rien compris au *Dernier tango à Paris* si on n'y a pas vu toutes les références à l'œuvre de Georges Bataille », etc.?

Donc : la position juste sur ce problème de l'évaluation des lectures se localise certainement quelque part entre les deux attitudes extrêmes, également indéfendables : « il n'existe pour un texte donné qu'une seule lecture correcte », et « toutes les lectures attestées sont également correctes ».

Elle consiste à admettre que
• il existe plusieurs lectures raisonnables possibles d'un même texte,
• certaines lectures sont meilleures que d'autres,
• il en est qui sont carrément mauvaises : les contresens, les délires, les erreurs de calcul interprétatif, ça existe, on ne saurait le nier sans mauvaise foi.

Mais pour graduer qualitativement les différentes interprétations d'un énoncé, et déterminer où commence à proprement parler le contresens, on dispose de quelques principes généraux, mais non de critères précis de validation/falsification.

En d'autres termes : je suis bien d'accord avec les sémioticiens qui considèrent le texte comme une instance à la fois close et ouverte, et la lecture comme une activité à la fois libre et contrainte; d'accord avec cette déclaration protocolaire de Michel Charles [15] : « Pour fonder une théorie de la lecture, il ne faut ni chercher naïvement la " bonne " lecture ni valoriser systématiquement l'indécidable; il faut examiner, analyser, décrire les lieux où le texte permet la dérive, les lieux où il contraint, les lectures qu'il propose, celles qu'il refuse, celles qu'il laisse indéterminées ou incertaines, " mesurer " alors cette indétermination ou cette incertitude » : je souscris entièrement au projet, mais suis pour le moment assez sceptique sur les possibilités de le réaliser, et de confectionner les instruments d'une telle mesure.

En tout cas : nous avons précédemment énoncé qu'un énoncé voulait dire ce que ses récepteurs (s'ils sont du moins sensés, et informés...) estimaient qu'il voulait dire. Cette focalisation sur la phase de décodage peut sembler excessive. Mais elle l'est beaucoup moins si l'on pense d'abord que tout émetteur est en même temps son premier récepteur, et que l'idée qu'il se fait lui-même du sens de son énoncé, dans la mesure où on y a accès, doit être prise en considération au même titre que celle que s'en font les autres récepteurs. Bien plus, l'intention signifiante de l'émetteur occupe une place centrale dans le modèle interprétatif tel que nous le concevons, dans la mesure où elle est l'objet d'une tentative de reconstruction par A; A qui non seulement joue à l'émetteur quand il interprète un énoncé (tout énoncé veut dire ce qu'il aurait voulu dire si c'était moi qui l'avais dit), mais même tente dans la mesure du possible de s'identifier à L (tout énoncé veut dire ce qu'il aurait voulu dire si c'était moi qui, me mettant à la place et dans la peau de l'émetteur, l'avais dit).

Ce qui constituera notre troisième proposition.

3 – Un énoncé veut dire ce que ses récepteurs croient que l'émetteur a voulu dire dans/par cet énoncé.

Les mécanismes interprétatifs intègrent généralement certaines hypothèses concernant le projet sémantico-pragmatique de l'émetteur : interpréter un texte, c'est tenter de reconstruire par conjecture le projet d'encodage. Autrement dit : un énoncé veut dire ce que ses récepteurs croient que l'émetteur a voulu dire dans/par cet énoncé, sur la base de leurs propres compétences, de celles qu'ils ont de bonnes (ou mauvaises) raisons d'attribuer à L, et d'estimer que L leur attribue.

Voici donc que nous rencontrons par la bande le problème (« incontournable » sans doute) de l'intention signifiante de l'émetteur.

1. Même si la linguistique structurale n'est jamais parvenue à se débarrasser complètement d'un tel concept [16], il n'avait pas, jusqu'à une période récente, très bonne presse [17].

Mais chassée du discours des sémanticiens, l'« intentionnalité » revient, dans celui des pragmaticiens, au galop : pour S. Schmidt, la structure

profonde de tout texte est assimilable à l'intention communicative de
son énonciateur; pour Anscombre, le sens d'un énoncé se ramène aux
« intentions qu'il présente comme ayant motivé son énonciation », et la
pragmatique, à « l'étude des valeurs intentionnelles liées à l'énonciation »
(1980, p. 65). Quant à Searle, on sait que les valeurs illocutoires
correspondent pour lui aux intentions pragmatiques préexistant à l'énoncé,
et que sa description des métaphores et autres tropes repose sur la
distinction suivante :

« speaker's meaning » *vs* « word, or sentence meaning »
(= sens dérivé)   (= sens littéral)

(1982, p. 122 : « L'explication de la manière dont la métaphore fonctionne est un cas particulier du problème général consistant à expliquer
comment le sens du locuteur et le sens de la phrase ou du mot peuvent
diverger »).

Disons tout de suite qu'une telle opposition, ou du moins la formulation
qu'en propose Searle, ne nous semble pas recevable : pour nous, les
deux niveaux de signification observables dans le trope sont également
imputables, et à L, et à l'énoncé :

• Pour être dérivé, le sens second (correspondant chez Searle à
l'« intention primaire ») n'en est pas moins inscrit d'une certaine manière
dans la séquence signifiante, faute de quoi on ne voit pas bien comment
il pourrait être extrait par A.

Plus généralement : *toutes les valeurs susceptibles d'être identifiées
par A dans un énoncé donné s'y trouvent d'une certaine manière
« exprimées »*, c'est-à-dire supportées, directement ou indirectement,
par certains signifiants énoncifs, et éventuellement sollicitées en outre
par certains indices linguistiques ou extralinguistiques, lesquels signifiants et indices peuvent être interprétés sur la base de certaines règles
et mécanismes intériorisés en compétence.

Or les pragmaticiens ont parfois tendance à faire comme si les
intentions de L pouvaient être communiquées à A par la vertu du Saint-
Esprit. C'est en tout cas cet « angélisme » que Cornulier reproche à
Grice : « Dire que quelqu'un fait quelque chose en ayant une certaine
intention, c'est distinguer, tout en les présentant comme associés, l'acte
et l'intention. C'est ce qui se passe dans les définitions de Grice où le
signifieur est présenté comme faisant un certain acte X dont Grice ne
nous dit rien, donc un acte absolument quelconque avec certaines
intentions dont certaines sont relatives à X mais d'une manière telle
que X reste résolument quelconque. Dites *Amstramgram*, ou levez la

main, ou remuez vos orteils, avec l'intention de me faire croire que les performatifs sont au nombre de 777, l'intention que je reconnaisse votre intention de me le faire croire, et l'intention que le fait de la reconnaître contribue à me faire croire que les performatifs sont au nombre de 777 : vous êtes en train de me " signifier (?) non naturellement " au sens de Grice que les verbes performatifs sont au nombre de 777, mais vous êtes aussi un schizophrène, si vous ne faites pas un effort supplémentaire ou si vous ne veillez pas à ce que certaines conditions nécessaires soient réalisées pour que le message passe [...]. Ou bien vous êtes un ange, vous communiquez par télépathie » (1981, p. 7) – un peu à la manière de ces artistes prônant, et pratiquant, la « Secret Painting » [18]. Il est vrai que Grice insiste à plusieurs reprises [19] sur le fait que « L veut dire quelque chose par X » signifie en réalité « L a l'intention en énonçant X de produire un effet sur A grâce à la reconnaissance par A de cette intention »; de la même manière, Strawson précise que A doit « secure the uptake » (c'est-à-dire « saisir » l'intention signifiante de L), et Searle, à propos des requêtes indirectes, souligne que « le locuteur a l'intention de produire chez l'auditeur la connaissance qu'une demande lui a été faite; et il a l'intention de produire cette connaissance en faisant reconnaître son intention de la produire par l'auditeur » (1982, p. 72). Le tort de ces différents auteurs [20], ce n'est donc pas de négliger la phase de décodage, et d'oublier qu'une intention n'existe qu'en tant qu'elle est reconnue; mais d'escamoter l'instance médiatrice sans laquelle A serait bien incapable de reconnaître cette fameuse intention signifiante de L, à savoir la séquence verbale, qui seule permet, dans la mesure où elle est *codée,* donc encodée et décodée, sur la base de certaines conventions qu'admettent en commun, du moins pour l'essentiel, L et A, au courant sémantico-pragmatique de passer; c'est de ne pas chercher à décrire précisément le fonctionnement de cette instance proprement *sémiotique,* seul lieu pertinent de l'investigation linguistique.

• Pour en revenir à Searle et à sa description des tropes, nous disons donc qu'il est inexact de considérer que le sens dérivé n'appartient pas à l'énoncé. Mais aussi, qu'il est contestable que le sens littéral n'appartienne qu'à l'énoncé : on peut au contraire penser qu'il est également prévu et voulu par L – mais comme un « faux » sens; c'est-à-dire qu'en produisant le sens littéral, L a l'intention de ne lui accorder, et de faire savoir qu'il ne lui accorde, que le statut d'un contenu destiné, une fois découvert le « vrai » sens, à être supplanté par ce dernier.

Bref : pour nous, les sens littéral et dérivé sont tous deux, dans le cas du trope, et véhiculés par l'énoncé, et résultats d'une certaine intention signifiante du locuteur.

• Searle use d'ailleurs parallèlement, pour désigner ces deux entités, des expressions « intention secondaire » et « intention primaire » : c'est alors admettre que même le sens littéral est intentionnel. Mais c'est aussi assimiler le sens, et l'intention communicative – ce que Searle n'est certes pas le seul à faire, mais qui nous semble parfaitement inacceptable. L'histoire de la linguistique est ainsi ponctuée de tentatives pour « réduire » le sens à divers phénomènes corrélatifs mais hétérogènes : pour les behavioristes, le sens de X, *c'est* l'ensemble des « événements pratiques » qui entourent l'émission/réception de x; pour les distributionnalistes, *c'est* l'ensemble des cotextes dans lesquels peut apparaître x; pour certains morpho-sémanticiens, *c'est* la structure du signifiant... Mais même s'il s'avérait qu'il y a, ce qui est déjà douteux, correspondance bi-univoque entre le sens de x et ces différentes entités auxquelles il est ainsi assimilé, ce ne serait pas une raison suffisante pour procéder à cette assimilation. Semblablement, même s'il existait une corrélation constante entre le sens de x, et l'intention de L produisant x – ce qui n'est pas pour nous le cas, puisque nous refusons de réduire le sens-de-x au sens-de-x-pour-L –, ce ne serait pas une raison suffisante pour assimiler le premier à la seconde : le sens est une entité sémiotique, qui se localise dans l'énoncé, dont on l'extrait à l'aide de ses différentes compétences; l'intention relève de la psychologie, et renvoie à un désir du sujet de transmettre (ou de ne pas transmettre) un certain contenu sémantico-pragmatique.

2. Pourquoi donc s'embarrasser tout de même, quand on se veut linguiste, de ce concept d'intentionnalité? C'est qu'il a certaines implications linguistiques (sans parler du statut juridique de l'« intention » et de la « préméditation »), en ce que par exemple :

• Un certain nombre de phénomènes que l'on a coutume de considérer comme linguistiquement pertinents ne peuvent être décrits sans tenir compte de ce que l'on suppose être l'intention communicative de l'émetteur. Selon par exemple qu'on le considère comme délibéré ou non, un même procédé formel sera étiqueté comme :

une syllepse, ou une ambiguïté involontaire

un jeu de mots, ou une simple bourde

une création verbale, ou un lapsus

un « métagraphe », ou une faute d'orthographe [21]

un fait de « forgerie » poétique, ou de glossolalie pathologique

une figure de syntaxe (asyndète, anacoluthe), ou une faute de construction
un affront prémédité, ou une gaffe étourdie
une « rebuffade » [22], ou une absence pure et simple de réponse
une métaphore, ou une erreur de dénomination [23] :
nous préciserons bientôt le statut du trope, par rapport à celui de l'erreur, et du mensonge. Mais rappelons dès à présent que l'identification d'un trope implique que l'on suppose délibérée la déviance qu'il constitue. Ainsi dans les exemples suivants :

Je n'ai pas de cours aujourd'hui – Ah parce que vous êtes professeur?
Il vivait seul depuis la mort de sa femme – Je ne savais pas qu'il avait été marié / que sa femme était morte,

bien que les enchaînements de L_2 s'effectuent sur la base d'un sous-entendu ou d'un présupposé de l'énoncé de L_1, L_2 ne considérera pas pour autant que L_1 a commis un trope implicitatif, s'il n'a aucune raison de penser qu'il a produit l'énoncé avec pour principale intention de lui signifier l'information sous-entendue ou présupposée.

• Autre constatation : on considère généralement comme à peu près équivalentes les affirmations suivantes :
« cet énoncé est ironique »/« L est ironique dans cet énoncé »
« cet énoncé sous-entend (insinue) que q »/« L sous-entend (insinue) que q »
« cet énoncé veut dire p »/« L veut dire p dans cet énoncé » [24].

C'est donc que *pour le sens commun, le sens d'un énoncé, c'est avant tout celui que L a voulu lui donner.*

Ce que les récepteurs eux-mêmes de l'énoncé sont d'ailleurs généralement prêts à admettre : « Que voulez-vous dire exactement », « Qu'avez-vous dans l'esprit quand vous affirmez que... », « Je vais vous dire ce que j'ai compris pour que vous me disiez si j'ai bien compris » : la fréquence de telles formules méta-communicatives dans la conversation quotidienne prouve assez que l'on cherche avec obstination et inquiétude à s'assurer que l'on a bien saisi le « bon » sens, c'est-à-dire celui que L a voulu nous communiquer [25]; et que s'il en est autrement, on est tout disposé à reconnaître que l'on a « compris de travers » (tout au plus pourra-t-on reprocher à L de s'être « mal exprimé »), et commis le délit de contresens :

Madame, pardonnez. J'avoue, en rougissant,
Que j'accusais à tort un discours innocent.
Ma honte ne peut plus soutenir votre vue;
Et je vais... (*Phèdre*, II, 5) :

en se méprenant (en pensant qu'il se méprend) sur le sens des propos
de Phèdre, Hippolyte commet (pense qu'il commet) une faute (d'autant
plus grave que l'est elle-même l'accusation qu'implique pour lui cette
interprétation « erronée ») dont il se sent le devoir de s'excuser honteusement : c'est ainsi reconnaître que *le locuteur est le mieux placé pour
décider de la valeur qu'il convient d'attribuer à l'énoncé dont il est
responsable,* et que c'est lui l'instance évaluative suprême – c'est
d'ailleurs en cela que les sous-entendus constituent pour L une aubaine,
puisqu'il peut toujours en faire endosser la responsabilité à A, et l'accuser
d'interprétation « abusive ».

Et cette attitude de subordination consentie de A à L n'est pas propre
seulement au récepteur « ordinaire ». On pourrait croire que la conception que les linguistes et sémioticiens contemporains se font de l'activité
interprétative n'est plus exactement celle des philologues du passé : il
ne s'agit plus exclusivement de reconstruire le plus fidèlement possible
le projet d'encodage, et de purifier le texte de toutes les scories interprétatives qui ont pu en travestir, au cours de son itinéraire diachronique,
la signification originelle, mais de favoriser le travail de la « signifiance »;
en principe, l'assujettissement absolu aux codes présumés de l'émetteur
n'est plus considéré comme un impératif catégorique, et comme le
critère exclusif de la bonne lecture. Lorsque pourtant certains théoriciens
de la fiction parlent de « réception manquée », ou lorsque Ducrot écrit,
à propos de telle interprétation d'une phrase de La Bruyère : « on ferait
un contresens complet sur le texte si on voulait appliquer ici une
description de *mais* qui ne serait pas d'ordre pragmatique ou argumentatif [...]. Avec une telle description de *mais* [...], on ferait donc dire à
La Bruyère des choses bien inattendues [...]. Bref, il existerait une sorte
d'antinomie entre le succès mondain et la réussite sociale, thèse éton-
nante, peu convenable au XVIIᵉ siècle, et qui n'apparaît nulle part ailleurs
dans l'œuvre de La Bruyère » (1980, a), p. 13), on se dit que les temps
n'ont pas tellement, de ce point de vue, changé [26]. Et qu'au lieu de le
traiter par le mépris, il revient à la sémiotique d'accorder résolument
droit de cité à un réflexe interprétatif aussi tenace : *l'intention de
l'émetteur, ou comment ne pas s'en débarrasser.*

3. Le meilleur moyen d'y parvenir, c'est pour nous de déplacer le
problème, et de l'envisager dans la seule perspective du décodage : de
récupérer cette notion d'intention signifiante de l'émetteur dans le cadre
de l'étude du fonctionnement des mécanismes interprétatifs, sous la
forme d'hypothèses formulées implicitement par A sur le projet sémantico-pragmatique de L.

Ces hypothèses interviennent à deux niveaux :

• Elles concernent d'abord le caractère intentionnel ou non des faits perçus; c'est sur cette base, avons-nous dit, que l'on identifiera un calembour ou un trope, par opposition à une ambiguïté ou une inadvertance dénominative – et l'effet produit sera bien différent selon que le fait en question sera supposé volontaire ou non : on sait par exemple que c'est là ce qui distingue essentiellement, pour Freud, le « mot d'esprit » du « comique naïf ».

• Pour ce qui est non plus du statut, mais du contenu même des séquences qui lui sont soumises, A tente dans la mesure du possible de reconstituer ce que L a voulu y dire. Le sens que l'on extrait d'un énoncé, c'est en principe et en général celui que l'on suppose encodé par L : en principe et en général, personne ne se rend délibérément coupable de « contresens » – en d'autres termes (empruntés à Levinson, 1983, p. 24), la réponse la plus raisonnable à la question : « qu'est-ce que comprendre un énoncé? » est la suivante : « to understand an utterance is to decode or calculate all that might reasonably have been meant by the speaker of the utterance ».

Remarques

– Cette tâche de reconstitution de l'intention signifiante de L est plus ou moins aisée selon que les compétences de L et de A sont plus ou moins proches, et que A se fait de celles de L une idée plus ou moins claire. Mais l'essentiel est que A puisse nourrir *l'illusion* que son interprétation est en gros conforme au projet sémantico-pragmatique de L [27].

Il arrive pourtant que A, ayant connaissance de ce projet, ne parvienne pas à modeler sur lui sa propre lecture du texte qui lui est proposé : j'ai beau savoir que pour Kafka et son entourage, *Le Procès* était à considérer comme un texte essentiellement comique [28], même si cette information extratextuelle infléchit d'une certaine manière ma perception du texte, je suis bien obligée de reconnaître qu'elle ne suffit pas à me le rendre franchement hilarant : il faut bien se résoudre, dans des cas de ce genre, à adopter une attitude de compromis.

– Quand nous disons que A cherche à reconstituer par conjecture l'intention signifiante de L, nous ne prétendons pas pour autant que L en ait lui-même une conception parfaitement nette. L'auteur, on le sait, n'est pas un sujet « plein », libre, homogène, disposant d'une conscience claire de ce qu'il a à dire; mais c'est un sujet clivé, conditionné, qui partage avec d'autres instances la maîtrise de la dynamique textuelle (ce qui parle dans un texte, c'est l'auteur, mais aussi par sa voix, la Muse, la Nature [29], l'Autre, l'inconscient, l'idéologie, la langue, l'intertexte...), et qui en tant que récepteur de ses propres productions discursives, tâtonne lui aussi pour les interpréter [30]. Ce que nous voulons dire, c'est que A n'accepte en général de lire dans un texte que ce qu'il estime que son auteur serait lui-même disposé à accepter d'y lire.

– Il y a des exceptions à ce principe. Quand j'entends par exemple cette déclaration du Garde des Sceaux : « Le président de la République a été sur ce point particulièrement net pendant sa campagne électorale », je souris à l'idée qu'on pourrait dans d'autres contextes y voir un sous-entendu peu amène; mais je reconnais en même temps qu'ici, l'énoncé ne peut pas vouloir dire que le Président a été plutôt flou sur les autres points, puisque le statut de L lui interdit de vouloir dire une chose pareille. Même chose du slogan « Il faut un président à la France » : énoncé par Valéry Giscard d'Estaing, alors président de la République, il ne saurait *ici* suggérer que pour le moment, la France n'en a pas (de vrai), et pourtant, l'inférence surgit, narquoise. Quand encore je lis cette déclaration d'un ministre suisse : « Le corps de la femme n'a pas à être exploité à des fins purement mercantiles », je n'accorde qu'un statut de lapsus (bien révélateur...) à l'étrange inférence qu'elle sollicite. Quand j'apprends que le film d'Arthur Penn *Georgia* « a été un four aux États-Unis », je me dis que ce film était un peu prédestiné au four, puisque son titre original est « Four Friends »; mais j'admets en même temps que si calembour il y a ici, ce n'est vraisemblablement qu'un calembour de pure réception. Quand je cherche à la suite de Rastier à identifier les isotopies qui structurent tel passage de *L'Assommoir*, c'est « pour de rire » que je propose d'envisager une isotopie (connotée) de la / pêche/ dans laquelle se trouveraient figurer le verbe « pêcher » bien sûr, mais aussi les mots « salée », et pourquoi pas, « cuiller » (« Ah! tonnerre! quel trou dans la blanquette! [...] Le saladier se creusait, une cuiller plantée dans la sauce épaisse, une bonne sauce jaune qui tremblait comme une gelée. Là-dedans, on pêchait les morceaux de veau [...]. La sauce était un peu trop salée, il fallut quatre litres pour noyer cette bougresse de blanquette »). Quand enfin je tombe sur cette phrase de Mac Orlan « elle le tisonnait avec un ringard », je ne puis m'empêcher de penser au sens moderne du mot « ringard », même si je sais bien qu'il n'a rien à faire ici : bien des significations ou valeurs impromptues viennent se surajouter, au cours du processus interprétatif, à celles que l'on estime acceptables par L. On ne parvient pas toujours à les chasser, et même, on peut se complaire à les cultiver. Mais c'est un autre statut qu'on leur accorde : celui de valeurs ajoutées, qui viennent ludiquement voleter autour de l'énoncé, mais qu'on ne saurait sérieusement considérer comme constitutives de son sémantisme. Car seules sont admises comme sérieuses les unités de contenu que l'on peut supposer voulues ou acceptables par L.

Donc :

• Le sens d'un énoncé, ce n'est pas quelque chose qui s'y trouverait intrinsèquement enclos, ni même que L y a effectivement déposé : c'est ce que A croit que L a voulu dire dans et par cet énoncé.

• Le sens d'un énoncé, ce n'est pas l'intention signifiante de L, laquelle n'est même pas une composante de ce sens : c'est ce qu'extrait A de cet énoncé, à partir du signifiant et grâce à l'ensemble de ses compétences, sur la base de ce qu'il suppose être celles de L, et son intention signifiante.

Mais il ne s'agit là que de *supputations*, qui peuvent bien entendu être erronées. Par exemple, il n'est pas toujours facile de déterminer si telle valeur perçue est ou non voulue par L [31], et si telle pratique langagière déviante est à considérer comme une innovation consciente, ou une maladresse involontaire [32]. Et il arrive souvent que le sens extrait au décodage diverge sensiblement du sens voulu à l'encodage : c'est sur ces phénomènes de dissymétrie communicationnelle que va s'achever cette réflexion sur les processus de décodage. Mais nous voulions au préalable insister sur le fait qu'il convient d'accorder, dans le modèle interprétatif, une certaine place à « l'intention signifiante de l'auteur », dont il n'est pas du tout certain qu'elle « ne regarde que lui » [33] : encore une fois, ce que l'on « entend » dans un énoncé, c'est généralement ce que l'on croit, *à tort ou à raison*, que L a voulu donner à entendre : « Mes cheveux sont lourds, souples, douloureux, une masse cuivrée qui m'arrive aux reins. On dit souvent que c'est ce que j'ai de plus beau et moi j'entends que ça signifie que je ne suis pas belle » (Marguerite Duras *L'amant*, Éd. de Minuit, 1984, p. 24) – interprétation excessivement masochiste sans doute, mais vécue par A comme correcte et « conforme » (au projet sémantique de L).

Notons pour terminer que si au décodage, A fait rétrospectivement certaines hypothèses sur le travail d'encodage de L, à l'encodage, L fait par anticipation certaines hypothèses sur le travail de décodage de A (Flahault, 1979, p. 77 : « Parler, c'est anticiper le calcul interprétatif de l'interlocuteur »). C'est dire combien sont dialectiques les relations existant entre les opérations de production et d'interprétation; combien le sens est un objet que *négocient* ensemble les différents partenaires de l'échange verbal, qui se construisent conjointement, au cours du déroulement de l'interaction, une sorte d'« archi-compétence » dans laquelle viennent partiellement se neutraliser les différences qui caractérisent au départ leurs idiolectes respectifs [34].

4 – Les cas de dissymétrie encodage/décodage

Mais ces différences ne se neutralisent que partiellement.

Dès que l'on admet la *pluralité* des compétences des sujets parlants, ainsi que leur *diversité* d'un sujet à l'autre, on comprend que les différents calculs interprétatifs des différents A puissent sensiblement diverger entre eux, et par rapport à l'intention signifiante de L : en cas de divergence entre le sens S voulu par L, et le sens S' extrait par A, on parlera de dissymétrie encodage/décodage, dissymétrie dont sont d'abord responsables les différences de compétences entre L et A [35].

Compétence *linguistique* : il arrive souvent, note Flahault, que deux sujets parlant la même langue « se rendent compte qu'ils n'attribuent pas le même signifié au même signifiant » : « " Pour moi, le racisme, c'est non seulement ceci, mais aussi cela. " " Je regrette, on ne peut pas parler de racisme dans ce cas-là, appelez-ça comme vous voudrez, mais pas *racisme!* " Etc. » (1972, p. 72) – et c'est alors le *sens* des mots qui se trouve à la source du conflit langagier, les interlocuteurs divergeant quant au concept qu'il convient d'attacher au signifiant « racisme », ou « juif » :

A quelque chose que je lui dis ou lui demande, il répond vivement :
« Non, je ne fais jamais ça, c'est " juif ". »
Moi : « Comment ça c'est " juif " ? »
Lui : « Ça veut dire : c'est pas bien, il faut pas le faire. »
Moi : « Mais non, " juif ", c'est un peuple, une religion. »
Lui : « Non, non. " Juif ", c'est l'envers des autres. On dit " juif " pour dire que c'est pas comme il faut. »
Moi : « Mais il y a une langue juive. »
Lui : « Une langue juive? Non! Non! »
Moi : « Si, elle s'appelle l'hébreu. »
Lui : « Non, écrire " juif ", c'est écrire l'arabe à l'envers. C'est écrire pareil, mais dans l'autre sens. »
Je m'arrête.
« Écoute, Ali, je sais ce que je dis, je suis juif moi-même. »
Et lui, sans se démonter, avec un hochement de tête indulgent et presque une ébauche de sourire :
« Mais tu peux pas être juif. Toi tu es bien. Juif, ça veut dire quand c'est pas bien. »
Ça aurait pu durer des heures. Nouvelle impasse...
(Robert Linhart, *L'établi*, Éd. de Minuit, 1978, pp. 149-150.)

Mais c'est le plus souvent par une différence d'analyse du *référent discursif* que s'explique le conflit, et à la compétence *encyclopédique* qu'il convient de l'imputer : il y a en gros consensus sur la signification de « racisme », mais désaccord sur les propriétés de l'objet dénoté, en vertu desquelles le mot sera jugé ou non approprié. Tout acte dénominatif consiste en l'association d'un mot à une chose; c'est-à-dire : en l'attribution d'un signifiant, sur la base des sèmes qui composent son signifié, à un dénoté, sur la base des propriétés qui le caractérisent, et font que la chose [36] « tombe » ou non « sous le sens » du mot; c'est-à-dire finalement, en la mise en correspondance d'un ensemble sémique et d'un ensemble de propriétés objectales. Il importe donc, en cas de conflit dénominatif, de tenter de le *localiser*, et de déterminer s'il relève de l'un et/ou l'autre de ces deux plans, sémantique et référentiel, que l'activité langagière consiste à mettre en correspondance.

Les divergences interprétatives peuvent enfin tenir à des différences de compétence *rhétorico-pragmatique,* voire *logique;* divergences qui affectent toutes sortes d'unités de contenu, mais principalement sans doute les contenus implicites, et *la construction des inférences :*

> L_1 (serveuse dans un restaurant new-yorkais). – Vous voulez encore du café?
> L_2 (Française de passage). – Il est léger!
> L_3 (commensale de L_2, traduisant à l'intention de L_1). – Elle n'en veut plus car elle le trouve trop léger.

Or c'est exactement l'inférence inverse : « J'en re-veux bien car ici le café est si léger qu'il ne risque pas d'empêcher de dormir », que voulait suggérer L_2.

> L_1 (à la sortie d'un cocktail) : Vous êtes motorisée?
> L_2 : Oui merci!

– mais c'était une requête, et non une offre, qui se dissimulait en fait sous la question de L_1... : les sous-entendus, on l'a vu, prêtent bien souvent à malentendu.

Soit encore les deux passages suivants, de Marivaux et Proust respectivement, passages qui ont en commun de mettre en scène un malentendu discursif, lequel met en cause le fonctionnement d'une sorte de loi de discours qui veut que l'on proportionne, autant que faire se peut, une excuse à l'offense qu'elle est censée « réparer », ou un remerciement au cadeau reçu, et que Brown et Levison baptisent « balance principle » (« principe d'équilibre ») : « If a breach of face respect occurs this constitutes a kind of debt that must be made up by positive reparation if the original level of face respect is to be maintained.

Reparation should be of an appropriate kind and paid in a degree proportionate to the breach » (1978, p. 241) :

MONSIEUR ORGON. – Mon cher monsieur, je vous demande mille pardons de vous avoir fait attendre ; mais ce n'est que de cet instant que j'apprends que vous êtes ici.

ARLEQUIN. – Monsieur, mille pardons ! C'est beaucoup trop ; et il n'en faut qu'un, quand on n'a fait qu'une faute. Au surplus, tous mes pardons sont à votre service (*Le jeu de l'amour et du hasard*, I, 10).

« Oh ! Monsieur », dis-je à M. de Norpois, quand il m'annonça qu'il ferait part à Gilberte et à sa mère de l'admiration que j'avais pour elles, si vous faisiez cela, si vous parliez de moi à Mme Swann, ce ne serait pas assez de toute ma vie pour vous faire témoigner ma gratitude, et cette vie vous appartiendrait ! Mais je tiens à vous faire remarquer que je ne connais pas Mme Swann et que je ne lui ai jamais été présenté.

J'avais ajouté ces derniers mots par scrupule et pour ne pas avoir l'air de m'être vanté d'une relation que je n'avais pas. Mais en les prononçant, je sentais qu'ils étaient déjà devenus inutiles, car dès le début de mon remerciement, d'une ardeur réfrigérante, j'avais vu passer sur le visage de l'Ambassadeur, une expression d'hésitation et de mécontentement [...]. Je me rendis compte aussitôt que ces phrases que j'avais prononcées et qui, faibles encore auprès de l'effusion reconnaissante dont j'étais envahi, m'avaient paru devoir toucher M. de Norpois et achever de le décider à une intervention qui lui eût donné si peu de peine, et à moi tant de joie, étaient peut-être (entre toutes celles qu'eussent pu chercher diaboliquement des personnes qui m'eussent voulu du mal) les seules qui pussent avoir pour résultat de l'y faire renoncer. En les entendant en effet [...], M. de Norpois, qui savait que rien n'était moins précieux ni plus aisé que d'être recommandé à Mme Swann et introduit chez elle, et qui vit que pour moi, au contraire, cela présentait un tel prix, par conséquent, sans doute, une grande difficulté, pensa que le désir, normal en apparence, que j'avais exprimé, devait dissimuler quelque pensée différente, quelque visée suspecte, quelque faute antérieure, à cause de quoi, dans la certitude de déplaire à Mme Swann, personne n'avait jusqu'ici voulu se charger de lui transmettre une commission de ma part. Et je compris que cette commission, il ne la ferait jamais, qu'il pourrait voir Mme Swann quotidiennement pendant des années, sans pour cela lui parler une fois de moi (extrait de *A l'ombre des jeunes filles en fleurs*, cité et commenté par Descombes, 1981).

« Monsieur, mille pardons, c'est beaucoup trop ; et il n'en faut qu'un, quand on n'a fait qu'une faute » : cette réplique d'Arlequin comporte, entre autres choses, une sorte de commentaire métalinguistique réprobateur de la formulation d'Orgon : dire « mille pardons », c'est en dire beaucoup trop, c'est aller à l'encontre de l'expression juste, et commettre le péché d'hyperbole (prenant le trope au pied de la lettre, alors qu'il est sans doute pour Orgon lexicalisé, Arlequin dénonce ainsi l'imposture qu'à ses yeux il constitue) ; et c'est du même coup transgresser le « balance principle ». Principe auquel Arlequin se soumet sans réserve, et qu'il applique même avec une rigidité toute arithmétique, cependant qu'Orgon préfère le subordonner à d'autres principes hiérarchiquement supérieurs. Le conflit communicationnel ne tient donc pas ici à un quelconque désaccord quant à l'évaluation de l'importance de l'offense commise, mais à une conception différente des lois de discours, et de leur hiérarchie – c'est-à-dire au fait que les deux protagonistes ne disposent pas de la même compétence *rhétorico-pragmatique :* Orgon est un homme du monde, dont le code conversationnel implique l'hyperbolisation des formules réparatrices (ainsi qu'à l'inverse, la litotisation des formules à fonction incursive); Arlequin, un homme du peuple, épris de langage « droit », ennemi du trope, et partisan de l'application scrupuleuse des maximes de quantité et de modalité. Comme ils ne disposent pas de la même compétence pragmatico-rhétorique, il n'est pas étonnant que leur interprétation diverge de leurs comportements discursifs respectifs : extrêmement poli à ses propres yeux, Orgon l'est excessivement à ceux d'Arlequin, lequel croit jouer parfaitement le jeu qui lui incombe (il accorde le pardon, et minimise la faute), alors qu'il fait figure de goujat aux yeux d'Orgon (dont il accuse la faute, et conteste le comportement énonciatif) : même si sont sauvegardées les apparences d'un petit ballet mondain parfaitement réglé, le malentendu s'installe au cœur du fonctionnement de la machine conversationnelle.

Mais entre le narrateur de la *Recherche* et M. de Norpois, c'est un « abîme pathologique » qui soudain se creuse sous les yeux atterrés de Marcel, et le malentendu est d'une tout autre nature : ce n'est pas du côté de leurs compétences rhétorico-pragmatiques respectives qu'il faut en chercher la cause (car tous deux sont également respectueux du « balance principle » d'où vient tout le mal), mais du côté de leurs compétences *encyclopédiques*, c'est-à-dire de l'image bien opposée qu'ils se font l'un et l'autre du service rendu. Pour le narrateur, c'est une faveur gigantesque que d'être simplement mentionné auprès de ces déesses inaccessibles que sont Odette et Gilberte. Point d'hyperbole donc dans cette déclaration : « Si vous faisiez cela, si vous parliez de moi à Mme Swann, ce ne serait pas assez de toute ma vie pour vous faire témoigner ma gratitude, et cette vie vous appartiendrait! » : Marcel applique ici sincèrement le « balance principle », et la formule est même à ses yeux en retrait (« ces phrases que j'avais prononcées [...], faibles encore auprès de l'effusion reconnaissante dont j'étais envahi ») par rapport à ses sentiments réels. A Norpois au contraire, pour qui rien n'est « moins précieux ni plus aisé que d'être recommandé à Mme Swann », le discours de Marcel apparaît comme constituant, dans son excès hystérique, une transgression monstrueuse de ce principe d'équilibre. Pour résorber une anomalie discursive aussi flagrante, Norpois va donc effectuer le parcours interprétatif consacré, selon Grice, en telle circonstance : ne voulant pas croire à la folie de L, A va construire, à

partir du sens littéral de son énoncé, une inférence, c'est-à-dire une
hypothèse permettant de le faire rentrer dans l'ordre des maximes
conversationnelles, et de le conformer au « balance principle » : s'il me
remercie si exagérément pour un service potentiel si dérisoire en apparence, c'est sans doute qu'il s'agit là en fait d'un bienfait beaucoup plus
considérable qu'on pourrait le croire, et qu'il a commis à l'égard des
dames Swann quelque « faute antérieure » – il n'est donc pas question
que je fasse jamais cette « commission »; malentendu particulièrement
pathétique, puisque c'est précisément ce qui devait pour L rendre son
énoncé particulièrement efficace qui le voue à l'échec, et son extrême
sincérité qui le rend, aux yeux de A, « suspect ».

Quelle que soit la source de tels déboires communicationnels, les
exemples attestés dans les textes littéraires aussi bien que dans la « vie
ordinaire » en sont en tout cas nombreux, qu'il s'agisse même de contenus
explicites, ou a fortiori d'inférences, et de *fonctionnements tropiques;*
fonctionnements « difficiles » s'il en est (pour la rhétorique médiévale,
le trope est une « difficultas ornata »), puisque leur identification suppose
celle du sens littéral, celle du sens dérivé, ainsi que la possibilité de les
hiérarchiser à l'inverse de ce qui serait normalement attendu : autant
d'opérations qui impliquent un certain nombre de décisions interprétatives qui ne vont pas toujours de soi. Il n'est donc pas étonnant que les
tropes soient souvent le lieu de quiproquos et malentendus, soit que A
prenne candidement au pied de la lettre une expression à entendre au
second degré, soit qu'au contraire, par une réaction de défiance cette
fois intempestive, il interprète au second ce qui prétend relever du
premier. Ainsi ai-je longtemps cru que le « rideau de fer » existait « pour
de vrai », avant de découvrir que ce *n*'était *qu*'une métaphore; édifiée
par cette humiliante expérience, lorsque j'ai plus tard entendu parler
du « mur de Berlin », j'ai tout naturellement pris l'expression pour une
métaphore : on ne me la ferait pas deux fois! S'agissant cette fois d'un
fait d'ironie, Guy Bedos nous narre un semblable déboire, dont il fut
lui-même victime en tant qu'émetteur, et non récepteur, du message :
« Il y a trois ans à Bobino, dans un sketch intitulé " Marrakech " je
parlais du Maroc où " même le roi est arabe ". Un truc de dérision sur
le racisme, quoi. Eh bien, j'ai dû le supprimer. Parce que lorsqu'une
première fois une bonne dame vient vous féliciter chaudement " Qu'est-
ce que vous leur avez mis aux ratons! " vous restez pétrifié; mais la
vingtième fois, vous avez compris : attention à l'humour au second
degré! » [37]; mais à l'exact inverse du cas précédent, nous avons entendu
une personne (d'origine étrangère) vanter telle chanson de Michel

Sardou, qu'elle interprétait au second degré, comme un pamphlet anti-raciste...

Voici quelques exemples encore de ces deux types opposés de contre-sens auxquels une séquence peut donner lieu :

1. Interprétation non tropique d'un trope (littéralisation du trope : A prend « pour argent comptant » ce qui n'est qu'une « façon de parler ») [38].

> L_1. – Y a-t-il des habitants dans la lune ?
> L_2. – Cinquante millions.
> L_1. – Et que deviennent-ils quand la lune décroît ? (E. Lubitch, *Ninochka*).

Métaphore :

« Un Belge s'est noyé. Il s'était assis sur un banc de poisson » – comme quoi il est bien vrai que « la lettre » peut tuer (Fontanier, pp. 58-59 : « Le *sens spirituel*, sens *détourné* ou *figuré*, est celui que le *sens littéral* fait naître dans l'esprit par les circonstances du discours, par le ton de la voix, ou par la liaison des idées exprimées avec celles qui ne le sont pas [...]. Il n'existe pas pour celui qui prend tout à la lettre, pour celui qui ne sait pas que *la lettre tue*, et que *l'esprit vivifie* »).

Métonymie [39] :

(Discussion relative aux guides gastronomiques.)

> L_1. – Et en dessous des étoiles, il y a les fourchettes.
> L_2. – Mais non, dans le Michelin les fourchettes ça ne correspond à la qualité de la cuisine, mais au nombre de couverts.
> L_3 (avec stupeur). – Tu veux dire que ça indique le nombre de couverts qu'il y a sur la table, autour de l'assiette ?!?

Hyperbole :

> DORANTE. – Je n'ai qu'un mot à vous dire.
> ARLEQUIN. – Madame, s'il en dit deux, son congé sera le troisième (*Le jeu...*, II, 4).

Litote :

> Cette robe elle n'est pas donnée – Non elle est vendue.
> On n'avance pas – Du moment qu'on recule pas.
> L_1 (membre d'un jury d'agrégation). – Je ne vois pas très bien où il y a une relative ici.
> L_2 (candidate). – Moi aussi je m'y perds !

Trope illocutoire :

> L_1 (guidant la visite d'un château bourguignon). – Peut-on imaginer que cette charpente supporte quatre tonnes de plomb ?
> L_2 (visiteur jouant le rôle du « petit malin » de service, énergiquement). – Non !

Trope fictionnel :

Relèvent de la littéralisation du trope tous les cas où la diégèse fictionnelle est prise pour une réalité documentaire (l'exemple le plus célèbre étant le contresens dont fut l'objet, en 1937, l'adaptation radiophonique par O. Welles de *la Guerre des mondes* de H.G. Wells, laquelle déclencha aux États-Unis une panique collective qui se solda par plusieurs morts [40] : la « lettre » avait encore frappé...); où l'« illusion » théâtrale, ou cinématographique, fonctionne trop bien : c'est le cas, mythique pour Mannoni, mais pourtant attesté, du spectateur qui crie à Jules César, au début de la scène du meurtre : « Attention, ils sont armés! »; de cette personne de notre connaissance qui, confondant acteur et personnage, s'étonne au générique d'un film retransmis à la télévision : « Tiens, Fernandel! Je croyais qu'il était mort! »; ou bien encore, de ces gens qui invectivent si violemment, lorsqu'ils le rencontrent et le reconnaissent, le malheureux interprète du « J.R. » de *Dallas* que celui-ci ne peut plus, paraît-il, circuler sans la protection de quelques gardes du corps... [41] – le cas le plus cocasse étant celui où le responsable d'un trope (il s'agit en l'occurrence d'une « galéjade ») tombe lui-même dans le piège qu'il a malencontreusement tendu : « Relatant son voyage de 1965 en Yougoslavie, Khrouchtchev commence à raconter la vieille histoire du mollah qui veut faire une blague à ses concitoyens : il leur raconte qu'à l'autre bout du village d'où il revient, on distribue du " plov " [plat de riz à l'orientale] gratuitement; quand il voit les villageois qui s'y précipitent, il en fait autant. Khrouchtchev enchaîne : il en était ainsi de nos relations avec la Yougoslavie, " nous nous sommes laissés prendre à l'histoire que nous avions nous-mêmes racontée ". Les dirigeants soviétiques avaient dit que la Yougoslavie était un pays capitaliste. Et eux-mêmes y ont cru » (M. Heller, *Sous le regard de Moscou : Pologne (1980-1982),* Calmann-Lévy, 1982, p. 95).

2. Interprétation tropique d'une séquence en fait non tropique :

Ce contresens inverse du précédent, moins fréquent, est aussi plus intéressant car il montre qu'en matière de complexité interprétative, il arrive à A d'en « rajouter » par rapport au projet signifiant de L :

Métaphore-galéjade :

A la sortie d'un concert d'« Urban Sax », je rencontre un ami qui me déclare : « T'as vu, y avait même Clementi qui jouait! »

Moi (croyant qu'il s'agissait d'une blague, et ayant repéré aussi parmi les joueurs le vague sosie d'un autre acteur) : « Oui! Et y avait aussi Woody Allen! »

J'étais assez fière d'avoir éventé le trope.

Pas de chance : le lendemain, j'apprends que Pierre Clementi faisait effectivement partie de l'orchestre.

Hyperbole :

Je me souviens d'un meeting où le représentant cambodgien [...] avait dit qu'ils pendraient tous les traîtres à la Patrie. On avait eu un certain étonnement, on se disait quand même... mais on avait mis ça sur le compte d'un effet de tribune ou d'un mauvais contrôle du vocabulaire, ça ne nous avait pas paru quelque chose de forcément inquiétant (Alain Ruscio, cité par J.-N. Darde, 1984, p. 164).

Trope illocutoire :

L$_1$ (Gilbert Denoyan). – Si toutes les organisations syndicales se concertaient, est-ce que ça n'irait pas mieux?

L$_2$ (André Bergeron). – C'est vous qui le dites!

L$_1$. – Mais je pose simplement la question! (France Inter, 19 mai 1981).

L$_1$. – Regarde cette voiture elle est chouette non?

L$_2$. – T'es pas folle? Tu vas pas t'acheter une bagnole de dix briques!

L$_1$. – Mais je disais pas ça du tout pour ça!

Je fus invité à dîner [...]. Sara elle-même eut l'air de m'inviter; elle me dit le matin : « Vous dînerez avec nous? » Je crus au moins que c'était une invitation; mais j'ai, depuis, eu lieu de croire que c'était une simple question, et qu'elle aurait désiré que je ne me trouvasse pas en présence de son nouveau choix (Restif de la Bretonne, *Sara, ou l'amour à quarante-cinq ans*, librairie Alphonse Lemerre, Paris, 1929, p. 137).

Trope fictionnel :

De même qu'il arrive que l'on prenne pour historique un récit de fiction, de même il peut se faire, les spécialistes des média le savent bien, que certains témoignages ou documents soient lus comme des constructions fictionnelles [42] – surtout lorsque les faits représentés sont trop horribles pour que soit supportable l'idée qu'il s'agit là de faits réels, actuels ou passés : la lecture tropique fonctionne alors comme un mécanisme de distanciation permettant de tolérer l'intolérable [43].

Il est donc fréquent que les significations extraites d'un énoncé par A (S') ne coïncident pas avec celles que L prétend y avoir logées (S). Et le modèle interprétatif doit se donner les moyens de rendre compte de ces dissymétries et malentendus communicationnels – la solution étant encore une fois de considérer le sens d'un énoncé comme la résultante combinatoire du signifiant, et des diverses compétences dont disposent les différents interprètes, énonciateur compris, de cet énoncé.

Mais les exemples précédents illustrent aussi le fait que les divergences de compétences ne sont pas seules responsables de ces malentendus, qui ne sont pas tous de même nature : tantôt ils relèvent d'une réelle différence de calcul interprétatif, tantôt de l'« esprit », ou du « mauvais esprit ».

– Du point de vue du décodeur, il convient de distinguer :
    1) *Le contresens sincère :*
A n'est pas conscient que S′ = S. Donc,
A veut faire entendre qu'il a extrait S′.

C'est le malentendu, la méprise « naïve », le quiproquo involontaire, qui naissent d'une divergence de compétence, ou d'une erreur de calcul interprétatif.
    2) *Le contresens de mauvaise foi :*
A est conscient que S′ = S. Mais
A veut faire entendre qu'il a vraiment extrait S′
(pour différentes raisons stratégiques et intérêts argumentatifs) [44].

La mauvaise foi de A est d'autant plus évidente que S′ qu'il feint d'extraire de l'énoncé est plus invraisemblable, quand on a de bonnes raisons d'estimer qu'il dispose bien des compétences qui lui permettraient d'identifier correctement S : voir ce qui a été dit précédemment à ce sujet, par exemple de l'enchaînement de L_2 dans ˙

    L_1. – Tu pourrais fermer la fenêtre ? Il fait froid dehors.
    L_2. – Parce que si je fermais la fenêtre, il ferait moins froid dehors ?

Si cette réplique est énoncée sur le mode de la plaisanterie, l'exemple relève de
    3) *Le pseudo-contresens à fonction ludique :*
A est conscient que S′ = S
A veut faire entendre qu'il a extrait S, mais il enchaîne quand même sur S′,
(pour produire certains effets comiques, ex. : Francis Blanche, interviewé par François Chalais :

    F.C. – Vous avez toujours la pipe à la bouche.
    F.B. – Ben oui, où voulez-vous que je la mette [45] ?
        [...]
    F.C. – Et l'au-delà, vous n'y pensez jamais à l'au-delà ?
    F.B. – L'au-delà je vous dirai que je m'en tape le coquillard. Je suis plus intéressé par le vin d'ici que par [lodəla].)

Remarques

  • Le cas 1) peut également susciter le rire, mais il s'agit alors de comique « naïf ».
  • Soit encore cet exemple de Francis Blanche :

    Ah cette époque de violence ! Même le pape qui canonise... :

L feint d'interpréter de travers le verbe « canoniser », mais en fait il sait bien, et A sait bien que L sait, et L sait que A sait qu'il sait que

« canoniser » ne veut pas dire « tirer au canon » : le sujet réel (Francis Blanche), correctement compétent, se dissimule ludiquement derrière un sujet fictif qui prend en charge l'erreur interprétative.

Tel est en général le schéma qui caractérise les « histoires drôles » : elles mettent en scène des personnages qui commettent, naïvement ou avec mauvaise foi, quelque contresens; lequel est rapporté par un énonciateur dont l'intention pragmatique est essentiellement humoristique : les histoires drôles relèvent donc, selon le niveau d'énonciation auquel on les envisage, de plusieurs catégories simultanément

(ex. : Un député à la frontière : Le douanier : « Vous avez quelque chose à déclarer? – Volontiers. Vous avez un micro? »

Deux locataires dans l'escalier : « Dites donc, vous, vous n'avez pas entendu cogner contre votre mur la nuit dernière? – Oh rassurez-vous, vous ne m'avez pas dérangé du tout. J'avais moi-même invité quelques amis pour une petite sauterie »).

• Il va de soi qu'il n'est pas toujours possible de déterminer de quelle catégorie relève tel ou tel contresens observé, c'est-à-dire si A a perçu ou non le sens correct (2)-3) vs 1)), et dans le premier cas, s'il veut ou non laisser entendre qu'il l'a bien perçu (3) vs 2)).

– Me déplaçant maintenant du côté de l'encodeur, je distinguerai les niveaux suivants :

    0 – le *dire apparent,* ou explicite

    1 – la *prétention signifiante :* ce que L veut faire croire ou admettre qu'il a effectivement dit (ce qu'il est prêt à assumer comme contenu de son dire)

    2 – l'*intention signifiante :* ce que L veut faire ou laisser entendre

    3 – la *pensée réelle* de L.

N.B. : ces différentes données, qui caractérisent ou sous-tendent le comportement discursif de L, n'ont d'existence sémiotique qu'en tant qu'elles font l'objet d'une tentative de reconnaissance par A. Par exemple, nous entendons par « prétention signifiante » de L ce que A estime de bonne foi que L serait prêt à assumer comme contenu de son dire, sur la base de certains indices (dont parfois, mais parfois seulement, les commentaires que L fournit lui-même, avec bonne ou mauvaise foi d'ailleurs, de son propre discours).

Qu'il soit nécessaire de dissocier ces quatre objets théoriques, cela apparaît au travers des cas de figure suivants, qui constituent autant de jugements portés par A sur le statut de l'énoncé de L [46] :

0) *Communication normale :* $0 = 1 = 2 = 3$
L $\Big\{$ dit explicitement p
« prétend » p
veut faire entendre p
pense réellement p

Remarque

Sur le contenu explicite p peuvent venir se greffer différentes couches de contenus implicites. On considérera qu'il s'agit de communication « normale » tant que l'on a de bonnes raisons d'estimer
que ces contenus implicites ne constituent pas le véritable objet du message à transmettre,
que L est prêt à les assumer s'ils sont d'une évidence relativement incontestable, et qu'ils ne vont pas à l'encontre de la « pensée réelle » de L (on verra bientôt que s'il en est autrement, on a affaire à un trope dans le premier cas, et à de la mauvaise foi dans les deux derniers).

1) *Mensonge*
L $\Big\{$ dit explicitement p
« prétend » p
veut faire entendre p
pense en réalité $p' = p$
Le mensonge consiste donc en un décalage entre 3 et 0-1-2.

Remarques

• Le mensonge, ce n'est pas la même chose que l'erreur, ou la contre-vérité.
Dans le jugement d'erreur, A se contente de confronter le contenu de l'énoncé de L avec ce qu'il pense ou croit savoir du référent discursif.
Dans le jugement de mensonge, interviennent en outre certaines hypo-thèses concernant la pensée réelle de L, sur la base de certains indices extralinguistiques, et éventuellement verbaux (contradiction interne à l'énoncé) ou para-verbaux (une inflexion qui sonne faux – par opposition à « l'air », aux « accents de la sincérité » –, le fameux « nez qui bouge », ou qui s'allonge à la Pinocchio, un simple cillement, un regard qui dément les propos tenus :

JUNIE. – Moi ! Que je lui prononce un arrêt si sévère !
Ma bouche mille fois lui jura le contraire.
Quand même jusque-là je pourrais me trahir,
Mes yeux lui défendront, Seigneur, de m'obéir – *Britannicus*, II, 4),

les indices du mensonge n'étant pas fondamentalement différents en nature de ceux du trope, mais échappant par définition à la volonté de L (sauf en cas de mensonge extorqué, comme dans l'exemple de Junie contrainte par Néron à mentir à Britannicus [47]), puisque le mensonge relève pour Grice du cas où la pensée réelle de L est « nécessairement tenue secrète », mais n'y parvient que si le mensonge n'est pas « éventé ».

• Signalons au passage, sans tenter d'en faire la typologie, que les différentes variétés du mensonge sont nombreuses : feinte, tromperie, calomnie, bluff, racontard, affabulation, sans parler du « secret » et du mensonge par omission...

• On ne parle en général de mensonge que si le décalage existant entre ce que conçoit l'esprit et ce qu'énonce la langue (Stevenson, *Le maître de Ballantrae,* 10/18, p. 159 : « ... Quant à quitter le service de la famille, ma langue seule a parlé, rassurez-vous ») porte sur le contenu *explicite* du dire, seul concerné par un tel jugement (lorsque c'est un contenu implicite qui est jugé insincère, on parlera plutôt de « mauvaise foi »).

Les « anomalies » que nous allons envisager maintenant découlent au contraire de la perception d'un décalage entre le dire explicite et le dire implicite, tel que :
le contenu implicite constitue en fait le véritable objet du message à transmettre, et/ou L ne semble pas disposé à assumer la responsabilité de ce contenu, dont l'extraction est pourtant fortement encouragée par son comportement discursif, et/ou ce contenu n'est pas conforme à la pensée de L – c'est-à-dire qu'elles relèvent du trope, et/ou de la mauvaise foi.

2) *La mauvaise foi* [48]

Nous parlerons de mauvaise foi (à la production : le cas de la « mauvaise foi interprétative » a été envisagé précédemment) lorsque

$$L \begin{cases} \text{dit explicitement p} \\ \text{veut faire croire qu'il a dit p et seulement p} \\ \text{veut faire entendre en outre (et même fondamentalement} \\ \text{s'il s'agit d'un « trope de mauvaise foi ») p' = p.} \end{cases}$$

La mauvaise foi consiste donc en un décalage entre 2 et 0-1, c'est-à-dire entre les sens « intendu » et « prétendu » : L suggère fortement un contenu douteux, mais qui pour diverses raisons l'arrange; contenu dont il espère bien que A va l'extraire de l'énoncé, mais dont il se ménage en même temps la possibilité de nier l'avoir suggéré (ex. : « Peut-être qu'après votre avortement vous ne pourrez plus avoir d'enfant » : l'énoncé est inattaquable, au niveau de son contenu littéral, seul assumé par L; mais fort contestable en ce qui concerne l'inférence dont il cherche pourtant à solliciter l'émergence chez A : /cet avortement risquerait de vous rendre stérile/. De même peut-on accuser L_1 de mauvaise foi, lorsqu'il nie avoir cherché à induire L_2 en erreur au cours de l'enchaînement dialogique suivant :

L_1. – Il n'est pas deux heures!
L_2. – Pas encore? Mais quelle heure est-il donc?
L_1. – Deux heures dix!
L_2. – Tu ne vas pas jouer avec les mots!
L_1. – Mais je ne joue pas avec les mots, c'est la vérité!).

Remarque

Il arrive que p', bien que virtuellement ou effectivement récusé par L, soit conforme à sa pensée réelle, mais « inavouable ». Dans la grande majorité cependant des cas de mauvaise foi, p' est en outre insincère. La mauvaise foi apparaît alors comme un *mensonge sur un sous-entendu,* mensonge plus sournois que le « vrai » mensonge, le mensonge « franc » si l'on peut dire, qui concerne le contenu explicite de l'énoncé produit; mensonge plus confortable aussi (car s'il est éventé, L peut toujours dégager sa responsabilité dans l'existence de p', et l'imputer au seul décodeur), mais évidemment plus aléatoire (car le contenu p', n'étant que sous-entendu, risque toujours d'échapper à la vigilance interprétative de A).

3) *Le trope*

Selon la définition que nous en avons précédemment proposée, A identifie un trope dès lors qu'il estime avoir de bonnes raisons de supposer que le contenu apparemment implicite constitue en fait le véritable objet du message à transmettre.

• *Le trope « de bonne foi »* (trope proprement dit, auquel peuvent être ramenés tous les exemples de tropes « classiques », tels que « Quel joli temps! », énoncé ironiquement) se caractérise par le schéma suivant :

L $\begin{cases} \text{dit explicitement p} \\ \text{« prétend » p'} \neq \text{p (et même carrément antonymique de p dans le} \\ \text{cas de l'antiphrase)} \\ \text{veut faire entendre p'} \\ \text{pense p',} \end{cases}$

donc par un décalage entre 0 et 1-2-3.

Le trope s'apparente au mensonge dans la mesure où dans les deux cas, le dire apparent de L ne coïncide pas avec sa pensée réelle; mais il s'y oppose en ce que cette pensée tend à se dissimuler totalement dans le cas du mensonge, alors qu'elle est « ouverte », dirait Grice, dans celui du trope [49]. Différence capitale : produire un trope, c'est « feindre sans intention de tromper » (Searle, 1982, p. 108), c'est dire p, en pensant p', mais avec l'intention et la prétention que p', qui correspond pour L au vrai sens de l'énoncé, soit effectivement reconnu comme tel par A.

Pourtant, le trope est parfois assimilé au mensonge. C'est qu'un certain nombre de raisons font que le tracé n'est pas net de la frontière qui sépare ces deux comportements discursifs : le flou terminologique d'abord qui affecte le terme de « mensonge » – selon qu'on en admet une définition extensive (il y a mensonge dès lors que le dire apparent diverge de la pensée réelle de L), ou restrictive (la nôtre ici : il faut qu'en outre, L cherche à dissimuler sa pensée réelle), « trope » sera dans une relation d'hyponymie, ou de contraste, par rapport à « mensonge », terme polysémique qui se domine lui-même :

mensonge

```
      /\
     /  \
mensonge   trope
```

(c'est par exemple dans son acception la plus large, puisqu'il s'agit en fait d'un « trope fictionnel », qu'il faut entendre ce mot dans la formule de clôture qu'utilisent phatiquement certains conteurs africains : « Tel est notre mensonge du soir »). D'autre part, l'intention et la prétention signifiantes de L n'étant pas toujours, nous l'avons assez dit, clairement déterminables, il arrive que le trope ressemble à s'y méprendre à un mensonge (au sens étroit cette fois).

Le trope ayant donc certaines affinités compromettantes avec le mensonge [50], il n'est pas étonnant que le discrédit qui pèse sur le second rejaillisse parfois sur le premier, qui est à ce titre évalué de façon variable.

Le trope n'a pas que des adeptes, et la liste serait longue de ses détracteurs : on pourrait citer par exemple, pour l'ironie, Goethe, Stendhal ou Proust; pour la métaphore, le Président de Brosses; et pour l'ensemble des figures de rhétorique, Hobbes, qui les juge globalement « absurdes », Locke, qui déclare sans ambages : « We must allow that all the art of rhetoric [...], all the artificial and figurative application of words eloquence has invented, are for nothing else but to insinuate *wrong* ideas, move the passions, and thereby *mislead* the judgment; and so indeed are perfect *cheats* [...]. It is evident how much men love to deceive and be deceived, since rhetoric, *that powerful instrument of error and deceit,* has its established professors, is publicly taught, and has always been in great reputation » [51], ou plus anciennement Marguerite de Navarre, qui déclare avoir éliminé de *L'Heptaméron* toutes sortes d'ornements inutiles « de paour que la beaulté de la rhétorique fict tort en quelque partye à la vérité de l'histoire » : la rhétorique est maîtresse de fausseté, art de la flatterie, technique de l'imposture, culture du mensonge, et de la paresse artificieuse [52]; et si la figure « figure », en même temps elle défigure – la sacro-sainte « vérité » [53]. On pourrait tenter aussi la typologie de ces détracteurs, et voir quelles catégories d'individus manifestent à l'égard du trope certaine résistance ou intolérance : Arlequins de tout poil [54], esprits « simples » ou « positifs » qui, d'après Jean-Louis Bory [55], reprochent aux « artistes » de « passer leur temps au petit jeu bien connu " tu es vessie je te fais lanterne ", bel attrape-nigaud, vessie est la vessie et la lanterne lanterne [56] », logiciens que la métaphore embarrasse (pour Buridan, « l'homme est un âne » serait un énoncé faux [57]), et tous ceux qui se targuent de toujours « appeler un chat un chat ».

C'est donc au nom de la vérité, et de la rectitude dénominative, qu'est condamné le trope. Il est plus intéressant de remarquer que c'est au nom de cette même vérité [58] que parlent souvent les défenseurs du trope; ainsi Vossius qui tente de démontrer que l'ironie et la métaphore ne sont pas vraiment mensongères puisque le mensonge y est avoué et reconnu comme tel [59]; Fontanier qui assure, à partir de l'exemple de l'hyperbole, que le trope n'a d'autre vue que d'« amener à la vérité même », et qu'il y parvient peut-être mieux encore que le discours littéral, puisque cette vérité se découvre au terme d'une « réflexion » qui favorise d'autant plus efficacement l'inscription du vrai dans l'esprit de celui qui s'y livre; plus proches de nous, Ricœur ou Lakoff (qui parlent respectivement, à propos de la métaphore, de « fiction heuristique », et d'« imaginative rationality »), ou ce critique de cinéma qui affirme à propos de *Salvatore Giuliano,* de Francesco Rosi : « Même si les images du cinéma entrent en concurrence perverse avec celles des actualités, même si Rosi glisse à malin plaisir et sans crier gare de véritables documents d'archives, le doute n'est pas permis : tout ça c'est du cinéma. Mais pour autant qu'on soit un amoureux de la fiction, pour peu qu'on admette par exemple que Grace Kelly, marchant dans un film d'Hitchcock est tout aussi édifiante sur la haute bourgeoisie des années cinquante que n'importe quel document d'actualité sur le même sujet, et *Salvatore Giuliano* rejoint alors quelques rares tentatives de sauver l'illusion cinématographique de l'épouvantable hypothèque morale qui n'en finit pas de l'accabler *(tout ça c'est des menteries)* » (Gérard Lefort, *Libération* du 1er févr. 1982, p. 34) [60] : souci révélateur, chez tous ces théoriciens, de réhabiliter le trope et de le laver des accusations de mensonge auquel il risque de donner prise; souci auquel fait écho, chez les utilisateurs mêmes du trope, une tendance bien attestée à le flanquer de modalisateurs eux-mêmes mensongers (ou plutôt tropiques) tels que « vrai », « véritable », « vraiment », « littéralement » : le trope s'énonce souvent sur le mode de la dénégation *(« ceci n'est pas un trope »)*.

Les avis le concernant sont donc partagés; certains condamnent, d'autres réhabilitent, d'autres enfin balancent : les tropes ne constituent pas de véritables mensonges puisqu'ils ne prétendent pas, au niveau de leur sens littéral du moins, dire le vrai, et si mensonge il y a, c'est un mensonge honnête, et « légal » – au sens même strictement juridique de ce terme, puisqu'un récent arrêt de la Cour d'appel de Paris admet que les publicités exploitant certains tropes clairement avoués comme tels ne tombent pas sous le coup de la loi prohibant la publicité mensongère : « La société concurrente Delsey avait accusé de publicité mensongère un spot Samsonite de l'agence T.B.W.A. simulant un match de football où la valise faisait figure de ballon, et des bulldozers de joueurs. La samsonite survivait aux rudes chocs... Mensonge, attaquait Delsey, plusieurs valises ont été cassées durant le tournage. En première instance, le Tribunal correctionnel de Paris avait donné raison au plaignant : "Une telle présentation faite à l'intention d'un vaste public, et qui n'était assortie par ailleurs d'aucune atténuation, *voire note d'ironie ou encore de fantaisie,* n'a pas revêtu en l'occurrence un caractère imaginaire ou irréel suffisant pour dissiper toute équivoque dans l'esprit du spectateur. " Tel n'est pas l'avis de la Cour d'appel : il ne lui a pas échappé que des bulldozers jouant avec une valise sur un terrain de foot n'est pas un spectacle courant. La cour, dans un arrêt remarquable, explique les ressorts de la publicité et son éducation [...]. Et de constater à bon escient que " cette évolution a nécessairement pour conséquence de faire reculer les limites du délit de publicité mensongère, dans la mesure où *l'hyperbole publicitaire,* dont l'observation quotidienne fournit de multiples exemples, *ne peut, par son outrance et exagération, finalement tromper personne* " » (Philippe Gavi, *Libération* du 28 avril 1983, p. 8). Mais c'est tout de même une espèce de mensonge, et à ce titre, il est honteux de faire des tropes – tous ces atermoiements évaluatifs tenant au caractère *hybride* du trope, qui littéralement ment, mais est sincère au niveau du sens dérivé, sens que précisément L assume et veut faire entendre à la place du sens littéral, quand il s'agit du moins d'un « trope de bonne foi » (ce qui n'est pas forcément le cas des tropes publicitaires, dont il n'est pas sûr qu'ils aient toujours pour vue d'« amener à la vérité même »).

• *Le trope de mauvaise foi* s'apparente quant à lui sans conteste au mensonge, puisque sa vue est de tromper.

Il constitue à la fois un cas particulier de mauvaise foi : son schéma est celui qui a été envisagé en 2), mais à la condition de préciser qu'ici, p′ est estimé constituer le contenu essentiel du message à transmettre; et un cas particulier de trope, tel que L, n'étant pas prêt à assumer p′, veut faire croire qu'il a dit p, et seulement p [61].

Ce type de fonctionnement ne se rencontre que dans les tropes où le contenu dérivé, bien que jugé dominant par rapport au sens explicite, s'y ajoute sans s'y substituer (p′ ne disqualifie pas totalement p), ce qui laisse à L la possibilité de « se replier » sur p. Par exemple, dans la plupart des « tropes implicitatifs » :

« Pierre a cessé de se droguer » : j'identifierai cet énoncé comme constituant un « trope de mauvaise foi » si j'ai de bonnes raisons de penser qu'il a pour fonction essentielle de m'apprendre que Pierre se droguait auparavant (c'est donc p′ qui est principalement « intendu »), mais que L prétend avoir voulu me communiquer p, et seulement p; ou dans certains cas de tropes illocutoires : si lorsqu'ils sont fortement conventionnalisés les tropes illocutoires sont en tous points assimilables aux fonctionnements métaphoriques ou ironiques, lorsqu'ils sont « d'invention » (« Il fait chaud ici! »), L peut toujours pratiquer l'esquive de la dénégation, et prétendre n'avoir nullement cherché à faire entendre p′.

Récapitulation

– Du point de vue de la « loi de sincérité », le statut des différents cas de figure qui viennent d'être envisagés est le suivant (sans revenir sur le cas du « trope de bonne foi », dont nous avons précédemment signalé l'ambivalence) : cette loi est entièrement respectée en 1), ce qui nous permet de parler ici de communication « normale ». Elle est en revanche transgressée en 2), le mensonge étant un énoncé dont le contenu explicite est insincère; et en 3), puisqu'un locuteur de mauvaise foi tente de faire accréditer un contenu implicite qu'il n'assume pas, et qui est en outre le plus souvent mensonger [62].

– La mauvaise foi, avons-nous dit, peut se localiser à l'encodage comme au décodage, et caractériser L aussi bien que A :

L_1 (passant en compagnie de L_2 devant une pâtisserie). – Regarde, j'adore ces gâteaux-là.

L_2. – Tu ne vas tout de même pas manger des gâteaux à cette heure-ci !

L_1. – Mais je ne voulais pas dire ça ! Si je ne peux même plus te montrer les gâteaux que j'aime...

L_2 interprète comme un trope illocutoire l'énoncé de L_1, qui de son côté proteste de sa bonne foi littéraliste : il y a malentendu, puisque L_2 extrait de l'énoncé de L_1 une inférence que L_1 n'y a pas encodé – du moins à ce qu'il prétend. Mais L_1 comme L_2 peuvent être de mauvaise foi, L_2 feignant, histoire de chercher noise à L_1, d'avoir cru qu'il s'agissait d'un trope alors qu'il se doutait bien que ce n'était pas le cas, ou L_2 reniant et déniant après coup un trope dont il avait pourtant au départ souhaité l'identification.

Encore cette description est-elle bien simplificatrice : si l'on envisageait toutes les possibilités combinatoires des différents modes d'encodage et de décodage, en tenant compte du fait que de tels jugements sont souvent flous, voire carrément « indécidables », le nombre des cas de figure, s'agissant d'un échange aussi apparemment anodin que celui-ci, serait assez impressionnant.

– Reste à préciser le statut, par rapport au problème initialement posé de la (dis)symétrie encodage/décodage, de la « pensée réelle » de L.

Il semble en effet que de ce point de vue, seuls soient pertinents, en plus bien sûr du niveau 0, les niveaux 1 et 2 : il aura parfaitement « compris » l'énoncé de L celui qui en aura identifié les prétention et intention signifiantes; il n'y aura rien compris celui à qui les deux échapperont; et l'on pourra parler de « dissymétrie partielle » lorsque l'un ou l'autre seulement de ces deux éléments sera perçu par A. En d'autres termes : il y a dissymétrie encodage/décodage (partielle : « ou », ou totale : « et ») dès lors que A identifie incorrectement la prétention, et/ou l'intention signifiante de L – lesquelles, heureusement, le plus souvent coïncident.

Notre ultime définition du sens d'un énoncé sera donc : *Un énoncé veut dire ce que ses récepteurs estiment* (à tort ou à raison, de façon réelle ou feinte, de bonne ou de mauvaise foi) *être la prétention et l'intention sémantico-pragmatiques du locuteur dans cet énoncé.*

Quant au niveau 3, son statut est différent de celui des deux précédents : il est bien évident que ne pas identifier la pensée réelle d'un menteur, ce n'est pas interpréter de travers son énoncé : si Pierre m'annonce qu'il a réussi son examen, si c'est faux, s'il sait que c'est faux, s'il veut que je croie que c'est vrai (Pierre ne fait pas d'ironie), et si je crois effectivement que c'est vrai, je ne ferai pas pour autant sur son énoncé un « contresens » : le niveau 3 est *de ce point de vue* non pertinent.

Mais selon que A pense que L pense ou non ce qu'il dit, il ne jugera pas de la même manière l'énoncé : ce sera un énoncé mensonger (et son énonciateur, un menteur), chargé donc d'une marque particulière (et infamante), s'il s'avère que le niveau 3 ne coïncide pas avec les autres.

Nous énoncerons donc pour terminer le principe suivant : *les méca-nismes interprétatifs intègrent parfois, en plus de la reconnaissance par A des intention et prétention de L dans son énoncé, certaines éva-luations supplémentaires de cet énoncé,* en termes par exemple de sincérité/mensonge, ou encore, de vérité-fausseté – mais cela est une autre histoire [63].

Conclusion

« On ne saurait gouverner sans laconisme » : la formule de Saint-Just ne vaut pas que pour les gouvernants. On ne saurait tout dire sur le mode explicite : même s'il est vrai qu'ils doivent être soigneusement dosés (F. Jacques, 1979, p. 170 : « Il y a un optimum dans le partage des présuppositions. Trop peu, la conversation n'est pas viable, trop elle n'est pas féconde »), les présupposés et les sous-entendus sont une *nécessité discursive,* découlant entre autres choses du principe d'économie, ainsi que le note Aristote [1] à propos de l'enthymème : « L'enthymème doit consister en un petit nombre de propositions, généralement moindre que celles qui composent le syllogisme normal. Car si l'une des propositions se rapporte à un fait familier, inutile de la mentionner : l'auditeur la suppléera de lui-même [...]. Ainsi il ne faut ni remonter trop haut dans le raisonnement – sinon la longueur de l'argument serait cause d'obscurité – ni non plus marquer toutes les étapes qui conduisent à notre conclusion – ce qui serait gaspiller les mots en énonçant ce qui est manifeste. » Et si les contenus implicites prolifèrent de préférence, en vertu des exploitations stratégiques auxquelles ils ont la complaisance de se prêter, dans les énoncés politiques, publicitaires ou quotidiens, ils se rencontrent aussi dans certains types de discours qui n'ont pourtant pas la réputation d'être spécialement manipulatoires : discours juridique (voir dans *Langages* n° 53 les articles de Bourcier et de Mackaay), discours des mathématiciens (Y. Lecerf, 1979, p. 90 : « Les mathématiques connaissent bien cette distinction entre l'implicite et l'explicite »), ou des logiciens, qui jonglent eux aussi avec certaines formes d'implicite, même si ce ne sont pas exactement les mêmes calculs qu'effectuent les « formalistes » (tel le Chapelier dans ce passage d'*Alice au pays des merveilles*), et les « naturalistes » (qui tiennent compte, à l'instar d'Alice, de l'existence des présupposés et de l'action des lois de discours) :

> — Reprenez donc un peu plus de thé, dit gravement le Lièvre de Mars à Alice.
> — Je n'en ai pas encore pris, répondit Alice d'un ton offensé. Je ne vois pas comment je pourrais en prendre *plus*.
> — Vous voulez dire que vous ne pouvez pas en prendre *moins,* dit le Chapelier : car il est très facile de prendre *plus* de rien (p. 92).

Les contenus implicites sont donc omniprésents [2], et il n'y a pas forcément là de quoi s'alarmer. En dépit de la maxime de modalité, il faut reconnaître au locuteur un *droit à l'énonciation implicite :* parce qu'elle permet d'amortir les « Face Threatening Acts », mais aussi, dans la mesure où une inférence n'est jamais l'exact équivalent de sa traduction en termes explicites, parce qu'elle s'énonce sur le mode du *flou* (et le flou n'est pas à considérer pour nous comme un pur « bruit », comme une propriété exclusivement négative du sens), et qu'elle impose une sorte de suspens partiel de l'interprétation :

> FRANCHISE. — D., que j'aime bien, mais que j'ai beaucoup vu les jours précédents, et qui parfois m'ennuie un peu, me propose de sortir avec lui ce soir-là, à quoi je réponds que non, le restaurant qu'il a mentionné ne me tente pas tellement, ni d'aller ensuite dans telle boîte. Mais quelques heures après, je le rencontre dans une autre. Il me fait une scène et me dit que je ne suis « pas franc » : j'aurais dû lui dire simplement que je n'avais pas envie de sortir avec lui. Comment lui expliquer que c'était parfaitement exact, mais que de le lui dire, cependant, aurait dépassé ma pensée?
>
> Exiger de l'autre sa sincérité, sa franchise, c'est trop souvent vouloir le forcer à sortir de sa langue et à entrer dans la vôtre. Si « je n'ai pas envie de coucher avec toi parce que je te trouve moche et con » se dit dans ma langue (qui heureusement n'est pas qu'à moi) « non, ce soir, je suis vraiment crevé », exiger que je traduise, ou simplement s'obstiner à ne pas me comprendre, c'est faire abusivement pression sur moi. Non, ce que je veux dire, ce n'est pas « tu es moche et con », c'est même exactement ce que je ne veux pas dire. Seulement « ce soir je suis vraiment crevé » ne signifie pas *toujours* (c'est ça qui serait grossier), ne signifie pas toujours « tu ne me plais pas », de même que « non, aujourd'hui je suis pris, malheureusement, et demain aussi » ne signifie pas *forcément* « je n'ai pas envie de te voir ». Décrypter de tels messages, et leurs signes annexes, c'est consentir à l'autre une attention autrement généreuse que l'exigence poujadiste de sa « sincérité ». Les émettre, c'est montrer beaucoup plus d'estime pour le correspondant que ne le fait la prétendue « franchise », puisque c'est le supposer intelligent, et qu'il va comprendre » (Renaud Camus, *Notes achriennes,* Hachette, 1982, pp. 161-162),

passage qui fait singulièrement écho à celui-ci, bien antérieur, d'un autre Camus :

> Surtout, ne croyez pas vos amis, quand ils vous demanderont d'être sincères avec eux. [...] Comment la sincérité serait-elle une condition de l'amitié? Le goût de la vérité à tout prix est une passion qui n'épargne rien et à quoi rien ne résiste. C'est un vice, un confort parfois, ou un égoïsme (*La Chute,* folio, p. 88).

Corrélativement, il faut au récepteur reconnaître le droit de lire les arrière-pensées de l'émetteur, et de détecter les sous-entendus tapis au cœur de ses propos – dans certaines limites cependant, au-delà desquelles il peut être accusé de sombrer dans la paranoïa. Paranoïa « lourde », qui sous sa forme collective caractérise, d'après Alain Finkelkraut, le comportement des militants révolutionnaires, lesquels s'évertuent à traquer dans les énoncés de l'ennemi de classe les traces infâmes de leur énonciation, jusqu'à en oublier les évidences de la littéralité énoncive (et se rendent donc coupables, dirons-nous, de l'identification abusive et systématique de « tropes implicitatifs portant sur un présupposé pragmatique ») : « Ils divulguent, ils démasquent : ils s'adonnent à une véritable *orgie interprétative*. Qui parle? Pourquoi? Dans quel dessein? Quelle est la stratégie de Kravchenko en organisant ce procès à grand tapage? Qui est derrière lui? Qui tire la ficelle? A qui profite tout ce tapage? Quels sont les mobiles secrets de l'opération? [...] Ils découvrent et explorent le lien essentiel, dans le discours, entre celui qui parle et ce dont il parle [...], par la transformation du rapport en *aveu,* invisible coup d'état sémiologique qui destitue la fonction réaliste du message au seul bénéfice de sa fonction expressive [...]. Fuyant le réel dans l'herméneutique, il vit son aveuglement comme un surcroît de lucidité (il s'agit de voir au-delà des apparences), et sa surdité comme une écoute plus fine des connotations et des sous-entendus qui sont la vérité ténébreuse de l'Autre, la texture de sa parole » (1982, pp. 63-66); ou paranoïa « légère » [3] : « Habitué à rechercher toujours dans le discours de l'autre ce qui pourrait bien le blesser, le parano léger en vient à soupçonner tous les discours, y compris les siens, de charrier et de dissimuler autre chose que ce qu'ils exposent, de sordides intérêts, de noires hypocrisies [...]. Sondeur de strates, explorateur de couches, spéléologue par excellence, le parano léger est un bathmologue-né » (R. Camus, *op. cit.,* p. 163) : c'est bien en effet de la bathmologie [4] que relève ce mécanisme d'emboîtement théoriquement infini des niveaux sémantico-pragmatiques qui constituent la signification globale d'un énoncé, et dérivant en cascade les uns des autres, lui donnent, avons-nous dit, ces allures de « feuilleté ».

Sur l'originalité du statut des contenus implicites, nous avons suffisamment insisté pour qu'il ne soit pas nécessaire d'y revenir, et sur les incertitudes qu'elle entraîne, et les difficultés qu'il y a parfois à répondre, dès lors qu'un sous-entendu se trouve impliqué dans l'affaire, à des questions aussi fondamentales que celles-ci : se trouve-t-on ou non en présence ici d'une contradiction, d'une redondance, d'une erreur, d'un mensonge – et partant, est-il utile et possible (à quand le détecteur d'arrière-pensées?) de censurer les sous-entendus (Berelovitch, 1981, pp. 154 et 156 : « Pour Saltykov Scedrin l'" autrement dit " était devenu une forme d'expression naturelle, les lecteurs le comprenaient, seule la censure ne le comprenait pas et *n'avait pas le droit de le comprendre* [...]. A l'époque actuelle, *alors qu'existe une censure pour sous-entendu,* ces procédés [de camouflage grâce aux techniques classiques de " la langue d'Ésope "] sont devenus insuffisants »)? Nous voudrions en revanche souligner qu'il convient pour nous d'accorder aux contenus implicites, une place égale, dans le modèle descriptif, à celle que se voient octroyer les contenus explicites – même si leur inscription dans l'énoncé, où ils ont un peu le statut de « passagers clandestins », est souvent plus timide et précaire : ce n'est pas parce qu'un contenu est moins *assuré* qu'il joue un rôle *secondaire* dans les fonctionnements discursifs. En effet :

1. La compréhension globale d'un énoncé inclut celle de ses pré-supposés et sous-entendus [5] (Guy Denhière, 1975, montrant ainsi, tests à l'appui, que lorsqu'ils ont à paraphraser, résumer et mémoriser un texte narratif, les sujets traitent de la même manière exactement les propositions qui s'y trouvent formulées explicitement, et implicitement). Corrélativement, l'entreprise linguistique consistant pour nous à tenter de comprendre comment un énoncé est compris, un modèle ne peut être jugé satisfaisant que s'il cherche à expliquer comment s'effectue le décodage des contenus implicites aussi bien qu'explicites; à rendre compte au même titre des parties *immergées* et émergées du sens des énoncés.

Au passage, cette précision : notre approche des mécanismes inter-prétatifs est de nature *linguistique,* et non *psycholinguistique* [6]; c'est-à-dire que je ne prétends nullement que cette « chaîne interprétative » que j'essaie de reconstituer reflète fidèlement les opérations effectivement accomplies par les récepteurs effectifs de l'énoncé : il s'agit là d'un *artefact* descriptif, dans la construction duquel interviennent un grand nombre de décisions arbitraires (concernant par exemple le nombre et l'ordre des maillons de cette chaîne), ou qui ne reposent du moins sur aucune observation expérimentale. Mais je ne puis en même temps m'empêcher de m'interroger sur la pertinence psycholinguistique de ce type de description, et d'espérer – tout en niant que de telles considé-rations soient pertinentes pour la valider ou l'invalider, c'est-à-dire que je me trouve d'une certaine manière, vis-à-vis de ce problème de l'interprétation des énoncés, dans la même position, non exempte d'une

certaine dose de mauvaise foi, que les générativistes vis-à-vis du problème
de leur production – que peut-être « ça se passe vraiment comme ça... ».
2. Plus spécifiquement, les contenus implicites jouent un rôle décisif
dans l'établissement de la cohérence textuelle, qu'il s'agisse de productions monologales [7], puisque c'est par exemple au niveau des valeurs
illocutoires dérivées que se constituent pour l'essentiel les « macro-
actes » de langage [8], ou d'échanges dialogaux, puisque c'est souvent sur
la base d'un contenu implicite que s'effectue l'enchaînement d'une
réplique à l'autre, celle de L_2 venant réfuter [9], contester, ou simplement
commenter un présupposé ou un sous-entendu contenu dans l'énoncé
précédent de L_1 (certaines conversations, certains échanges mondains,
en de certains lieux où l'esprit se confond avec la virtuosité dans l'art
de jongler avec les sous-entendus, se déroulant même essentiellement
sur ce mode).

Soit ainsi cet échange extrait d'un texte théâtral, *Attention au travail*
(création collective du Théâtre de la Salamandre, 1979) :

(1) L_1. – Vous savez ce qui me ferait plaisir ?
(2) L_2. – Non ?
(3) L_1. – Que vous m'appeliez Robert.
       [...]
(4) L_1. – Quand je suis à côté d'une jolie femme ça m'intimide.
(5) L_2. – *Vous dites ça pour me faire plaisir* [souligné par nous].
(6) L_1. – Je vous avais demandé de me tutoyer.
(7) L_2. – Mais non, vous m'avez juste demandé de vous appeler Robert.
(8) L_1. – C'était sous-entendu.

Attardons-nous un peu sur les deux « ça » qui apparaissent dans cette
mini-interaction, au cours de laquelle L_1, manifestement, « drague » L_2
(et l'on pourrait analyser par le menu, mais ce n'est pas ici notre propos,
les différentes étapes de l'offensive séductrice de L_1, auxquelles répondent
les dérobades-acceptations successives de L_2) : le premier établit une
relation de co-référence interne à la réplique (4), et le second une
relation de co-référence qui assure la liaison entre (4) et (5). A la
différence en effet des déictiques personnels, qui alternent d'une réplique
à l'autre et connaissent donc un fonctionnement différent selon qu'on
les envisage dans le cadre d'un discours mono- ou dialogal, les anapho-
riques assurent également et de la même manière la cohérence « intra-
réplique », et « inter-répliques ».

Cela étant dit, quel est exactement l'antécédent du démonstratif
figurant dans l'énoncé (5)? Un contenu propositionnel global – mais non
point le contenu littéral de (4), dont on ne voit guère en quoi il serait

susceptible de « faire plaisir » à L_2... Cet anaphorique représente en fait une proposition telle que :

(4′) /je suis à côté d'une jolie femme/

(→ (4″) /vous êtes une jolie femme/, en vertu de considérations situationnelles),

mineure élidée d'un syllogisme dont (4) constitue la majeure, et qui permet de rendre pertinent un énoncé trop général pour l'être en suffisance. C'est donc l'application de la loi de pertinence qui permet ici l'extraction par L_2 de l'inférence (4′), selon un mécanisme qui prend en charge tout énoncé général faisant irruption dans un contexte spécifique, et dont nous avons précédemment rendu compte en ces termes : « Lorsque apparaît dans une séquence conversationnelle un énoncé de validité générale, augmentez sa pertinence en l'" appliquant " à la situation particulière dont il s'agit en contexte, c'est-à-dire construisez une inférence dont le contenu soit " spécialisé " par rapport au contenu littéral. » Nous avons aussi parlé plus haut du « compliment », et dit qu'il était dans notre société de bon ton d'y répondre, dans la mesure où il constitue une menace pour la face négative de A (surtout lorsqu'il se fait complice, comme c'est le cas ici, d'un macro-acte de drague), par une contestation de la vérité du compliment, ou de la sincérité du complimenteur. Or c'est cette dernière tactique que choisit notre L_2 : « Vous dites ça pour me faire plaisir » (énoncé qui d'ailleurs sous-entend en vertu de la loi d'exhaustivité : /vous ne dites ça que pour me faire plaisir/, /vous n'êtes qu'un vil flatteur/, mais aussi, en vertu de la loi de pertinence, cet involontaire aveu : /ce propos peut être considéré comme susceptible de me faire plaisir/...) – et de L_1 on attendrait alors qu'il conteste à son tour une telle contestation, et qu'il proteste de sa sincérité. Mais il n'en fait rien, préférant produire un énoncé méta-communicatif (« Je vous avais demandé de me tutoyer » : L_1 se désintéresse ici du contenu de l'énoncé précédent de L_2, pour s'attacher exclusivement à la forme qu'emprunte son énonciation), ce passage à la méta-communication opérant une sorte de rupture d'isotopie énonciative, à un certain niveau de surface du moins (car en fait, L_1 poursuit ainsi la construction de son « macro-acte », et reste bien fidèle à sa stratégie de séduction).

Retenons en tout cas ceci de cette rapide analyse du fonctionnement de cette séquence : que c'est seulement dans la mesure où L_2 interprète spontanément comme un « trope implicitatif » la déclaration de L_1 que celle-ci peut faire à ses yeux figure (au niveau de (4″)) de compliment; et qu'un anaphorique peut reprendre et représenter un segment qui n'a aucune réalisation signifiante dans le cotexte antérieur, mais n'existe que sous la forme d'un contenu implicite venant parasiter tel ou tel élément actualisé en cotexte.

Et le fait est bien attesté [10]. Plus généralement, il arrive souvent que la cohérence inter-répliques s'établisse non pas au niveau de ce qui est explicitement dit, mais au niveau de ce qui est présupposé ou sous-entendu (et cela aussi bien dans la « conversation ordinaire » que dans le dialogue théâtral), soit, comme dans l'exemple précédent, que L_2 réponde explicitement au contenu implicite de l'énoncé précédent de L_1, soit qu'à l'inverse, L_2 réponde implicitement au contenu explicite de l'intervention précédente :

DORANTE. – Me promets-tu le secret?
SILVIA. – Je n'ai jamais trahi personne (Le Jeu..., II, 12).

(Comparer encore le fonctionnement de l'interrogation rhétorique en (i) et en (ii), dans cet extrait de R. Pinget, Lettre morte, Minuit, 1959 :

(i) LEVERT. – Est-ce qu'il existe un endroit plus cafardeux qu'un bar?
LE GARÇON. – Justement [réponse explicite à l'assertion implicite].
(ii) LEVERT. – (...) Tu ne t'amuses pas? Pourquoi rester?
LE GARÇON. – Aller où? [réponse implicite au contenu explicite de la « vraie » question précédente].)

Et comme on peut aussi répondre implicitement à un contenu implicite, et bien sûr, explicitement à un contenu explicite, *il est sur cette base possible de distinguer quatre types d'enchaînements inter-répliques* (au sein desquels il conviendrait encore d'établir certaines sous-classes, selon la nature, réfutative ou non, métalinguistique ou non, etc., de l'intervention réactive).

Notons pour en finir avec ce petit dialogue qu'il comporte d'autres mécanismes inférentiels, ainsi :

• (1) et (3), *i.e.* « Ça me ferait plaisir que vous m'appeliez Robert » → /appelez-moi Robert/ : requête indirecte, formulée par le biais d'une assertion, celle de la condition de sincérité de la requête.

• /Appelez-moi Robert/ → /tutoyez-moi/ (ou /tutoie-moi/?), aux yeux en tout cas de L_1, ainsi qu'en témoigne la réplique (8) – dans la mesure sans doute où les comportements verbaux que dénotent ces deux énoncés, comportements dont Goffman dirait qu'ils sont plus ou moins « signes du même lien », sont souvent associés dans notre fonctionnement social : il s'agirait donc là d'une inférence « praxéologique », par « cooccurrence matérielle possible » [11].

Cette inférence, dont on ne peut pas dire qu'elle s'impose véritable-

ment, donne alors lieu, ainsi qu'il arrive souvent aux inférences sous-entendues, à un débat contradictoire :
(6) L_1. – « Je vous avais demandé de me tutoyer »,
       /or vous continuez à me vouvoyer,
       donc vous n'êtes pas obéissante, ni gentille, puisque vous refusez de me faire le cadeau de cette marque de confiance et d'intimité/.

En (7) (« Mais non, vous m'avez juste demandé de vous appeler Robert »), L_2 proteste : votre énoncé précédent est faux quant à son contenu littéral, donc injustifié quant à sa valeur indirecte de reproche, puisque vous ne m'avez rien demandé de semblable (mais « juste », mais seulement, de vous appeler par votre prénom : c'est un peu reconnaître tout de même que la requête prétendue et la requête effectivement accomplie « vont dans le même sens », la seconde étant simplement plus faible que la première : la réfutation opérée par L_2 n'est donc que partielle).

En (8) (« C'était sous-entendu »), L_1 réfute à son tour une telle réfutation au nom du raisonnement suivant : j'ai effectivement en (3) dit p (ce que vous dites que j'ai dit) différent de q (ce que je viens de prétendre avoir dit). Mais en affirmant, en (6), avoir dit q alors que c'est p que j'ai véritablement énoncé, je ne me suis pas pour autant rendu coupable de mensonge, *puisque p sous-entend q.*

En d'autres termes : vous avez raison, si l'on ne retient de mon dire que son contenu explicite; mais si l'on envisage son contenu implicite (et le sens d'un énoncé, c'est l'ensemble de ses contenus explicite et implicite), on ne peut pas dire que j'aie tort.

Bel exemple donc de ce que les conversationnalistes appellent une *négociation* – en l'occurrence, négociation du sens de l'énoncé, et de son interprétation, laquelle prête en effet à controverse, étant donné le caractère non certes aberrant, mais au moins contestable, de l'inférence revendiquée par L_1 : les contenus implicites sont naturellement plus sujets à négociation que les contenus explicites.

Mais restons-en là de ces considérations qui nous mèneraient trop loin, et que nous comptons développer en un autre lieu, sur ce problème des enchaînements dialogaux, et des aménagements qu'il conviendrait de faire subir aux concepts linguistiques (lesquels ont été d'abord élaborés, il faut bien le dire, et le concept d'acte de langage n'échappe pas à la règle, dans la perspective du discours monologal) pour qu'ils soient à même de décrire plus efficacement le fonctionnement des interactions. Concluons à l'étendue du champ de l'implicite, où se trouvent impliqués des phénomènes aussi divers, dont nous avons tenté l'articulation théorique, et aussi peu négligeables, que les présupposés et les sous-entendus, mais aussi l'illocutoire dérivé, et l'ensemble des tropes; et à son importance décisive pour la réflexion linguistique : les contenus implicites existent de plein droit, et ils sont même d'une certaine manière *exemplaires* – parce que leur décodage fait fondamentalement appel aux mêmes types de procédures que celui des contenus explicites, mais qu'étant plus laborieux encore et hasardeux, il permet une saisie plus fine de la complexité des mécanismes interprétatifs; qu'ils démontrent à l'évidence le caractère *flou* des contenus sémantico-pragmatiques, *graduel* de leur actualisation, *variable* et *aléatoire* de leur extraction; ainsi que la nécessité de recourir à d'autres compétences que la compétence strictement linguistique, et de tenter de jeter un pont entre ces deux instances dont nous avons dit qu'elles devaient être envisagées dans leur relation dialectique : l'instance sémiotique, et le contexte socialo-institutionnel.

Le sens d'un énoncé n'est pas un donné statique, immuablement figé dans son enveloppe signifiante. C'est un objet que construisent et négocient ensemble, de manière plus ou moins coopérative, les différents partenaires de l'interaction. S'agissant des contenus implicites, ce travail de négociation s'apparente à celui qui caractérise aussi la devinette, ou le jeu de cache-cache, L « sollicitant » des interprétations qu'il dissimule en partie, et A cherchant à les découvrir en « sollicitant » à son tour, sans être jamais certain que ce n'est pas abusivement, l'énoncé [12] : la manipulation des contenus implicites, et partant, la description de leur fonctionnement, qui ne saurait être menée adéquatement que dans le cadre d'une pragmatique de l'énoncé (*i.e.* de la phrase actualisée et contextualisée), est un exercice « périlleux » : « On conçoit l'immense difficulté d'une pragmatique de l'*énoncé* – la seule pragmatique qui mérite véritablement ce nom. Beaucoup de linguistes la jugent si périlleuse que d'avance ils la condamnent. Mais il faut bien reconnaître que la *phrase* n'est qu'une abstraction, que seul l'*énoncé* existe dans la réalité du texte. Dès lors la composante pragmatique s'impose d'ellemême et désormais le champ de la pragmatique, pour inhospitalier qu'il soit, hantera inexorablement la pensée du théoricien » (Robert Martin, 1982, p. 105). Inhospitalière, la poubelle pragmatique? Peut-être – mais pour nous combien plus attrayante que l'étouffant confort de l'immanentisme.

Dire, ou ne pas dire : là est en partie, pour tout locuteur, la question. Mais en partie seulement. Car on peut tout à la fois *dire, ET ne pas dire* : telle est en tout cas l'idée que nous avons tenté d'illustrer tout au long de cette étude, dont la formule précédente, s'il n'en avait pas été déjà excellemment fait usage, eût été le plus juste éponyme. Illustrons-la encore d'un ultime exemple comparatif :

> (i) L_1. – Comme il a changé !
>
> L_2. – Tu veux dire qu'il a pris un coup de vieux ?
>
> L_1. – *J'ai dit : Comme il a changé !*
>
> (ii) L_1. – Regarde cette coupe de cheveux, je trouve ça chouette en général pour un mec.
>
> L_2. – Mais c'est la mienne !
>
> L_1. – *J'ai dit : en général !*

Mais qu'a donc dit L_1 ? La même formule « j'ai dit » est utilisée en (i) pour récuser, en (ii) pour souligner, et revendiquer, une inférence également vraisemblable dans les deux cas [13].

C'est que dans les deux cas, cette inférence est à la fois, comme toutes les inférences, dite, et tue.

Ainsi peut-on dire sans dire tout en disant...

Tout comme on peut être le pire des tyrans, et ne jamais donner d'ordre explicite : Staline n'était-il pas, d'après Enver Hodja [14], ex-premier secrétaire du parti communiste albanais, « un homme modeste, très aimable, qui n'imposait jamais son opinion, *et ne donnait jamais d'ordre* » ?

ANNEXES

Notes

Notes de l'introduction

1. A New York, une publicité vestimentaire ne nous dit-elle pas tout au contraire : « Be reckless, be jeanless ! » ?

2. Le contexte iconique jouant bien entendu, dans cet exemple, un rôle décisif quant à l'émergence de l'inférence.

3. Voir notre *Connotation*, P.U.L., Lyon, 1977.

4. Pour expliciter les contenus implicites, on en est en effet réduit à utiliser comme métalangage la langue-objet : c'est là un problème épineux, mais « incontournable ».

5. Cet exemple n'est pas, on le verra, la seule chose que nous empruntons à Oswald Ducrot, dont les travaux constituent évidemment notre première source d'inspiration.

6. On voit donc qu'une même unité signifiante peut participer, soit avec la même fonction sémantique (« Pierre », « fumer »), soit avec des rôles différents (« cesser de »), à la constitution de deux niveaux de contenu distincts.

7. C'est ainsi qu'entre les énoncés

   (i) « Pierre *s'imagine* que Jacques viendra », et

   (ii) « Pierre *a tort de penser* que Jacques viendra »,

s'établit une synonymie d'un type bien spécial, puisque l'information /Jacques ne viendra pas/ se trouve posée en (ii), mais présupposée en (i).

8. Y. Bar-Hillel (1971) use quant à lui pour désigner le même objet d'une métaphore similaire : celle du « wastebasket », cependant que Levinson (1983) déclare que la pragmatique ne doit pas être considérée comme « a hodge podge, concerned with quite disparate and unrelated aspects of language » (p. 9), et que F. Jacques (1979) note de cette même pragmatique : « N'y a-t-on pas déversé pendant longtemps tous les problèmes résiduels de l'usage linguistique qui ne pouvaient être traités en syntaxe et en sémantique ? » (p. 222).

9. Rappelons qu'il s'agit ici de la réédition d'un texte datant de 1986, et que depuis, la pragmatique s'est considérablement développée. En particulier, la réflexion sur l'implicite bénéficie aujourd'hui de l'éclairage apporté par la « théorie de la pertinence » élaborée par Sperber et Wilson. Il ne semble pas toutefois que les approches présentées ici des phénomènes d'implicitation soient pour autant devenues obsolètes...

Notes du chapitre 1

1. C'est en tout cas ce que s'est attaché à démontrer, au Congrès de l'Association mondiale de psychiatrie, M. André Snejnevski, directeur de l'Institut de psychiatrie de l'Académie soviétique des sciences médicales (voir l'article de A. Bousoglou, *Le Monde,* 2 septembre 1977, p. 7).

2. Le problème se posant de savoir si dans ces cas de « décrochement », c'est le Sé hyper-ordonné, ou l'ensemble Sa/Sé, qui fonctionne comme le Sa du contenu connoté ou implicité.

3. Mais pour signaler qu'il s'agit bien là de paraphrases métalinguistiques d'unités de pur contenu, nous les notons entre barres obliques (les énoncés étant eux notés entre guillemets).

4. Les expressions « structure sémantique » et « contenu propositionnel » sont ici à prendre au sens large – *i.e.* incluant les aspects pragmatiques de l'énoncé, et ses valeurs illocutoires.

5. Les propositions descriptives de Fillmore (1971), Martin (1976) et Charolles (1981), vont tout à fait dans le même sens que le nôtre.

6. Bel exemple des services argumentatifs que peut rendre une métaphore... Métaphore que Berrendonner force encore lorsqu'il déclare (1980, a), p. 141) : « Ce que l'on nomme " intonation " est une caractéristique *(gestuelle)* de l'énonciation, et non une propriété de l'énoncé. »

7. Pour D.E. Allen et R.F. Guy pourtant, « laughter is a verbal act [...] » (*Conversation Analysis,* Mouton, La Haye, 2ᵉ éd. 1978, p. 162).

8. C'est ainsi qu'une amie, cherchant à se faire embaucher sur une chaîne de radio locale, s'est vu reprocher le fait que « sa voix ne souriait pas ». Cf. aussi ce commentaire d'un journaliste interviewant Maria Casarès : « [...] *Un sourire dans le regard et dans la voix* pour bien faire comprendre que cette appréciation est beaucoup plus un compliment qu'une critique » (J.P. Roos, *Hebdo-Lyon,* nº 827, 6 mai 1981, p. 7), et celui-ci de la narratrice d'*Anonymus* (M. Manceaux, Seuil, 1982, p. 13) : « elle souriait du hasard qui lui proposait Budapest et *Stella Sand dut entendre ce sourire dans sa voix* » (il s'agit en effet ici d'une conversation téléphonique).

9. Voir par exemple les travaux de P. Léon, d'Y. Fónagy, de Sag et Liberman (1975), et de bien d'autres : dans la somme bibliographique intitulée *70 ans de recherche en prosodie* (Éditions de l'Université de Provence) Albert Di Cristo mentionne quelque chose comme 4 400 titres!

10. Sur ce problème de l'ellipse, et du « signifiant ø », voir entre autres Berrendonner (1981, a)), Godel (1953), le t. 1 fasc. 2 (1979) de la revue *Histoire. Épistémologie. Linguistique,* et Le Guern (1983).

11. Cette opposition terminologique entre « signifiants » (internes) et « indices » (externes) permettant de lever l'ambiguïté du terme trop vague de « marqueur ».

Notes du chapitre 2

1. Notons certains flottements dans la terminologie de Grice. Ainsi dans l'article de 1978 : p. 113, toutes les implicatures sont « implicated », alors que p. 115, le terme générique devient « implied », dominant les deux hyponymes « implicated » (réservé cette fois aux implications conversationnelles) et « entailed » ; quant à l'adjectif « conveyed », il s'applique tantôt à l'ensemble des contenus énoncés, tantôt aux seuls contenus implicites...

2. Pour une critique des critères et tests proposés par Grice, voir Sadock (1978), pp. 284 et *sqq.*

3. Polysémie qui frappe aussi du reste l'équivalent anglais « to mean », ce qui ne va pas sans créer (ainsi dans le discours de Searle) de gênantes ambiguïtés.

4. C'est donc le 2ᵉ sens qu'il faut attribuer à l'expression lorsque Ducrot dit de l'émetteur d'un présupposé : « Bien qu'il puisse nier avoir voulu le dire, il ne peut pas nier l'avoir dit », *i.e. :* il ne peut pas nier que son énoncé le « veut-dire₁ ».

5. Que l'on peut récapituler comme suit :

	posés	présupposés	sous-entendus
« vouloir-dire$_1$ »	+	+	? *
« vouloir-dire$_2$ »	+	−	−

* On verra en effet plus loin que les sous-entendus peuvent être *plus ou moins* nettement inscrits dans une séquence donnée.

6. Trad. franç., 1979 (laquelle n'est pas à mettre en cause : dans le texte original, l'exemple est le suivant : « He is an Englishman; he is, *therefore,* brave ») de l'article de 1975, p. 60. Semblablement, Moeschler (qui semble, p. 77, prendre pour argent comptant cette analyse de Grice) considère, à notre avis à tort, que dans les énoncés
  « Je viendrai, mais ça m'embête »
  « Ça m'embête, mais je viendrai quand même »,
l'information selon laquelle « l'énonciateur viendra » a statut d'« inférence » (1982, pp. 206-207).

7. Ce qui ne veut pas dire qu'on ne puisse jamais enchaîner « normalement » sur les présupposés (et plus généralement sur les contenus implicites) : l'échange dialogué (extrait de *Tueur à gages* de Ionesco) que condense notre exemple témoigne du contraire :
  BÉRANGER. – « Ma fiancée a été assassinée, entendez-vous?
  ÉDOUARD. – Votre fiancée? Vous êtes donc fiancé? Vous ne m'aviez jamais parlé de vos projets de mariage. Mes félicitations. Mes condoléances aussi ».
Mais les possibilités d'enchaînement sur les contenus implicites sont soumises à des contraintes assez strictes (et assez délicates du reste à expliciter).

8. Dans notre usage terminologique « inférence » désigne donc une unité de contenu, et non l'ensemble des opérations qui permettent d'y conduire. On observe d'ailleurs même en logique ce glissement métonymique – qui frappe semblablement des termes tels que « énonciation », « présupposition » (encore qu'on puisse ici opposer l'acte de *présupposition,* au contenu présupposé), etc.

9. Sur les relations entre raisonnement et inférence, voir le 1er chapitre de Blanché (1973).

10. Quant à la définition que proposent Anscombre et Ducrot de « l'acte d'inférer », et la distinction qu'ils introduisent entre inférence « logique » et « argumentative », voir *L'Argumentation dans la langue*, pp. 9 et *sqq.* et 91 et *sqq.*

11. Précisons qu'en 1982, dans un article intitulé « De la sémantique à la pragmatique : Théorie et illustrations », Martin révise cette position, et se fait éloquemment l'apôtre d'une linguistique incorporant une véritable « pragmatique de l'énoncé », c'est-à-dire de la phrase actualisée et contextualisée.

12. Cette distinction coïncide, avons-nous dit, avec celle qu'établissent :
  Charolles (1978) entre « présupposition » *vs* « inférence »,
  Martin (1976) entre « inférence nécessaire » *vs* « possible ».
  Elle peut d'autre part être rapprochée des couples conceptuels suivants :
  Grice : « implicature conventionnelle » *vs* « non conventionnelle » (et en particulier « conversationnelle »), Récanati (1979, a) et b)) : « implication logique » *vs* « conversation-nelle », Wilson et Sperber (1979) : « implication » *vs* « implicitation ».
  Mais c'est bien sûr à Ducrot qu'elle doit le plus.

13. Toute phrase étant autant de fois polysémique qu'elle possède de constituants susceptibles d'être mis en focus (cf. Zuber, 1972, p. 90).

14. Voir aussi Wunderlich, 1978, Nef, 1980, a), Keenan, 1976 (qui formule la même opposition en termes de « présupposition » *vs* « conséquence logique »), etc.

15. Sur ce problème, voir entre autres Moeschler (1982), pp. 98 et *sqq.*

16. La seule phrase que m'ait adressée personnellement Roland Barthes est celle-ci (la scène se passe au sortir d'un de ses séminaires, dans un bistrot où je venais de consommer

un blanc-cassis) : « Alors, elle était bonne, cette grenadine ? » Je suis restée sans voix, pour diverses raisons dont celle-ci : cette « grenadine » ne pouvait être ni bonne ni mauvaise, puisqu'elle n'en était pas. Quant à Alice, à qui il arrive souvent, au pays des merveilles, de subir de telles expériences (plus ou moins traumatisantes), elle préfère en général, au silence interloqué, la protestation indignée.

17. L'argumentation de Nølke pêche encore par le fait qu'il lui arrive d'envisager la correction et la vérité des énoncés comme des propriétés « en soi », alors qu'elles ne se déterminent que par rapport aux savoirs et opinions du sujet parlant, et plus précisément, du sujet *décodeur*.

18. En accord avec Ducrot, qui déclare dans *Dire*, p. 101 : « Dans un article de 1966 [...], nous avions tenté de définir le présupposé par opposition à l'implication. Les chapitres 2 et 3 du présent ouvrage amènent à abandonner cette tentative. »

19. Il ne s'agit pourtant pour le moment que de leur usage « normal » : le cas des « tropes présuppositionnels » sera envisagé plus tard.

20. Ducrot (1977, a)) part lui aussi en guerre contre cette conception de la non-informativité du présupposé, mais pour lui substituer celle de sa « non-pertinence argumentative ».

21. Sur le problème de la hiérarchie des présupposés (de 1er, 2e, ne ordre), voir aussi Lakoff (1976); et sur celui de la transitivité des relations de présupposition et d'implication, voir *ibid.* pp. 39-46, Keenan (1976, p. 80) et Zuber (1972, p. 44).

22. Par exemple : M. Pécheux, P. Henry, M.-J. Borel, S. Gazal, P. Sériot (lequel montre l'importance stratégique de la présupposition – liée surtout à la nominalisation : « la démocratie à l'intérieur du parti... », « l'amélioration du bien-être des Soviétiques... », « la suprématie du socialisme... », etc. – dans le discours politique soviétique).

23. Reconnaissons tout de même que le statut de présupposé des informations liées à l'adjectif épithète (2e exemple), et même à la relative appositive (1er exemple), n'est pas unanimement admis.

24. Sur les différentes possibilités de « dénier », « suspendre » ou « bloquer » un présupposé, voir Levinson, 1983, pp. 185 et *sqq*.

25. Souvent, mais pas toujours :
« Tu t'es levée à quelle heure ? » – « Je ne me suis pas levée : je ne me suis pas couchée de la nuit. »
Sur la différence entre négation « descriptive » et « polémique », voir J. Moeschler (1979).

26. Voir sur ce débat Ducrot (1973, b)).

27. Ces « présupposés pragmatiques » correspondent aux « présupposés d'énonciation » de Martin (ceux précisément qu'il juge « les moins intéressants pour les linguistes » (p. 47)).

28. Exemples :
« Es-tu malade ? Parce que je te trouve bien mauvaise mine » : justification de la pertinence de la question;
« Où étais-tu ? car tu me dois des explications » : justification de sa légitimité.

29. D'après Levinson (1983, p. 181), Karttunen aurait d'ores et déjà collecté quelque 31 sortes de « présupposition-tiggers »...

30. Sur ce type d'implications, voir Martin, 1976, pp. 43 et *sqq*.

31. Sur les présupposés qui s'attachent à la verbalisation d'une relation causale, voir l'article « Car, parce que, puisque » du « Groupe λ – 1 », 1975.

32. Ces unités se voient en effet explicitement attribuer par Anscombre et Ducrot (1983, pp. 47-9) le statut de présupposés. Il semble pourtant qu'elles soient manipulées de façon extrêmement souple. Outre cet exemple mentionné par Ducrot lui-même :
« Peu d'automobilistes dépassent le 120 km/h (presque 20 %) », nous avons relevé de nombreux cas de contradictions impliquant des contenus argumentatifs, ainsi :
« La baisse du dollar se confirme puisqu'il a coté ce matin un peu plus de 8,20 F à la Bourse de Paris » (France Inter, 28 janv. 1984).
« L'essence j'en ai bien assez, regarde, l'aiguille est au-dessous du milieu... » (= seulement, juste au-dessous).

« Non, ça c'est des petites bûches... elles sont courtes, regarde, elles sont aussi longues que celles-là » (= pas plus).

« – Les vélos pour moi ça a un côté archaïque, rétro...

– Pourtant les vélos c'est pas vieux, c'est aussi vieux que les voitures. »

Or de tels énoncés produisent bien l'effet d'une contradiction, mais assez « molle », ce qui encouragerait plutôt (voir plus loin notre développement sur les contradictions « fortes » vs « faibles ») à les considérer comme des sous-entendus. Mais il est vrai que ce critère de « l'intuition du degré de force d'une contradiction » est loin d'être fiable, et décisif...

33. Parler de présupposés existentiels, dénominatifs, ou pragmatiques, c'est dire que *tout* énoncé véhicule nécessairement un certain nombre d'inférences présupposées.

34. Seule limitation à ce principe : le cas de la polysémie présuppositionnelle (problème de la structure focale de l'énoncé).

35. On voit par cet exemple (ou encore celui-ci : « Vous n'êtes pas Machin », qui peut sous-entendre soit que vous valez mieux, soit que vous valez moins), qu'un même énoncé peut virtuellement véhiculer des inférences antonymiques : ce seraient même les seuls cas observables de séquences susceptibles de signifier une chose, et son contraire – car malgré les affirmations de certains (Freud surtout, à la suite du linguiste allemand Karl Abel), les « addads » lexicaux, comme l'a démontré Benveniste, ne sont guère que des mirages linguistiques.

36. Les sous-entendus semblent plutôt être de ce point de vue assimilables aux implications (mais ce sont des implications « non nécessaires »).

37. Ou encore celui-ci :

« – Je t'assure, mon chien sait jouer aux échecs.

– Et il lui arrive de gagner?

– N'en demande pas trop! ».

Est-ce que l'expression « savoir jouer à... » présuppose ou sous-entend « être susceptible de gagner »?

38. Que l'on passe insensiblement du sous-entendu au présupposé, cela apparaît par exemple dans les fonctionnements implicites qui caractérisent les structures comparatives enchâssant des termes évaluatifs, fonctionnements analysés dans Kerbrat-Orecchioni (1980, b), pp. 96 et *sqq.*), et dans Kleiber (1976).

39. Ex. : « L'école confessionnelle est comme certain parti que nous connaissons bien : c'est une école-passoire. On compte les élèves qui y rentrent, jamais ceux qui s'enfuient » (André Henry, président de la F.E.N., dans *Lui*, n° 2044, mai 1981, p. 5).

40. *L'Institution oratoire*, Livre IX, 2, p. 189 : « Il faut en effet me décider à arriver au genre de figure très employé, et dont je crois, l'on attend particulièrement que je parle : il consiste au moyen de certaines insinuations à faire entendre autre chose que ce que nous disons, pas forcément le contraire, comme dans l'ironie, mais autre chose, qui est cachée, et que l'auditeur doit pour ainsi dire trouver. »

41. Par exemple celle-ci : commentant cette déclaration de Valéry Giscard d'Estaing à propos de « l'affaire des diamants » : « Enfin, à la question que vous m'avez posée sur la valeur de ce que j'aurais reçu [...], j'oppose un démenti catégorique... », André Ribaud s'interroge : « Cet " aurait reçu " tendrait-il à insinuer qu'il n'a pas reçu? » (*Le Canard enchaîné* du 5 déc. 1979.) Or ce n'est pas d'un contenu dévalorisant (pour Giscard), mais bien au contraire réhabilitateur, qu'il s'agit ici. Mais un tel usage du verbe « insinuer » nous semble justement un peu bizarre.

42. Cette valeur apparaît d'ailleurs aussi en filigrane dans l'« allusion personnelle » précédemment mentionnée.

43. Encore que l'allusion (« mythologique », « historique », « morale » ou « verbale ») telle que la conçoit Fontanier (voir *Les Figures du discours*, pp. 125-126) ne se limite pas au problème de l'intertextualité entendue au sens strict.

44. Cette numérotation des énoncés ne correspond pas à celle du texte original.

45. Elle ne sera totale qu'à condition de considérer comme présupposée en (ii) l'inférence (i') – ce qui semble contredit par le test de l'enchaînement.

46. Histoire drôle que l'on doit à Jean Nohain, et que reproduit L. Olbrechts-Tyteca (1974, p. 214).

47. Le « groupe $\lambda - 1$ » nous fournit un autre exemple de la nécessité de distinguer différents degrés de force des présupposés, lorsqu'il montre que le lien inférentiel qu'expriment (sur le mode du présupposé) les morphèmes « puisque » et « car » est plus contraignant dans le cas du premier que dans celui du second.

48. Ducrot semble admettre un tel principe lorsqu'il note (1970, p. 101) que « certains » sous-entendus sont « assez forts et constants ».

49. Ainsi que nous avons tenté de le montrer dans *L'Énonciation*, pp. 96-98.

50. Notons en outre :
• que cette période s'étend jusqu'à T_0 si le verbe ne comporte pas d'expansion temporelle : « Pierre a cessé de fumer » *vs* « Pierre a cessé de fumer pendant deux mois, et puis il a rechuté » ;
• que ce sous-entendu est corrélatif de la nature aspectuelle (durative) des lexèmes « cesser » ou « arrêter de » : une phrase telle que « je me suis levée à six heures, et recouchée à six heures et quart » ne produit pas le même effet contradictoire ;
• et qu'il est responsable de l'effet plaisant que produisent les formules (bien attestées) du type : « c'est facile de s'arrêter de fumer : moi je le fais tous les jours »...

51. Exemple similaire : « L'opération a parfaitement réussi, mais le malade est mort. »

52. LISETTE. – « Un mari, c'est un mari ; vous ne deviez pas finir par ce mot-là, il me raccommode avec tout le reste » (Marivaux, *Le Jeu de l'amour et du hasard*, I, 2).

53. Comme dans « cet imbécile de Pierre », c'est en effet le degré maximal de force d'un contenu implicite qui s'actualise ici.

54. Si l'on compare ces deux exemples, on constate que le sous-entendu (qui naît dans les deux cas de l'application de la loi d'exhaustivité) est plus fort lorsqu'il est supporté par « cette fois-ci » que lorsqu'il s'attache à « ce soir ».

55. Rappelons que dès 1964, c'est sur la base de « l'acte de parole » que Hymes édifie son modèle « Speaking ».

56. Théorie d'ores et déjà en voie de constitution : voir les travaux de Léo Apostel en matière de « pragmatique praxéologique », et ceux de ces « philosophes de l'action » que sont A.R. White (*The Philosophy of Action*, Oxford, Univ. Press, 1970), et G. H. Von Wright (*Norm and Action*, London, Routledge and Keagan Paul, 1963).

57. A moins que ce geste même soit à éliminer de la catégorie des actes, puisqu'il s'agit là d'un « signe », et non d'un « symptôme », et que seuls les signifiants indiciels sont pour Berrendonner (1981, b), p. 42) à considérer comme des actes. La distinction sur laquelle se fonde cette attitude néo-mouniniste est bien contestable. Mais surtout : est-ce à dire qu'il faille refuser le statut d'actes à tous ces comportements gestuels que J. Cosnier nomme « quasi linguistiques », et qui fonctionnent effectivement à l'instar des énoncés verbaux ? Autre mystère inexplicable encore (si ce n'est pour « sauver » une théorie bien paradoxale) : à la différence de celle des phonèmes, la réalisation des intonèmes constitue pour Berrendonner un « geste », donc un acte, à part entière – mais à quel titre ?

58. Précisons que Berrendonner ne récuse pas l'existence, difficilement niable, d'actes « locutoires », mais celle seulement des actes « illocutoires » ; et que son argumentation (p. 83) repose sur l'idée qu'il existerait une différence *radicale* entre le fait d'affirmer (à tort) qu'entre l'énonciation verbale et l'acte de promesse la relation est d'« identité », et le fait d'affirmer *au contraire*, et cette fois de façon acceptable, que cette relation n'est que d'« équivalence ». Argumentation qui *radicalise* donc, pour les besoins de la démonstration, une opposition faible, que N. Danjou-Flaux (1983) prend précisément comme exemple, dans son étude du fonctionnement du connecteur adversatif « au contraire », du fait qu'il « peut servir à entériner la transformation d'une différence d'apparence anodine en opposition cruciale » (p. 284).

59. Berrendonner (1981, a), p. 126).

60. Bien pauvrement représenté par le « Ah ! » de Tintin.

61. Mentionnons ainsi par exemple les rires de *Don Giovanni, Falstaff, L'Or du Rhin, L'Étoile* de Chabrier...

62. Marguerite Duras, *Agatha,* Éd. de Minuit, 1981, p. 41 :
LUI. – « Si vous l'aimez [...], dites-le-moi *(temps).*
ELLE. – Je l'aime.
      (Silence. Lui se tient les yeux fermés. Elle, détournée de lui.)
LUI. – Je vais crier. Je crie.
ELLE. – Criez. »
63. Que « j'arrive » puisse souvent fonctionner comme une manœuvre dilatoire, cela tient non pas à un quelconque fonctionnement performatif de l'expression, mais à la valeur de futur proche de la forme de présent.
64. Berrendonner (1981, b), p. 42) : « Un énoncé est un assemblage de signes dont la fonction est de dénoter (= représenter) un acte ou un état de choses. »
65. Dans le cas du « je t'embrasse » téléphonique (ou plus nettement encore dans le dialogue de *Pierrot le Fou* cité p. 230 de notre *Énonciation*), il est en effet légitime de parler d'acte « substitutif ».
66. Le couple conceptuel « illocutoire »/« perlocutoire » a donné lieu à de nombreuses exégèses, et à des interprétations variées. Nous l'entendons ici comme servant à opposer la « prétention » pragmatique inhérente à l'énoncé, à ses effets réels obtenus dans une situation énonciative particulière. Pour d'autres interprétations de ces concepts austiniens, voir par exemple Anscombre, 1980, p. 66.
67. *La Cantatrice chauve,* accueillie par tant de rires, alors que Ionesco prétendait y mettre en scène « la tragédie du langage », serait au contraire, en ce sens (seulement), une pièce « ratée ».
68. Voire le « beau », qu'André Breton définit comme « ce qui lui donne des tremblements près de la tempe... »
69. Goffman appelle « signes du lien » les procédés de ce type.
La comparaison suivante (extraite de Marivaux, *Le Jeu de l'amour et du hasard,* acte I, sc. VII) souligne le caractère pragmatique du tutoiement :
DORANTE. – « [...] Comment donc! tu me soumets; je suis presque timide; ma familiarité n'oserait s'apprivoiser avec toi; j'ai toujours envie d'ôter mon chapeau de dessus ma tête, et *quand je te tutoie, il me semble que je jure.* »
70. Pour différentes approches possibles (« ascriptiviste », descriptiviste, argumentative) des énoncés axiologiques du type « Cet hôtel est bon », voir Anscombre et Ducrot, 1983, 169 et *sqq.*
71. De même lorsque Parret déclare (1978, p. 17) qu'« Il n'est pas exact que ce qui est insinué est toujours répréhensible », on ne voit pas ce que cette affirmation pourrait vouloir dire d'autre que « Il n'est pas exact que le verbe français " insinuer " signifie toujours »...
72. L'anglais différencie ces deux valeurs, en opposant « to apologize » à « to excuse ».
Pour une justification de la condamnation par les puristes de la construction (i), voir Ducrot, 1980 a), pp. 53-54 (il nous revient à ce propos en mémoire qu'un de nos professeurs de lycée, lorsqu'une retardataire entrait dans la classe en bredouillant un « Je m'excuse », avait coutume de répliquer sèchement : « Oui, mais moi, je ne vous excuse pas », administrant ainsi, d'une pierre deux coups, une petite leçon de savoir-vivre, et de grammaire).
73. Voir aussi Roulet (1978) qui propose un classement (syntaxique et sémantique) de 170 « verbes potentiellement performatifs » du français – et du même coup, des actes qu'ils sont censés dénoter/accomplir.
74. Trad. franç., 1977, de Chomsky 1975, p. 81.
75. Searle utilise quant à lui la formule analogue

$$\varphi = F\,p$$

(pour l'usage qu'il fait des concepts de « but », « end », « point », « force » illocutionnaire, voir Searle 1975 a) et b)).
76. Ces termes sont utilisés à plusieurs reprises par Berrendonner (1981, a), pp. 14, 20, 24, 141...).

77. Voir N. Everaert (1984) pour le discours publicitaire, Certeau (1976) pour le discours des historiens, et pour celui des économistes, Bourdieu (1982, p. 149).
78. Voir là-dessus A. Borillo (1979).
Il y a aussi le cas des questions en « pourquoi » et « pourquoi ne pas », qui respectivement expriment un reproche et une suggestion : les faits d'indirection qui s'attachent aux tournures interrogatives sont nombreux et divers.
79. Lorsqu'elles relèvent effectivement de l'implicite (ce qui cesse on le verra d'être le cas dans celui du « trope illocutoire lexicalisé »).
80. Telle est aussi la conception de Zuber, 1981 (mais qui s'oppose à Récanati en ce qu'il considère comme explicites les v.i. qui s'attachent aux expressions performatives).
81. Il y a bien quelques exceptions à ce principe (signalé par Zuber, 1981, p. 43) : ainsi « Je vous remercie », qui exprime littéralement un acte de remerciement, mais en outre, dans certaines circonstances, un acte de congédiement, ou de clôture d'une interaction (cette valeur venant d'ailleurs éventuellement se surajouter à la valeur littérale, mais sans pouvoir jamais s'y substituer tout à fait).
82. Anscombre considère de même (1980, p. 87) que :
« Il est malheureux que Pierre soit venu »,
exprime primitivement un acte de plainte, acte que,
« Hélas, Pierre est venu »,
formulerait indirectement.
On voit ici combien il est pour le moment difficile de préciser où passe la frontière entre les formulations directe et indirecte, étant donné qu'il s'agit là de phénomènes graduels, ainsi qu'il apparaît dans les exemples suivants :
« Fais le thé »   : requête directe
« Fais le thé s'il te plaît »   ⟨ requêtes directes, mais
« Fais le thé veux-tu ? »   ⟨ accompagnées d'un « softener »
« Veux-tu faire le thé ? »   : requête indirecte.
83. Ces quatre « formes de phrase » peuvent également exprimer indirectement, par exemple, le « reproche » ; d'autres v.i. sont au contraire spécialisées, quant au type de structure qu'elles sont susceptibles d'exploiter pour se réaliser.
84. Voir par exemple A.-M. Dillier (1977).
85. Trois, et non quatre, dans la mesure où
fonctionnement non tropique   ⊃ illocutoire non conventionnel,
illocutoire conventionnel   ⊃ fonctionnement tropique
(i.e. que la combinaison des traits [conventionnel] et [non trope] n'est pas attestée).
86. Voir aussi l'analyse que font de « Pouvez-vous me passer le sel ? » Anscombre (1981), et Searle (1975 b)), qui montre semblablement la nécessité, pour rendre compte des diverses étapes du processus interprétatif d'un tel énoncé, de recourir à certains « principes généraux de la conversation ».
87. Voir pp. 99 à 107 les cinq règles proposées par Anscombre (1980).
88. En fait, c'est ici le contenu propositionnel lui-même qui se trouve asserté, ou mis en question.
N.B. : nos exemples sont empruntés à la paraphrase qu'A.-M. Dillier (1977) propose du texte de Searle.
89. O. et G. Ulysse, *Vacanze a Roma,* leçon n° 15, Hachette, 1973.
90. Le mécanisme dérivationnel implique premièrement un transfert métaphorique : « Ton père n'est pas vitrier » → /tu n'es pas une vitre/ (→ /tu n'es pas transparent(e)/), transfert bien étrange puisqu'il feint d'assimiler l'acte de procréation à celui de production d'un objet manufacturé : un vitrier, ça ne peut engendrer que des vitres.
91. Voir par exemple l'analyse que propose A.-M. Dillier (1977) du « Conditionnel marqueur de dérivation illocutoire ».
92. Qui peut à la rigueur, occasionnellement, fonctionner comme une requête indirecte – mais il s'agirait alors d'un trope d'invention.
93. Dans le métro, la formule rituelle « Vous descendez ? » est régulièrement comprise

comme « Je descends ». Mais c'est toujours pourtant sur sa valeur littérale que s'effectue l'enchaînement.

94. Gordon et Lakoff (1975) remarquent (p. 98) que « please » ne peut accompagner une requête indirecte non conventionnelle qu'à la condition d'être placé en tête de phrase :

    (i)   « Would you shut the window please? »
    (ii)   « Please, would you shut the window? »
    (iii) *« It's cold in here please. »
    (iv) « Please, it's cold in here. »

Il semble qu'il en soit de même du « s'il te/vous plaît » français, et qu'on puisse donc utiliser ce critère pour distinguer, en cas de requête indirecte, le trope lexicalisé ((i) et (ii)) du trope d'invention ((iii) et (iv)).

95. Dans ces deux exemples, la subordonnée peut aussi s'interpréter comme ayant pour base d'incidence la proposition implicite « on peut se poser la question... ».

96. Ces exemples sont fournis par Brown et Levinson (1978, p. 139). Les morphèmes « donc » et « diable » fonctionnent en français de manière similaire.

Notes du chapitre 3

1. Voir P. Caminade 1970, et Chr. Metz 1977, pp. 270-273. Il est de fait que dans ce très vaste ensemble des unités de connotation, il en est deux qui font en quelque sorte figure de « super-connotations » : la connotation sexuelle, et la connotation « textuelle » (ou « scripturale »). Notons d'ailleurs que l'on peut aussi s'amuser à voir dans « gerbe » une connotation textuelle, si l'on pense que l'un des recueils de poèmes de Victor Hugo s'intitule précisément « Dernières gerbes ».

2. A preuve les effets produits par le « filage » et l'« anti-filage ».

3. Notons que P. Caminade voit en outre dans ce même mot de « faucille » une connotation sexuelle : « Mais si l'on considère que le poème décrit un coït, exceptionnel, une double " visitation " de Dieu, que le nom de la femme est Ruth, que Victor Hugo met à la rime *moabite,* que l'asphodèle (jaune) s'appelle bâton ou verge de Jacob, qu'enfin Ruth ouvre l'œil à moitié sous ses voiles, que or et sperme seraient en hébreu synonymes, on peut voir en la faucille autre chose que l'image émotionnelle de la lune et penser que le champ des étoiles n'est pas le ciel premier » (1970, p. 110) – déclaration qui eut pour effet de déclencher les foudres de Pommier, parlant à ce sujet des « couillonnades du docteur Caminade » (1974, p. 82).

4. Encore que Fontanier envisage le cas des « Tropes en plusieurs mots, ou improprement dits ».

5. Rappelons qu'il faut réserver un sort particulier aux enchaînements de type méta-linguistique.

6. Nous en donnons un certain nombre d'exemples dans notre article intitulé « Argumentation et mauvaise foi », pp. 60-61 (entre autres cette déclaration de Mendelssohn sur Berlioz : « Son instrumentation est si malpropre qu'on doit aller au concert en bleu de travail »).

7. Nous avons nous-même à différentes reprises envisagé leur cas, et plus particulièrement celui de la métaphore et de l'ironie (cf. C. Kerbrat-Orecchioni, 1976; 1977, a); 1979; 1980, a); et 1981, b)).

8. Nous avons vu que lorsqu'elle signifie qu'il y a très peu de monde, l'expression « y a absolument personne » était informationnellement, une hypo-assertion, et argumentativement, une hyper-assertion. Mais le cas inverse de conflit entre les deux points de vue descriptifs se rencontre également, par exemple dans « y a pas foule », voulant dire la même chose : informationnellement, c'est une hyper-assertion; argumentativement, une hypo-assertion. Or certaines des personnes interrogées hésitent à la considérer comme une litote (ce qu'elle est pour nous) plutôt que comme une hyperbole.

9. Voir par exemple Cutler 1974.

Notons que cette restriction ne vaut pas dans le cas de l'ironie citationnelle (cf. C. Kerbrat-Orecchioni « L'ironie comme trope », p. 124).

10. Catherine Texier, « Petit Sésame des argots ethniques », *Autrement,* n° 39 (« New York haute tension »), avril 1982, p. 24 : « *bad :* mauvais, utilisé dans le sens contraire pour dire *bon, excellent* (se dit d'un morceau de musique, etc.). Surtout utilisé par les Noirs et les musiciens de jazz ».

11. Même chose des « mots doux » qu'attestent les chansons cajuns (« ma catin », « mon nèg ») : l'hypocorisme serait-il un universel du discours amoureux?

12. Dont *nous* faisons ici usage – sans en être autrement satisfaite du reste : ses connotations pompeuses et scolastiques, les problèmes d'accord qu'il soulève, tout cela nous gêne un peu aux entournures. Mais nous n'avons pu nous résoudre à employer systématiquement le « je », qui est encore, dans ce type de discours, trop « marqué » pour ne pas produire parfois certains effets indésirables, et dont le retour obstiné ne « passe » pas toujours très bien.

13. Pour ce qui est du moins des énallages de temps et de personnes. Quant à l'aspect, il s'agit là d'une catégorie sinon déictique, du moins « subjective ».

14. L'adjectif « primitif » est ici utilisé, indépendamment de toute considération diachronique, comme archilexème neutralisant l'opposition « propre » *vs* « littéral » (et parallèlement, « dérivé » neutralise bien sûr l'opposition « dérivé-de-langue » *vs* « dérivé-de-discours »).

15. Voir sur ce problème C. Kerbrat-Orecchioni (1980, a), p. 109).

16. Dans notre terminologie : non « propre ».

17. Selon un mécanisme décrit par Searle (1982, p. 165).

18. Telle est en tout cas l'idée centrale et éponyme de cet ouvrage, intitulé *Metaphors We Live By.*

19. La catachrèse (« les ailes du moulin », « les pieds de la chaise ») est donc en quelque sorte un « demi-trope », puisqu'elle consiste à user d'un terme onomasiologiquement normal, mais sémasiologiquement déviant (actualisation d'un sens non propre). C'est sans doute la raison pour laquelle Fontanier, dont la perspective est fondamentalement onomasiologique, l'exclut de l'ensemble des « figures ».

20. Tradition perpétuée par Pottier (1974), qui classe la métaphorisation parmi les relations « 1 Sa / plusieurs Sé » (p. 89) mais la métonymisation parmi les relations « 1 Sé / plusieurs Sa » (p. 91).

21. Si Queneau peut intituler « Litotes » l'un de ses *Exercices de style,* et si le lecteur admet de considérer que celui-ci s'énonce bien sur le mode du trope, c'est parce qu'ils l'évaluent par rapport à l'« exercice » inaugural, admis comme texte-étalon, détenteur de la vérité référentielle.

Bel exemple du fait que les textes fictionnels fonctionnent, de ce point de vue comme de bien d'autres, de la même manière que les textes non fictionnels.

22. Il arrive souvent que par méconnaissance du code on prenne pour des métaphores d'invention de « vulgaires » métaphores lexicalisées. C'est ainsi que J.-L. Borges nous fait part de sa déconvenue, découvrant que les « kenningar », ces formules énigmatiques qui peuplent la poésie islandaise (« nourriture de corbeaux », « tempête d'épées », « bison du pré de la mouette », etc.), ne sont en fait que des « synonymes préétablis » de « cadavre », « bataille », et « navire » : « Entrelacées au vers qui les soutient, ces métaphores procurent d'abord d'agréables surprises; mais nous sentons bientôt qu'aucune émotion ne les justifie et nous les trouvons laborieuses et inutiles » (1951, p. 197). Telle est la « décevante réalité » des kenningar, nous dit Borges, qui reconnaît cependant que toutes lexicalisées qu'elles soient, ces métaphores ne sont pas totalement dépourvues de toute valeur expressive.

23. En particulier, la litote est toujours plus faible que l'antiphrase : manquer une antiphrase, c'est commettre un contresens; ne pas percevoir une litote, c'est passer à côté d'une simple « nuance ».

24. On a vu que la v.i. dérivée pouvait se greffer sur un contenu propositionnel identique (« Tu pourrais ouvrir la fenêtre? »), ou différent (« Il fait chaud ici! ») du c.p. associé à la v.i. littérale. Dans le second cas, le trope illocutoire se double donc d'un trope implicitatif, les deux tropes se constituant solidairement.

25. L'exemple de la voiture vient de Ducrot (1973, c), pp. 219-222) : « La phrase " ma

voiture est au garage " peut avoir pour principale visée sémantique de signaler (ou de faire croire) » à mon interlocuteur que j'ai une voiture. Mais Ducrot parle à ce sujet « d'emploi connotatif », et déclare que l'énoncé « doit être entendu en connotation » : nous préférons dire que le contenu présupposé, normalement connoté, devient ici, tout en restant implicite, dénoté.

Sur cette « rhétorique de la présupposition », voir aussi Ducrot, 1977, a), p. 193.

26. Les deux premiers exemples sont empruntés à Lindekens, le troisième à Ducrot (1978, p. 125), et les deux derniers au groupe λ-l.

27. S'il en est... Citons par exemple ceci : « [...] un certain nombre d'élucubrations puisant apparemment à des phantasmes érotiques d'une sénilité précoce, comme si l'auteur voulait s'offrir ce qu'on pourrait appeler des " remontants compensatoires " ». Ou encore ceci : « L'autre jour, sur les écrans de télévision, nous l'avons vu, Serge Gainsbourg! Ah, pour nous bavoter " sa " *Marseillaise,* il avait peaufiné sa tenue de scène et soigné l'expression, le geste, l'attitude. Œil chassieux, barbe de trois jours, lippe dégoulinante, blouson savamment avachi, mains au fond des poches. Bref, plus attentivement délabré, plus minutieusement débraillé, plus définitivement " crado " que jamais. Que l'on veuille bien m'excuser de dire aussi nettement les choses et de manquer peut-être à la plus élémentaire charité, mais quand je vois apparaître Serge Gainsbourg, je me sens devenir écologiste. Comprenez par là que je me trouve aussitôt en état de défense contre une sorte de pollution ambiante qui me semble émaner spontanément de sa personne et de son œuvre, comme de certains tuyaux d'échappement sous un tunnel routier. »

28. A un troisième niveau de contenus, plus enfouis encore, et dont l'extraction repose sur la seule compétence culturelle de A (connaissance de certains « topoi » racistes), le texte suggère d'établir une corrélation entre les propriétés attribuées à Gainsbourg dans la première partie (qui s'indexent selon les isotopies de la crasse, du « faciès », du mercantilisme, maintenant enrichies du thème de la « traîtrise »), et son « judaïsme ».

29. Il est d'ailleurs sur ce point parvenu à ses fins puisqu'à la suite de cet article, Gainsbourg s'est vu harceler par les journalistes de questions sur ce thème, et sommer de « s'expliquer » (à sa manière) : « Oui c'est vrai je suis juif, j'ai porté l'étoile de shérif pendant la guerre, mais j'ai toujours été athée... »

30. Le même Michel Droit, à qui Glucksman reprochait (*Apostrophes* du 2 mai 1978) le caractère péjoratif et raciste de la formule « ce petit boche joufflu et bedonnant » qu'il venait d'utiliser pour définir Cohn-Bendit, répliqua alors superbement : « Comment! C'est péjoratif, " joufflu "? »

31. En tant que « signes du lien » (Goffman), les termes d'adresse, analysés par Delphine Perret, sont fréquemment utilisés tropiquement, pour dénoter la nature du lien social qui unit les interactants. Il en est de même de certaines injures et plaisanteries rituelles, qui d'après Labov, et Brown et Levinson (1978, p. 234), ont souvent pour fonction essentielle de manifester et consolider une relation d'intimité entre l'émetteur et le destinataire; et des appellatifs en emploi désignatif, certains locuteurs ayant ainsi la manie de désigner systématiquement par leur prénom, dès lors qu'elles sont investies d'un certain prestige social, les personnes dont ils parlent, voulant par là signifier qu'ils les connaissent personnellement.

32. A l'instar de ces policiers zaïrois dont J.-F. Berniès décrit ainsi le comportement (*Pigeon volant,* Laffont, 1977, p. 252) : « Ils se sont remis à m'interroger. Leurs questions s'entre-croisaient. Ils n'écoutaient pas les réponses, reposant toujours les mêmes questions. Juste pour gagner du temps et jouer avec leur pouvoir. »

33. Voir aussi l'analyse que propose le groupe λ-1 (1975, pp. 270-271) de la phrase « Ouvre une bouteille de champagne, car je viens d'être élu à l'Académie ».

34. Voir notre article « Le texte littéraire : non-référence, auto-référence, ou référence fictionnelle? », *Texte,* n° 1, 1982.

35. Un autre traitement du problème serait à la rigueur possible : il consisterait à considérer le signifiant « indicatif » comme polysémique, ses deux valeurs sémantiques (renvoyer à un référent de type non fictionnel *vs* fictionnel) étant sur le même plan. Mais je pense personnellement qu'en langue, ces deux valeurs sont hiérarchisées, la première

étant « propre » et la seconde dérivée. Il y a donc bien, lorsque le signifiant reçoit la seconde valeur, trope lexicalisé : sémasiologiquement, la valeur qui s'actualise n'est pas la valeur propre. Onomasiologiquement, le procédé de loin le plus fréquent pour énoncer une fiction, c'est bien l'indicatif. Mais le conditionnel est également possible (et utilisé par exemple dans la formule des jeux enfantins : « Je serais le loup, et toi le Petit Chaperon Rouge ») : il est même, quoique plus rare, plus « normal » que l'indicatif. Sa fréquence autorise toutefois à parler, à propos de ce trope, de « quasi-catachrèse ».

36. Mode qui dans ce texte de Duras fait quelques autres brèves apparitions.

37. P. Zumthor nous a encore signalé les formules :
« N'était-il pas une fois ? » (Mali et Haute-Volta) ;
« Ce que je dis, ce n'est pas moi qui le dis » (contes Inuit).
Des formules similaires se rencontrent parfois en fin de conte. Ainsi « tel est notre mensonge du soir », qu'utilisent rituellement au terme de leur récit les conteurs africains.

38. Diderot, *Jacques le fataliste*, le Livre de poche, éd. 1972, pp. 4-5 (les italiques figurant dans la citation de Musil, celle-ci, et les suivantes, sont introduites par nous).

39. *Le Petit Bleu de la côte ouest*, Gallimard (« Série noire »), p. 181.

40. *Un Anneau d'argent à l'oreille*, Éd. de Minuit, 1982, p. 83.

41. Telle est sans doute l'idée que suggère cet adverbe dans cette phrase d'Aragon (*Traité du style*, Gallimard, 1928, pp. 40-41), qui décrit les affres d'un adolescent apprenti-poète tentant de s'aventurer sur les voies du lyrisme : « Quand le jeune homme qui s'avance dans l'art d'écrire, comme dans un grenier plein à craquer d'aubergines et de mandragores pour la première fois sans sa mère une petite souris, se demande [...] si le dictionnaire des rimes qui sursaute perpétuellement sous le coup de son inquiétude peut lui être d'un usage quelconque, le doute, empruntant les indiscrètes voies de la distraction qui ne manque guère dans la grande maison silencieuse ou la petite chambre bruyant *indifféremment*, se met à ricaner çà et là » : l'adverbe, en même temps qu'il fonctionne par rapport à « bruyant » comme l'équivalent archaïque de l'expression « avec indiffé-rence », peut être interprété comme modalisant métalinguistiquement la construction alternative.

42. Le 1er octobre 1974, un billet de B. Chapuis, dans *Le Monde* toujours, exploitait curieusement, dans une situation inverse, un procédé identique : « [...] La pensée de la gauche, en revanche, semblerait indiquer que l'électorat est satisfait des quatre premiers mois du septennat de M. François Mitterrand. »

43. Ce qui ne veut pas dire qu'il faille assimiler littérature et fiction, littérarité et fictionnalité.

44. L'expression étant ici à prendre dans un sens légèrement différent de celui que lui attribuent Hintikka et autres tenants de la « logique des mondes possibles » (voir là-dessus, entre autres, M. Meyer, 1981, pp. 81 et *sqq.*).

45. Il n'existe en tout état de cause aucun texte qui soit de bout en bout fictionnel ; mêlant toujours des ingrédients « réels » aux constructions imaginaires, tout texte se caractérise par un certain *taux de fictionnalité*.

46. Voir C. Kerbrat-Orecchioni (1980, b), pp. 23 et *sqq.*).

47. Dans *Les Femmes savantes*, acte II, sc. VII.

48. Il en est de même, dans le roman, des séquences dialoguées, et l'on peut voir de la part de l'auteur Brasillach une allusion métalinguistique malicieuse au statut énonciatif du roman épistolaire lorsqu'il fait dire à Patrice : « Nos lettres, *si un autre les lisait*, donneraient l'impression d'un bien étrange brouillard » (*Les Sept couleurs*, chap. II « Lettres », Le Livre de poche, 1965, p. 86).

49. Problème mentionné par de nombreux spécialistes du discours théâtral ; entre autres D. Burton, 1980, p. 30.

50. Souligné par nous.

51. Selon que Mme Smith, dans la tirade précédente, regarde son mari ou la salle, l'effet produit par la transgression de la loi d'informativité sera d'ailleurs sensiblement différent – et plus étrange dans le premier cas que dans le second.
Lorsque le procédé se reproduit, plus nettement encore, au début de la scène II, où

Mary « décline son identité » (« MARY *(entrant)*. – Je suis la bonne [...] »), il semble difficile d'envisager cette tirade autrement que prononcée face au public.

52. Les indications didascaliques *(« à un tel »)* venant éventuellement suppléer, dans le texte théâtral écrit, à l'absence de tout signifiant paraverbal.

53. Dans *Sous le regard de Moscou : Pologne (1980-1982)*, Calmann-Lévy, 1982, p. 9.

54. La distinction entre « signifiant » et « indice » n'est pas toujours facile à établir : ainsi dans l'interrogation oratoire que comporte la phrase d'Amphitryon qui vient d'être citée en exergue, la négation doit-elle être incorporée, dans la description du processus, à la structure interrogative, ou isolée comme un indice cotextuel ? Problème qui se pose du reste en termes similaires pour la plupart des « marqueurs de dérivation illocutoire ».

55. Ainsi que le note Todorov (1977, p. 110).

56. Interviewé dans *L'Express*, n° 1425, 4 nov. 1978, p. 179.

Un peu plus loin (p. 195), au sujet de cette déclaration faite par lui-même, le 11 mars 1937, lors d'un meeting salle Wagram : « Il faut de toute urgence résoudre la question juive. Que les Juifs soient expulsés, ou qu'ils soient massacrés », Darquier affirme : « C'était une image. Moi, vous savez, je n'ai jamais voulu la mort de personne. » Mais on ne voit guère, ici, en quoi peuvent bien consister les indices du trope.

57. Ainsi un énoncé verbal tel que « Il fait chaud ! » ne sera interprété comme une requête indirecte que s'il s'accompagne d'une mimique ou d'une intonation exprimant le déplaisir, et éventuellement d'un regard dirigé vers la fenêtre.

58. Exemples :

« Les juges ont cogné à partir de réalités incertaines pour plusieurs des dossiers examinés. C'est une litote de le dire [...]. Pour faire perdre de vue le comportement plus qu'étrange [de la police], lors de la manifestation du 23 mars, comportement qui avait étonné (encore une litote) à peu près tout le monde » (Philippe Boucher, *Le Monde* du 12 mai 1979, p. 13). « Ce principe de l'égalité de l'homme et de la femme n'est pas toujours respecté – c'est un euphémisme – en Algérie » (Hector de Galard, *Le Nouvel Observateur*, n° 713, 10 juill. 1978, p. 24).

59. Publicité pour *Techniques secrètes des massages sexuels japonais*.

Notons que dans l'exemple suivant, l'expression métalinguistique « au sens propre » doit au contraire être prise au sens propre, puisqu'elle indique que le terme précédent doit être pris au pied de la lettre (ou quasi...) : « Des tableaux sont violés – *au sens propre*. C'est pourquoi « la Source » d'Ingres, qui a reçu l'hommage de plusieurs érotomanes, a dû être mis sous verre » (Michel Lacotte, conservateur du Louvre, in *Le Nouvel Observateur*, n° 721, 4 sept. 1978, p. 54).

60. *L'Esprit des lois*, Livre XV, chap. 5.

61. Jeanne Villeneuve, « Deux matheux parient sur les chaises », *Libération*, 15 janv. 1983, p. 4.

A noter le ! final, indice typographique de l'ironie (en l'absence duquel on pourrait en quelque sorte parier d'une graphie « pince-sans-rire »).

62. Les « indices paradoxaux » sont en partie responsables de ces ambiguïtés, puisqu'un adverbe tel que « littéralement » s'emploie tantôt pour souligner la littéralité d'une séquence, tantôt pour accompagner un trope (il semble en revanche que des deux modalisateurs « en vérité » et « à la vérité », seul le premier soit susceptible de renforcer un trope ironique).

63. Brown et Levinson remarquent ainsi (p. 125) que l'on rencontre souvent l'expression métalinguistique « to speak metaphorically », mais jamais « to speak ironically, he is a splendid fellow ».

64. Sur les notions de « Verleugnung » (« déni de réalité ») et de « clivage du moi », voir O. Mannoni (1964).

65. « L'université en Amérique a un faible pour l'horoscope. Les collègues sont portés sur l'astrologie. A peine on vous présente à quelqu'un, il vous demande si vous êtes Bélier ou Taureau. [...]. *Moi, bien sûr, je n'y crois pas. Mais quand même*, comme Freud avec la télépathie, *il faut bien y aller voir* [souligné par nous]. Quand tout le reste se dérobe, le passé anéanti, le présent insupportable... » (p. 339).

Aussitôt dit, aussitôt fait : le narrateur clivé d'*Un Amour de soi* (« roman » de Serge Doubrovsky, Hachette, 1982) rend visite à un astrologue, qui lui prophétise un avenir radieux : « She will always love you. » Verdict péremptoire, que commente en ces termes son bienheureux récipiendaire (p. 341) : « Voilà, depuis des mois, des ans, ce que je voulais m'entendre dire. Maintenant, c'est prédit. Malheureusement, la réalité avait du mal à suivre [...]. »

66. Toutes les séquences soulignées dans ce développement le sont par nous.

67. En ce sens très particulier (dédoublement d'un sujet substantiellement unique), l'ironie a toujours quelque chose de dialogique. Il en est de même de tous les tropes : à l'émission, ils relèvent *en un sens* (pluralisation d'un même sujet substantiel) de la polyphonie ; quant à leur réception, en ce sens très particulier toujours, on peut considérer que tout trope se double nécessairement d'une espèce de trope communicationnel.

68. Voir les analyses de l'ironie proposées par Sperber et Wilson (1978), et cette remarque de Perelman et Olbrechts-Tyteca (1976, p. 393), à propos de la litote et de l'hyperbole : « On suggère que ce terme eût pu normalement être admis comme adéquat [...]. Chimène affirme qu'elle aurait dû haïr, qu'il eût été normal de haïr, et que son auditeur pourrait le croire. »

69. Le terme est utilisé par R. Warning (1979, p. 328) traitant du discours théâtral, dans lequel il voit « le paradigme [...] du discours fictionnel en général ».

Sur le cas particulier, et exemplaire, de la fiction et de l'« illusion » théâtrale, voir également M. Bunjevac (1982) ; R. Guarino (1982), qui pose, à la suite de Husserl, le problème de savoir si les deux perceptions contradictoires dans ce « double bind » peuvent être ou non simultanées ; et bien sûr Mannoni (1964, p. 1262) et 1969, pp. 302-305), qui montre comment le spectateur, jouant la crédulité sans pour autant être jamais dupe, exige de l'illusion théâtrale qu'elle soit parfaite, mais en même temps clairement dénoncée comme illusion (1969, p. 304 : « [...] le théâtre, en tant qu'institution, fonctionne comme un symbole original de négation *(Verneinung)* grâce à quoi ce qui est représenté le plus possible comme vrai est en même temps présenté comme faux, sans qu'aucune espèce de doute soit admis »).

70. Au cours d'une interview filmée par Alexandre Astruc.

71. Le trope communicationnel étant à mettre à part, puisqu'il ne porte pas sur des unités de contenu, mais sur les actants d'énonciation.

72. Rappelons que nous n'avons envisagé de ce trope que les aspects liés au statut du *récepteur.*

Mais on pourrait également envisager un trope communicationnel portant sur l'*émetteur :* dans la « citation implicite » par exemple, ou lorsque à l'inverse L, sous les apparences d'une citation, parle en fait en son nom propre ; relèveraient aussi de ce trope les procédés de « marquage », de « simulation » et de « connivence » qu'envisage Maingueneau, 1976, p. 140.

Notes du chapitre 4

1. Cette distinction recouvre en gros celles que proposent de leur côté Searle (1975, b), pp. 60-61) et Charolles (1980, c), p. 60), des différents facteurs entrant en jeu dans les opérations de décodage (de l'implicite en particulier).

2. Le statut des unités « vocales » est autrement problématique...

Quant aux faits mimo-gestuels, ils relèvent d'un système sémiologique autonome. Seront incorporées à la compétence encyclopédique toutes les informations pertinentes fournies par des signifiants de nature non linguistique (kinésique, proxémique, éventuellement iconique, etc.). Mais cette décision serait sans doute à réviser de manière à incorporer au *cotexte* (et non plus au contexte) certaines de ces informations non linguistiques pertinentes.

3. Dans notre *Énonciation,* le même objet est baptisé « compétence culturelle et idéologique ». Nous nous plions ici à un usage terminologique qui s'est généralisé ces dernières années – en dépit des ambiguïtés auxquelles risque de prêter ce terme d'« encyclopédie » : lors d'une conférence donnée récemment à Luxembourg devant un public

d'interprètes et traducteurs de la C.E.E., comme j'avais parlé de l'importance du rôle de cette « compétence » (qui pour nous recouvre l'ensemble des informations, aussi élémentaires et triviales soient-elles, que les sujets possèdent sur U), je me suis vu objecter qu'il était inexact qu'un bon traducteur doive être une « encyclopédie vivante », qu'un excès de connaissances pouvait même être nuisible, etc. Malentendu de nature évidemment terminologique, mais bien difficile à dissiper.

4. W. Iser (1979) mentionne l'exemple du théâtre carnavalesque médiéval, et du réalisme socialiste, dont « l'intention communicative [...] est de répéter au public la validité de ce qui est bien connu de lui » (p. 297); et U. Gumbrecht (1979) écrit du discours épidictique, et spécialement de celui des orateurs révolutionnaires : « l'identité des savoirs [...] entre orateurs et auditeurs était considérée comme la condition globale officielle de la communication politique. Le consensus, au lieu d'être le but du discours, en devient la condition préliminaire » (p. 366).

5. Le terme d'information « implicite » (ou « présupposée ») est de ce fait ambigu : tantôt il caractérise des unités préexistant à l'énoncé (« préconstruites »), tantôt des contenus construits par lui. C'est dans ce second sens que nous l'utilisons ici en principe. Mais le problème se complique du fait qu'à partir du moment où une information préalable se trouve mobilisée pour permettre l'extraction du sens de l'énoncé, elle devient elle-même une espèce de composante du sens de cet énoncé (qui peut dans certains cas la réactiver, voire la convertir, en cas de trope implicitatif, en contenu essentiel).

Quant au premier sens de « présupposition », c'est celui que Goffman définit en ces termes (1983, p. 1) : « A presupposition (or assumption, or implication, or background expectation) can be defined very broadly as a state of affairs we take for granted in pursuing a course of action » – par exemple, que le soleil se lèvera demain, et me trouvera vivant, lorsque j'énonce que « je partirai demain ».

Pour le rôle fondamental, quoiqu'ils restent le plus souvent implicites, que jouent les « topoi », ou « lieux communs » (propositions plus ou moins endoxales de nature idéologique), dans les argumentations naturelles, cf. Ducrot, 1983, et Anscombre et Ducrot, 1983).

6. Le terme est donc à prendre ici en un sens que l'on rencontre certes déjà chez Aristote, mais qui a surtout été fixé et popularisé par Boèce et à sa suite, la tradition médiévale.

7. D. Bourcier (1979) remarque (p. 15) que les textes juridiques comportent beaucoup d'enthymèmes de ce type.

8. Exemple similaire (où toutefois majeure et mineure s'enchaînent directement au sein d'une même intervention) : « [...] En ton absence je ne suis aperçue d'une chose. J'aime les hommes de mon âge. Toi, tu auras bientôt cinquante ans ». (S. Doubrovsky, *Un amour de soi,* Hachette, 1982, p. 265).

9. Les exemples abondent : « L'alcool tue »; « Persil lave plus blanc »; « Coca-Cola désaltère le mieux » (que l'on peut comparer à « Buvez Coca-Cola », forme plus directe de slogan, qui énonce de but en blanc la conclusion, de nature prescriptive).

Notons au passage que s'agissant d'énoncés produits en langue naturelle, il est parfois difficile de déterminer si la prémisse réalisée doit être considérée plutôt comme une majeure, ou comme une mineure.

10. Voir aussi R. Rivara (1981); et sur le fonctionnement des « connecteurs pragmatiques » et « marqueurs d'interactivité » autres que « mais » (« quand même », « donc », « par contre », etc.), Spengler, 1980 (qui dit par exemple des « contrastifs » qu'ils marquent « l'existence d'une opposition ou incompatibilité, non pas directement entre les éléments reliés, mais soit entre les conclusions que l'on peut tirer de ces éléments, soit entre un des éléments et la conclusion de l'autre »), et différents articles des *Cahiers de Linguistique française,* n° 2 (Moeschler-Spengler, Zénone) et n° 4 (Zénone, p. 115, Ducrot, pp. 114-115, Moeschler-Schelling-Zénone, p. 176 : « Nous partirons du principe que tout connecteur pragmatique fait intervenir de l'implicite », etc.).

11. R. Barthes, *Essais critiques,* « Le théâtre de Baudelaire », Seuil, Paris, 1964, p. 41.

12. C'est par exemple le cas des slogans publicitaires précédemment cités.

13. Rappelons que cette expression désigne, elliptiquement, l'ensemble des mécanismes qui caractérisent les raisonnements ou argumentations effectués en « langue naturelle ».

14. Ce fait de décodage reflète symétriquement le principe d'encodage qui veut que l'on ne coordonne que des objets relevant de la même « catégorie sémantique » – sans que l'on puisse du reste préciser clairement ce qu'il convient d'entendre par là (ensemble de termes relativement homogènes dénotativement, mais surtout connotativement).

15. Pour Ricœur, le contenu de la relative appositive est donc posé – alors que pour nous (mais nous avons précédemment signalé que son statut était de ce point de vue problématique) il s'agit plutôt d'un contenu présupposé.

16. Aphorisme doublement idiot puisque : si l'on s'en tient à l'interprétation en termes de condition suffisante, c'est un truisme ; si l'on cherche du côté de la condition nécessaire, c'est une contre-vérité.

C'est que p n'est en fait ici en rien condition de la proposition nécessairement vraie q – ce que nous font pourtant attendre l'intonation de la phrase (subordination implicite), et le souvenir des proverbes que celui-ci calque mécaniquement (« Noël au balcon, Pâques aux tisons », etc.).

17. Cf. cet exemple très proche du précédent :
« Le jeune homme avala un deuxième verre et dit à Thomas :
– Ta femme est fichtrement belle aujourd'hui !
– Imbécile, dit le président, Madame Tereza est toujours belle.
– Je le sais qu'elle est toujours belle, dit le jeune homme, mais en plus aujourd'hui, elle a mis une jolie robe » (M. Kundera *L'insoutenable légèreté de l'être*, Gallimard, 1984, p. 391).

18. Et non antonymique.

Quand nous disons que « x est p » → /x est non p'/, et que ce glissement est propre à la logique naturelle, il faut bien entendu exclure le cas où p' est l'antonyme de p, qui relève lui de la logique formelle :

« Vous êtes jolie » formellement (toujours) → /Vous n'êtes pas laide/
« Vous êtes jolie » « naturellement » (parfois) → /Vous n'êtes pas intelligente/
« Vous êtes jolie aujourd'hui » « naturellement » (parfois) → /Vous n'êtes pas jolie d'habitude/.

19. Voir à ce sujet l'article de Bourcier (1979), dont un des paragraphes s'intitule « Le discours juridique est un discours implicite ».

20. Dans cet exemple au contraire, L_1 assume et exploite l'inférence relevée polémiquement par L_2 :
GISÈLE. – Vous verrez tout ira bien y a du travail toute l'année ici.
MARIE *(de plus en plus agacée)*. – Partout y a du travail ces temps-ci.
GISÈLE. – Justement, raison de plus : ici aussi !... (J.-Cl. Grumberg, *L'Atelier*, Stock « Théâtre ouvert », 1979, p. 28).

21. Nous empruntons ce terme à H. Parret et à Léo Apostel – mais en lui attribuant ici un sens plus spécialisé, et en y recourant surtout pour éviter les ambiguïtés auxquelles donnerait lieu l'expression d'« implicite pragmatique » utilisée dans le *Niveau-Seuil*.

22. Ce dernier terme est mentionné par B.-N. Grunig, 1979, p. 16.

23. Ces inférences peuvent être rapprochées des « implications référentielles valides » de Berrendonner (1981, a), p. 144), et des « présupposés de possibilité » et « d'ordination sémantique » de Martin (1976).

24. On voit que quel que soit l'ordre dans lequel on les applique, leur action conjuguée permet de passer de
« Si p, alors q » à
« si q, alors p ».

25. Slogan publicitaire analysé par J.-M. Adam, 1981, pp. 91 et *sqq.*

26. Cette inférence peut être aussi traitée en termes de glissement de la condition suffisante à la condition nécessaire.

Les règles énoncées en **4.3.2.3** et en **4.3.2.4** pourraient d'ailleurs être regroupées dans une catégorie générale englobant l'ensemble des phénomènes liés à l'action de la loi d'exhaustivité, qui engendre des inférences à valeur restrictive.

27. Au cours d'un entretien avec Gilles Lapouge, *La Quinzaine littéraire*, n° 262, 1er sept. 1962, pp. 17-18.

28. Le même mécanisme exactement s'observe (mais exploité à l'inverse) dans le slogan publicitaire suivant : « 55 900 F : On peut avoir une Volvo pour le prix d'une voiture... » Sur le problème des facteurs entrant en jeu dans l'acceptabilité d'une contradiction, voir Kerbrat-Orecchioni, 1984, b).

29. Alors qu'il s'agit là pour nous de contradictions « fortes », au sens où nous les avons définies à la fin du chapitre II (Levinson au contraire, considérant que « généralement » se contente de sous-entendre /pas toujours/, y verrait sans doute une contradiction faible).

30. Voir l'article de H. Sinacœur (1978) intitulé « Logique et mathématique du flou ».

31. Mais ces maximes gouvernant les productions discursives monologales aussi bien que dialogales, il n'eût guère été judicieux d'appeler cette compétence « conversationnelle ».

32. Cette même idée de la coopération comme norme est défendue avec beaucoup d'éloquence par F. Jacques (ainsi 1979, pp. 163, 225-226, 304 et *sqq*...), qui montre en particulier que même les infractions à ce contrat de coopération et de « pertinence communicative » se contentent de pervertir, de « détourner » les principes de fonctionnement du dialogue « régulier », et ne sauraient donc, « n'en déplaise aux cyniques » (p. 344), infirmer la règle.

33. *La Rage de lire*, émission de G. Suffert, T.F. 1, le 29 avril 1981.

34. Voir là-dessus le n° 26-27 (« Langage et ex-communication »), printemps-été 1981, de la revue *Degrés*.

35. Conception qui vient opportunément fonder la réplique du « client » dans cette « histoire drôle » rapportée par Freud (1971, p. 78) : « Un maquignon offre à son client un cheval de selle : " Si vous prenez ce cheval et si vous partez à quatre heures du matin, vous serez à six heures et demie à Presbourg – Et que ferai-je à Presbourg à six heures et demie du matin ? " ».

36. « Monsieur Moi. Dialogue avec un brillant partenaire », in *Théâtre de chambre*, Gallimard, 1966, p. 96.

37. Cette expression vient de G. Almansi, 1978, p. 418. Notons pourtant que le chien connaît l'usage de la feinte, et que Koko le gorille sait, paraît-il, mentir.

38. On peut penser au cas de ces infortunés Lucayens qui périrent (d'après Todorov, 1982, p. 122) du désespoir d'avoir été abominablement bernés par les Espagnols; et à celui de Jean Seberg, victime des calomnies du F.B.I.

39. Cf. Moeschler, 1982, p. 66 : « ce qui importe pour le bon fonctionnement de l'acte d'assertion, c'est que l'énonciataire soit persuadé que l'énonciateur croit que *p* », et la règle de sincérité doit être reformulée en « condition de sincérité réflexive » – application à ce problème particulier du principe général que nous énoncerons plus loin : *les propriétés d'un énoncé sont, et ne sont que, celles que lui prête(nt) son (ou ses) récepteur(s)*.

40. Grice, 1979, p. 63. Une confirmation de cette affirmation : dans le cours d'apprentissage d'une langue étrangère où il s'agit de manipuler des structures sans se soucier de leur appropriation, on constate souvent une manifeste *résistance* au mensonge : les sujets ont peine à énoncer ce qu'ils estiment être des contre-vérités, même anodines.

41. G.E. Moore, cité par Récanati (1979, a), p. 183).

42. C'est au nom de considérations de cet ordre que Pavel (1982) condamne la règle de sincérité; et sans doute, qu'Ipoustéguy forge les deux mots-valises « vraux » (vrai-faux) et « farai » (faux-vrai) (dans *Sauve qui peut, Robin*, Grasset, 1978, p. 30).

43. Cf. aussi ce graffiti dialogué relevé dans les toilettes de l'Université Columbia : « There has never been a more over-rated object than the male phallus ».

« Is there any other kind ?? ».

44. Dans ces deux exemples, l'effet comique résulte aussi du fait qu'en vertu de la loi d'exhaustivité, ils laissent entendre que certains chauves ont des cheveux, et qu'il existe d'autres façons de marcher. Or « ce n'est pas la meilleure façon, c'est la seule », note Michel Arrivé de cet aphorisme, et de cet autre qu'il forge sur le même moule : « La meilleure façon de parler, c'est de mettre un mot devant l'autre et de recommencer » (*Les Remembrances du vieillard idiot*, Flammarion, 1977, p. 75).

45. Sur le comique prenant sa source dans la transgression de la loi d'informativité, voir aussi L. Olbrechts-Tyteca, 1974, pp. 191-194 ; et les travaux de Garfinkel, sur le fait qu'une transgression systématique de cette loi peut provoquer une violente « crise de l'interaction ».

46. Quant au fait que je le mette ou non selon que j'estime ou non cette information susceptible d'intéresser d'autres conducteurs, il relève de la loi de pertinence.

47. « Un procédé de diffamation extrêmement subtil consisterait à publier dans la presse, jour après jour, une série d'informations de ce genre : " Nous démentons de la façon la plus formelle que le ministre Tartempion soit impliqué dans l'affaire de mœurs de la rue C. – Au point de vue moral, on n'a rien à reprocher injustement qu'on évoquerait le nom de Tartempion à propos de l'affaire que vous savez ", etc. » (J. Pohl, 1968, p. 159).

48. A l'instar de Johnny Hallyday, dont la chanson « je t'aime » se contente de moduler cette même phrase jusqu'au paroxysme – et parfois, nous l'avons constaté dans un super-marché, l'exaspération des auditeurs : « Encore ? On le saura ! »

49. Laquelle peut même échapper à la loi de sincérité :

LE PAPERASSIER. – « Tu y as jamais été, toi, dans le nord ?

LE MATRAQUEUR. – Non.

LE PAPERASSIER. – Tu vois, la conversation est dans l'impasse. Il vaut mieux dire oui, bien entendu.

LE MATRAQUEUR. – *Je peux donc mentir ?*

LE PAPERASSIER. – *Pourvu que ça prolonge la conversation* » (*Granite*, par la compagnie du « Chien mexicain », texte ronéoté).

50. Nous laissons aux logiciens le problème de savoir si « j'ai quarante ans » implique au même titre (bien que le verbe « avoir » n'y décrive pas exactement la même relation d'appartenance) « j'ai trente ans »...

51. D'où les difficultés d'application d'une telle loi : « Qui peut d'ailleurs assigner une limite à ce qui est en rapport avec la situation (service de renseignements d'une gare, par exemple). Pour la personne travaillant au standard téléphonique c'est en principe seulement l'heure, à la minute près, du départ d'un train. Pour l'autre personne c'est aussi tout ce qui l'a amenée à envisager de prendre ce train, tout ce qu'elle attend de ce départ, tout le tracas que lui procure son organisation » (B.-N. Grunig, 1979, p. 27).

Il est bien évident en tout cas que A est en général loin de désirer *tout* savoir sur ce dont parle L : « Cette pratique est interdite par le code du travail – article 312, *si vous voulez tout savoir* » (France Inter, 22 mars 1984) : la précaution oratoire qui vient ici corriger un *excès* éventuel d'exhaustivité, est en effet justifiée.

Evident aussi que tout le monde n'a pas, nécessairement, dans une situation donnée, la même conception de « l'exhaustivité pertinente » :

L_1. – « Quelle heure est-il ?

L_2. – Il est tard.

L_1. – Mais encore ? » (le problème étant ici qu'il ne peut être traité en termes exclusivement quantitatifs : l'indication numérique et le terme évaluatif sont *diversement* informatifs...).

52. Et au « postulat de réduction » de Revzine, qui montre comment il se trouve parfois transgressé dans *La cantatrice chauve*.

53. Louis Lambert, *Formulaire des officiers de police judiciaire*, éditions police-revue, Paris, 1970, p. 53.

54. Le silence de L_2 s'expliquant ici en partie par le fait qu'une « loi de modestie » vient contrecarrer l'action de la loi d'exhaustivité.

55. A cette question Goffman (1983) tente de fournir quelques éléments de réponse,

en dégageant certains principes interactionnels régissant ce qu'il convient de dire (ou de ne pas dire), dans telle situation discursive, à tel partenaire discursif – mais il reconnaît en même temps qu'en ce domaine, « philosophy and linguistics must give way to sociology » (p. 32).

56. Exemple (p. 264) : « Un jour, plusieurs pensionnaires et membres du personnel étaient assis autour d'un poste de télévision dans un des salons, après une petite fête d'après-midi. Une des pensionnaires se tourna vers moi et me demanda : " Ainsi, à qui appartiens-tu? Qui est ta petite amie? ". Un peu embarrassé, je m'apprêtais à lui donner quelques détails de ma vie privée [...]. Mais la directrice des activités récréatives se tourna rapidement vers la vieille dame et lui dit : " Gloria, vous savez pourtant que vous ne pouvez pas poser ce genre de questions ", et à moi : " Vous ne devez pas vous sentir obligé de lui répondre, vous savez. " Lorsque le groupe se dispersa, une autre pensionnaire vint vers moi pour excuser sa compagne de pavillon en déclarant qu'elle " ne savait vraiment pas ce qu'elle disait ". »

57. *Les Liaisons dangereuses,* lettre LXXXIV (Le Livre de poche, éd. 1972, pp. 251-252) (La séquence soulignée l'est par nous).

58. Ce principe de « déplacement de focalisation » est largement exploité par les « blagues » dialoguées, ainsi :
 – « Pourquoi avez-vous toujours la pipe à la bouche?
 – Où voulez-vous que je la mette? »
 – « Pourquoi es-tu toujours devant la télé?
 – Il n'y a pas grand-chose à voir derrière... »
 – « Pourquoi les Français portent-ils des bretelles tricolores?
 – Pour soutenir leur pantalon... »
(on voit par ces exemples que le problème du « focus » doit être traité en relation avec le fonctionnement des lois de pertinence, d'informativité, et d'exhaustivité).

59. Cf. Mc Cawley, 1978, p. 257; et Pascal, qui dit quelque part en substance : « Il y a des cas où il faut appeler Paris " Paris ", et d'autres où il faut dire " capitale de la France ". »

60. Sur l'« auto-violation » – avilissement, étalage (« C'est le cas par exemple d'un individu [...] qui est ivre, qui pleure devant des inconnus, qui raconte sa vie »), etc., voir Goffman, 1979, pp. 65 et *sqq.*

61. Curieusement, le délit s'aggrave lorsqu'il s'agit d'un mort : rien de plus profanateur que de gifler verbalement un cadavre; rien de plus monstrueux qu'un pamphlet nécrologique – on connaît quelques exemples pourtant de ce « genre » d'un genre spécial : pamphlet d'Aragon à la mort d'Anatole France, pamphlet de Paul Morelle (*Un Nouveau Cadavre,* La Table Ronde, 1984) à celle... d'Aragon.

62. Semblablement : « Je vous dis ça d'autant plus volontiers que j'ai été tenant de cette hypothèse un certain nombre d'années, donc je n'ai aucun scrupule à la dénoncer » (entendu lors d'un colloque) : la critique passe mieux lorsqu'elle se mâtine d'auto-critique – laquelle n'est d'ailleurs de mise que dans certaines limites, car il ne convient pas non plus de rabaisser excessivement sa propre face positive : voir plus loin.

63. Dont nous donnons quelques exemples dans notre article « Argumentation et mauvaise foi », pp. 46-47.

64. Autre exemple :
 L_1. – « Donc vous pensez que vingt ans après avoir passé leur permis, les automobilistes ne savent plus conduire?
 L_2. – Pas exactement... Je ne le pense pas car... [petit rire] j'entre moi-même dans cette catégorie... » (France Inter, 22 mars 1984.)

65. Pour Bernard Lamy, la qualité de modestie, venant s'adjoindre à la triade d'Aristote (vertu/compétence/bienveillance) constitue l'une des composantes obligées de l'« ethos » de l'orateur – qui doit bien entendu, au même titre que les autres et même plus encore (car déclarer « je suis modeste », c'est commettre une sorte de contradiction pragmatique), demeurer implicite.

66. Sauf à la faveur d'un travestissement (dès lors qu'il change d'identité, le cabot du

film de Lubitch *To be or not to be* s'empresse de s'enquérir : « Vous connaissez Joseph Tura, c'est un très très grand acteur ! »), ou d'un dédoublement énonciatif : l'anonymat de certains articles encyclopédiques, ou des textes de présentation d'œuvres littéraires, permet à certains auteurs de transgresser sans trop de risques la loi des fleurs...

67. Qui soulève d'ailleurs le délicat problème du « thème » d'un énoncé...

68. Pour une application au cas des actes de requête et de question, voir H. Parret (1979).

69. D'où la cocasserie de la formule bien connue « les absents levez la main », et de cette inscription figurant sur la porte d'un secrétariat : « S'adresser à la porte 225. »

Les conventions propres au discours théâtral permettent exceptionnellement aux personnages de s'adresser à un objet absent, ou non doué de parole. Mais on peut à ce sujet parler de « licence théâtrale » (liée bien sûr à l'existence, en la personne du public, d'un destinataire indirect).

70. Dans un cabinet dentaire, à Montréal : « Please remove your over-shoes/S.V.P. enlevez vos couvre-chaussures. » Mais la consigne tombe pour moi à plat : je ne porte pas cette chose-là – et je ne sais même pas ce que c'est.

71. Lorsqu'un enfant dit « j'ai pardonné à mes parents », il sort du même coup de sa condition infantile pour se poser en égal des adultes par lui pardonnés.

72. On voit ici que c'est tantôt du statut de L, tantôt de celui de A, que dépend l'appropriation pragmatique d'un énoncé.

73. Le subjonctif (permis après « croire » à l'époque classique) pouvant être ici considéré comme un « softener » adoucissant l'acte transgressif de contestation-du-jugement-du-Maître – que tente en outre de « réparer » par avance le commentaire méta-communicatif qui précède cet acte de contestation.

74. Ducrot ne fait qu'une brève apparition dans ce texte ; quant à Searle, Grice ou Goffman, ils en sont totalement absents...

75. Bourdieu parle en fait d'énoncés « socialement dépourvus de sens » : c'est que pour lui, qui renoue ici curieusement avec le behaviorisme bloomfieldien des années trente, le sens d'un énoncé, *c'est* son effet perlocutoire.

76. La précaution est en effet de mise, car l'utilisation du terme « substance » est ici bien malencontreuse.

Notons au passage qu'à plusieurs reprises (par exemple pp. 140, et 158-159), Bourdieu insiste curieusement, et contradictoirement, sur le fonctionnement *magique* de certains discours qui par le seul fait de la nommer, font exister la chose ainsi nommée.

77. Sur le caractère dialectique de la relation existant entre discours et contexte, et la façon dont ces deux instances se déterminent mutuellement, voir Reboul, 1980, pp. 103-105.

Le problème se pose de façon similaire s'agissant du phénomène de « diversité linguistique », laquelle est pour Labov « non seulement issue de la différenciation sociale, mais aussi *un agent actif de cette différenciation* » (d'après Bachmann, Lindenfeld et Simonin, 1981, p. 115) ; et même de la relation existant entre structurations linguistiques et organisation du référent (voir les débats suscités par « l'hypothèse Sapir-Whorf »).

Voir aussi, dans le même ordre d'idée, le principe de *causalité circulaire* revendiqué par les « interactionnistes ».

78. Cités par Bachmann, Lindenfeld et Simonin, 1981, p. 168.

79. On pourrait y inclure aussi les « lois argumentatives » de Ducrot, 1980, b) (pour les lois de « Négation », de « Faiblesse », et de « Litote » – le problème se posant d'ailleurs, pour cette dernière, de savoir comment elle s'articule avec la loi d'exhaustivité, puisque ces deux « lois » produisent des effets inverse –, voir aussi Anscombre et Ducrot, 1983) ; ainsi que les principes d'« exécution d'une obligation », du « moment non spécifié », et d'« efficacité » de Roulet (1980, b), p. 232).

80. Pour André Petitjean, les « lois de convenance » (qu'il appelle « de convivialité ») seraient ainsi à intégrer dans une « compétence élargie » des locuteurs (« Converser au théâtre », *Pratiques,* n° 42, 1984).

81. Pas toutes cependant : jusqu'à nouvel ordre, ce n'est pas un délit juridique que de se « lancer des fleurs » à soi-même.

82. On voit ici que la seconde maxime de quantité de Grice (loi d'« anti-exhaustivité ») se ramène bien souvent au principe de pertinence.

83. Mais il nous est arrivé de prendre en stop, au fin fond de l'Afghanistan, un voyageur : l'homme, fort loquace, passa en notre compagnie toute une journée, sans manifestement comprendre que nous ne le comprenions pas.

84. Qui caractérise aussi ce sociolecte professionnel particulier qu'est le parler des diplomates : en jargon de chancellerie, remarque un journaliste, quand on parle d'une « conversation particulièrement franche », c'est qu'il s'est en fait agi d'une quasi-engueulade.

85. C'est dans le camp de Philinte que se range la Marquise de Merteuil, lorsqu'elle recommande à Cécile Volanges : « Vous voyez bien que, quand vous écrivez à quelqu'un, c'est pour lui et non pas pour vous : vous devez donc moins chercher à lui dire ce que vous pensez, que ce qui lui plaît davantage » (Les Liaisons Dangereuses, lettre CV, Le Livre de poche, éd. 1972, p. 334).

Quant à Rousseau, qui se proclame ardemment partisan de la règle de sincérité, et se demande longuement (au cours de la 4ᵉ promenade des Rêveries du promeneur solitaire) si la transgression de cette règle peut être parfois légitime, il reconnaît qu'il peut exceptionnellement exister des « mensonges magnanimes ».

86. Notons qu'Alceste assimile ici, comme il est fréquent, compliment et flatterie.

87. Mentionnons encore un de ces facteurs : la place de l'acte de langage dans l'interaction globale :

– « Il faut vous faire couper les cheveux, dit le Chapelier. Il fixait Alice depuis quelque temps avec une intense curiosité et c'étaient là ses premières paroles.

– On ne doit pas faire de remarques personnelles, dit Alice sévèrement, c'est très impoli » (pp. 86-87) – et ce l'est d'autant plus qu'il s'agit là d'une « séquence d'ouverture ».

88. Brown et Levinson (1978, p. 237) : « If Joe jokes, is he jokey by nature, or is he in a jokey mood, or does he stand in a joking relationship with his interlocutor? »

89. Ainsi que le remarque encore Grice, dans ce passage (1979, p. 64) où il envisage les diverses « façons de ne pas satisfaire à une règle ».

90. Ce sont respectivement les lois « des fleurs », de pertinence et d'anti-exhaustivité qui se trouvent ici transgressées.

91. Mieux encore : une telle transgression peut coûter la vie à son auteur, si l'on en croit ce fait divers mexicain rapporté par Buñuel (Mon Dernier Soupir, Laffont, 1982, p. 255) : « Un homme entre au numéro 39 d'une rue et demande M. Sanchez. Le concierge lui répond qu'il ne connaît pas de M. Sanchez, que celui-ci habite certainement au 41. L'homme se rend au 41 et demande M. Sanchez. Le concierge du 41 lui répond que Sanchez habite bel et bien au 39 et que le concierge du premier immeuble s'est trompé. L'homme revient au 39, revoit le premier concierge, lui explique ce qui se passe. Le concierge le prie d'attendre un instant, passe dans une autre pièce, revient avec un revolver et abat le visiteur.

Ce qui m'a le plus étonné dans cette histoire, c'est le ton sur lequel le journaliste la racontait, comme s'il donnait raison au concierge. Le titre disait : Lo mata por pregunton (" On le tue parce qu'il en demandait trop, parce qu'il voulait trop en savoir. ") »

92. « Fromage ou fruit?

– Fromage.

– Bon alors camembert... » : la chose arrive, dans certains restaurants peu gastronomiques. L'emploi de l'archilexème, transgressant emphatiquement la loi d'exhaustivité, produit alors l'effet d'une imposture.

93. Ce cas correspond en gros au « groupe C » de Grice (1979, p. 66 : « exemples dans lesquels il y a exploitation de la règle concernée, qui se voit bafouée dans l'intention de glisser quelque implication conversationnelle, par le biais d'une sorte de figure de rhétorique »).

94. Sans parler du cas où c'est l'émetteur lui-même qui serait bien en peine de préciser

la nature du contenu qu'il prétend pourtant impliciter : « [La marquise Balbi] avait les plus belles dents du monde, et *à tout hasard*, n'ayant guère de sens, *elle voulait, par un sourire malin, faire entendre autre chose que ce que disaient ses paroles.* Le compte Mosca disait que c'étaient ces sourires continuels, tandis qu'elle bâillait intérieurement, qui lui donnaient tant de rides » (*La Chartreuse de Parme,* Le Livre de poche, éd. 1972, p. 120 – le soulignement est bien sûr notre fait).

95. Exemple : dans un guide sur le Soudan, on me parle de ces « verrues qui enlaidissent les maisons des classes sociales favorisées »; mais ce n'est que quelques pages plus loin que l'énigme se dissipe : il s'agit en fait des « airs-coolers ».

96. Autre exemple (*les Fourberies de Scapin,* II, 2) :

GÉRONTE. – « Ma foi, seigneur Argante, voulez-vous que je vous dise ? l'éducation des enfants est une chose à quoi il faut s'attarder fortement.

ARGANTE. – Sans doute. A quel propos cela ?

GÉRONTE. – A propos de ce que les mauvais départements des jeunes gens viennent le plus souvent de la mauvaise éducation que leurs pères leur donnent.

ARGANTE. – Cela arrive parfois. Mais que voulez-vous dire par là ? »

97. Par exemple : l'ironie n'investit en principe que des unités évaluatives; et le trope illocutoire porte en général sur des schèmes syntaxiques.

98. On pourrait ainsi imaginer que le vers nous parle des âges d'or et de fer; qu'il nous décrit le sac d'une cité prospère, ou le massacre d'une blonde chevelure...

99. Sur la complexité de ce processus, voir Wilson et Sperber (1979, pp. 83-84); et sur « les principes de l'interprétation métaphorique », Searle (1982), pp. 151 et *sqq.,* ainsi que Levinson (1983), qui estime comme nous (p. 161) que le problème ne saurait être adéquatement traité dans la seule perspective du modèle gricéen.

100. Ce double problème d'encodage et de décodage, Searle le pose en des termes similaires s'agissant du cas particulier de la métaphore : « Comment se fait-il que le locuteur veuille dire " S est R " en disant métaphoriquement " S est P ", alors que P ne signifie manifestement pas R ? En outre, comment se fait-il que l'auditeur sache, en entendant l'énonciation " S est P ", que le locuteur veut dire " S est R " ? » (1982, pp. 151-152).

101. Ainsi que l'énonce fort bien la Lisette des *Serments indiscrets :* « C'est un garçon qui a de l'esprit, cela fait qu'*il subtilise, que son cerveau travaille...* »

102. *Correspondance,* éd. L. Conard, 1926, vol. III, p. 79. Notons ici la présence d'un phénomène inverse de la « contradiction pragmatique » (et que l'on pourrait nommer « tautologie pragmatique ») : le contenu de l'énoncé se trouve corroboré par la forme même qu'emprunte son énonciation.

103. *Le Jeu de l'amour et du hasard,* II, 10.

104. Le recours à la fiction permet de déjouer certaines censures, c'est bien connu – de Bernard Pivot en tout cas, qui se demande à propos du *Bon plaisir,* c'est-à-dire demande à Françoise Giroud : « Alors je me suis demandé si vous aviez choisi la fiction parce que vous ne pouviez pas..., parce que c'était un bon moyen de dire des choses... heu... notamment que vous ne pouviez, que vous ne pouviez peut-être pas dire autrement? » Mais Giroud de dénier : « Il n'y a pas beaucoup de choses que je me suis privée de dire sur le pouvoir autrement. » Et Pivot d'insister : « Peut-être y a-t-il quelque chose de... encore plus terrible ? » Nouvelle dénégation de Giroud : « Non [rire] vraiment pas! Je crois que je n'ai pas besoin de *me réfugier derrière* la fiction » (*Apostrophes,* « Variations sur le pouvoir »).

105. Voir aussi, dans *L'Atelier* de J.-Cl. Grumberg (Stock, 1979), les différents procédés, verbaux ou gestuels, qu'utilisent les personnages pour signifier : « un tel est juif ».

Autre exemple du fait que l'on peut parfois, grâce au sous-entendu, obtenir l'information désirée sans tomber sous le coup de la loi : en Irlande, où toute discrimination religieuse à l'embauche est interdite, les employeurs demandent : « Où habitez-vous ? », ce qui revient en fait, en vertu d'un mécanisme relevant de l'implicite « praxéologique » (cooccurrence matérielle quasi nécessaire), à poser en termes légaux la question proscrite : « Êtes-vous catholique ou protestant ? »

106. Exemple d'application fidèle de ce principe : le film *Fury*, dont Fritz Lang déclare qu'étant donné qu'il était impossible de montrer, comme il eût aimé le faire, le « vrai » lynchage d'un noir ayant fait l'amour avec une blanche, il dut se rabattre sur la représentation du lynchage... d'un blanc, injustement accusé de kidnapping : « J'ai dit du lynchage le maximum qu'il était possible à l'époque. »

107. Notons qu'il existe d'autres types de « softeners » et de « hedges » que le trope illocutoire : voir là-dessus Goffman, Lakoff, Brown et Levinson, Roulet, etc.

108. Z. Vendler parle à ce sujet de « suicide illocutoire », et M.-E. Conte considère à ce titre le verbe « insinuer » comme un « contre-performatif » (1983, p. 105).

109. Voir là-dessus notre *Énonciation*, pp. 96-100 (où cet exemple, ainsi que le suivant de T. Duvert, se trouve déjà mentionné).

110. Ainsi du reste que l'admet implicitement Vian, lorsqu'il considère comme un euphémisme (« opinion [...] exprimée [...] avec gentillesse ») la formulation de type (i) : c'est avouer qu'il y a une certaine dose de « jouer bien » sous le « jouer mieux ».

111. Elle ne le présupposerait que si elle comportait cet « encore » que Duvert introduit sans crier gare dans son commentaire.

112. C'est pourquoi ce type de discours affectionne tout particulièrement les sous-entendus – cet exemple encore en est la preuve, d'un titre plus récent de *L'Humanité* (4 janv. 1986), où Mitterrand devient bien malgré lui l'inspirateur d'Hersant, à la faveur d'un rapprochement factice et saugrenu, mais dont le principal intérêt est de permettre que le discrédit qui s'attache (pour le lecteur de ce journal) au nom d'Hersant vienne subrepticement contaminer celui du Président :

« LE MAGNAT DE LA PRESSE A ENTENDU FRANÇOIS MITTERRAND.
HERSANT
BON PIED BON ŒIL
" Je souhaite au gouvernement d'aborder les élections avec bon pied bon œil ", a déclaré le Président de la République. Robert Hersant a retenu la formule : dans la seule journée de vendredi il s'est emparé de dix autres journaux dont *L'Union* de Reims et *Le Progrès de Lyon*. »

113. Il faudrait aussi mentionner ici le fait que les expressions performatives (« je t'ordonne de... », « je te demande si... », etc.) ne s'utilisent généralement qu'en dernière extrémité, lorsque les autres procédés ont échoué (ce paradoxe est signalé par Charaudeau 1984, p. 48).

114. Sans doute est-ce pour cette raison que Sade (qui se vouvoie parfois dans ses notes) se recommande à lui-même au sujet des *120 journées de Sodome* : « Adoucissez beaucoup la première partie : tout s'y développe trop; *elle ne saurait être trop faible et trop gazée* » (*Œuvres complètes du marquis de Sade*, Cercle du livre précieux, t. 13, Paris, 1967, p. 345) (c'est nous qui soulignons).

115. Béatrice d'Erceville décrit en ces termes le comportement comparé des Américains et des Français vis-à-vis des termes utilisés pour étiqueter certains produits alimentaires à basses calories : « Les fabricants d'" allégés " éprouvent aussi des difficultés à convaincre les consommateurs. Les Américains ont résolu le problème *en appelant un chat un chat*, et en faisant du terme " basses calories " un label très recherché. Mais les équivalents français de " diet " ou " substitute " renvoient, au pays de la gastronomie, à un imaginaire rébarbatif, synonyme de restrictions ou de privations [...]. Tous les professionnels ont en mémoire l'échec retentissant des trois bières " basses calories " lancées à partir de 1978 [...]. *Le public se montre plus réceptif à un langage allusif* qui cultive l'expression " sans trop de ", voire l'allégorie. Des noms de marque comme Taillefine ou Sylphide présentent *l'immense avantage de tout suggérer sans rien affirmer* » (« Les produits " sans " », *Le Monde dimanche* du 9 janv. 1983, p. v) (le soulignement est de nous).

116. Au théâtre, une gamine dérange sans s'excuser, à l'entracte, une rangée de spectateurs.
La mère : « Je n'ai pas entendu de " pardon ", je dois être sourde... »
Or on peut estimer ce procédé de la « vanne », dont use abondamment le discours d'autorité, plus vexatoire et exaspérant que la franche engueulade.

117. Nous appelons « idéolecte » : la compétence propre à un ensemble d'individus appartenant à la même « formation discursive », *i.e.* relevant du même système idéologique ; « typolecte » : tout ensemble de règles, intériorisées en compétence, spécifique d'un « genre » discursif déterminé.

Notes du chapitre 5

1. Sur le crédit de cohérence que tout récepteur octroie aux productions discursives qui lui sont soumises, et les différentes attitudes qu'il adopte, selon la représentation qu'il se fait du statut de l'émetteur et du type de texte en question, lorsqu'il se trouve confronté à un énoncé apparemment « illisible », voir Charolles, 1978 et 1980 c).
2. Parfois, c'est le caractère quelque peu bizarre de la formulation qui incite à considérer l'énoncé comme un trope, ou un calembour (ex. : le slogan publicitaire « Taky, l'agent de peau lisse »).
3. François Rastier parle joliment d'« hallucination isotopante », à propos de l'attitude de certains élèves qui, ayant pour tâche d'établir la liste des mots relevant, dans un passage de *L'Assommoir,* de l'isotopie alimentaire, y font figurer tout et n'importe quoi – « bougresse » par exemple, assimulé à « bout (de) graisse ».
4. Entendu en réunion de commission de spécialistes : « Il ne précise pas son rang d'admission à l'agrégation. Alors, *dans un dossier aussi bien préparé,* s'il ne le dit pas, c'est qu'il ne doit pas être fameux. Enfin, c'est bien sûr de l'interprétation... »
5. Exemple : ouvrant la radio, je tombe sur cette phrase : « Les déclarations de ce type... » Et je pense : tiens, ils deviennent bien décontractés à France Culture. Mais aussitôt, je corrige ce premier réflexe interprétatif : c'est d'un autre type de type qu'il doit s'agir...
6. Dans le cas par exemple de cette déclaration sibylline d'un personnage du film de Louis Malle, *La Petite* . « Il n'y a que deux choses à faire quand il pleut comme ça – et je déteste les cartes. »
7. Chose qu'admet elle-même la logique formelle, lorsqu'elle envisage l'existence d'« implications probabilistes ».
8. Qui pour être linguistique, n'en est pas moins homme, donc partial. Elles nous semblent ainsi légèrement tendancieuses elles-mêmes, les analyses que propose Charolles (1980, a)) d'un article « tendancieux » du *Monde* et d'un commentaire « tendancieux », par le secrétaire général de la F.E.N., d'une déclaration d'un représentant de la tendance « Unité et Action ».
9. Lesquels présupposés sont en effet innombrables. Reprenant l'exemple de Martin, « Mon fils s'est acheté une Jaguar », Rastier peut ainsi déclarer (1985, p. 9) : « Mais mon existence, comme celle de mon fils, présuppose à son tour celle de nos ascendants, et nous voici ramenés tout soudain au *big bang* ou au Paradis Terrestre... »
10. Nous sommes donc doublement d'accord avec cette profession de foi énoncée par Lakoff et Johnson, 1980, p. 184 : « For us, meaning depends on understanding. A sentence can't mean anything to you unless you understand it. Moreover, meaning is always meaning *to* someone. There is no such thing as a meaning of a sentence in itself, independent of any people. When we speak of the meaning of a sentence, it is always the meaning of the sentence to someone, a real person or a hypothetical typical member of a speech community. »
11. Concept bien entendu calqué sur l'« archi-lecteur » de Riffaterre, dont on sait à la fois quels problèmes méthodologiques il soulève, et quels services descriptifs il a pu rendre aux poéticiens.
12. On pourrait encore considérer démocratiquement, que le sens d'un énoncé, c'est celui qu'en extrait la *majorité* de ses récepteurs – mais un tel consensus varie avec l'époque à laquelle est interprété le texte...
13. Et qu'elle les traite dans le bon ordre – ceci pour écarter certaines lectures paragrammatiques incontrôlées (voir là-dessus notre *Connotation,* p. 196).
14. Commentaire d'André Ribaud, *Le Canard enchaîné,* 5 déc. 1979.

15. Figurant au dos de *Rhétorique de la lecture*, Seuil, 1977.

16. Benveniste parle ainsi d'« intenté » (1973, p. 97 et 1974, p. 225) pour désigner « ce que le locuteur veut dire », le contenu de sa « pensée », qui s'actualise en discours sous forme de signifié; et Greimas (1970, p. 16) du « projet virtuel du faire » : ce qui pour lui caractérise un objet verbal authentique (sémantisé), c'est qu'il est l'actualisation consciente d'un modèle préconçu par un sujet individuel.

17. D'où sans doute les réticences et précautions oratoires avec lesquelles il est manipulé dans les deux déclarations suivantes :

Grize, 1974, p. 186 : « Une activité ne se distingue de la simple agitation, elle n'a de cohérence que par l'intention qui la dirige et qui l'oriente. Aussi dirais-je que la nature d'un texte résulte et désigne le projet du sujet discoureur. *Je reconnais que l'usage du terme d'intention peut faire problème* [...]. »

J.-F. Le Ny, 1975, p. 9 : « *Il faut bien accepter l'idée* que préexiste, non seulement au message, mais même à l'activité d'élaboration qui l'engendre, une certaine sorte de réalité cognitive qui devra, dans la situation d'énonciation, être analysée [...]. »

(Les séquences soulignées le sont par nous.)

18. L'un d'eux, M. Ramsden, commente en ces termes ses « œuvres » de 1967-1968, qui toutes se présentent comme des toiles carrées uniformément vierges : « The content of this painting is invisible; the character and dimension of the content are to be kept permanently secret, known only to the artist. »

19. En particulier dans ses articles de 1957 et 1969.

20. Searle y compris, quand il oppose le « speaker's meaning » au « sentence meaning » – bien qu'il reproche lui-même à Grize de ne pas dire « dans quelle mesure la signification peut dépendre de règles ou de conventions », et de ne pas rendre compte « de la relation existant entre ce que l'on veut signifier en disant quelque chose et ce que cette chose signifie effectivement dans la langue » (1972, p. 84).

21. Sans doute est-ce de fautes d'orthographe et non de mots-valises, qu'il s'agit dans les graphies suivantes rencontrées dans des mémoires d'étudiants : le « *rascisme* », et « c'est une entreprise *hardue*... ».

22. Laquelle est, pour Blum, Foss, Mc Hugh et Raffel (1973), une absence de réponse « motivée » et marquée.

23. D'où le problème que pose la description des « métaphores » enfantines (ex. : « la peau de la sucette ») : l'émetteur est-il ou non capable de la dénomination juste, et conscient du décalage institué par l'expression choisie?

24. On a vu au début de ce travail comment Ducrot jouait sur cette polysémie bien révélatrice de « vouloir dire » – la même qui caractérise aussi « to mean », ainsi que le note Searle (1982, p. 7).

25. Voir là-dessus K.S. Donnellan (1978).

26. Il nous est arrivé récemment de participer au jury d'une thèse traitant de l'œuvre théâtrale de Roland Dubillard : celui-ci était dans la salle. Nous étions tous prêts à nous reconnaître le droit le plus absolu au « délire interprétatif », et de décrypter dans cette œuvre toutes sortes de significations qui auraient échappé à l'auteur même. Mais en jonglant avec les innombrables allusions intertextuelles et connotations en tout genre, nous étions tous secrètement inquiets. Quel soulagement quand Dubillard nous déclara à la fin que tout ce qu'il avait entendu là lui avait semblé parfaitement « juste »...

27. Cf. Bange, 1983, p. 6 : « Ce qui compte dans un acte de langage, ce n'est pas quelle intention a le locuteur, mais quelle intention peut lui être prêtée par le récepteur. »

28. Même chose pour *La Cerisaie,* que Tchekhov avait conçue comme une pièce « comique », et même « une farce par endroits », mais qui fut dès sa naissance reçue (par Stanislavski, et l'ensemble de ses lecteurs) comme un drame.

29. « On a vu que j'ai adoré SARA, que je l'ai haïe, détestée, méprisée. A présent, je n'éprouve que le sentiment de la tendresse et de la douleur... Où trouvera-t-on le cœur humain aussi bien, aussi véritablement peint que dans cette Histoire? Ha! L'abbé Delille avait raison! C'est un chef-d'œuvre! Mais *c'est la Nature, et non l'Auteur, qui l'a fait* »

(Restif de la Bretonne, *Sara, ou l'amour à quarante-cinq ans,* librairie Alphonse Lemettre, Paris, 1922, p. 245).

30. Jean-Blaise Grize nous fait remarquer ceci, qui est fort juste : « Je pense qu'il arrive souvent que L se surprenne lui-même, non seulement de ce qu'il a dit, mais de ce qu'il a pensé en le disant. Au fond, L fait pour ce qu'il dit quelque chose de ce que fait A. »

31. Est-ce par exemple délibérément que ce slogan appelant à adhérer à certaine association d'étudiants catholiques : « Votre espérance nous intéresse », rappelle la formule notoirement cynique « Votre argent m'intéresse »?

32. D'autant plus que le choix entre ces deux possibilités interprétatives ne repose le plus souvent sur rien d'autre que l'« auctoritas » du locuteur. Quintilien l'énonce claire-ment : un écrivain digne de ce nom ne saurait commettre une « faute » de langue que sciemment : « Mais, comme pour faire parade de leur érudition, il y a des maîtres qui ont pour habitude de tirer leurs exemples des poètes et d'incriminer les auteurs dont ils font une lecture expliquée. Or, l'enfant doit savoir que, chez les écrivains en vers, ces fautes sont vénielles, ou même louables » (*L'institution oratoire,* I, 5, pp. 89-90).

Mais Christian Giudicelli est plus ambigu lorsqu'il écrit de *Un Orage immobile,* de Françoise Sagan (qui est il est vrai un écrivain « en prose ») : « C'est un roman littéraire : les imparfaits du subjonctif y fleurissent en compagnie de phrases de moraliste et de jolies fautes de français » (*Lire,* n° 92, avril 1983, p. 32).

33. Michel Leiris, catalogue de l'exposition Francis Bacon (Grand Palais, 1971) : « Par quelque bout que Bacon s'y prenne et quelle qu'ait été son intention (ce qui ne regarde que lui), le résultat est le même : un être humain appartenant à l'Occident moderne est montré, d'une façon hallucinante, dans son total isolement. »

34. Wunderlich parle quant à lui de « méta-compétence » : « Fait également partie de la compétence linguistique une sorte de méta-compétence, à savoir la capacité de réorganiser une grammaire déjà intériorisée, de modifier des règles existantes de production de phrases et de perception linguistique, d'admettre de nouveaux éléments dans le lexique, etc. Ceci se produit chaque fois qu'un auditeur accepte la compétence linguistique différente de l'un de ses partenaires en communication et essaie de l'assimiler » (1972, p. 47); cf. aussi Culioli : « La communication se fonde sur cet ajustement plus ou moins réussi, plus ou moins souhaité, des systèmes de repérage des deux énonciateurs » (1973, p. 87); Charolles (1984), qui donne quelques exemples de la façon dont s'établit et fonctionne, entre les interlocuteurs, une sorte de contrat de confiance (Charolles utilise même le terme d'« empathie »); et Jacques (1979, p. 137) : « Il entre dans la *compétence* du locuteur A de pouvoir émettre certaines hypothèses et conjectures sur ce que les mots veulent dire pour son partenaire. De même, il entre dans la compétence d'un interlocuteur B d'émettre de telles *conjectures* à propos de la signification des mots pour le locuteur. »

35. Différences qu'accusent encore, bien sûr, les évolutions diachroniques. Lévi-Strauss raconte ainsi (dans *Lire,* n° 93, mai 1983, p. 108) : « Je suis tombé un jour, au hasard d'une lecture, sur une phrase attribuée à Massillon : " Le monde vu de près ne se soutient pas contre lui-même. Mais en éloignement, il en impose. " Cette phrase m'avait beaucoup frappé et je m'étais dit qu'elle pourrait être la devise de l'ethnologue. Comme j'ai quelques scrupules, j'ai cherché [...] à connaître la référence exacte de ce propos de Massillon. Or, je me suis aperçu, en retrouvant le texte, qu'il voulait dire absolument le contraire de ce que je voulais lui faire dire : au XVIIᵉ siècle, " en imposer " signifie faire illusion, tromper, mentir. J'aurais fait offense à la mémoire de Massillon en utilisant sa phrase comme épigraphe de mon livre. Mais j'ai tout de même gardé l'idée du " regard éloigné ". »

36. Cette « chose » pouvant ou non exister dans l'univers référentiel *U :* pour nous, tous les mots ont un référent, mais dont le statut est variable au regard de *U.*

37. Le *Nouvel Observateur,* 17 déc. 1973, p. 46.

De façon exactement semblable, Peter Fleishmann raconte : « Quand j'ai fait *Scènes de chasse en Bavière* contre le fascisme quotidien, j'ai rencontré un type qui m'a félicité en me disant : " Bravo, vous avez raison, il faut les écraser tous ces pédés! " Alors, vous voyez... » (*Le Progrès Spectacles,* 9 avril 1980, p. 1).

38. Cette attitude interprétative, Frédéric Berthet («Éléments de conversation», *Communications*, n° 30, 1979, p. 122) la baptise «syndrome Cottard», du nom du personnage de Proust qui prend tout «au pied de la lettre», ou plus précisément : «le docteur Cottard ne savait jamais d'une façon certaine de quel ton il devait répondre à quelqu'un, si son interlocuteur voulait *rire* ou était *sérieux*. Et à tout hasard il ajoutait à toutes ses expressions de physionomie l'offre d'un *sourire conditionnel* et provisoire dont la finesse expectante le disculperait du reproche de naïveté, si le propos qu'on lui avait tenu se trouvait avoir été facétieux.»

39. La littéralisation du trope peut être exploitée sous la forme d'un «gag» visuel et auditif, comme dans *Hellzapoppin* : «Il mange trois assiettes par jour» – et le boulimique en question de se frapper l'estomac : bruit de bris de vaisselle.

40. Expérience rééditée en Finlande, décembre 1985 : point de morts cette fois, mais belle panique encore... (voir «La Finlande se rejoue *la guerre des mondes*», *Libération*, 31 déc. 1985).

41. Exemple plus subtil : pour illustrer le concept de «galéjade», nous avons précédemment mentionné cette plaisanterie d'un ami au sortir d'une représentation/lecture (feinte bien sûr), par Gérard Guillaumat, de *L'homme qui rit* : «C'était pas mal mais il aurait tout de même pu apprendre son texte.» Or l'autre jour, au terme d'une représentation, par ce même Guillaumat, de *Maupassant,* nous avons surpris ce commentaire d'une spectatrice elle aussi victime de l'illusion théâtrale : «J'ai préféré au Victor Hugo. Cette fois il a appris son texte, il le lisait pas, alors que pour *L'homme qui rit* il le lisait.»

42. Il se peut d'ailleurs que pour certains consommateurs de télévision, l'opposition «fictionnel»/«non-fictionnel» se trouve dans une certaine mesure neutralisée.

43. L'interprétation tropique est parfois un refuge, contre le caractère trop insupportable, ou trop irrationnel, du contenu littéral : il n'est plus possible de prendre «au pied de la lettre» le récit de la Genèse? Fort bien : on y verra donc une vaste métaphore...

44. Variante atténuée : on peut aussi parler de mauvaise foi interprétative lorsque A, sans aller jusqu'à extraire S' ≠ S (*i.e.,* à comprendre «de travers»), feint de ne pas percevoir une signification implicite pourtant évidente (il ne comprend que partiellement, il «fait l'idiot», et la sourde oreille à certain sous-entendu dérangeant) :

L_1 : «Faudrait aller chercher du pain... La boulangerie est à deux pas...
Moi faut que je finisse le gâteau, et que je mette le couvert...»
Aucune réaction de L_2.

45. Le procédé est ici banal : il consiste à jouer (comme dans «l'alcool tue lentement») sur l'ambiguïté, liée à sa structure «focale», de la phrase («focus» le plus vraisemblable : l'ensemble du prédicat verbal; focus exceptionnellement possible : le syntagme prépositionnel).

46. Ces réflexions s'apparentent à celles de Récanati (1981, a), pp. 146 et *sqq.*), sans que toutefois les distinctions qu'il introduit (entre «laisser entendre», «donner à entendre», et «sous-entendre») se superposent exactement avec les nôtres.

47. Extorquer sous la contrainte «l'aveu» ou le mensonge : c'est là une pratique tortionnaire bien attestée :
«Puis on les a forcés à chanter l'hymne national [...]. Ensuite, les prisonniers durent prononcer des injures à l'égard de leur propre famille» (article de Claire Brisset sur la torture en Argentine, *Le Monde,* 17 mars 1978); pratique bien étrange pourtant : quel intérêt peut-on avoir à forcer quelqu'un à tenir des propos dont on sait bien qu'il ne saurait jamais les prononcer sincèrement? S'agissant des procès staliniens, Raymond Jean explique : «L'autocritique demandée aux accusés n'était rien d'autre que la prise en charge par eux-mêmes des calomnies dont on les accablait. Il fallait arriver à ce qu'ils *assument* toutes les diffamations qu'on faisait peser sur eux, ce qui était le moyen le plus sommaire mais, pensait-on, le plus efficace de les rendre croyables. L'autocritique devenait autodestruction, et ce n'est pas un hasard si elle conduisait sur la pente du suicide» («L'interrogation», introduction à Charles Tillon, *Un «Procès de Moscou» à Paris,* Seuil, 1971, p. 25).

48. La définition que nous en proposons ici est restrictive, et l'expression s'utilise à

coup sûr dans d'autres situations : quand par exemple L nie effrontément certaines évidences, ou affirme catégoriquement certaines contre-évidences; « mauvaise foi » devient alors quasiment synonyme de « mensonge », tout en connotant davantage, semble-t-il, l'idée que l'insincérité s'y trouve mise au service de certains objectifs *argumentatifs* – ainsi lorsque dans *La Cantatrice chauve*, Mme Smith a le culot d'inventer, pour avoir raison de son mari, cette clause bien « ad hoc » : « La quatrième fois ne compte pas » (sur les rapports entre mauvaise foi et argumentation, voir notre article, 1981, a)).

49. Voir aussi la description que propose Sperber (1975, p. 393), de « l'interprétation ironique ».

50. Dans cette déclaration de Todorov (1982, p. 95) : « On ne peut concevoir un langage sans la possibilité du mensonge, comme il n'existe pas de parole ignorant les métaphores », la structure analogique énonce explicitement que la métaphore et le trope ont pour caractéristique commune de faire partie des universaux du langage; mais elle ne se justifie qu'à suggérer qu'ils partagent en outre certaines autres propriétés...

51. Extrait de *Essay Concerning Human Understanding*, cité par Lakoff et Johnson, 1980, pp. 190-191 (les soulignements sont de nous).

52. Voir aussi, sur cette question des mensonges de la rhétorique, M. Charles, 1977, pp. 180-185.

53. Elle défigure aussi parfois la conversation :

ARLEQUIN. – « Eh, palsembleu? Le moyen de n'être pas tendre quand on se trouve tête à tête avec vos grâces? *(A ce mot il saute de joie.)* Oh! oh! oh! oh!
CLEANTHIS. – Qu'avez-vous donc? Vous défigurez notre conversation.
ARLEQUIN. – Oh! ce n'est rien, c'est que je m'applaudis »
(Marivaux, *L'Isle des Esclaves*, sc. 6).

C'est que le trope – lourdement souligné ici métalinguistiquement, ou plutôt métasémiotiquement – est parfois « déplacé », dans les échanges affectifs et lyriques en particulier, auxquels sied mieux une formulation plus directement sincère, ainsi que l'estime encore la Silvia du *Jeu...* (II, 12) :

DORANTE. – « Ah, Lisette! c'est ici que tu vas juger des peines qu'a dû ressentir mon cœur.
SILVIA. – Ce n'est pas à ton cœur que je parle, c'est à toi. »

54. On a vu comment celui du *Jeu...* ne manquait jamais de « relever » une hyperbole. Mais les Arlequins de Marivaux s'essaient parfois, lorsqu'ils « imitent l'homme de condition », au trope – de manière souvent malheureuse du reste, ainsi qu'en témoigne l'exemple précédent.

55. *Ma Moitié d'orange*, Julliard, Paris, 1973, p. 15.

56. Hérodiade, esprit « positif », réplique dans *Salomé* à l'« artiste » Hérode, dont les incessantes métaphores et comparaisons l'exaspèrent : « La lune ressemble à la lune, voilà tout. »

57. D'après Récanati, 1979, a), pp. 136-137.

58. Ou de la sincérité : « L'ironie n'empêche pas la sincérité » (Robert Brasillach, *Notre Avant-Guerre, Œuvres complètes*, t. VI, p. 59, le Club de l'Honnête Homme, Paris, 1965).

59. Voir « Rhétorique de l'ironie », *Poétique*, n° 36, nov. 1978, pp. 503-504.

60. Il est de fait que la fiction ne cesse de se donner des garants du côté de la réalité. Dans un même numéro de *Lyon-Poche* (583, 11 mai 1983), nous lisons :
• publicité pour *Le Mur*, de Yilmaz Guney : « Tout ce qui arrive dans ce film est réellement arrivé... »;
• résumé de *Mater Amatissima*, d'Antonio Salgot : « Une jeune femme célibataire décide de garder l'enfant qu'elle attend. Celui-ci naît autistique [...]. L'enfant-acteur est réellement autistique »;
• présentation d'une pièce de théâtre mettant en scène des émois adolescents : « Les acteurs ont vraiment l'âge du rôle »... : *Mimésis* oblige, toujours.

61. En d'autres termes : les axes qui opposent la mauvaise et la bonne foi, le trope et le non-trope, sont en relation de classification croisée.

62. On peut en théorie distinguer les quatre situations suivantes :
    (1) p' est assumé et non mensonger
    (2) p' est assumé et mensonger
    (3) p' est non assumé et non mensonger
    (4) p' est non assumé et mensonger.
En (1) la communication est normale; nous avons envisagé sous la rubrique « mauvaise foi » les cas (3) et (4) (et signalé que (4) était sans doute beaucoup plus fréquent que (3)). Problème : la situation (2) (qui constituerait elle aussi un cas de mauvaise foi, puisque celle-ci se définit pour nous par le fait que p' est non assumé et/ou mensonger) est-elle attestée?
63. Que nous avons abordée dans notre « Déambulation en territoire aléthique ». Bien d'autres types de jugements – de pertinence, d'élégance, etc... – peuvent évidemment être portés sur les productions discursives d'un sujet.

Notes de la conclusion

1. Cité par Blanché, 1973, pp. 260-261.
2. Il serait intéressant de voir comment fonctionne l'implicite dans d'autres systèmes sémiotiques : langage des gestes et des comportements, langage de l'image, etc. Voici quelques exemples montrant l'existence de sous-entendus dans les *messages iconiques :*
• Les aliments éventuellement représentés sur tel sachet de potage, ou tel emballage de plat cuisiné, ont métonymiquement tendance à être pris pour des ingrédients du plat en question – et l'on pourrait citer un certain nombre d'affaires judiciaires liées à ce problème.
• Dans tel panneau de circulation routière, le pictogramme dit « croix de Saint-André » signifie littéralement/intersection de deux voies d'égale importance/, mais indique en outre qu'il convient de respecter la priorité à droite, cette unité de contenu pouvant être considérée comme une inférence découlant du sens littéral.
• Exemple enfin de message iconique chiffré : « [En Tchécoslovaquie], un hallucinant cri silencieux a pourtant traversé les années. Par la plus étrange des chaînes : l'argent. Le billet de vingt couronnes, émis à l'automne de 1968, représente, d'un côté, le buste de Jan Zizka, un chef hussite à l'œil gauche étrangement voilé. De l'autre, le peuple des hussites, précurseur des socialistes utopiques, conduit à Tabor, sa capitale, par un moine aux deux mains gauches. " Avoir deux mains gauches ", en tchèque, signifie " être un crétin " : les peuples socialistes sont conduits par des crétins. Si l'on plie le billet d'une certaine façon, le buste de Zizka révèle le visage brûlé de Jan Palach. Dans les volutes minuscules entourant le chiffre 20 sont répétées à l'infini les lettres : S.O.S....S.O.S....S.O.S... » (Marie Muller, *Le Nouvel Observateur,* 10 nov. 1980, p. 60) (un procédé similaire aurait été utilisé à l'automne de 1982 par les Polonais, dont le billet de 2 000 zlotys ferait apparaître en filigrane le visage de Walesa).
Quant aux *signes paraverbaux* – les regards, par exemple –, il semble qu'ils aient un statut bien étrange, puisque leur signification serait tout à la fois
• implicite (s'il est vrai qu'un sous-entendu se caractérise par ses possibilités de dénégation) : « On peut tout dire avec un regard, et cependant on peut toujours nier un regard » (Stendhal, *De l'Amour,* chap. XXVII; et Jean Rousset dit des échanges de regards qu'ils constituent une sorte de « dialogue feutré, toujours indirect » – *Leurs yeux se rencontrèrent,* José Corti, 1981, p. 121), et
• évidente, plus même que celle des signes verbaux (Marivaux, *La Vie de Marianne :* « en me disant mille fois : Je vous aime, il me l'aurait dit moins intelligiblement qu'il ne le fit alors »).
3. Exemple de parano féminine (ou féministe?) : « Ceux qui épousèrent les deux aînées eurent un mal fou à rompre l'étau : elles étaient toujours ensemble, organisaient des soirées dansantes entre femmes, et *cherchaient toujours un double fond dans les propos des hommes* » (G. Garcia Marquez, *Chronique d'une mort annoncée,* Grasset, 1981, pp. 55-56).

4. Barthes, 1975, p. 71 : « Tout discours est pris dans le jeu des degrés. On peut appeler ce jeu : *bathmologie.* Un néologisme n'est pas de trop, si l'on en vient à l'idée d'une science nouvelle : celle des échelonnements du langage. »

5. Cf. Charolles, 1983, et la distinction qu'il établit entre compréhension « partielle » *vs* « totale » (laquelle inclut les inférences de l'énoncé).

6. Par exemple, il est certain que certaines inférences, qui pourtant ne se laissent décrire qu'en reconstituant un nombre assez considérable de maillons intermédiaires, font l'objet d'une saisie quasi immédiate de la part des sujets décodeurs, dans la mesure sans doute où ils sont parfaitement familiarisés avec les « schèmes implicitationnels » qui sous-tendent leur extraction (nous avons ainsi parfois de grandes difficultés à faire admettre qu'une déclaration telle que « Quand je suis à côté d'une jolie femme, ça m'intimide » ne constitue *qu'implicitement* un compliment).

7. C'est à dessein que nous utilisons ici l'adjectif « monologal » (pour qualifier la production d'un seul et unique *locuteur*), de préférence à « monologique » (l'opposition « monologique »/« dialogique » renvoyant à une tout autre problématique, et à l'existence, pour reprendre la terminologie de Ducrot, d'un ou plusieurs *énonciateurs*).

8. Voir par exemple Parisi et Castelfranchi, 1976 et Nef, 1980.

9. Sur le problème de la réfutation des différents types de contenus implicites, voir Moeschler, 1979.

10. Autre exemple, plus audacieux d'ailleurs, d'un anaphorique renvoyant à une proposition implicite :

L_1. – « Vous étiez, je crois, à l'École normale ?
L_2. – Oui, mais c'était il y a bien longtemps.
L_1. – Vous ne *les* faites pas. »

11. Attesté, l'échange suivant, qui repose sur une inférence du même type exactement :

L_1. – « Alors maintenant on se tutoie je crois ?
L_2. – Comment ça ?
L_1. – Ben oui, tout à l'heure vous m'avez dit " Salut ! ". »

12. « " Le déploiement des missiles américains à moyenne portée en Europe est inévitable. Nous n'en doutons pas : il se fera. " Ce pronostic sans appel [...] vient de Chine communiste [...]. Faut-il comprendre que la République populaire approuve l'implantation des " Pershing " et des " Cruise " ? *Ce serait solliciter les paroles du dirigeant chinois,* telles qu'elles ont été rapportées. Il semble bien cependant que [...] » (A. Campiotti, *Tribune de Genève,* 7 nov. 1983, p. 2).

13. La différence vient de ce que c'est la totalité de l'énoncé qui est reprise en (i), alors qu'en (ii), seul est répété le segment responsable du sous-entendu, qui se « durcit » alors (la reprise partielle pouvant être effectuée par L_1 lui-même : « A l'heure actuelle – *je dis bien à l'heure actuelle,* cela peut changer – le dollar est à 8,14 francs », mais étant le plus souvent imputable à L_2 :

L_1. – « On est bien ensemble quand même des fois !
L_2. – *Des fois !* »).

14. Cité par Bernard Guetta dans *Le Monde,* 30 sept. 1982, p. 6.

Bibliographie (ouvrages cités)

ADAM (Jean-Michel)
   1981 : « Votez Mir Rose, achetez Giscard – Analyses pragmatiques », *Pratiques,*
      n° 30, juin 1981, pp. 73-98.
ALMANSI (Guido)
   1978 : « L'affaire mystérieuse de l'abominable " tongue-in-cheek " », *Poétique,* n° 36,
      1978, pp. 413-426.
ANSCOMBRE (Jean-Claude)
   1975 et 1976 : « Il était une fois une princesse aussi belle que bonne », *Semantikos,*
      vol 1, n° 1, 1975, pp. 1-28, et n° 2, 1976, pp. 1-26.
   1977 : « La problématique de l'illocutoire dérivé », *Langage et Société,* n° 2, pp. 17-
      41.
   1980 : « Voulez-vous dériver avec moi? », *Communications,* n° 32, pp. 61-129.
   1981 : « Marqueurs et hypermarqueurs de dérivation illocutoire : notions et pro-
      blèmes », *Cahiers de linguistique française* (Genève), n° 3, pp. 75-124.
ANSCOMBRE (Jean-Claude) et DUCROT (Oswald)
   1978 et 1979 : « Lois logiques et lois argumentatives », *Le français moderne,* 46ᵉ année,
      n° 4, oct. 1978, pp. 347-357, et 47ᵉ année, n° 1, janv. 1979, pp. 35-51.
   1983 : *L'Argumentation dans la langue,* Pierre Mardaga éd., Bruxelles.
ARMENGAUD (Françoise)
   1981 : « L'impertinence ex-communicative ou comment annuler la parole d'autrui »,
      Degrés, 9ᵉ année, n° 26-27, printemps-été 1981, a-a 32.
ATTAL (Pierre)
   1976 : « L'acte d'assertion », *Semantikos,* vol. 1, n° 3, pp. 1-12.
AUSTIN (John L.)
   1970 : *Quand dire, c'est faire,* Seuil, Paris (1ʳᵉ éd. *How to do things with words,*
      Oxford, 1962).
   1979 : *Philosophical papers,* Oxford Univ. Press; Oxford, New York, Toronto, Mel-
      bourne, 3ᵉ éd. (1ʳᵉ éd. 1961).
BACHMANN (Christian), LINDENFELD (Jacqueline) et SIMONIN (Jacky)
   1981 : *Langage et communications sociales,* Hatier-Credif, Paris.
BALDI (Paolo)
   1979 : « La structure de l'interaction dans le débat télévisé Giscard-Mitterrand (1974) »,
      Travaux du Centre de Recherches Sémiologiques de l'Univ. de Neuchâtel,
      n° 35, juill. 1979, I-XVIII.
BALPE (Jean-Pierre)

1980 : «Tous les enfants studieux ont les cheveux roux», *Pratiques,* n° 28, oct. 1980, pp. 45-58.

BANGE (Pierre)

1983 : «Points de vue sur l'analyse conversationnelle», *D.R.L.A. V.,* n° 29, pp. 1-28.

BAR-HILLEL (Y.)

1971 : «Out of the Pragmatic Wastebasket», *Linguistic Inquiry,* n° 2, pp. 401-407.

BARTHES (Roland)

1971 : «Écrivains, Intellectuels, Professeurs», *Tel Quel,* n° 47, automne 1971, pp. 3-18.

1975 : *Roland Barthes par Roland Barthes,* Seuil, Paris.

BAUTIER (Roger)

1981 : «Recherches expérimentales américaines sur la "communication persuasive"», *Linguistique et sémiologie,* n° 10 («L'argumentation»), P.U.L., Lyon, pp. 203-218.

BENVENISTE (Émile)

1966 : *Problèmes de linguistique générale,* t. I, Gallimard, Paris.

1973 : «La forme et le sens dans la langue», in Rey-Debove (J.) (ed.) *Recherches sur les systèmes signifiants,* Mouton, La Haye Paris, pp. 89-101.

1974 : *Problèmes de linguistique générale,* t. II, Gallimard, Paris (coll. «Tel»).

BERELOVITCH (Alexis)

1981 : «Autrement dit», in *Essais sur le discours soviétique,* Univ. de Grenoble III, pp. 139-156.

BERRENDONNER (Alain)

1981 a) : *Éléments de pragmatique linguistique,* Minuit, Paris.

1981 b) : «Zéro pour la question - syntaxe et sémantique des interrogations directes», *Cahiers de linguistique française* (Genève), n° 2, pp. 41-69.

1986 : «Note sur la contre-inférence», *Cahiers de linguistique française,* n° 7, pp. 259-277.

BLANCHÉ (Robert)

1973 : *Le Raisonnement,* P.U.F., Paris.

BLUM (A.), FOSS (D.), MC HUGH (P.) et RAFFEL (S.)

1973 : «La rebuffade», *Communications,* n° 30, mai 1973, pp. 225-245.

BLUM (Y.) et BRISSON (J.)

1971 : «Implication et publicité», *Langue française,* n° 12, déc. 1971, pp. 83-89.

BOREL (Marie-Jeanne)

1975 : «Schématisation discursive et énonciation», *Travaux du Centre de Recherches Sémiologiques* de l'Université de Neuchâtel, lad 1, n° 23, oct. 1975.

BORGES (Jorge Luis)

1951 : *Histoire de l'infamie. Histoire de l'éternité,* 10/18 U.G.E., Paris.

BORILLO (Andrée)

1979 : «La négation et l'orientation de la demande de confirmation», *Langue française,* n° 44, déc. 1979, pp. 27-41.

1981 : «Quelques aspects de la question rhétorique en français», *D.R.L.A.V.,* n° 25, pp. 1-33.

BOURCIER (Danièle)

1979 : «Information et signification en droit», *Langages,* n° 53, mars 1979, pp. 9-32.

BOURDIEU (Pierre)

1982 : *Ce que parler veut dire,* Fayard, Paris.

BRAZIL (D.), COULTHARD (M.), JOHNS (C.)

1980 : *Discourse, Intonation and Language Teaching,* Longman, London.

BROWN (Penelope) et LEVINSON (Stephen)

1978 : «Universals in language usage : Politeness phenomena», in Goody (Esther), 1978, pp. 56-289.

BUNJEVAC (Milan)

1982 : «La marque de la théâtralité», *Degrés,* n° 32, automne 1982, e-e 6.

BURTON (Deirdre)
    1980 : *Dialogue and Discourse. A sociolinguistic approach to modern drama and naturally occurring conversation,* Routledge and Keegan Paul, London Boston and Henley.

BUYSSENS (Eric)
    1968 : «Le langage et la logique. Le langage et la pensée», in *Le Langage (sous* la direction d'André Martinet), Gallimard (La Pléiade), Paris.
    1970 : «De la connotation ou communication implicite», *Actes du Xe Congrès International des linguistes,* Éd. de l'Acad. de la Rép. soc. de Roumanie, t. II, pp. 711-714.

CADIOT (A.), CHEVALIER (J.-C.), DELESALLE (S.), MARTINEZ (Chr.) et ZEDDA (P.)
    1979 : «"Oui mais, non mais" ou "Il y a dialogue et dialogue"», *Langue française,* n° 42, mai 1979, pp. 94-102.

CAMINADE (Pierre)
    1979 : *Image et métaphore,* Bordas, Paris.

CARROLL (Lewis)
    1963 : *Alice au pays des merveilles* (trad. André Bay), Marabout, Verviers (Belgique).
    1966 : *Logique sans peine,* Hermann, Paris.
    1980 : *La Chasse au snark,* Seghers, Paris.

CERTEAU (Michel de)
    1976 : «Débat» avec Régine Robin, *Dialectique,* n° 14, été 1976, pp. 42-62.

CHARAUDEAU (Patrice)
    1984 : «Une théorie des sujets du langage», *Langage et Société,* n° 28, juin 1984, pp. 37-51.

CHARLES (Michel)
    1977 : *Rhétorique de la lecture,* Seuil, Paris.

CHARLES (Michel) et COMITI (Jean-Baptiste)
    1970 : Compte rendu de *Rhétorique générale* de J. Dubois, F. Édeline, etc., in *Langue française,* n° 7, sept. 1970, pp. 116-119.

CHAROLLES (Michel)
    1976 : «Grammaire de texte. Théorie du discours. Narrativité», *Pratiques,* n° 11 / 12, nov. 1976, pp. 113-154.
    1978 : «Introduction au problème de la cohérence des textes», *Langue française,* n° 38, mai 1978, pp. 7-41.
    1980 a) : «Les formes directes et indirectes de l'argumentation», *Pratiques,* n° 28, oct. 1980, pp. 7-43.
    1980 b) : *La natation. Propos et usages de pensée que l'on rencontre couramment sur ce sujet,* texte ronéoté.
    1980 c) : «L'ordre de la signification», *Pratiques,* n° spécial, «Pour un nouvel enseignement du français», pp. 49-64.
    1981 : «Il fallait un président à la France», *Pratiques,* n° 30, juin 1981, pp. 99-119.
    1983 : «Coherence as a principle in the interpretation of discourse», *Text,* n° 3 (1), pp. 71-97.
    1984 : «"En réalité" et "en fin de compte" et la résolution des oppositions», *Travaux du Centre de Recherches Sémiologiques* de l'Université de Neuchâtel, n° 46/2.

CHEVALIER (Jean-Claude), GARCIA (Claudine) et LECLAIRE (Anne)
    1980 : «Quelques éléments pour une étude de la concession», *Pratiques,* n° 28, oct. 1980, pp. 62-75.

CHOMSKY (Noam)
    1977 : *Réflexions sur le langage,* Maspero, Paris.

CLARK (Herbert H.) et LUCY (Peter)
    1973 : «Understanding what the speaker intended the listener to understand : A study in conversationally conveyed requests », papier ronéoté, Stanford Univ.

COLE (Peter) (ed.)
   1978 : *Syntax and Semantics,* vol. 9 («Pragmatics»), Academic Press, New York San Francisco London.
COLE (Peter) et MORGAN (Jerry L.) (eds)
   1975 : *Syntax and Semantics,* vol. 3 («Speech Act»), Academic Press, New York San Francisco London.
CONTE (Maria-Elizabeth)
   1983 : «La pragmatica linguistica», in Cesare Segre (ed.) *Intorno alla linguistica,* Feltrinelli, Milano, pp. 94-128.
CORNULIER (Benoît de)
   1981 : «Signification réflexive et non natural meaning», *Cahiers de Linguistique française* (Genève), n° 2, pp. 5-22.
C.R.E.D.I.F. et ROULET (Eddy)
   1979 : *Un Niveau-Seuil,* Strasbourg (Publications du Conseil de l'Europe).
CULIOLI (Antoine)
   1973 : «Sur quelques contradictions en linguistique», *Communications,* n° 20, mai 1973, pp. 83-91.
CUTLER (A.)
   1974 : «On saying what you mean without meaning what you say», *Papers from the tenth regional meeting of Chicago Linguistics Society,* pp. 117-127.
DANJOU-FLAUX (Nelly)
   1983 : «Au *contraire,* connecteur adversatif», *Cahiers de Linguistique française* (Genève), n° 5, pp. 275-303.
DARDE (Jean-Noël)
   1984 : *Le Ministère de la Vérité. Histoire d'un génocide dans l'Humanité,* Seuil, Paris.
DAVIDSON (Alice)
   1975 : «Indirect speech Acts and What to Do with Them», in Cole et Morgan 1975, pp. 143-185.
   1981 : «Markers of derived illocutionary force and paradoxes of speech act modifiers», *Cahiers de Linguistique française* (Genève), n° 3, pp. 47-73.
DELÉCHELLE (Gérard)
   1983 : «Antériorité, Simultanéité, Concomitance et Causalité en anglais», *Tréma,* n° 8, pp. 31-49.
DENHIERE (Guy)
   1975 : «Mémoire sémantique conceptuelle ou lexicale», *Langages,* n° 40, déc. 1975, pp. 41-73.
DESCOMBES (Vincent)
   1981 : «La révélation de l'abîme», *Degrés,* 9ᵉ année, n° 26-27, printemps-été 1981, c-c 16.
DILLER (Anne-Marie)
   1977 : «Le conditionnel, marqueur de dérivation illocutoire», *Semantikos,* vol. 2, n° 1, pp. 1-17.
DONALDSON (Suzan Kay)
   1979 : «One kind of Speech Act : How Do We Know When We're Conversing?», *Semiotica,* 28-3/4, pp. 259-299.
DONNELLAN (Keith S.)
   1978 : «Speaker's reference, descriptions and anaphora», in Cole 1978, pp. 47-68.
DUCROT (Oswald)
   1970 : «Les indéfinis et l'énonciation», *Langages,* n° 17, mars 1970, pp. 91-111.
   1971 : «L'expression, en français, de la notion de condition suffisante», *Langue française,* n° 12, déc. 1971, pp. 60-67.
   1972 : *Dire et ne pas dire. Principes de sémantique linguistique,* Hermann, Paris.
   1973 a) : «La description sémantique en linguistique», *Journal de psychologie normale et pathologique,* janv.-juin 1973, n° 1-2, pp. 115-134.

1973 b) : «Les présupposés, conditions d'emploi ou éléments de contenu?», in Rey-Debove (J.) (ed.) *Recherches sur les systèmes signifiants,* Mouton, La Haye Paris, pp. 243-258.

1973 c) : *La Preuve et le dire,* Mame, Paris

1977 a) : «Note sur la présupposition et le sens littéral», postface à Henry (Paul), 1977, pp. 171 -203.

1977 b) : «Présupposés et sous-entendus», in *Stratégies discursives,* P.U.L., Lyon, pp. 33-43.

1978 : «Structuralisme, énonciation et sémantique», *Poétique,* n° 33, févr. 1978, pp. 107-128.

1979 : «Les lois de discours», *Langue française,* n° 42, mai 1979, pp. 21-33.

1980 a) : «Analyses pragmatiques», *Communications,* n° 32, pp. 11-60.

1980 b) : *Les Échelles argumentatives,* Minuit, Paris.

1981 : «Langage, métalangage et performatifs», *Cahiers de linguistique française* (Genève), n° 3, pp. 5-34.

1983 : «Opérateurs argumentatifs et visée argumentative», *Cahiers de Linguistique française,* n° 5, pp. 7-36.

DU MARSAIS (César)

1967 : *Des tropes,* Slatkine, Genève (1re éd. 1818).

ÉBEL (Marianne)

1980 : «L'explication comme fait de discours», *Travaux du Centre de Recherches Sémiologiques* de l'Université de Neuchâtel, n° 36, févr. 1980, pp. 57-82.

EVERAERT-DESMEDT (Nicole)

1984 : *La Communication publicitaire. Étude de sémio-pragmatique,* Cabay, Louvain-la-Neuve.

FAUCONNIER (Gilles)

1979 : «Le pouvoir des mots», *Actes de la recherche en sciences sociales,* n° 25, janv. 1979, pp. 3-22.

FILLMORE (Charles J.)

1971 a) : «Les règles d'inférence dans une théorie sémantique», *Cahiers de lexicologie,* n° 19, 1971-II, pp. 3-24.

1971 b) : «Types of lexical information», in Steinberg (D.D.) et Jakobovits (L.A.) (eds) *Semantics,* Cambridge Univ. Press, pp. 370-392.

1973 : «May we come in?», papier ronéoté, Berkeley Univ.

FINKELKRAUT (Alain)

1976 : «Sur la formule "Je t'aime"», *Critique,* n° 348, mai 1976.

1982 : *L'avenir d'une négation. Réflexion sur la question du génocide,* Seuil, Paris.

FLAHAULT (François)

1978 : *La Parole intermédiaire,* Seuil, Paris.

1979 : «Le fonctionnement de la parole», *Communications,* n° 30, pp. 73-79.

FONTANIER (Pierre)

1968 : *Les Figures du discours,* Flammarion, Paris.

FRASER (Bruce)

1975 : «Hedged Performatives», in Cole et Morgan 1975, pp. 187-210.

FREUD (Sigmund)

1971 : *Le Mot d'esprit et ses rapports avec l'inconscient,* Gallimard («Idées»), Paris (1re éd. Leipzig-Vienne 1905).

GAZAL (Suzette)

1975 : *Opérations linguistiques et problèmes d'énonciation,* Documents de linguistique quantitative, n° 22, Dunod, Paris.

GENETTE (Gérard)

1971 : «Essai d'analyse narrative : Proust et le récit itératif», in Léon (P.) *et al. Problèmes de l'analyse textuelle,* Didier, Montréal Paris Bruxelles.

1976 : *Mimologiques. Voyage en Cratylie,* Seuil, Paris.

GODEL (Robert)
    1953 : «La question des signes ø», *Cahiers Ferdinand de Saussure*, n° 11, pp. 31-41.
GOFFMAN (Erving)
    1973 : *La mise en scène de la vie quotidienne - 2 : Les Relations en public*, Minuit, Paris.
    1974 : *Les Rites d'interaction*, Minuit, Paris.
    1983 : «Felicity's Condition», *American Journal of Sociology*, 89-1, juill. 1983, pp 1-53, trad. fr. in *Façons de parler*, Paris, Minuit, 1987.
GOODWIN (Charles)
    1981 : *Conversational Organization : Interaction between Speakers and Hearers*, Academic Press, New York, London, Toronto, Sydney, San Francisco.
GOODY (Esther) (ed)
    1978 : *Questions and politeness. Strategies in social interaction*, Cambridge Univ. Press, Cambridge, London, New York, Melbourne.
GORDON (David) et LAKOFF (George)
    1973 : «Postulats de conversation», *Langages*, n° 30, juin 1973, pp. 32-55, trad. de «Conversational Postulates», in Cole et Morgan 1975, pp. 83-106.
GREIMAS (Algirdas J.)
    1970 : *Du Sens : essais sémiotiques*, Seuil, Paris.
GRESILLON (Almuth)
    1979 : «Peut-on encore présupposer?», *D.R.L.A.V.*, n° 21, pp. 7-16.
GRICE (H. Paul)
    1957 : «Meaning», *The Philosophical Review*, n° 66, Juill. 1957, pp. 377-388.
    1969 : «Utterer's Meaning and Intention», *The Philosophical Review*, n° 78, pp. 147-177.
    1975 : «Logic and Conversation», in Cole et Morgan, 1975, pp. 41-58 (trad. franç. : voir Grice 1979).
    1978 : «Further notes on logic and conversation», in Cole, 1978, pp. 113-127.
    1979 : «Logique et conversation», *Communications*, n° 30, pp. 57-72 (trad. de Grice 1975).
GRIZE (Jean-Blaise)
    1974 : «Argumentation, schématisation et logique naturelle», in *Recherches sur le discours et l'argumentation*, Centre de Recherches Sémiologiques de l'Université de Neuchâtel, tirage spécial du n° 32 de la *Revue européenne des Sciences sociales/ Cahiers Vilfredo Pareto*, Droz, Genève, pp. 183-200.
Groupe λ-1
    1975 : «Car, parce que, puisque», *Revue romane*, 10, 2, pp. 248-280.
GRUNIG (Blanche-Noëlle)
    1979 : «Pièges et illusions de la pragmatique linguistique», *Modèles linguistiques*, t. I, fasc. 2, pp. 7-38.
    1981 : «Plusieurs pragmatiques», *D.R.L.A.V.*, n° 25, pp. 101-118.
GUARINO (Raimondo)
    1982 : «Le théâtre du sens. Quelques remarques sur "fiction" et "perception"», *Degrés*, n° 31, 10ᵉ année, été 1982, g-g 10.
GUMBRECHT (Ulrich)
    1979 : «Persuader ceux qui pensent comme vous», *Poétique*, n° 39, sept. 1979, pp. 363-384.
HALLIDAY (M.A.K.)
    1976 : «La sémantique et la syntaxe dans une grammaire fonctionnelle (vers une sémantique sociologique)», in Pottier (éd.), *Sémantique et logique*, Jean-Pierre Delarge, Paris.
HEDDESHEIMER (Christian)
    1974 : «Notes sur l'expression verbale de l'assentiment et de la confirmation en anglais», *Mélanges pédagogiques* du C.R.A.P.E.L., Univ. de Nancy II, pp. 29-40.

HENRY (Albert)
1971 : *Métonymie et métaphore*, Klincksieck, Paris.

HENRY (Paul)
1977 : *Le Mauvais Outil. Langue, sujet et discours*, Klincksieck, Paris.

HERINGER (J.)
1972 : «Some grammatical correlates of felicity conditions and presuppositions», *Working papers in Linguistics*, n° 11, Columbus : The Ohio State Univ., Dept of Linguistics, pp. 1-110.

HUNTLEY (Martin)
1976 : «Presupposition and implicature», *Semantikos*, vol. 1, n° 2, pp. 67-88.

HUSTON (Nancy)
1980 : *Dire et interdire. Élements de jurologie*, Payot, Paris.

HYMES (D.)
1964 : «Introduction : towards ethnographies of communication», in Gumperz (J.J.) et Hymes (D.) (eds) «The ethnography of communication», n° spécial de *American Anthropologist*, 66, 2ᵉ partie.

ISER (Wolfgang)
1979 : «La fiction en effet. Éléments pour un modèle historico-fonctionnel des textes littéraires», *Poétique*, n° 39, sept. 1979, pp. 275-298.

JACQUES (Francis)
1979 : *Dialogiques. Recherches logiques sur le dialogue*, P.U.F., Paris.

JAYEZ (Jacques)
1981 : «How to Do Games with Words», *Sigma*, n° 6, pp. 13-43.
1988 : *L'inférence en langue maternelle : le problème des connecteurs*, Hermès, Paris/ Londres/Lausanne.

KEENAN (E. L.)
1976 : «Sur l'évaluation des théories sémantiques des langues naturelles», *Cahiers de Lexicologie*, n° 29, 1976 - II, pp. 67-82.

KERBRAT-ORECCHIONI (Catherine)
1976 : «Problèmes de l'ironie», *Linguistique et sémiologie*, n° 2, pp. 10-46 (rééd. P.U.L., 1978).
1977 a) : *La Connotation*, P.U.L., Lyon.
1977 b) : «Déambulation en territoire aléthique», in *Stratégies discursives*, P.U.L., Lyon, pp. 53-102.
1979 : «L'image dans l'image», *Rhétoriques, Sémiotiques* (n° spécial de *Revue d'esthétique*), 10/18 U.G.E., Paris, pp. 193-233.
1980 a) : «L'ironie comme trope», *Poétique*, n° 41, févr. 1980, pp. 108-127.
1980 b) : *L'énonciation. De la subjectivité dans le langage*, A. Colin, Paris.
1980 c) : «Sémantique», *Encyclopaedia Universalis*, Supplément 1980.
1981 a) : «Argumentation et mauvaise foi», *Linguistique et sémiologie*, n° 10, P.U.L., Lyon, pp. 41-63.
1981 b) : «Des usages comiques de l'analogie», *Folia Linguistica*, t. XV/1-2, pp. 163-183.
1982 a) : *Comprendre l'implicite*, Documents de Travail et pré-publications du Centre International de Sémiotique de l'Univ. d'Urbino, n° 110-111.
1982 b) : «Le texte littéraire : non-référence, auto-référence, ou référence fictionnelle?», *Texte* (Toronto) n° 1, pp. 27-49.
1984 a) : «Pour une approche pragmatique du dialogue théâtral», *Pratiques*, n° 41, mars 1984, pp. 46-62.
1984 b) : «De l'antonymie à l'argumentation : la contradiction», *Pratiques*, n° 43, oct. 1984, pp. 46-58.

KLEIBER (Georges)
1976 : «Adjectifs antonymiques : comparaison implicite et comparaison explicite», *Travaux de Linguistique et de Littérature*, XIV, 1, pp. 277-326.

LABORIT (Henri)
  1983 : *La Colombe assassinée,* Grasset, Paris.
LABOV (William)
  1972 : « Rule for ritual insults », in Sudnow (D.) (ed.), *Studies in social interaction,* The Free Press, New York.
  1978 : *Le Parler ordinaire : la langue dans les ghettos noirs des États-Unis,* Minuit, Paris.
LAKOFF (George)
  1976 : *Linguistique et logique naturelle,* Klincksieck, Paris.
LAKOFF (George) et JOHNSON (Mark)
  1980 : *Metaphores We Live By,* The Univ. of Chicago Press ; Chicago, London.
LAMBERT (Édith)
  1983 : « La "Nouvelle Communication". Lignes de forces », *D.R.L.A. V.,* n° 29, pp. 69-81.
LAVOREL (Pierre-Marie)
  1973 : *Pour un calcul du sens,* thèse de 3ᵉ cycle, Univ. Lyon II (rééd. *Éléments pour un calcul du sens,* Documents de Linguistique quantitative, n° 27, Dunod, Paris 1975).
LECERF (Yves)
  1979 : « Des sous-univers du discours, qui seraient dégagés à la fois du sens et de la forme. Applications en syntaxe », *Langages,* n° 55, sept. 1979, pp. 89-123.
LECLAIRE (Anne)
  1979 : « La Cantatrice chauve. Scènes d'exposition et présupposition », *Pratiques,* n° 24, août 1979, pp. 3-10.
LE GUERN (Michel)
  1983 : « L'ellipse dans la rhétorique française de 1675 à 1765 », *Histoire Épistémologie Langage,* t. V, fascicule 1.
LE NY (Jean-Francois)
  1975 : « Sémantique et psychologie », *Langages,* n° 40, déc. 1975, pp. 3-29.
LEVINSON (Stephen C.)
  1983 : *Pragmatics,* Cambridge Univ. Press, Cambridge, London, New York.
LINDEKENS (René)
  1975 : *Sémiotique du discours publicitaire,* Documents de Travail et pré-publications du Centre International de Sémiotique de l'Univ. d'Urbino, n° 45.
LYONS (John)
  1978 : *Éléments de sémantique,* Larousse, Paris.
MACKAAY (Ejan)
  1979 : « Les notions floues en droit ou l'économie de l'imprécision », *Langages,* n° 53, mars 1979, pp. 33-50.
MAINGUENEAU (Dominique)
  1976 : *Initiation aux méthodes de l'analyse du discours,* Hachette, Paris.
  1981 : *Approche de l'énonciation en linguistique française,* Hachette, Paris.
MANNONI (Octave)
  1964 : « Je sais bien… mais quand même. La Croyance », *Les Temps modernes,* n° 212, janv. 1964, pp. 1262-1286 (article repris dans :)
  1969 : *Clefs pour l'imaginaire,* Seuil, Paris.
MARTIN (Robert)
  1976 : *Inférence, antonymie et paraphrase,* Kincksieck, Paris.
  1982 : « De la sémantique à la pragmatique : théorie et illustrations », *Actes du XVIᵉ Congrès international de linguistique et philologie romanes* (avril 1980), Ed. Moll, Palma de Mallorca, pp. 93-105.
MC CAWLEY (James D.)
  1978 : « Conversational Implicature and the lexicon », in Cole (P.) (ed.), 1978.
METZ (Christian)
  1977 : *Le signifiant imaginaire,* U.G.E., 10/18, Paris.

MEYER (Michel)
  1981 : *Logique, langage et argumentation,* Hachette, Paris.
  1991 : «Aristote et les problèmes de la linguistique contemporaine», Introduction à la
      Rhétorique d'Aristote, le Livre de Poche, p. 5-70.
MILNER (Judith)
  1973 : «Éléments pour une théorie de l'interrogation», *Communications,* n° 20, pp. 19-39.
  1976 et 1977 : «Langage et Langue – ou : De quoi rient les locuteurs?» *Change,* n° 29,
      1976, pp. 185-198, et 32-33, 1977, pp. 131-162.
MOESCHLER (Jacques)
  1979 : «Approche d'un acte de discours : la réfutation dans le débat télévisé Giscard-
      Mitterrand (1974)», *Travaux du Centre de Recherches Sémiologiques* de l'Univ. de
      Neuchâtel, n° 35, juill. 1979, pp. 1-54.
  1980 : «La réfutation parmi les fonctions interactives marquant l'accord et le désaccord»,
      Cahiers de linguistique française (Genève), n° 1, pp. 54-78.
  1981 : «Discours polémique, réfutation et résolution des séquences conversationnelles»,
      Études de linguistique appliquée, n° 44, oct.-déc. 1981, pp. 40-69.
  1982 : *Dire et Contredire,* Peter Lang, Berne, Francfort.
MOESCHLER (Jacques) et SPENGLER (Nina de)
  1981 : «*Quand même :* De la concession à la réfutation», *Cahiers de Linguistique fran-
      çaise,* n° 2, pp. 93-112.
MORGAN (J. L.)
  1978 : «Two types of convention in indirect speech acts», in Cole (P.) (ed.) 1978, pp. 261-
      280.
MORIN (Violette)
  1966 : «L'histoire drôle», *Communications,* n° 8, pp. 102-119.
NEF (Frédéric)
  1980 a) : «Les verbes aspectuels du français : remarques sémantiques et esquisse d'un trai-
      tement formel», *Semantikos,* vol. 4, n° 1, pp. 11-46.
  1980 b) : «Note pour une pragmatique textuelle», *Communications,* n° 32, pp. 183-189.
NØLKE (Henning)
  1980 : «La présupposition. Essai d'un traitement formel», *Semantikos,* vol. 4, n° 1, pp. 47-
      81.
NOORDMAN (L. G. M.)
  1979 : *Inferring from language,* Springer-Verlag, Berlin, Heidelberg, New York.
OLBRECHTS-TYTECA (Lucie)
  1974 : *Le comique du discours,* Éditions de l'Université de Bruxelles, Bruxelles.
PARISI (Domenico) et CASTELFRANCHI (Cristiano)
  1976 : *The discourse as a hierarchy of goals,* Documents de Travail et pré-publications du
      Centre International de Sémiotique de l'Univ. d'Urbino, n° 54-55.
PARRET (Herman)
  1975 : *La pragmatique des modalités,* Documents de Travail et pré-publications du Centre
      International de Sémiotique de l'Univ. d'Urbino, n° 49.
  1978 : *Éléments d'une analyse philosophique de la manipulation et du mensonge,* Docu-
      ments de Travail…, Urbino, n° 70.
  1979 : «Ce qu'il faut croire et désirer pour poser une question», *Langue française,* n° 42,
      mai 1979, pp. 85-93.
PARRET (Herman) (éd.)
  1993 : *Pretending to communicate,* de Gruyter, Berlin/New York.
PASOLINI (Pier Paolo)
  1976 : *Écrits corsaires,* Flammarion, Paris (éd. it., Milan 1975).
PAULHAN (Jean)
  1970 : *Les Incertitudes du langage,* Gallimard («Idées»), Paris.

PAVEL (Thomas G.)
    1982 : «Ontological Issues in Poetics : Speech Acts and Fictional Words», *The Journal of Aestetics and Criticism,* janv. 1982, pp. 167-178.
PERELMAN (Chaim) et OLBRECHTS-TYTECA (Lucie)
    1976 : *Traité de l'argumentation. La nouvelle rhétorique.* Éditions de l'Univ. de Bruxelles, Bruxelles (1re éd. 1970).
PERRET (Delphine)
    1968 : «Termes d'adresse et injures», *Cahiers de lexicologie,* n° 12, 1968-1, pp. 3-14.
PETITJEAN (André)
    1981 : «Les histoires drôles : "Je n'aime pas les raconter parce que..."», *Pratiques,* n° 30, juin 1981, pp. 11-25.
POHL (Jacques)
    1968 : *Symboles et langages,* t. I, Sodi, Paris, Bruxelles.
POMERANTZ (Anita)
    1978 : «Compliment responses : Notes on the co-operation of multiple constraints», in Jim Schenkein (ed.) *Studies in the Organization of Conversational Interaction,* Academic Press, New York San Francisco London, pp. 79-112.
POMMIER (René)
    1974 : «Phallus farfelus», *Raison présente,* n° 31, pp. 71-91.
POSNER (Roland)
    1982 : *L'analyse pragmatique des énoncés dialogués,* Documents de Travail et prépublications du Centre International de Sémiotique de l'Univ. d'Urbino, n° 113.
POTTIER (Bernard)
    1974 : *Linguistique générale. Théorie et description,* Klincksieck, Paris.
QUINTILIEN (Marcus Fabius)
    1975-1978 : *Institution oratoire* (texte établi et traduit par Jean Cousin), Les Belles Lettres, Paris.
RASTIER (François)
    1982 : «Contrats énonciatifs et mutilations dans *L'Histoire du petit bossu*», *Actes du colloque d'Albi. Langages et signification,* «Pouvoir et dire», juill. 1982, pp. 153-174.
    1985 : *Objet et moyens de l'interprétation,* Documents de Travail du Centre International de Sémiologie de l'Univ. d'Urbino, n° 143-144.
REBOUL (Olivier)
    1980 : *Langage et idéologie,* P.U.F., Paris.
RECANATI (François)
    1979 a) : *La Transparence et l'énonciation,* Seuil, Paris.
    1979 b) : «Insinuation et sous-entendu», *Communications,* n° 30, pp. 95-106.
    1979 c) : «Le développement de la pragmatique», *Langue française,* n° 42, mai 1979, pp. 6-20.
    1981 a) : *Les énoncés performatifs,* Minuit, Paris.
    1981 b) : «Le potentiel illocutionnaire des phrases déclaratives», *Cahiers de linguistique française* (Genève), n° 2, pp. 23-39.
REVZINE (Olga et Isaac)
    1971 : «Expérimentation sémiotique chez Eugène Ionesco», *Sémiotica,* IV, 3, pp. 240-262.
RICHARD (Claude)
    1983 : «Le Graal du référent», *Fabula,* n° 2, oct. 83, pp. 9-27.
RICŒUR (Paul)
    1975 : *La Métaphore vive,* Seuil, Paris.
RIVARA (René)
    1981 : «*Mais,* le *but* anglais et les subordonnées concessives», *Sigma,* n° 6, pp. 45-56.

ROGGERO (Jacques)
1978 : « La méthode du discours ou le fantôme de la philologie », *Travaux XXII. Explorations linguistiques et stylistiques*, C.I.E.R.E.C. (Saint-Étienne), pp. 127-143.
ROUBLNE (Jean-Jacques)
1973 : « La stratégie des larmes au XVIIᵉ siècle », *Littérature*, n° 9, févr. 1973, pp. 56-73.
ROULET (Eddy)
1978 : « Essai de classement syntaxique et sémantique des verbes potentiellement performatifs en français », *Cahier de linguistique*, n° 8, pp. 437-455.
1979 : Voir C.R.E.D.I.F.
1980 a) : « Stratégies d'interaction, modes d'implicitation et marqueurs illocutoires », *Cahiers de linguistique française* (Genève), n° 1, pp. 80-103.
1980 b) : « Modalité et illocution », *Communications*, n° 32, pp. 216-239.
1981 : « Échanges, interventions et actes de langage dans la structure de la conversation », *Études de linguistique appliquée*, n° 44, oct-déc. 1981, pp. 7-39.
SACKS (Harvey)
1973 : « Tout le monde doit mentir », *Communications*, n° 20, pp. 182-203.
SADOCK (Jerrold M.)
1978 : « On testing for conversational implicature », in Cole (P.) 1978, pp. 281-297.
SAG (I.A.) et LIBERMAN (M.)
1975 : « The intonational disambiguation of indirect speech acts », in *Papers from the eleventh regional meeting of the Chicago Linguistics Society*, Chicago, pp. 487-497.
SASAKI (Ken-Ichi)
1979 : « Poétique du léger ou lutte contre l'esprit de gravité », *Rhétoriques, Sémiotiques* (n° spécial de *Revue d'Esthétique*), U.G.E. 10/18, Paris, pp. 324-339.
SCHMIDT (Siegfried J.)
1976 : « Towards a pragmatic interpretation of "fictionality" », in Van Dijk (T.) (ed.) *Pragmatics of language and literature*, North Holland Publishing Company, Amsterdam.
SEARLE (John R.)
1972 : *Les Actes de langage*, Hermann, Paris (éd. originale : *Speech acts*, Cambridge Univ. Press, New York London, 1969).
1975 a) : « A taxonomy of illocutionary acts », in Gunderson (K.) (ed.) *Minnesota studies in the philosophy of language*, Univ. of Minnesota Press, Minneapolis (art. repris dans Searle 1982).
1975 b) : « Indirect Speech Acts », in Cole (P.) et Morgan (J.L.) 1975, pp. 59-82 (art. repris dans Searle 1982).
1979 : « Le sens littéral », *Langue française*, n° 42, mai 1979, pp. 34-47.
1982 : *Sens et expression*, Minuit, Paris.
SERIOT (Patrick)
1981 : « Nominalisation et implicite dans le discours politique soviétique », communication au Colloque National de Linguistique Russe d'Aix-en-Provence, mai 1981. (Texte repris et développé dans *Analyse du discours politique soviétique*, Institut d'Études Slaves, Paris, 1985.)
SIGMAN (Stuart J.)
1981 : « Qui a donné l'ordre de larguer la bombe atomique? Une relation ethnographique des règles de conversation dans un établissement gériatrique », *in* Winkin (Y.) 1981, pp. 256-266.
SINACŒUR (Hourya)
1978 : « Logique et mathématique du flou », *Critique*, n° 372, mai 1978, pp. 512-525.
SINCLAIR (J.) et COULTHARD (R.M.)
1975 : *Towards an analysis of discourse : the English used by teachers and pupils*, Oxford Univ. Press.

SPENGLER (Nina de)
1980 : «Première approche des marqueurs d'interactivité», *Cahiers de linguistique française* (Genève), n° 1, pp. 128-147.
SPERBER (Dan)
1974 : *Le symbolisme en général,* Hermann, Paris.
1975 : «Rudiments de rhétorique cognitive», *Poétique,* n° 23, pp. 389-415.
SPERBER (Dan) et WILSON (Deirdre)
1978 : «Les ironies comme mentions», *Poétique,* n° 36, nov. 1978, pp. 399-412.
1989 : *La pertinence,* Minuit, Paris.
STATI (Sorin)
1979 : *La sémantique des adjectifs en langues romanes,* Documents de linguistique quantitative n° 39, Éd. Jean Favard, Paris.
STRAWSON (P. F.)
1971 : «Intention and convention in speech acts», in Strawson (P.F.) *Logico-linguistic papers,* Methuen, London, pp. 149-160.
TAKEO (Doi)
1982 : *Le jeu de l'indulgence,* Le Sycomore, Paris.
TARDIEU (Jean)
1966 : *Théatre de chambre,* Gallimard, Paris.
TODOROV (Tzvetan)
1967 a) : *Littérature et signification,* Larousse, Paris.
1967 b) : Les registres de la parole, *Journal de psychologie normale et pathologique,* vol. 64, pp. 265-278.
1977 : *Théories du symbole,* Seuil, Paris.
1982 : *La conquête de l'Amérique,* Seuil, Paris.
WARNING (Rainer)
1979 : «Pour une pragmatique du discours fictionnel», *Poétique,* n° 39, sept. 1979, pp. 321-337.
WELKE (Dieter)
1980 : «Séquentialité et Succès des Actes de Langage», *D.R.L.A.V.,* n° 22/23, pp. 177-208.
WILSON (Deirdre) et SPERBER (Dan)
1979 : «L'interprétation des énoncés», *Communications,* n° 30, pp. 80-94.
WINKIN (Yves) éd.
1981 : *La Nouvelle communication,* Seuil, Paris.
WRIGHT (Richard A.)
1975 : «Meaning nn and Conversational implicature», in Cole (P.) et Morgan (J.) 1975, pp. 363-382.
WUNDERLICH (Dieter)
1972 : «Pragmatique, situation d'énonciation et deixis», *Langages,* n° 26, juin 1972, pp. 34-58.
1978 : «Les présupposés en linguistique», *Linguistique et sémiologie,* n° 5, P.U.L., Lyon, pp. 33-56.
ZENONE (Anna)
1981 : «Marqueurs de consécution : le cas de *donc*», *Cahiers de linguistique française* (Genève), n° 2, pp. 113-139.
ZUBER (Ryszard)
1972 : *Structure présuppositionnelle du langage,* Documents de linguistique quantitative n° 17, Dunod, Paris.
1980 : «Statut sémantique des actes indirects», *Communications,* n° 32, pp. 240-249.
1981 : «Mood markers and explicit performatives», *Cahiers de linguistique française* (Genève), n° 3, pp. 35 45.

Index terminologique

(Sont exclus de cet index, du fait de leur trop forte récurrence les items suivants : « explicite », « implicite », « inférence », « présupposé », « sous-entendu ». Se reporter à la table des matières.)

Acte de langage : illocutoire.

Allusion :
  8, 15, **46,** 47, 164, 278, 279, 304, 355 (n. 42, 43).

Antiphrase : → *ironie.*

Cause, causale (relation) :
  22, 38, 61, 118, 133, 168, **175-180,** 288, 354 (n. 31), 356 (n. 47).

Communicationnel (trope) :
  131-137, 138, 156, 157, 233, 280, 364 (n. 71, 72).

Compétence :
  8, 106, 161-298, 299, 308, 309, 321, 322, 329, 330, 336-337, 349 (n. 34).

  encyclopédique :
  7, 8, 40, 41, 47, 61, 113, 115, 126, 135, 145, 161, **162-165,** 169, 176, 192, 210, 213, 214, 273, 295-298, 299, 300, 301, 305, 308, 312, 323, 325, 364-365 (n. 3).

  linguistique :
  7, 8, 17, 39, 41, 43, 97, 112, 115, **161-162,** 163, 165, 176, 203, 252, 255, 266, 273, 295-298, 299, 300, 308, 322, 349.

  logique :
  8, 43, 145, 161, **165-194,** 296, 297-298, 299, 300-301, 323.

Focus :
26, 39, 145, 225, 355 (n. 34), 369 (n. 58), 378 (n. 45).

Galéjade :
129-130, 138, 143, 200, 208, 263, 328, 377 (n. 41).

Hyperbole :
94, **101,** 108, 113, 115, 139, 141, 143, 147, 150, 152, 154, 155, 156, 215, 233, 262, 263, 273, 275, 294, 324-325, 327, 329, 336, 337, 359 (n. 8).

Illocutoire, illocutionnaire (acte, valeur) :
37, 56-91, 111, 152, 157, 239-251, 306, 314, 345, 346, 356 (n. 58), 357 (n. 66, 75), 373 (n. 108).

   Illocutoire dérivé (« indirect speach act ») :
8, 13, 15, 64, 66-91, 93, 251-252, 281, 292, 306, 345, 349.

   Dérivation allusive :
75-76, 77-78, 83, 84, 87-89, 98, 107, 111, 152.

   Trope illocutoire :
76, **77-91,** 94, **107-115,** 123, 138, 143, 152-157, 273, 275, 281, 294, 306, 327, 329, 338, 360 (n. 24), 372 (n. 97).

Implication, implicature :
8, 19-20, 24, **26-29,** 38, 40, 41, 54, 70, 87, 88, 93, 269-270, 352 (n. 1), 353 (n. 12), 354 (n. 18, 21, 30), 355 (n. 36), 374 (n. 7).

Implicitatif (trope) :
94, 108, **116-122,** 133, 153, 154, 155, 156-157, 170, 210, 226, 271, 272, 273, 308, 317, 338, 347, 360 (n. 24).

   Trope présuppositionnel :
35, **116-121,** 136, 139, 142, 152, 156, 157, 284, 343.

   Trope implicitatif portant sur un sous-entendu :
121-122, 152.

Information, informativité (loi de) :
7, **29-32,** 37, 40, 47, 48, 55, 127, 135-137, 182, 199, 200, 201, 203, 205, **207-214,** 221, 222, 239-240, 258, 259, 262, 267, 271, 273, 275, 282-283, 295, 301, 304, 362 (n. 51), 368 (n. 45).

Insinuation :
8, 15, 23, **43-46,** 49, 63, 93, 180, 277, 281, 282, 284, 317.

Intention, intentionnalité :
21, 104, 111, 251, 277, 310, 313-340, 375 (n. 16, 17), 376 (n. 27).